▲ 經學研討會
臺北：文哲所

▲ 紀念《周禮正義》出版百年研討會
杭州：中國訓詁學會，2005年10月

▲ 國科會成果發表會
臺北：臺灣師範大學，2010年3月

▲ 第二屆禮學國際學術研討會
杭州：清華大學禮學研究中心，2013年8月

▲ 第十一屆詩經學研討會

石家莊：中國詩經學會，2014年8月

▲ 多元文化與經典詮釋研討會

臺北：中華文化教育學會，2018年2月

▲ 文哲所演講
臺北：文哲所，2019年7月

▲ 第十五屆辭章章法學暨文創設計學術研討會
臺北：章法學會，2023年1月

▲ 詩經發祥地考察

西安：中國詩經學會，2006年3月

▲ 中正大學校長、一級主管與貴賓合影

嘉義：中正大學，1995年6月

▲ 韓國誠信女子大學客座講學
漢城：1985年7月

▲《兩岸常用詞典》新書發表會
臺北：文復會，2012年7月

▲ 經學研究會理監事會

臺北：國軍文藝活動中心，2021年12月

▲ 全家福

臺北：餐廳，2022年3月

▲慶生會
臺北：家中，2022年3月

▲《康軒字典》編輯小組日本旅遊
日本：黑部立山，2001年8月

會通養新樓學術研究論集
卷三・古代科技編

莊雅州　著
鄭月梅　主編

總序

如果從一九六九年負笈臺灣師範大學國文研究所作為學術研究的起跑點，那麼這條逾半世紀的學術之路真是崎嶇而多變化。

在碩士班就讀，除了修習各類課程外，還要忙著圈點《尚書注疏》、《詩經注疏》、《禮記注疏》、《左傳注疏》、《論語注疏》、《孟子注》、《說文解字注》、《史記》、《漢書》、《荀子集解》、《文心雕龍》、《文選注》等十二部要籍，蒐集碩士論文資料，能用在論文寫作的時間十分有限。當時所發表的論文，如〈左傳史論〉、〈荀子禮學初探〉、〈孟子禮學初探〉、〈劉勰的文原論〉、〈駢散相通論〉等幾乎都是期末報告，由老師們介紹發表的。修業一年多時，左師松超推薦我參加程師旨雲（發軔）主編的《六十年來之國學》（正中書局）中〈六十年來之古文〉撰寫工作，學位論文的寫作自然就擱置下來。等到任務完成之後，才在成師楚望（惕軒）的指導下，繼續撰寫《曾國藩文學理論述評》，一九七二年口試通過。這兩篇論文都屬於文學性質，由於中學時喜歡新文藝，大學時逐漸轉向古典文學，這樣的發展方向十分合理。

早在師大大學部修業時，各種文體課程幾乎都要背誦名篇，都有習作。到了研究所時，規定學位論文都要用文言文撰寫，所以當時對文言文的寫作真是紮紮實實下了不少功夫，不僅每篇報告、論文都自己修改得滿江紅，連上課的筆記也用淺近的文言文記錄。這樣的苦心真是功不唐捐，此後的論文寫作，至少都能做到文從字順，有時還能展現一些文采呢！碩士論文的口試委員于師長卿（大成）才高八斗，眼高於頂，但每次相見時對我的文筆都謬賞有加，真是令人受寵若驚。我常在想，現在的研究生在撰寫論文時，常因文字表達問題，讓自己和指導老師都大傷腦筋，這時，如果能在文筆錘鍊方面多下功夫，不是兩全其美的事嗎？

一九七三年進入母校博士班深造，為了拓寬眼界，將研究重點轉向經學。在高師仲華（明）、周師一田（何）指導下，本擬以「大戴禮記研究」為題，撰寫博士論文，後來因為內容龐雜，疑難層出，遂將範圍縮小為《夏小正研究》，但時程已相當匆促，只寫了十二萬餘言書錄，二十萬言校釋及一萬言的緒論，可說偏重於文獻學及訓詁學的研究，不免有「逮乎篇成，半折心始」（《文心雕龍・神思》）的遺憾。所以一九八一年獲得博士學位，次年進入淡江大學任教，就立意要寫一本《夏小正析論》來彌補此一缺憾。該書觸及的範圍有天文、曆法、生物、氣候、人文，一方面要儘量吸收《夏小正研究》的成果而避免重複，另一方面又得研讀不少專門書籍而融會貫通，寫來真是煞費苦心。全書七章，除主體五章外，前有〈夏小正之經傳〉，後有〈夏小正月令異同論〉，有一部分篇章是七十三學年度擔任漢城誠信女子大學客座教授時撰寫的，又是一九八五年教授升等的代表作，所以在個人的著作中具有特殊的意義。而更重要的是，我此後的著作，幾乎都是從〈夏小正〉出發的。

我常將自己的學術研究劃分為四個領域，除了古典散文萌芽最早，疏離亦最早外，其他三個領域幾乎都與〈夏小正〉的研究脫離不了關係：

（一）經學：經學是中國學術的源頭，中華文化的百科全書，體大思精，內容豐富。經孔子採為教科書，開創了先秦諸子百家爭鳴的黃金時代，到了漢武帝獨尊儒家，立五經博士之後，更是影響深遠，無與倫比。一九八九年中正大學創校，我應聘前往任教，有機會開設「尚書研究」、「詩經研究」、「三禮研究」、「經學專題研究」、「經學史研究」等課程，教學相長，很自然地將經學研究從〈夏小正〉擴大到其他經學，所寫的論文多半屬於經學或與經學科際整合，尤以《詩經》、《爾雅》為大宗。在本論集《經學編》收入二十五篇，除三篇出自《夏小正析論》外，其餘都是發表於期刊或研討會的論文，第一次輯印成書的。附錄門人陳溫菊教授的〈莊雅州教授傳略及其經學論著概述〉對這些篇章都有扼要介紹。此外，《經學入門》有臺灣書店專書行世，〈經學史導讀〉收入三民版《國學導讀》，讀者如有興趣，不妨按圖索驥。

（二）語言文字學：語言文字學為一切載籍之始基，歷史文化之津涉，前人所以垂後，後人所以識古，端賴於是。我在學期間，修習不少語言文字學課程，受過紮實的訓練，也產生濃厚的興趣，將它當作治學的利器。在《夏小正研究》中有大半的篇幅是在校釋經傳，從實際研究中也獲得不少經驗與啟發。我在大學開設的第一門課程竟然是一般人視為畏途的「聲韻學」，專任之後，「文字學」、「聲韻學」、「訓詁學」、「說文研究」、「古籍訓解研究」等更是經常講授的課程。所以也陸續發表不少語言文字學方面的論文，尤以《爾雅》、《說文》為大宗。收入本論集《語言文字學編》的有十七篇，其中有不少是屬於科際整合的。此外，商務印書館出版的《爾雅今注今譯》是臺灣第一本由本地學者撰寫、本地書局出版的《爾雅》類專書，是科技部多年研究計劃的成果，單行已久，讀者可以參閱。

（三）古代科技：科技文化是中國傳統文化中極為重要的一環。由於近代中國的積弱落後，許多人都誤以為中國古代科技一定乏善可陳。其實，中國古代除了四大發明外，還有許多輝煌的科技成就，特別是西元三世紀到十三世紀之間始終保持了一個西方所望塵莫及的科學知識水準，這一點是英國學者李約瑟皇皇巨帙的《中國之科學與文明》及不少科技史專書所充分證明的。傳統科技文化的研究，涉及的領域十分廣泛，是一個需要高度科際整合的學門。我在《夏小正析論》中所探討的天文、曆法、生物、氣候、農業等，偏重於自然科學，都是相當專業，需要吸收許多科學新知及相關資料，才足以蕆事，而在臺灣研究此一領域的學者寥若晨星，獨學而無友，鑽研的過程十分辛苦。在〈夏小正〉的研究告一個段落之後，我的研究重點還是大同小異，而尤以天文為大宗。所以門人鄭月梅博士才會有〈以典籍中的天文研究發揚傳統科技文化〉專文來代表我在這方面的努力。收在本論集《古代科技編》中的二十四篇論文正是幾十年來的一些成績。而《夏小正析論》的各篇也就散見於本論集之中了。

至於文學方面的論文在後〈夏小正〉時期，只發表過五、六篇，如〈詩經文學價值析論〉、〈從文字學與文學角度探討詩經重章疊詠藝術〉、〈論漢字與中國文學美感的關係〉，分量太少，即使加上少作，也不足以獨立成為一編，更何況這些篇章因為採取科際整合的關係，都已收入本論集之中，不便再行重複。

綜觀這五十年來的學術研究主要有兩大蘄向，一個是重視科際整合，另一個是強調求新求變。本論集以《會通養新樓學術研究論集》名書，其故在此。至於各分編的內容，都另有自序介紹，與總序有詳略互補的關係，在此不贅。

莊雅州　謹識於臺北

二○二一年元旦

自序

文史學者竟然走上研究古代科技史的道路，看來似乎十分突兀，其實是很自然的事。我的博士論文《夏小正研究》是經傳體的古典文獻，當然就偏重語言文字學及文獻學的研究。雖然參考了近四百種資料，寫了十二萬言的書錄、二十萬言的校釋，一萬言的敘錄，縱使能集傳統研究的大成，卻無法增進讀者對其自然科學內容的認識，不能不說是一大缺憾。所以在論文口試時就立志站在現代科技的觀點寫一本全新的《夏小正析論》，花了三年的時間，同樣是參考了三百多種文獻，但其中有一半以上是科技史、文化學、天文、曆法、氣候、生物、農業的新知，這些知識都是相當專業而陌生的。除了在大學部修《左傳》課程，聽程旨雲師（發軔）講了一年的「春秋曆數」之外，其餘可說基礎相當薄弱，完全要靠自學彌補不足。幸而我所需要的，並不是很艱深的尖端科技，而是與古典文獻密切相關的科學知識。這些資料都是新鮮而有趣的，所以我只要先將《夏小正研究》中的研究成果依類重新整理出一個體系，再以科技知識去加以闡發、補充、評述，就可以寫出一篇篇面目全新的〈夏小正〉之天文、曆法、氣候、生物、人文，加上〈夏小正的經傳〉，及其與《禮記・月令》的比較，彙整成集，在1985年如期出版，自然成為晉升教授的代表作。

順利升等後，〈夏小正〉的研究正式告一個段落，在面臨未來學術發展路線的抉擇時，我毫不遲疑就決定從〈夏小正〉出發，繼續從事傳統科技的研究作為一大重點。因為我發現這樣的研究有其價值與意義，但是很少人從事，所以就毅然決然、陸陸續續寫出二十餘篇與古代科技有關的論文，尤其自2001年得到國科會補助研究《爾雅》之後，名物訓詁與古代科技更是融合無間，成為一個整體。收在這本論集的二十餘篇論文及《爾雅今註今譯》大部分都是這樣的產物。其中〈呂氏春秋之曆法〉、〈呂氏春秋之氣候〉曾得到八十、八十一學年度國科會的甲種研究獎助，這兩篇再加上〈呂氏春秋之天文〉合題《呂氏春秋新探》，在1994年曾獲頒第十七屆中興文藝獎學術理論獎，這些鼓勵當然都是很值得感謝的。

綜觀個人這四十餘年來的古代科技研究，有幾點可以在此特別一提：

（一）文本包括《詩經》、《左傳》、《周禮》、《呂氏春秋》、《爾雅》、《史記》、《說文解字》等，都是先秦兩漢的古典文獻，這一方面，先秦兩漢本來就是我的研究重點，另一方面，愈是後代的科技文獻，專業性愈強，應該由專家學者進一步研究。科技史研究本來就是學術界共同的責任，我所作的，不過是拋磚引玉的溯源工作而已。

（二）研究主題以天文、曆法、氣候、生物、農業為主，這些都是〈夏小正〉的主要內容，對於個人而言，較為駕輕就熟，尤以天文為大宗，這固然是個人興趣所在，也希望研究要有重點，才不致氾濫無歸。

（三）通論中有一篇〈中國古代科技文化史導論〉，提綱挈領，等於是全書的總論，也可以略補全書的不足。另一篇〈古代科技文獻的研讀方法〉則是在強調研究方法的重要。工欲善其事，必先利其器，無論在《爾雅》學、名物訓詁方面，我也都曾寫過幾篇研究方法的論文。

（四）科際整合與求新求變是我研究的兩大蘄向，在古代科技研究方面更是顯而易見，這是拓寬研究視野，賦古典以新貌的不二法門。

（五）這些論文是四十餘年來陸續完成的，時空背景有時相去甚遠，規格不一，統整匪易，除了訂正錯誤之外，甚少改定，也可以略窺學術與時俱進的軌跡。

最後感謝師友、門生平時的鼓勵與愛護，各相關學報、研討會提供論文發表的園地，小女莊斐喬、小壻鍾哲宇、門人葉書珊等博士協助繕校，萬卷樓的精心編印，門人鄭月梅博士費神寫了一篇導讀，並擔任主編與校讎工作。

莊雅州謹識於臺北

二〇二四年元月十四日

目次

輯一　通論

輯二　天文之屬

輯三　其他科技之屬

附錄

輯一　通論

中國古代科技文化史導論

一　緒論

「中國古代有沒有科學？」對於這個問題，在幾十年前一般人往往持著懷疑甚至否定的態度。持這種態度的人，如果他是中國人，可能是由於目睹近代祖國的貧窮落後、積弱不振所引起的感慨；如果他是西洋人，則泰半是民族優越感在作祟。而最重要的關鍵則在於大家對中國古代科學的真相都缺乏了解。

近幾十年來，有許多受過西方科技文明洗禮的專家學者紛紛從事傳統科學的研究，如陳遵嬀、高平子之於天文，李儼之於數學，章鴻釗之於地質，竺可楨之於氣象，王吉民、李濤、余雲岫之於醫藥，梁思成、劉敦楨之於建築，張子高、李喬苹之於化學……。尤其是英國學者李約瑟（J. Needham）與中國學人王鈴、魯桂珍等合著的《中國之科學與文明》所作的全面而深入的探討，才使大家恍然大悟，原來中國古代除了家喻戶曉的四大發明外，不但有科學，而且有相當輝煌的科技文明。像悠久而詳細的天文紀錄、細密而實用的數學、獨樹一幟的醫藥、具有高度生產力的農業、雄偉堅固的建築、開西方化學先河的煉丹術、細緻美觀的陶瓷、精湛的鋼鐵冶鍊……。這些偉大成就實足以將昔日的悲觀與疑慮一掃而空。

也許有人以為這些成就與今天突飛猛進的西方科技相較，都已陳舊落伍，不足珍視。殊不知這樣的比較是非常不公平的，我們若將中西古代的科學詳加比對，就會發現中國傳統的科學較之同時的西方不但毫無遜色，而且遙遙領先者俯拾皆是。如戰國時的鑄鐵柔化術比歐美早二千年以上，漢華陀的麻醉術比西方早一千六百年，南北朝時祖暅的球體體積公式較義大利的卡瓦列里（Cavalieri）公式早一千年，唐李皋發明的槳輪船比西歐早七、八百年，宋沈括磁偏角的記載比西歐早四百年……。可見李約瑟所說：「中國在西元三世紀到十二世紀之間保持一個西方所望塵莫及的科學知識水準。」[1]洵非虛言。其次，我們也必須知道，任何文明都不能憑空而起，都有其因革損益的傳統，對於傳統的認識與發揚實為後世子孫責無旁貸的義務。當然，我們對傳統科學的研究，並不是為了抱殘守缺、沾沾自喜，而是為了感念祖先對中國乃至整個世界文明所作的偉大貢獻，更是為了重建民族自信心，為了恢復固有的發明能力，俾便昂首闊步地去迎接挑戰。

下面讓我們對中國傳統的科學作一次鳥瞰式的巡禮。

二　科學思想

(一)《周易》思想

《周易》是儒家經典之一，原本為占筮之書，到了傳文──《十翼》陸續出現之後，才將它提升至宇宙論及倫理學的層次。〈繫辭〉上說：「易有太極，是生兩儀，兩儀生四象，四象生八卦，八卦定吉凶，吉凶生大業。」[2]所謂太極，是宇宙渾沌未開、陰陽未分的原始狀態。後來陰陽始分，陽用 ⚊ 代表，稱為陽爻；陰用 ⚋ 代表，稱

1　李約瑟（J. Needham）著，陳立夫主譯：《中國之科學與文明》（臺北：商務印書館，1971年），第一冊原序。

2　（魏）王弼注，（唐）孔穎達正義：《周易正義》（臺北：藝文印書館，2001年，影印阮元校勘十三經注疏本），頁156-157。

為陰爻，合稱為兩儀。兩爻相配，可產生四象，即太陽⚌，太陰⚏，少陽⚍，少陰⚎。三爻相配，可以產生八卦。八卦相疊，可以產生六十四卦。這種二進制的演繹方法，可以衍生無窮，符合現代科學的離析原理，啟發了17世紀大數學家萊布尼茨（G. W. Leibniz）的二元算術，也成為現代製造計算機的先驅。不過，在古代，六十四卦三百八十四爻這套精密的符號系統主要是用來描述宇宙人生種種變動不居的現象，並推測其可能的發展。由於它抽象而神祕，幾乎天文、地理、樂律、兵法、韻學、算術乃至命理、堪輿、中醫、煉丹都可借《易》理為說，不啻冶科學與迷信於一爐了。

除此之外，《周易》中有關科學者為數仍不少，例如：

1.〈豐卦・彖辭〉:「日中則昃，月盈則食，天地盈虛，與時消息。而況於人乎？況於鬼神乎？」[3]由日月的中昃、盈虛，體會到宇宙人生的變化都有其周期循環的規律。漢代的象數學家從而提出卦氣、納甲、爻辰等說法來模擬這種規律，而傳統的天文、數學、樂律、醫學等也往往利用陰陽消息來做為其理論根據。

2.〈繫辭〉下:「其稱名也小，其取類也大。其旨遠，其辭文，其言曲而中，其事肆而隱。」[4]八卦用卦象代表某種事物，都是根據個別事物中的共相加以演繹的。如〈坤卦〉初六云:「履霜，堅冰至。」[5]就是教人們要觀微知著，防微杜漸，這種思維方式兼具形象性與邏輯性，是科學的基本精神。

3.〈繫辭〉下:「古者庖犧氏之王天下也，仰則觀象於天，俯則觀法於地，觀鳥獸之文與地之宜，近取諸身，遠取諸物，於是始作八卦。以通神明之德，以類萬物之情。作結繩而為罔罟，以佃以漁，蓋

3 （魏）王弼注，（唐）孔穎達正義：《周易正義》，頁126。

4 （魏）王弼注，（唐）孔穎達正義：《周易正義》，頁172。

5 （魏）王弼注，（唐）孔穎達正義：《周易正義》，頁19。

取諸離。……」[6]將人類的許多文明，如網罟、耒耜、舟楫、馬車、杵臼、弓矢、宮室、衣服、棺椁、警衛制度、市集、文字的發明都歸之於聖王觀察卦象的結果。這種觀象制器的說法固然不合歷史事實，但對於漢以後科學技術的進步、思想意識的發展、民生日用的增進都起過積極的作用。

(二) 自然思想

先秦諸子各有不同的自然觀，如儒家是以人為中心的理性主義，墨家注重方法，講求有為，法家提倡細密數量化的成文法。而最重要的當數順應自然的道家了。《老子》云：「人法地，地法天，天法道，道法自然。」[7]他認為宇宙萬物都是自然而然產生，自然而然發展變化。這種客觀存在的規律表面看來好像沒有什麼作為，其實芸芸眾生都靠著它而生生不息。其力量十分偉大，絕不是人力所能望其項背，所以人類只能順應自然，取法自然，而不能干涉自然，違反自然。一切人為的知識、道德都不是道家所重視的，他們所重視的是參天地化育的智慧。《莊子・齊物論》也將人與宇宙萬物一體同觀，將天地宇宙看成一個有組織的整體，萬事萬物都有道存在，也就是都依循著自然的法則在運轉。自然既然如此重要，則人類當然應該了解自然，從事科學的觀察才能順應自然，取法自然。這種趨向導致對經驗的重視，是中國科學技術發展的重要因素。

儒家的荀子也十分重視自然，他說：「天行有常，不為堯存，不為桀亡。應之以治則吉，應之以亂則凶。」[8]他同道家一樣，重視自然的規律，所異者，他進一步主張「大天而思之，孰與畜物而制之；

---

6 （魏）王弼注，（唐）孔穎達正義：《周易正義》，頁166。

7 （魏）王弼注：《老子》二十五章（臺北：新興書局，1963年），頁28-31。

8 梁啟雄：《荀子柬釋・天論》（臺北：河洛圖書出版社，1974年），頁220。

從天而頌之，孰與制天命而用之。」[9]也就是要利用自然，改造自然，這種積極進取的精神，對於科技的研究無疑是更為可貴的。

漢代以後，如董仲舒、王充、何晏、王弼、郭象、葛洪、道安、僧肇、楊泉、裴頠、范縝、柳宗元、劉禹錫、張載、朱熹……，也都各有其自然思想。他們或依循老莊，或發揮儒學，或援引佛道，或自抒己見，與科學思想的發展也有或多或少的關係。

（三）陰陽五行思想

陰陽本為陰晴寒暖之義，到了春秋戰國時代，其意義始逐漸抽象化，用來代表自然界中互相聯繫、互相對應的一切對稱結構（如天地、男女、高下、剛柔……）。儒家、道家、陰陽家皆以之為基本思維模式。如《周易・繫辭》上云：「一陰一陽之謂道，繼之者善也，成之者性也。」[10]《老子》云：「萬物負陰而抱陽，沖氣以為和。」[11]陰陽家的鄒衍更是「深觀陰陽消息，而作怪迂之變。」[12]而陰陽的重要性亦與日俱增，終至成為萬事萬物的創生根源、宇宙人生運動變化的規律。許多科學的現象與技術也往往使用陰陽的觀念來加以說明，如《淮南子・地形篇》云：「陰陽相薄為雷，激揚為電。」[13]張衡〈靈憲〉用「日者，陽精之宗。……月者，陰精之宗。」[14]來說明其渾天說的宇宙圖象。中醫對人體生理的分析，辨症施治的方法，更是以陰陽學說作為最重要的基礎。

五行一詞首見於《尚書・甘誓》。《國語・鄭語》引史伯的話說：

---

9 梁啟雄：《荀子柬釋・天論》，頁229。

10 （魏）王弼注，（唐）孔穎達正義：《周易正義》，頁148。

11 （魏）王弼注：《老子》四十二章，頁53-55。

12 瀧川龜太郎：《史記會注考證・孟荀列傳》（臺北：洪氏出版社，1981年），頁944。

13 何寧：《淮南子集釋》（北京：中華書局，1998年），頁375。

14 （清）馬國翰：《玉函山房輯佚書》（臺北：文海出版社，1974年），頁2818。

「先王以土與金、木、水、火雜以成萬物。……聲一無聽，色一無文，味一無果。」[15]《尚書・洪範》九疇也說：「一曰五行：一曰水，二曰火，三曰木，四曰金，五曰土。水曰潤下，火曰炎上，木曰曲直，金曰從革，土爰稼穡。潤下作鹹，炎上作苦，曲直作酸，從革作辛，稼穡作甘。」[16]水火木金土是古人對構成萬物元素的粗略概括，這些元素各有其性能與作用，而更值得重視的是它們彼此間的生克關係，亦即：木生火，火生土，土生金，金生水，水生木；火克金，金克木，木克土，土克水，水克火。它們動態地互相助長，互相制約，這就是萬物變化成毀的過程。五行學說對中國科技發展也深有影響，如傳統醫學認為人體是由看不見的五行之氣生克運行組成的系統，五行之中如有太過或不及，這個系統就會失去平衡而生病，所以望診把脈、對症下藥也是一以五行為準。又如魏伯陽的《周易參同契》也用五行生克論作為其煉丹學說的理論根據。

陰陽與五行原本是兩個不同的學說，各有其系統，到了戰國時期，兩者始合流為一，並且與四方、四時、五音、五色、五味、五臟、十干、十二支、十二律等相配，構成無所不包的神秘體系，滲透到政治、學術、社會、科技各領域，有其科學的一面，也有其迷信的一面，其影響就更深遠而複雜了。

（四）天人思想

在古代，天的涵義相當複雜，或指物質之天，或指主宰之天，或指運命之天，或指自然之天，或指義理之天。而古人對天人關係也十

15 （吳）韋昭注：《國語・鄭語》（臺北：商務印書館，國學基本叢書本），冊二，頁60。

16 （漢）孔安國傳，（唐）孔穎達正義：《尚書正義》（臺北：藝文印書館，2001年，影印阮元校勘十三經注疏本），頁169。

分重視，如孟子云：「君子所過者化，所存者神，上下與天地同流。」[17]管子云：「人與天調，然後天地之美生。」[18]莊子云：「天地與我並生，而萬物與我為一。」[19]《周易・說卦》云：「立天之道，曰陰與陽；立地之道，曰柔與剛；立人之道，曰仁與義。兼三才而兩之。」[20]各家立論雖有異同，而其企求天人之間具有密切而和諧的關係則沒有區別。這種思想深深地左右古代的科技發展，例如《呂氏春秋・審時篇》說：「夫稼，為之者人也，生之者地也，養之者天也。」[21]就是出自《周易・繫辭》的三才思想，而中國古代的農學家沒有一個不重視和提倡這種思想的。又如《黃帝內經》強調人體和自然界之間的內在聯繫，強調人與天、內與外、陰與陽的調和，是長視久生之道的必要條件，又何嘗不是天人思想的發揮？

至於天人感應的思想則是戰國時期的鄒衍和《呂氏春秋》才開始提倡，而西漢董仲舒才正式完成其體系的。他們認為上天有思想，有感情，有意志，能直接干預人事，人的行為也能感應上天，自然界不尋常的祥瑞和災異正是上天對人類行為賞罰的表現。這種學說夾雜了陰陽五行的理論，瀰漫著濃厚的迷信色彩。不過，由於對災祥的重視，所以也保留了許多有關太陽黑子、日蝕、月蝕、地震、風雨、雷電等的紀錄，提供了後人不少科學研究的材料。這種無心栽柳柳成蔭的現象，實非當時提倡天人感應者所能逆料。

---

17 （宋）朱熹：《四書集注・孟子・盡心上》（臺北：臺灣書店，1971年），頁297-298。

18 （清）戴望校正：《管子・五行》（臺北：商務印書館，國學基本叢書本），冊二，頁83。

19 （清）王先謙：《莊子集解・齊物論》（臺北：三民書局，1963年），頁13。

20 （魏）王弼注，（唐）孔穎達正義：《周易正義》，頁183。

21 陳奇猷：《呂氏春秋校釋》（臺北：華正書局，1983年），頁1785。

（五）氣化思想

氣是國人津津樂道的名詞，如孟子的「浩然之氣」就是一種倫理學的氣，至於物理學上的氣則當發端於戰國中葉的宋鈃、尹文，《管子・內業篇》曾引他們的話說：「凡物之精，比則為生。下生五穀，上為列星，流於天地之間，謂之鬼神，藏於胸中，謂之聖人，是故名氣。」[22]他們認為宇宙萬物，上自日月星辰，下至草木鳥獸，乃至人體本身，都是由氣凝聚而成的。氣不是虛無的道，而是極細微的物質元素，是其細無內，其大無外，無所不在的實體。後來《莊子》、《荀子》、《淮南子》對氣也都有所發揮。到了漢代，《易緯・乾鑿度》云：「夫有形生於無形，乾坤安從生？故曰：有太易，有太初，有太始，有太素也。太易者，未見氣也；太初者，氣之始也；太始者，形之始也；太素者，質之始也。氣、形、質具而未離，故曰渾淪。」[23]將宇宙的起源，依照氣的演化細分為四個階段，由簡而繁，由隱而顯，使氣化思想顯得更為精緻。東漢王充的《論衡》更用了大量的篇幅來闡述元氣論，並且以之解釋氣候變化、雷雨、日月蝕、水旱災、蟲獸害等現象。漢人的努力，使氣化思想完成體系，成為中國重要的思想之一。後來楊泉、柳宗元等對此一思想也都有進一步的闡發，「理氣論」更成宋明理學的重要議題。氣化思想對中國古代的天文、曆法、物理、農學、醫學等都曾產生相當大的影響。例如漢代郄萌的宣夜說，就用氣的概念來解釋天體運行，認為日月星辰懸浮空中，無論是運行或停止都是依賴元氣。又如明末宋應星在《論氣・氣聲》中也用元氣說來闡述聲音的傳播和接收。

---

22 （清）戴望校正：《管子・五行》，冊二，頁99。

23 （漢）鄭玄注：《易緯・乾鑿度》（臺北：中新書局，1973年，古經解彙函本），冊一，頁481。

（六）反迷信思想

儒家的理性主義、道家的自然主義都具有客觀求真的精神，所以能遠離迷信。孔子「不語怪、力、亂、神。」[24]、「務民之義，敬鬼神而遠之。」[25]就是一個最好的典範。荀子也說：「夫日月之有食，風雨之不時，怪星之黨見，是無世而不常有之。上明而政平，則是雖並世起，無傷也；上暗而政險，則是雖無一至者，無益也。」[26]他認為大自然是沒有意志的，所有的災祥都是沒有意義的，有力地駁斥了陰陽家天人感應的說法。就連他的學生——法家的集大成者韓非在〈顯學〉等篇中也對當時流行的長生不老術及巫祝迷信多所譏刺。東漢的王充更是以「疾虛妄」作為《論衡》一書的寫作宗旨，全書從道家的自然主義出發，強烈批判天人感應及讖緯迷信的例子不勝枚舉。他認為人死不能為鬼，所謂見鬼只是一種心理作用；人也不可能「得道仙去」，所謂「度世不死」絕非歷史事實；世俗擇吉日、避忌諱、淫祀鬼神都是虛妄的行為，他一概加以反對。最難得的是，對於許多神秘怪異的現象，他總是儘量從科學的角度去加以解釋，以期徹底破除迷信。例如，他認為雷鳴電閃只是陰陽之氣所激發的自然現象，並不是天怒的表現；人被電殛殺，只是偶中，並不是罪有應得。又如他將潮汐漲落與月亮盈虧聯繫在一起，而否定了潮汐是鬼神驅使所生的傳說，諸如此類，都顯示在迷信充斥的古代，他所具有的科學見解是相當可貴的，無論對當時或後世，都產生深遠的影響。後來許多特立獨行的學者如范縝、柳宗元、劉禹錫、王夫之等也都具有這種疾虛妄的精神。

---

24 （宋）朱熹：《四書集注・論語・述而》（臺北：臺灣書店，1971年），頁82。

25 《論語・雍也》（臺北：臺灣書店，1971年），頁76。

26 《荀子・天論》（臺北：河洛圖書出版社，1974年），頁226。

三　自然科學

（一）天文

天文是科學之祖，文化之母。中國的天文學發達甚早，相傳顓頊時代就有火正之官，專門負責觀測大火（心宿二），根據其出沒來指導農業生產，這種以觀測天象來確定四時季節的方法叫「觀象授時」。《尚書・堯典》有四仲中星的記載，二至二分的區別；〈夏小正〉更記錄一年十二月的星象及物候的變化，也都是觀象授時，不過，這些材料可能都是後代寫定的。較可確定的是，夏代已有天干記日法，並且有了旬的概念。商代更進一步使用干支記日法，並有大、小月之分，也有置閏於年終的十三月，可說已具備陰陽合曆的雛型。甲骨文中也有不少天象記事，但都用以占卜，足見古代的天文學也不免帶有迷信的色彩。到了周代，發明了用圭表測量日影的方法，可以確定冬至、夏至等節氣，並較準確地量出回歸年的長度，對天象的觀測也有不少新發現。春秋時期，用作觀測日月五星運行座標的二十八宿體系確立了，回歸年長度為$365\frac{1}{4}$天，採用十九年七閏的古四分曆也出現了。《春秋》一書對日蝕、流星、彗星也有翔實的紀錄。戰國時代，甘德、石申、巫咸都是有名的天文家，石氏星表是世界上最早的星表之一。當時應當已有簡單的渾儀，對恆星及五大行星的觀測都有長足的進步。二十四節氣也齊備了。對農業生產產生了重要的指導作用。

秦統一天下後，顓頊曆通行，以十月為歲首。漢武帝時改用太初曆，以正月為歲首，在沒有中氣的月份安置閏月。劉歆稍加修改，易名為三統曆，具備了氣朔、閏法、五星、交蝕周期等內容，為後世曆法樹立了範例。此後歷代都有改曆，曆法總數超過一百種。兩漢時期，觀測用的渾儀改進了，演示天象的渾象（如張衡的水運渾象）也出現了，對於天象的紀錄趨於齊備，如對太陽黑子、新星、日蝕、彗星、極光都有詳細的記載。《淮南子》指出恆星月的長度為27.3218504日，李梵、蘇統也發現月亮視運動的不均勻性。在宇宙論方面，蓋天說、渾天說、宣夜說三家爭論不休。《史記》的〈天官書〉很有系統地介紹了恆星、行星、日月占及各種變異的天象。漢代可說是中國天文學的黃金時代。

魏晉南北朝時期，許多天文數據日趨準確，如祖沖之提出每391年設置144個閏月的閏周，推算回歸年的長度為365.2428148日，交點月長度為27.21223日，都接近真值，又如五星會合周期的數值也大有進步，誤差極少。此外，東晉姜岌發現蒙氣差，虞喜發現歲差，並推出每50年春分點向西移動一度的歲差值（實際應為77.5年差一度）。劉宋時祖沖之首先將歲差應用到大明曆編製之中，何承天元嘉曆首先創立了定朔，又創調日法，都增加了曆法推算的精密度。北齊時，張子信用渾儀測天達三十餘年，察覺到太陽和五星運動不均勻的現象，也是劃時代的發現。

唐初，李淳風製造了新型的渾天黃道銅儀，梁令瓚設計了黃道遊儀，一行和梁令瓚還製造了裝置自動報時器的渾象。僧一行奉詔改撰大衍曆，糾正了不少前人的錯誤，如廢棄了沿用八百多年的二十八宿距度數據，採用新的數據，因而發現恆星自行的現象，他又從事大規模的大地測量，第一次用科學方法對子午線進行實測，這些在天文學史上都是值得大書特書的。瞿曇悉達的《大唐開元占經》保存大量天文學和占星術的資料，是當時最重要的天文學著作。

北宋進行了五次大規模的恆星位置觀測工作，精確度比以前大為提高，有名的蘇州石刻天文圖及蘇頌《新儀象法要》中的星圖就是第四次觀測的結果，1054年爆發的金牛座天關客星在《宋會要》中也有詳細的記載，這些都是極可貴的天文史料。傳統的天文儀器——漏壺、圭表、渾儀、渾象等到宋元時期都發展到了高峰，在這方面，蘇頌、沈括等都頗有貢獻。元代郭守敬編製的授時曆是古代最優秀的曆法，其回歸年長度為365.2425日，與現今世界通行的格里曆所用數值一樣。在天文儀器方面，他設計製造了簡儀、仰儀、星晷定時儀、日月食儀、景符等十餘種，有不少創新。他還曾設立了27個觀測所，進行了大規模的測地工作，包括日影測量、北極出地高度及二至二分日晝夜時刻的測定等。

明末，西潮東漸，《崇禎曆書》有系統地介紹了歐洲的天文學知識，也採用較精密的天文數據和計算方法。清初，王錫闡的《曆說》、《曉庵新法》，梅文鼎的《曆算全書》，都能貫通中西，使傳統的天文學重獲生機。乾嘉年間，李銳、焦循、汪曰楨、李善蘭在天文曆法的研究方面都有貢獻，李善蘭的《談天》一書流行尤廣。19世紀70年代開始，上海、青島等地陸續設立了天文臺，中國天文學開始進入了新的時代。

（二）數學

數學是研究一切科學的工具。早在六千年前西安半坡古文化遺址中就有數字的刻劃符號，從先民所用的石斧、骨針、陶器、彎的弓、圓的石球，也可以推想他們已有一定的幾何圖形概念。商代的甲骨文有許多記數文字，可以記十萬以內的任何自然數字，並且有奇數、偶數、倍數的概念。周代發明了籌算，以竹木在算板上演算，採取十進位值制，縱橫相間，遇零空位，四則運算十分方便。《周禮・考工記》已涉及分數、角度和標準器容積的計算等數學知識，《墨子・墨經》中也含有幾何學的知識。從當時城市的建築、青銅器的冶鑄、車輛的設計、四分曆的運算等，更可以證明春秋戰國時代已有較高的測量技術及數學知識水準。

秦漢時期的《九章算術》集先秦到西漢數學知識之大成，建立了中國古典數學的架構。全書分九大類，有246個例題及其解題方法，包括了初等數學中的算術、代數以及幾何的大部分內容，足以解決當時有關土地、水利、土木、商業、天文、曆法等方面的測量和計算問題。它的許多成就在當時都領先世界各國，不僅深深影響中國數學的發展，在世界數學史上也占有崇高的地位。除此之外，《周髀算經》以蓋天說的立場論述天體的測量方法，涉及算學、勾股定理及複雜的分數計算，也是一本重要的著作。

魏晉南北朝時，趙爽為《周髀算經》作注，劉徽除為《九章算術》作注外，還寫了《海島算經》，其他重要的數書還有《孫子算經》、《夏侯陽算經》、《張邱建算經》、祖沖之的《綴術》（已佚）、甄鸞的《五曹算經》、《五經算術》。其中劉徽創立了割圓術，得到了3.14的圓周率，對求弧田面積、圓錐體積、球體積、十進分數、解方程等問題也都有獨到的見解。祖沖之以繁複的計算，求出了精確的介於3.1415926與3.1415927之間的圓周率。他的兒子祖暅也算得球體體積等於$\frac{\pi}{6}D^3$（D是球體直徑）的公式，他們的成就都是十分輝煌的。

隋唐在國子監中進行數學教育，在科舉中設立明算科。教材除了上述九部數書外，還加上王孝通的《緝古算經》，合稱「算經十書」。《緝古算經》是中國第一部開帶從立方的書，解決了不少工程上的問題。劉焯的「等間距二次內插法」、一行的「不等間距二次內插法」對於曆法精密度的提升都有助益。

宋元數學十分發達，其成就遠超過同時代的歐洲，當時最有名的有四大家，即：1、秦九韶：著有《數書九章》，最突出的是「大衍求一術」。2、李冶：著有《測圓海術》、《益古演段》，是最早講述「天元術」的著作。3、楊渾：著有《詳解九章算法》、《日用算法》、《楊輝算法》，含有各種簡捷算法，並保存了不少現已失傳的各種數學著作中的算題和算法。4、朱世傑：著有《算學啟蒙》、《四元玉鑒》，講述多元高次方程組解法和高階等差級數等方面的問題。

明代商業發達，吳敬的《九章算法比類大全》是商業數學進步的標誌。更值得注意的是珠算普遍推廣，逐漸取代了籌算，程大位的《算法統宗》是珠算術的代表作，影響極大。清初，康熙敕撰的《數理精蘊》介紹了西方數學，包含幾何學、三角學、代數及算術的知識，流傳也十分廣泛。梅文鼎的《曆算全書》、李善蘭的《方圓闡幽》、《弧矢啟秘》、《對數探源》等是十八、九世紀的重要數書，李善蘭、華蘅芳曾翻譯了不少西洋數學著作，而傳統數學也逐漸沒落，成為西洋數學獨擅的局面了。

（三）物理

相傳遠古時期燧人氏鑽木取火，這是物理學上熱學的最早應用，西安半坡遺址出土的提水壺是後世攲器的前身，也含有力學原理。三代的許多發明都與物理學有關，如權衡、桔槔、木鳶之於力學，各種樂器及七音十二律之於聲學，陽燧之於光學，磁石、司南之於磁學。《墨子・墨經》中記載了不少力學及幾何光學的知識，包含槓桿、滑輪、浮力、隨遇平衡、輪軸和斜面以及光的直射、反射、投影和成像等問題，《周禮・考工記》對力學、聲學也有簡明的介紹，涵蓋車輪的滾動摩擦、斜面運動、慣性現象、拋射體軌道的準確性以及各種樂器的發聲、頻率、音色、響度與它們形狀的關係。這兩本書是先秦最重要的科技名著。

漢代齊少翁發明了皮影戲，《淮南畢萬術》提及原始潛望鏡及削冰令圓，可以聚焦生火，這些都是光學的應用。當時風箏已在軍事上使用，同時出現了俔，用以測量風向，還有七葉大風扇，可使滿堂生涼，渴烏可以吸水灌溉，張衡發明的候風地動儀更是大家所熟悉的，這些都是力學的妙用。王充的《論衡》清晰地闡述了力的性質，討論了電與磁現象，對於陽燧、熱現象、聲學知識等也有所探討，顯示他對自然現象的關注，也反映當時物理學的水準。

魏晉南北朝時，曹沖用水的浮力秤大象；《關尹子》描述有二孔的水瓶若堵住一孔，則水無法瀉下；許多藥書及煉丹書中提及的晶體外形不下一百餘種，這些都與力學有關。張華從洛鐘鳴推知銅山崩；《水經注》記載以聲速測距離的方法，這些都與聲學有關。《抱朴子》紀錄了萬花筒的景象，《金樓子》紀錄了結晶體的色散現象，這些都與光學有關。張華《博物志》記載了電致發光的靜電現象，《南齊書》記載了「電火燒塔下佛面，而窗戶不異」的事實，這時期還有避雷室的記載，這些都與電學有關，可見人們對於物理學的了解越來越廣泛了。

隋唐時發明了因摩擦振動而噴水的魚洗，王冰《素問注》也解釋了小口空瓶灌不進水的道理，《觀象玩占》將風力分為八等，顯示人們對力學已有進一步的了解。孔穎達描述了彩虹產生的條件，又說：「雷是電光」，他的認識都是正確的。

宋元時最重要的貢獻是將指南針改進為羅盤，用之於航海，並且傳入了阿拉伯和歐洲。眼鏡（靉靆）至遲在南宋時就已發明，宋人還知道運用表面張力現象來檢驗桐油的好壞。沈括的《夢溪筆談》曾討論人工磁化及四種裝置指南針的方法，並且首先指出了磁偏角。此外，他對樂律也極有研究，曾用紙人作實驗來顯示聲音的共振。在光學上他具體說明了焦點、焦距、正像、倒像等問題，對日月蝕的成因也解釋得十分詳盡。他不僅重視理論，也強調觀察和實驗，因此《夢溪筆談》被李約瑟譽為「中國科學史上的里程碑」[27]。趙友欽的《革

27 李約瑟（J. Needham）著，陳立夫主譯：《中國之科學與文明》，頁257。

象新書》主要在討論天文曆法，在光學方面，他曾進行大型實驗，對光的直進、針孔成像與照度有了突出的研究成果。

明代建築了北平天壇，其中的回音壁、三音石和圜丘都有極佳的聲學效果，為世所罕見。朱載堉的《樂律全書》對聲學有深厚的造詣，他以公比$12\sqrt{2}$的等比級數方式首先完成十二平均律的計算，比歐洲還早五十多年。方以智的《物理小識》是技術的百科全書，在物理學方面有豐富的內容，如利用比重的差異，從混合礦石中分出各類金屬，利用槓桿原理推動重物，利用螺旋原理使重物上升。也談到光的反射、折射、光學儀器和大氣光現象等問題。他曾利用有稜的寶石、水晶把光分成五色，更是值得注意。明末以後，西方的物理學傳入中國，較重要的著作有湯若望的《遠鏡說》、王徵的《遠西奇器圖說》、鄭復光的《鏡鏡詅癡》、李善蘭的《重學》。清代孫雲球研製了眼鏡、折射式望遠鏡、存目鏡（放大鏡）、察微器、萬花鏡等各種光學儀器。發明大王黃履莊發明的各種奇器，更多與物理原理有關。

（四）生物

相傳神農遍嚐百草，一日而遇七十毒，甲骨文中的象形字生動地描繪了許多動植物的外形，足見生物與人類的關係從古以來就十分密切。《詩經》中出現的動物有113種，植物有142種，確實有助於多識草木鳥獸蟲魚之名。《管子．地員篇》已注意到植物的生長和土壤性質及地勢高下的關係，甚至還以「十二衰」為例，說明小地區植物垂直分布的情況。《周禮．地官》也注意到生物的分類，將植物分成皁物、膏物、覈物、莢物、叢物五類，將動物分成毛物、羽物、介物、鱗物、臝物五類。〈考工記〉還將小蟲之屬再依外形構造、行動方式或發聲部位加以分類，觀察更加深刻。《爾雅》分植物為草木兩類，凡330種，分動物為蟲、魚、鳥、獸四類，凡340種，與今人的基本認識已相當接近，並且有了較細的分類，甚至出現了類似今日分類學中的「屬」或「科」的概念。

漢代成書的《神農本草經》總結了先秦以來的藥物知識，可惜原書已佚，連南朝陶宏景編纂的《神農本草經集注》今亦不存，不過後世三百餘家、兩千多卷的本草著作都以此為濫觴，影響極大。

三國時陸璣有《毛詩草木蟲魚鳥獸疏》，是專門疏證《詩經》動植物的書；晉代稽含《南方草木狀》，介紹了80種植物，分草、木、果、竹四類，是最早的一本植物學書籍。

唐代蘇敬等二十餘人合編《新修本草》，收集藥物844種，是第一本附有藥圖及圖經的本草著作，也是動植物形態學的重要著作，可惜原書今已殘缺不全。後來又有《本草拾遺》、《食療本草》、《食性本草》、《海藥本草》、《滇南本草》等二十餘種陸續問世。唐代是本草學蓬勃發展的時期。

兩宋時期，本草著作更多達八十餘部，其中以唐慎微的《經史證類備急本草》、寇宗奭的《本草衍義》最有名。類書如吳俶的《事類賦》、李昉的《太平御覽》也都收載了許多動植物的資料。當時園藝學高度發展，動植物志和譜錄大量出現，其中動物僅二種，植物則多達五十餘種，如蔡襄的《荔枝譜》、韓彥直的《橘錄》、歐陽修的《洛陽牡丹記》、王觀的《揚州芍藥譜》、劉蒙的《菊譜》皆是。不僅分別介紹了各種園藝植物的特徵、分類、栽培法，也記載了品種的形成及演化的過程。此外，偏重於地區性的動植物志也大量出現，如周去非的《嶺外代答》、范成大的《桂海虞衡志》皆是。

明朝李時珍的《本草綱目》記載動物、植物、礦物的藥物多達1892種，以十六大類加以統攝，分類細密，並有附圖1160幅，可說集本草學之大成。在生物學方面，他肯定生物界有一定變化發展程序，同時指出環境對生物的影響及生物對於環境的適應，以及遺傳與相關變異的現象。清代趙學敏的《本草綱目拾遺》補充了908種藥物，堪稱李書之功臣。吳其濬的《植物名實圖考》詳細介紹了1714種植物，圖文並茂，尤其著重於植物的藥用價值及名實的考訂，其說都經過認真觀察、實驗和考證分析，頗有科學價值。清中葉以後，西洋的動物學、植物學，甚至細菌和微生物學陸續傳入，嚴復所譯的《天演論》，介紹達爾文（C. R. Darwin）的進化論，影響尤大。

（五）地學

地理環境是人類生存的場所，一向為人們所重視。甲骨文中即保存了不少風雨、陰晴、霾雪、虹霞的紀錄，而相傳周初已開始有了地圖，《詩經》中更有不少描寫地形的詞匯。春秋戰國時，《山海經》、《尚書・禹貢》、《管子・地員篇》都是地學方面的專著，涉及的問題包含地理位置、水文、動植物、礦物特產、土壤分類等，顯示人們對於自然地理的知識已日趨豐富。

長沙馬王堆漢墓出土的三幅地圖反映漢初的地圖測繪技術已具有相當高的水準。班固的《漢書・地理志》開創了疆域地理志的新體制，影響十分深遠。漢代已使用多種風信器來觀測風向，張衡的候風地動儀、相風銅烏更是先進的氣象儀器，至於當時觀測濕度則使用懸土炭的方法，並且能視琴弦弛張來預測晴雨。董仲舒用陰陽二氣說明各種氣象，王充《論衡》提出了雲、雨、雷、電等形成原因及水分循環理論，基本上都符合現代的科學原理。

晉代裴秀的《禹貢地域圖》是世界上最早的歷史地圖集，序中所提出的分率、準望、道里、高下、方邪、迂直，是繪製平面地圖的六個基本原則，一直影響著清代以前的傳統製圖學。梁代成書的《地鏡圖》則總結了豐富的植物找礦的經驗。北魏時把七十二候列入正光曆，對於了解地表氣候的周期性變化有所助益。魏晉南北朝時，圖記分離，產生了不少地理著作，如摯虞的《畿服經》、陸澄的《地理志》、顧野王的《輿地志》。地方志及地記如常璩的《華陽國志》、楊衒之的《洛陽伽藍記》、無名氏的《三輔黃圖》、譙周的《三巴記》、釋慧遠的《廬山記》、酈道元的《水經注》也紛紛出現了。其中《水經注》詳細記載了中國及鄰近國家1252條水道的水文地理，價值最高。

隋唐開鑿大運河，溝通了五大水系，充分表現地理知識的發達及科學技術的進步。當時的地理著作極多，如《諸郡物產土俗記》、《區宇圖志》、《諸州圖經集》、玄奘的《大唐西域記》、賈耽的《古今郡國縣道四夷述》、李吉甫的《元和郡縣圖志》都各有其價值。賈耽所繪製的「海內華夷圖」更是第一幅大型的世界地圖。竇叔蒙的《海濤志》則是最早的潮汐專書，對於潮汐的成因和變化規律都有精確的認識。

宋元的地理書、地方志超過一百種，較有名的為樂史的《太平寰宇記》、王存的《元豐九域志》、元代官修的《大元一統志》。遊記則有耶律楚材的《西遊錄》、李志常的《西遊記》、劉郁的《西使記》、趙汝適的《諸蕃志》等。沈括的《夢溪筆談》在地理學方面有許多突破，如把測量方法應用到製圖，設計了世界上最早的立體地形模型圖，發現了化石是生物遺骸造成的，闡明了鐘乳石的成因，論述了海陸變遷、流水侵蝕地形的原理。杜綰的《雲林石譜》是礦物學方面的重要代表作。元代朱思本所繪製的「輿地圖」，長廣七尺，精確超過往昔。

明清時期，重要的地理著作有鄭若曾的《籌海圖編》、羅洪先的《廣輿圖》、康熙敕編的《皇輿全圖》，後者是西洋地理學傳入後，根據大規模實地測量所繪製的。明清兩代的方志學著作超過六千六百種，占歷代方志學總數的百分之九十以上。明末徐宏祖的《徐霞客遊記》對流水的侵蝕作用有獨到的見解，對石灰岩地貌、岩石性質和地質構造更有深刻的研究，其成績在世界地學史上也是空前的。

四　應用科學

（一）醫藥

舊傳神農嘗百草，一日遇七十毒，雖屬傳說之言，不可盡信，然中國醫藥之學起源甚早則無可疑。上古時代有很長的一段時間是巫醫不分的，這在殷墟卜辭中還可找到許多明證。大約到了周朝，巫醫才逐漸分開，醫藥也日趨發達。春秋戰國時期，名醫輩出，有醫緩、醫和、盧氏等，而最著者則為扁鵲，他為四診法奠定了基礎。當時最重要的醫學書籍應數《黃帝內經》，該書包括《素問》和《靈樞》兩部分，初步建立了中國傳統醫學的理論體系，後代許多醫家和學派都是以它為基礎發展起來的。

兩漢名醫首推淳于意，東漢則以張機（仲景）、華陀為巨擘。機擅於內科，確立了辨症論治的原則，著有《傷寒雜病論》，被後人整理成《傷寒論》和《金匱要略》二書。陀擅於外科，能以麻沸散為病人施行腹腔手術，惜其術失傳。漢代成書的《神農本草經》總結了先秦以來的藥物知識，為後世本草學所宗。

魏晉南北朝戰亂頻仍，醫藥學進入廣泛整理的階段，重要的著作有王叔和的《脈經》、皇甫謐的《針灸甲乙經》、葛洪的《肘後備急方》、雷斅的《炮炙論》、陶宏景的《神農本草經集注》。

隋唐時醫療機構有尚藥局及太醫署，規模龐大。太醫署中的醫學又分醫、鍼、按摩、咒禁四科，招收學生，培植醫學人才，制度相當健全。重要的醫藥書籍有巢元方的《諸病源候論》、孫思邈的《千金方》、王燾的《外臺秘要》、朝廷也頒布了第一部國家藥典——《新修本草》。外科治療方面頗有進步，如腸吻合手術、骨折整復、白內障手術等都已能順利進行。

宋代醫學擴增為九科，本草學十分發達，官修的有《開寶本草》、《嘉祐本草》、《圖經本草》、《大觀本草》、《政和本草》等，私修則以唐慎微的《經史證類備急本草》最著。其餘名著，法醫學方面有宋慈的《洗冤錄》，針灸學方面有王惟一的《銅人腧穴針灸圖經》，解剖學方面有宋景的《歐希範五臟圖》、楊介的《存真圖》，婦科方面有陳自明的《婦人大全良方》。金元時分科愈細，鑽研愈精，遂產生了不同的醫療理論與學派，劉完素創寒涼派，張從正創攻下派，李果創補土派，朱震亨創養陰派，合稱為「金元四大家」，影響十分深遠。當時小兒科對天花、痲疹、水痘等都有專門療法，錢乙的《小兒藥證直訣》是這方面的名著。骨科對骨折脫臼、跌打損傷，甚至脊椎骨折都能整復，其法詳見危亦林的《世醫得效方》。

明清時在傳染病的研究方面有了長足的進步，甚至發明了人痘接種術來預防天花。吳有性的《溫疫論》、葉桂的《溫熱論》對各種傳染性熱性疾病提出新的治療理論，從者甚眾，形成了溫病學派與傳統的傷寒學派相頡頏。外科方面，陳實功的《外科正宗》是總結性的著作，對斷喉吻合術、咽喉和食道內鐵釘取出術、痔瘻及各種腫瘤的治療法等都有詳細的論述。至於本草學方面，李時珍的《本草綱目》收藥物1892種，附方11096則，舉凡藥物之名稱、產地、形態、採集方法、性味、功能、炮製過程等無不詳加記載，兼具總結性與開創性，是藥物學中最偉大的著作。趙學敏的《本草綱目拾遺》對該書有補苴之功，也是馳譽遐邇的。

（二）農學

中國是世界上最早發明農業的國家之一，從考古資料可以證明，遠在七、八千年前，黃河、長江流域已有某種程度的原始農業。最初採取放火燒荒的火耕方式，到了五、六千年前，進入鋤耕或耜耕的熟荒耕作制的階段，人們可較長期定居，對農業的發展大有裨益。神農發明農業的傳說時代與此甚為接近，唯神農可能只是時代擬人法的代表人物，未必實有其人。商代中期以後，農業已成為重要的糧食生產部門，所以殷墟的甲骨片與農業有關的多達四、五千片。周人以經營農業發跡，當時生產工具除了傳統的木、石、骨、蚌所製者外，金屬農具也日漸增多，對土地整治、農田水利、農作物選種以及田間管理已有相當經驗。中國精耕細作、小農經濟的農業傳統在此時也逐漸成為定型。戰國時，農家學派崛起，對農業生產和技術更加重視，可惜《神農》二十篇、《野老》十七篇均已亡佚，今日我們所能夠看到的最古老的農業論文只有《呂氏春秋》的〈上農〉、〈任地〉、〈辨土〉、〈審時〉等寥寥數篇而已。秦在四川建都江堰，在關中開鄭國渠，糧足兵精，是後來統一六國的重要因素。

漢代牛耕和鐵製農器已十分普遍，加上犁壁、樓車、風車、水碓等新型農具的發明，代田法、區種法等先進耕作法的採用，龍首渠、白渠等水利工程的興建，使得生產力大為提高。當時最有名的農書是《氾勝之書》，可惜已經亡佚，今僅存輯本。

北魏賈思勰的《齊民要術》是中國現存最早的一部完整的農書，內容涉及作物栽培、耕作技術和農具、畜牧、獸醫、食物加工等方面，有系統地總結了6世紀以前中國北方的農業生產技術，對後世農學影響頗鉅。從該書可以發現當時採取耕—耙—耱的整套保墒防旱措施，中國北方旱作地區的耕作技術至此遂成定型。

隋唐時，耕犁已相當複雜而完備，新的農具有鐵鎝、礰礋、耙、水轉筒車等。南北農田水力工程同時大舉興建，多達二百餘處，灌溉技術頗有進步，所以農業空前興盛，朝廷不斷修築儲糧的倉窖。

宋元時，在農具方面出現了秧馬、畜力水車、水轉連機磨。南方的圩田十分發達，五里一縱浦，七里一橫塘，太湖低窪地區逐漸成為全國有名的糧倉，而丘陵地區的梯田也有長足的進步，許多地方都變山為田。當時南方水田採取耕—耙—耖的耕作技術，促進了水稻的生產與發展，水稻不但在南方廣為種植，並且大力向北方推廣，因此躍居全國糧食作物之首。宋陳敷的《農書》、元王楨的《農書》及元至元間頒行的《農桑輯要》都是這個時期最重要的農學著作。

明清時，水、旱、蟲災頻繁，人口激增，為了解決民生問題，千方百計提高單位面積的產量，一歲數收的技術得到進一步發展。玉米、甘薯等也由國外傳入，大量種植，充實了各地的農業生產內容。當時農書如雨後春筍，多達三百餘種，以徐光啟的《農政全書》最為著名。全書分十二門，涵蓋了傳統農學的各個範疇，雜採眾家，兼出獨見，不愧為集大成之作。此外，清朝官修的《授時通考》亦為世所重。

（三）建築

上古時代，先民或掘穴而處，或構木為巢，至於新石器時代，則演化為半地穴式建築及樁上建築（又稱干欄式建築），近年發現的時間相當於夏代的城堡遺址，墻體係以夯土修築而成。而商代城址的城墻則是分段版築，城市的建築群則是採取四合院組織的布局。西周已有了鋪地磚及瓦，城市規劃和宮殿建築頗具規模。戰國之際出現了空心磚和小條磚，並且盛行高臺建築。秦始皇動員數十萬人，費時十餘年建成的萬里長城、咸陽新宮、朝宮更屬人類建築史上空前的偉構。

到了漢代，中國傳統建築所採用的木結構體系已初步完成，斗拱廣泛使用，屋頂結構也相當多樣化。當時興建了許多富麗堂皇的宮殿，而民間的居室則多為三間一堂的形式，後代的房屋，幾乎都離不開這種固定的格局。

魏晉南北朝時，佛教盛行，寺院建築大量出現，單是北魏時洛陽一地的寺院就有一千多處，《洛陽伽藍記》曾有翔實的描寫。當時還開鑿了許多石窟寺，工程浩大，雕刻精美，為建築史提供了不少寶貴的資料。

隋開皇二年，文帝令宇文愷規劃興建大興城，面積84平方公里，宮室坊曲，不計其數，前後僅九個月即大功告成，真是令人嘆為觀止。唐代將大興城擴建為長安城，並增建大明宮，內有宮殿三十餘所，規模極其宏偉。當時王公貴族也大興土木，競相媲美。至於各地寺廟塔幢更是踵繼建築，盛極一時。

宋代木結構建築更臻純熟，東京（開封）、臨安（杭州）的城市建設趨於繁複秀麗。磚塔的建築、拱橋和樑橋的架設都達到新的高潮，有了不少技術上的新突破。當時最有名的建築專書是李誡的《營造法式》，該書對歷代工匠傳留的經驗以及當時的建築技術成就作了全面而有系統的總結，圖文並茂，影響極大。元代引進了不少邊疆民族的宮室造型。殿堂的建築，主要分傳經式、大額式兩大類，亦有不少創意。

明代木結構建築又出現了一些新的變化，包括簡化梁架結構、縮小斗拱、應用斜梁等，石刻、木刻、磚刻、彩畫、裝修等也更趨華美。永樂年間，朝廷下令興建北京皇宮，占地72萬平方公尺，宮殿林立，屋宇萬間，布局嚴謹，氣勢宏偉。又用了百餘年時間，將萬里長城重新擴建，也是一大工程。清代在園林建築方面有突出成就，如北京三海、頤和園、圓明園都是規模巨大的傑作，江南私家園林也各具匠心，殊有可觀。

（四）機械

早在新石器時代，先民就發明石陶紡輪、骨梭以織布編席，製作椎輪、獨木舟來解決交通問題，創造石斧、石鏃俾便禦敵獵物，可見機械的起源為時甚早。商周時期已能製造相當高級的兩輪車和木板船，並以青銅鑄造了許多兵器，如戈、矛、鉞、刀、鏃等。到了春秋戰國時代，出現了大量金屬製造的農具及兵器。織布機、提花機也大有改進，可以織造細密華美的布匹。〈考工記〉中記載製車時有十項準則、四種工匠，具見製車技術之進步。當時還發明了司南，即後世指南針的前身。

漢代在紡織方面，創造了手搖單錠紡車及腳踏提綜的斜織車，使生產力提高十幾倍。在交通方面，發明了記里鼓車，是世界上最早的計程車。造船工廠已使用船臺造船，利用滑道使船舶下水，可以製造十餘丈高的樓船，並出現了櫓、風帆及船尾舵。在兵器方面，弩機上加裝了有刻度的瞄準器，大大提高射擊的準確性，並發明了連弩、鉤鑲及拋石機。東漢出現了兩位傑出的奇器專家：張衡發明候風地動儀（地震測驗器）及水運渾天儀（天球儀）；畢嵐發明天錄蝦（人造噴泉）、翻車（水車）及渴烏（抽水機）。

三國時，馬鈞創造了水轉百戲，改進了綾機、翻車、連弩及發石車和提花機，製成久已失傳的指南車。諸葛亮發明了木牛流馬（可能是單輪車），使用時不受地形限制，既經濟又實用。晉朝時，有了腳踏紡織車。南北朝時，祖沖之發明千里船，可以日行百餘里。當時另外還有一種高速快艇「鵃䑠」，船槳多達160支。

隋唐之際，發明雕版印刷術，使文化傳播格外便捷，影響至為深遠。當時造的大海船長20丈，載重二萬石，可容六、七百人。李皋還創造槳輪船，比西方早了七、八百年。

宋元時，在紡織方面，發明大紡車及水轉大紡車，大大提高生產的效率。黃道婆推廣了三綻棉紡車，創新了軋棉和彈棉工具，改進了織造技術，貢獻尤鉅。在交通方面，造船、修船時採用船塢，行船時應用探水設備，尤其將指南針運用於航海，更是重大突破。在兵器方面，由於火藥的發明，蒺藜火炮、震天雷、火箭、火銃等各種武器紛紛出籠，曾公亮的《武經總要》有詳細的記載。在印刷術方面，畢昇發明的活字版、王楨創造的轉輪排字架及元代出現的套色印刷術都值得大書特書。在天文方面，蘇頌製成水運儀象臺，是天文鐘的始祖。

明朝造船業鼎盛，鄭和下西洋所使用的寶船，長44丈，寬18丈。航海時使用的羅盤計程法、測深器、牽星板、針路記載和海圖等，在當時都是最新技術，足以睥睨寰宇。明末，宋應星的《天工開物》是世界第一部農工業百科全書，其中也保存了不少機械工程史料，如〈乃粒篇〉裡的筒車、踏車等農業機械，〈乃服篇〉裡的繅車、花機等紡織機械，〈冶鑄篇〉裡的鑄鼎、鑄鐵等冶鑄機械，都深受後世學者重視。黃履莊更發明了驗冷熱器（溫度表）、驗燥濕器（氣壓表）、察微鏡（顯微鏡）、自動戲（可能是留聲機）、真畫（疑即電影發端）、自行驅暑扇（有如電扇）等27種奇器，真可稱之為「中國的愛迪生」而無愧，惜不為世人所重，其術遂蕩然無存。

（五）化學

中國古代化學多側重於實際應用方面，範圍極廣。近世在仰韶文化遺址挖到許多彩陶，在龍山文化遺址挖到許多黑陶，其中都有不少酒器，其餘上古文化遺址裡也曾發現木胎漆碗、漆筒以及赤鐵礦粉末染色的麻布，這些都足以證明中國的化學由來已久。商周時期，進入了青銅器時代，大量使用泥範疇鑄造各式各樣的鐘鼎彝器，其鉅者如司母戊鼎重達875公斤。當時已能製造白陶，並發明青釉，開創了瓷器的新紀元。此外，染色、釀酒及漆器生產水準都不斷提高，餳、飴（麥芽糖）之類也正式成為人們的食品。春秋戰國時期是鐵器時代，高爐、鼓風的發明，鑄鐵柔化術的出現，使得各種各類的鐵器十分普及。在青銅冶鑄方面，已採取鐵範或熔模，並綜合使用渾鑄、分鑄、錫焊、銅焊、紅銅鑲嵌等多種技術，產品之精良，雖在科學昌明之今日亦不易企及。當時已經有醬及甘蔗糖，釀酒時對各種條件都十分講究，顯示食品工業也有相當的水準。戰國時方士多好煉丹，其說雖荒誕不經，卻開了近代化學的先河。

漢代最重要的貢獻是紙張的發明，近世在陝西、新疆、內蒙古數度發現了西漢的古紙。東漢蔡倫在製紙原料和方法上都有革命性的改進，能夠大量生產價廉的紙，尤為後人所津津樂道。冶鐵方面，煉爐、鼓風技術、耐火材料、熔劑等的改良，炒鋼、百煉鋼、鑄鐵脫碳鋼技術的發明，使得農具、兵器全面鋼鐵化，直接促成了漢朝的富強。此外，如當時已用煤作燃料，已發現石油，已能燒製青瓷，已能釀造葡萄酒，漆器分工已十分細密，並且有了第一本香料專書——《漢宮香方》、第一本煉丹術著作——《周易參同契》（魏伯陽著），在化學史上都是值得一提的。

魏晉南北朝時，煉丹術相當發達，在化學上的主要成就是以各種混合液溶解金屬，以人工製造汞齊、硫化汞、鉛化合物，最重要的著作是葛洪的《抱朴子》。瓷器方面，青瓷已趨成熟，白瓷、彩瓷也陸續問世，為唐宋絢麗多彩的製瓷業奠定了基礎。鋼鐵方面，灌鋼法、水排式鼓風機的發明，使得生產水準大幅提高，食品工業方面，麻油、醬油、胡桃油都已出現，賈思勰的《齊民要術》還列舉了12種造麴法、20種製醋法、5種製糖法等。

隋唐時，冶金業十分興盛，能以吹灰法鍊銀，能鑄造高百餘尺、重數百萬斤的大型鑄件，金銀器飾加工精巧，造型優美，為後人所讚頌。造紙原料不斷開發出來，加礬、加膠、塗粉、灑金、染色等加工技術也有所提高，紙的品種繁多，美觀優雅。道士煉丹時無意中發明了火藥，更是改寫人類歷史的大事。此外，白糖、冰糖、桐油、玻璃、唐三彩，螺鈿漆器的出現，也都顯示當時化學有了全面的發展。

宋元的瓷器，無論在胎質、釉料，或是瓷窯的結構、製作的技術上都有所突破，產品的精美，聞名中外。膽銅法的推廣、白銅的生產、煉鐵爐的改良，也使冶金業更上層樓。火藥的配方有了比較合理的定量配比，並且在軍事上得到實際應用，更促進了火藥武器的驚人發展。此外，鑽井探油、大規模利用天然氣、發明蒸餾酒、用水汽蒸餾提取揮發油、製造精美的雕漆、改進印染技術等，都是當時重要的化學成就。

明代使用焦炭煉鋼、發明活塞式風箱機車，改進炒鋼、灌鋼的技術，提鍊高純度的鋅，使得冶金業無論規模和產量都大有增長，處於世界先進行列。清朝發明了粉彩、琺瑯彩，製造出許多絢麗的瓷器，可惜其他化學方面已被西方國家迎頭趕上，轉而需向歐美引進與學習了。

五　餘論

（一）傳統科學的特色

對於中國傳統科學的重要領域有了概略的認識之後，讀者難免會追問這些科學到底有些什麼共通的特色？關於這個問題，可從下面幾個角度來加以說明：

1　獨創性

中國由於地理環境的隔絕，在古代接受外來文化非常不易，而且由於當時本身科學已相當發達，不太需要向外域學習，所以李約瑟、藪內清都強調獨創性是中國科學的一大特色。例如講究辨症論治，以四診法、方劑為主，針灸為輔的中醫，就與西洋醫藥迥然不同。周天 $365\frac{1}{4}$ 度，重視昏星，陰陽合曆的傳統天文學與西法也大有差異。

2 整體性

陰陽五行、天人合一的思想深深影響中國古代科學的發展。所以將個體與整體都看成渾然合一的有機體，特別重視整體分析、機體平衡的原則。例如煉丹術中以黃金對應於陽，水銀對應於陰，金汞的合金則視之為陰陽的結合。中醫的治療原則是陽虛補陽，陰虛補陰，虛則補其母，實則瀉其子。

3 實用性

由於民族性重實際而黜玄想，傳統的科技成就大多是從不斷的經驗中獲得，而在實用中發展，對理論的證驗較缺乏興趣。例如《九章算術》旨在解決方田、粟米、商功、均輸等實際的計算問題，而未觸及抽象理論的論證。〈考工記〉中記載有銅錫以不同的比例造成硬度不同的合金，適用的情況因而各有區別，但這都是在試誤的經驗下獲得的結論，並沒有進一步去尋求解釋。

4 保守性

中國古代的科學技術一向是在穩定中求進步，既不像西方在大起大落之後突飛猛進，也不像近代日本那樣進步神速，而是緩慢而穩定的發展。例如精耕細作的傳統在戰國時代形成後，一直延續了二千多年，只有在技術上精益求精，而缺乏根本的變革。木結構體系的建築自漢代初步形成後，也成為一種牢不可破的傳統。

(二) 傳統科學的貢獻

中國是世界有名的文明古國之一，而且民族文化綿延不絕，不曾發生像古羅馬那樣中斷無繼的歷史悲劇，有許多人將它歸功於深具凝聚力的儒家思想、突破時空隔閡的漢字……等等人文因素，其實，傳統科學的貢獻也是不可忽略的。試想，如缺乏發達的科學，如何解決食、衣、住、行各方面的長期需求？如何使人口繁衍、社會穩固、國力強盛？甚至連意識形態的發展有時也會受到科學的影響，如戰國時代，科學有了長足進步，才會產生荀子「制天命而用之」[28]的思想；東漢科學頗為發達，才能為王充自然主義的建立提供許多有力的證據。所以自然科學與人文科學實在是相輔相成，缺一不可的。

傳統科學不僅決定了中國歷史的發展，對整個世界也深具影響力。大家耳熟能詳的莫過於四大發明：火藥使歐洲封建制度瓦解、紙張、印刷術促進了文藝復興，羅盤使西方國家海運勃興，稱霸世界，宜乎英國哲學家培根（F. Bacon）要認為在人類的事業中沒有別的東西能比這幾種發明產生更大的力量和影響。根據李約瑟的研究，中國西傳的科技至少還有1、水車，2、輪輾機及水力的應用，3、用水力運轉的冶金鼓風機，4、旋轉扇和簸分器，5、活塞風箱，6、橫織機和抽線織機，7、繅絲絞絲紡織機，8、獨輪車，9、加帆車，10、磨車，11、拉車牲畜之兩種有效馭具，即胸肩車帶和護肩軛，12、弩，13、風箏，14、竹蜻蜓和活動畫筒，15、鑿深的技術，16、鑄鐵術，17、弓形拱橋，18、鐵鍊弔機，19、運河閘門，20、航海上的許多發明，包括防水隔艙、氣體力學的有效帆航、縱帆裝置，以及船尾舵，21、瓷器[29]，足見先民對世界文明發展的貢獻是無與倫比的，這能不讓每一位炎黃子孫引以為傲嗎？

（三）近代中國科學落後的原因

西元15世紀以前，中國的傳統科學技術大體上領先歐洲各國，但自文藝復興以後，西方的科技就逐漸發達，尤其經過科學革命、工業

28 《荀子・天論》，頁229。

29 李約瑟（J. Needham）著，陳立夫主譯：《中國之科學與文明》，頁480-482。

革命的洗禮，更是突飛猛進、一日千里，遠遠超過中國，近數百年中國的科學為何會一蹶不振，遠落人後？實在值得深思。究其原因，主要殆有下列數端：

1 科技本身的缺陷

傳統科學雖然有許多優點促成其蓬勃發展，但也有不少缺失，造成精進的障礙。例如偏重實際的應用，欠缺理論的探討，無法作更進一步的突破；過於重視經驗，家族相傳，自珍自秘，往往使許多寶貴的發明都失傳了；大規模的科技均屬官辦，官僚式的管理、敷衍塞責的作風自然使發展的績效大打折扣。

2 社會觀念的錯誤

中國自古即重道而輕器，重農而抑工商。一般才智之士都嚮往於治國平天下的仕宦生涯，而對科技有實際貢獻的功臣——巫、醫、百工、方伎之士卻泰半沈淪於低層社會，不僅未能受到帝王公卿的禮遇，而且也遭到社會大眾的卑視。像張衡之位至侍中，諸葛亮之貴為宰輔，沈括之出使契丹，可說是鳳毛麟角，並且他們的顯達與科技的成就幾乎是毫無關係的。

3 科舉考試的遺毒

儒家講究六藝之教，從孔子一直到劉歆、張衡、鄭玄、祖沖之、劉焯都保存了這優良的傳統，唐宋取士猶立算學科、置醫學科，都使中國社會維持了一定程度的科學文化。但明清的科舉考試改以八股文為拔擢人才的標準，不僅桎梏了士子的思想，更堵塞了一般人研究自然科學的興趣，科學不但未能續求發展，反而大受戕賊。

4　專制政治的作祟

三代或屬共主制度，或行封建之治，秦漢以後，多屬開明專制的帝王政治，大抵對科學的發展尚無不良影響。明清兩代，則極端專制，動輒大興文字獄，使一般讀書人逃避現實，鑽入故紙堆中，脫離對社會乃至自然界的觀察與研究，加上清廷的妄自尊大，閉關自守，自然使科學的枝幹日趨枯萎。

上面這些不利因素，有些可能已成歷史陳蹟，有些可能改頭換面繼續肆虐，國人唯有痛加針砭，倍加努力，才有可能迎頭趕上歐美，使中國的科學再度發出萬丈光芒。

——原載於財團法人景伊文化藝術基金會主辦、臺灣師範大學承辦：紀念林尹教授國際學術研討會論文（2012年5月），頁41-76。

參考文獻

一　傳統文獻

（漢）孔安國傳　（唐）孔穎達正義　《尚書正義》　臺北　藝文印書館　影印阮元校勘十三經注疏本　2001年

（漢）鄭玄注　《易緯·乾鑿度》　臺北　中新書局　古經解彙函本　1973年

（魏）王弼注　《老子》　臺北　新興書局　1963年

（魏）王弼注，（唐）孔穎達正義　《周易正義》　臺北　藝文印書館　影印阮元校勘十三經注疏本　2001年

（吳）韋昭注　《國語》　臺北　商務印書館　國學基本叢書本

（宋）朱熹　《四書集注》　臺北　臺灣書店　1971年

（清）王先謙　《莊子集解》　臺北　三民書局　1963年

（清）馬國翰　《玉函山房輯佚書》　臺北　文海出版社　1974年

（清）戴望校正　《管子》　臺北　商務印書館　國學基本叢書本

二　近人論著

中國科技史論文集編輯小組　《中國科技史論文集》　臺北　聯經出版事業公司　1995年

自然科學史研究所編　《中國古代科技成就》　北京　中國青年出版社　1978年

李約瑟（J. Needham）著；陳立夫主譯　《中國之科學與文明》　臺北　商務印書館　1971-1982年

杜石然等　《中國科學技術史稿》　北京　科學出版社　1982年

杜石然主編　《中國古代科學家傳記》　北京　科學出版社　1992年
何寧　《淮南子集釋》　北京　中華書局　1998年
吳嘉麗、葉鴻灑編　《新編中國科技史》　臺北　銀禾文化公司　1989年
周瀚光、王貽梁　《競技中國——圖解中國科技史》　臺中　好讀出版公司　2008年
屈寶坤　《中國古代著名科學典籍》　北京　商務印書館　1998年
高奇等　《走進中國科技殿堂》　濟南　山東大學出版社　2005年
席澤宗　《科學史八講》　臺北　聯經出版事業公司　1994年
梁啟雄　《荀子柬釋》　臺北　河洛圖書出版社　1974年
陳奇猷　《呂氏春秋校釋》　臺北　華正書局　1983年
曾雄生等　《中國科技史》　臺北　文津出版社　1998年
馮作民、宋秀玲編　《中國古代科學》　臺北　星光出版社　1996年
華寶明　《中國科技史》　臺北　五南圖書公司　2004年
路甬祥編　《走進殿堂的中國古代科技史》上海　交通大學　2009年
樂愛國　《中國傳統文化與科技》　桂林　廣西師範大學　2006年
劉洪濤　《中國古代科技史》　天津　南開大學　1991年
盧嘉錫　《中國科學技術史》　北京　科學出版社　2001年
瀧川龜太郎　《史記會注考證》　臺北　洪氏出版社　1981年
藪內清著，梁策、趙煒宏譯　《中國科學文明》　臺北　淑馨出版社　1989年

中國傳統科技文化研究的省思

一　傳統的科技文化

科技文化是中國傳統文化中極為重要的一環，而在各種學科當中，科技史的研究卻是起步最晚的。雖然數以萬計的文化典籍裡早就蘊藏著極其豐富的科學史料，但直至20世紀初，才開始有部分學者用近代科學觀點和方法去加以蒐集、整理和研究。如高平子、陳遵嬀、朱文鑫之於天文，李儼、錢寶琮之於數學、章鴻釗之於地質、竺可楨之於氣象、李濤之於醫藥、梁思成之於建築，張子高、李喬苹之於化學……，都有很可觀的成果，可惜並未受到世人應有的重視。到了1954年，英國學者李約瑟陸續推出皇皇巨帙的《中國之科學與文明》，才使世人普遍認識中國古代除了四大發明之外，還有那麼輝煌的科技成就，特別是西元3世紀到13世紀之間始終保持一個西方所望塵莫及的科學知識水準，更是無可爭議的事實。

也許有人要說這些成就與今天突飛猛進的西方科技相較，都已陳舊落伍，不足珍視。殊不知任何文明都不能憑空而起，都有其因革損益的傳統，對於傳統的認識與發揚，實為後世子孫無可旁貸的義務。當然，我們對傳統科學的研究，並不是為了抱殘守缺，沾沾自喜，而是為了感念先人對整個世界文明所做的偉大貢獻，更是為了普及科學知識，提升科學水準，俾便昂首闊步地去迎接挑戰、去開創一個偉大的新時代。

二　兩岸對傳統科技文化的研究

傳統科技文化的研究既然如此重要，按理說自政府播遷之後，臺灣應該已有相當可觀的研究成果才對，事實則不然。四十餘年來，此地研究傳統科技文化的學者寥若晨星，坊間出版的相關書籍，絕大多數不是1949年以前的舊作，就是近年中國出版品的翻版。大學舉辦的科技史研討會絕無僅有，開設科技史的系所也屈指可數。無怪乎腦中存有「中國古代沒有科學」或者「儒家思想嚴重妨礙中國科學的發展」之類錯誤觀念的社會人士也還不乏其人。反觀中國，早在1954年，北京中國科學院就成立中國自然科學史研究委員會，1975年升格改制為研究所，設有六個研究室、一個編輯部和一個圖書館，現有員工120人，藏書十餘萬冊，定期出版三種季刊。其他機關學校成立類似單位的也有如雨後春筍。1980年，北京成立了中國科學技術史學會，上海、安徽、陝西、河南、廣西等地也陸續設置了科技史學會，每年舉辦的專業性和綜合性學術討論會在十次以上。至於四十年來有關著作，單是席澤宗《科學史八講》（聯經出版事業公司，1994年出版）裡所提到的就不下百種。相形之下，臺灣在這方面的成就自然顯得瞠乎其後，這實在是一個十分嚴重的問題，至於如何檢討改進，急起直追，當然更是當務之急。

三　如何檢討改進、急起直追

首先，如果能在中央研究院成立傳統科學文化研究所，在某些機關學校設置相關單位，在學術界經常舉辦傳統科技研討會，在大學普遍開設科技史課程，則不難鼓動研究風氣，培養研究人才，使形勢大為改觀。可能有人以為，傳統科技的研究在臺灣既然不受重視，短期之內哪能網羅這麼多人才？殊不知傳統科技文化的研究，涉及的領域十分廣泛，是一個需要高度科際整合的學門，例如古代科技文獻的校釋有賴於中文學界的協助，專業知識的鑽研有賴於理工學界的出力，科學思想的探討可以鼓勵哲學界參與，時空背景的考察必須由史地學界領軍等。只要有興趣，人人皆可加入研究行列，而也唯有各行各業通力合作，才有蔚成風潮的可能。李約瑟在學期間從未修過科學史，也不曾受過漢語的正規教育，只因為在研究解剖學和化學的過程中，激發了研究中國科技史的興趣，就能結合王鈴、魯桂珍、何丙郁、肯納斯、歐翰思……等中外學者，以數十年之力，編撰了震驚全球的經典著作。然則倘能鳩集我政府與學術界的財力、物力、人力與智慧，又何患不能有更高的成就呢？

其次，在從事研究的過程中，要宏觀與微觀並重，內部研究與外部研究齊頭並進才行。古代天文、曆法、數學、物理、化學、生物等自然科學如何演化？醫藥、農業、建築、機械、化工等應用科學有什麼成果？固然都是研究的重點，而政治、經濟、文化、社會的因素對古代科技產生何種影響？天人合一、經世致用、格物致知、氣一元論、陰陽五行等思想與古代科技的關係如何？地下文物與文化典籍如何相互印證？古代科技的特色、優缺點何在？在科學思想、科學技術、科學方法方面，中西科技文化有何不同？中西科技交流的情形與影響如何？自16世紀開始，中國科學為何落後？從中國傳統科技文化的研究中可對將來科學發展提供何種借鏡？諸如此類，也都十分重要，而且息息相關，可以成為研究的重點，不可偏廢。固然，個人道行不同，時間、精力也有所局限，不可能面面俱到去研究那麼多問題，但只要大家能分工合作，根據自己的專長，選擇適當的領域，以最新的科學、哲學、文化觀念為基礎，分別從各種不同的角度與層次廣泛而深入地去加以探討，那麼假以時日，積涓滴還是可以成為大海的。

最後，我以為應該重視域外的交流合作。現在世界已縮小為地球村，兩岸的文化交流也日趨密切，我們不可能也不必從事孤立的研究。只要他人有長處，我們就應該學習，只要有交流的機會，我們就可以考慮，既不必妄自菲薄，更不可夜郎自大。例如中國近幾十年出土了大量的石器、陶瓷器、金屬器、編織器、骨器、簡帛、墓葬、古建築、古人類遺址等，這些都是研究古代科技的重要文物，卻非我們所能擁有；又如中國現存有關科學的各類古籍至少在萬種以上，這些也未必都是我們所能得見。我們不能憑空去取得這些資料，如何展現我們的誠意與籌碼，如何透過平等互惠的方式去爭取合作研究的機會，那就是值得仔細探索的問題。至於海內外學者的互訪、國際學術研討會的召開、科技文化研究成果的翻譯等，其重要性當然就更不在話下了。相信在這種對抗中有交流，合作中有競爭的氣氛之中，海峽兩岸乃至全世界的傳統科技研究水準可望大幅提升。

——原載於《文訊》雜誌第9卷第1期（1996年9月），頁52-53。

為古代科技文化研究開扇大門

近代學術界一方面分工日細，另一方面講究科際整合，這兩種相反相成的力量，互相激盪，使得不少學術研究遭遇困難，但也使得許多學術研究得到支援，產生了輝煌的成就。

中國古代科技文化包含的範圍極廣，舉凡數學、天文、曆法、地質、物理、化學、生物、醫藥、農業、水利、造船、建築、礦冶、機械、紡織、化工等皆屬之。這些陌生而專精的領域，每使研究文史哲的學者望而生畏；而研究自然科學與應用科學的學者，則或因不習慣於閱讀古書，或因目光專注於現代尖端科技，也往往提不起研究的興趣。職是之故，中國古代科技文化成為學術界的死角，未能得到應有的重視。

二十餘年前，英國生化學家李約瑟皇皇十餘鉅冊《中國之科學與文明》陸續推出之後，內容包羅萬象，識見超凡絕倫，給予國內學者很大的刺激與啟發，於是研究的風氣頗有改善，成果也日漸豐碩。唯一般而言，文史哲學者涉足於古代科技文化之研究的仍然寥若晨星，實在不能不說是一個缺憾。

對於古代科技文化的研究，專攻文化史的學者誠然責無旁貸，理工出身的專家尤其具有得天獨厚的條件。但一般文史哲的學者，似乎也不妨多費心留意這個領域，因為我們縱使將群經、諸子及二十五史中的歷史、政治、經濟、社會、思想、文學……都闡發殆盡，而獨遺漏了其蘊藏豐富的科技素材，我們的研究就不能算完美無缺。更何況這些科技成就，與當時的各種人文條件彼此息息相關，交互影響，也是值得我們去探討的。例如陰陽家歷象日月星辰，深觀陰陽消息。而構成了其整體平衡的天人合一思想，而此一思想深深影響傳統醫學的辨症論治、道教的煉丹吐納、農學的精耕輪作、樂律的和諧統一、天文的分野星占……，這些都有賴於文史哲學者加入研究的行列，才能探討清楚，而無法完全推諉給理工學者的。

較為專門的古代科技著作，諸如《黃帝內經》、《算經十書》、《齊民要術》、《營造法式》、《天工開物》，當然不勞文史哲學者過分投入，除非願意先花費數年時間去學習專業的知識。但有些散見群籍的科技資料，如《詩經》，《爾雅》的生物，《尚書・禹貢》、《管子・地員》的地學，《左傳》、《呂氏春秋》的天文，《墨子・墨經》的物理，《周禮・考工記》的手工業，只要用心去鑽研，還是大有發揮的餘地。

研究古代科技文化，首先當然不可忽略原典及傳統文獻，例如要研究〈考工記〉，則鄭玄、賈公彥的《周禮注疏》、孫詒讓的《周禮正義》、林希逸的〈考工記解〉，戴震的〈考工記圖〉、程瑤田的〈考工創物小記〉，乃至於相關的古籍都不可不讀。其次，現代科技的新說，如散見於期刊的各家論文，乃至於相關的各種古代科技的通史、專史、通論、專論尤其不可不加以借重。至於近代出土的考古文物，如殷墟的古車、曾侯乙墓的編鐘、晉國侯馬、燕下都的春秋戰國城市遺址，或可印證文獻之記載，或可糾正前人之謬說，當然也都有很高的參考價值。

有了充實的研究資料，還得運用科學的研究方法，如分析法、歸納法、演繹法、比較法、統計法、問題法、批判法……，才能使得研究周延而深入，才不至於有囫圇吞棗、食古不化、牽強附會等毛病。能如此，則無論是撰寫新注或論文，都必能賦古典以新貌，有助於讀者研讀古籍，亦有助於傳統文化的發揚，縱使有些錯誤或遺漏，倘能引起理工學者進一步去探討的興趣，那影響就更深遠了。

我原本沉浸於故紙堆中，從事文學與經學的研究，由於偶然的機緣，竟然闖入古代科技文化的領域，寫了一本《夏小正析論》及六、七篇〈呂氏春秋之天文〉、〈古書中的北斗七星〉，〈從科學觀點探討周禮〉之類的論文。雖然成績有限，卻引發了特殊的興趣與關懷，因此，願在此提出誠摯的邀請，希望有更多的文史哲學者加入古代科技文化研究的行列。

——原載於《中央日報・中山學術論壇》第26期，1993年10月29日

古代科技文獻的研讀方法

一　前言

「中國古代有沒有科技？」對於這個問題，在幾十年前一般人往往持著懷疑甚至否定的態度。但經過許多受西方科技文明洗禮的專家學者對傳統科學深入的研究，現在大家已曉得中國古代除了家喻戶曉的四大發明之外，不但有科學，而且有相當輝煌的科技文明，與同時的西方科學互相比較，不但毫無遜色，而且遙遙領先者不知凡幾。這些科技史料散布在經、史、子、集、叢書、筆記甚至方志之中，至少包括天文曆法約二千種，數學二千一百種，農書一千種，醫學八千種，其他尚有地學、物理、生物、建築、機械、化學……可說俯拾即是，如何去蒐集、整理、研究這些史料，是一個十分浩大的工程，因此對於古代科技文獻研讀方法的講求，就變得十分重要。在此，我要分別從文獻的整理及解讀兩方面來探討這個問題。

筆者從事古代科技文化研究多歷年所，曾出版專書數本，發表論文近30篇。十幾年前，臺灣大學鄭吉雄教授有意編輯古籍研讀專書，供給青年朋友閱讀，講明以通俗易解為主，不必引經據典，不必詳作注解。筆者應約寫了這篇論文，可惜由於種種緣故，該書始終未曾出版。最近，福建師大與章法學會、萬卷樓合辦海峽兩岸文化交流研討會，由於文化範圍極廣，科技文化是其中重要的一環，拙作中有不少多年研究心得，也採納許多兩岸學者的高見，因而在此提出就教於方家，也許可以得到拋磚引玉的效果吧！

二　古代科技文獻的整理方法

（一）資料的蒐集

學術研究要從工具書的檢索入手。舉凡研究範圍的選擇，研究靈感的獲得，研究題目的擬定、研究材料的蒐集、研究問題的解決，在在需要借助於工具書的檢索。古代科技文獻的研讀也不例外，在選擇研究對象時，固然需要檢索許多工具書；在鎖定研究對象之後，更得聚集焦點，透過工具書的檢索去蒐集研究課題所需要的資料。首先，要蒐集的是原典的重要版本及注解，其次是各種有參考價值的論文或書籍。例如與《墨子・墨經》並稱為先秦科技雙璧的《周禮・考工記》，是先秦手工業技術規範的總匯，要研究〈考工記〉就得蒐集漢鄭玄注、唐賈公彥疏的《周禮注疏》（包含阮元刻本、《四部叢刊》相臺本、《四部備要》永懷堂本）宋王與之的《周禮訂義》、明林希逸的《考工記解》、徐光啟的《考工記解》、清戴震的〈考工記圖〉、程瑤田的〈考工創物小記〉、阮元的〈考工記車制圖解〉、孫詒讓的《周禮正義》、近代林師景伊的《周禮今註今譯》、聞人軍的《考工記導讀》、戴吾三的《考工記圖說》……，這些《周禮》或〈考工記〉的原典與專著。其次是散見於清人文集的研究篇目，如江藩《隸經文》的〈軹說〉、〈軸說〉、劉逢祿《劉禮部集》的〈戈戟解〉、陳澧《東塾集》的〈戈戟圖說〉、阮元《揅經室集》的〈鍾枚說〉……，散見於近、現代期刊的論文，如王燮山的〈考工記及其中的力學知識〉（《物理通報》1959年第5期）、那志良的〈周禮考工記玉人新注〉（《大陸雜誌》第29卷第1期，1964年）、聞人軍的〈考工記中的兵器學〉（《錦州學院學報》1987年第2期）、周世德的〈考工記與我國古代造車技術〉（《中國歷史博物館館刊》第12期，1989年）、戴吾三〈考工記輪之檢驗新探〉……，外國的論著，如日本原田淑人的〈周禮考工記的考古學的檢討〉、林已奈夫的〈周禮考工記的車制〉、英國李約瑟（Joseph Needham）的〈中國古代的輪和齒輪〉……。此外，雖不是專門研究〈考工記〉，卻有參考價值的資料，如《周禮》其他篇章、宋聶崇義的《三禮圖》、清黃以周的《禮書通故》、李約瑟的《中國之科學與文明》、中國科學院自然科學研究所的《中國古代科技成就》……等，也都可以取來加以比較研究。當然，資料的選擇，應該博觀約取，才不致氾濫無歸，浪費時力。同時，在使用這些文獻時，也需注意避免其謬誤曲解之處，如鄭玄《注》雖然能反映漢代的科技水準，但為戴震、孫詒讓匡糾補正之處也為數不少，而戴、孫之書，在科技昌明的今日，自然也呈現不少瑕疵，需要用近代新說加以補苴。

（二）版本的選擇

在印刷術發明以前，古書的流傳完全依靠手抄，每傳抄一次就可能參生一些錯誤。即使在印刷術發明以後，如果疏於校勘，也可能錯誤連篇，難以卒讀，這對古書的研究傷害實在太大了。所以研讀古書，必須廣泛蒐集不同的版本，選擇精本、善本、作為研究的底本，甚至親自校勘。例如〈夏小正〉是現存古代科技名作中，時代較早的一篇，內容包括天文、曆法、氣候、生物、人文，很有研究的價值。先秦原本單獨流傳，漢代戴德將它採入《大戴禮記》，宋代傅崧卿為之作注，流傳益廣。所以今傳〈夏小正〉的版本，主要有《大戴禮記》本及傅崧卿注本兩個系統。《大戴禮記》版本極多，舉其要者，有宋韓元吉刊本、元劉貞刊本、明袁褧刊本、嘉趣堂本、程榮《漢魏叢書》本、陶宗儀《說郛》本、朱養純刊本、清朱軾《句讀》本、盧見曾雅雨堂本、戴震校武英殿《聚珍版叢書》本，至於散見於群籍者，有朱熹《儀禮經傳通解》本、王應麟《玉海》本、明潘基慶《古逸書》本、陳深《十三經解詁本》、清馬驌《繹史》本、江永《禮書綱目》本等。傅崧卿注本今傳者則有《通志堂經解》本、《士禮居叢書》本、黃丕烈《校錄》本，傅以禮《考異》本等。此外，歷代研究《大戴禮記》及〈夏小正〉的專著，可考者至少在百種以上，今存者不下三十餘種，各家面目又各有不同。我在寫《夏小正研究》〈校釋〉部分時，就是以商務印書館《四部叢刊》景印無錫孫氏小淥天藏明嘉趣堂本《大戴禮記》為底本，再用五十種異本參校。在寫作過程中，可以發現各家的異說極多，有經傳的爭議、分節的出入、次序的不同、斷句的區別、文字的差異、訓詁的歧互，幾乎沒有兩家是從頭到尾完全相同的，誠如莊述祖所說：「蓋以古書之僅存，屢為後人所亂，校書者又別以其意定之，是其所是，而非其所非，迄無所取正，而亂益甚。」(《明堂陰陽夏小正經傳考釋・自序》) 像陶宗儀《說郛》本就肆意刪改，僅得19節，並非完璧。就連莊述祖《經傳考釋》本也是動輒竄易經傳，以就己說，因而難逃譏評。由此可見讀古書選擇版本之重要，此所以有版本學這門學問的產生。

(三) 形式的釐清

古書無標點，無句讀，體例不清，古奧難解，在傳抄的過程中，不僅常有錯訛衍奪，甚至有形式混淆、面目不清的情況。如果不加以釐清復原，那就會造成無法解讀的困境。例如〈夏小正〉原有經傳之分，經文可能是春秋時代杞國人所傳先世舊籍，歷經傳寫補充而成；傳文可能是戰國末年，子夏、公羊、穀梁一派學者所為。在漢代，經傳本自別行，經是經，傳是傳，猶如熹平石經《春秋傳》不載經文，這是漢代經傳通行的一般情況，〈夏小正〉自然也不例外。由於傳中都複舉經文，有人就將別行的經文刪汰，以致何者為經，何者為傳，單靠含有經文的傳，遂難以明辨了。到了宋代，傅崧卿受到《春秋左氏傳》的啟示，才從傳文中將經文釐析出來，唯傳中仍保留著經文，亦即經文是複舉的，例如：

> 正月啟蟄——言始發蟄也。
>
> 鴈北鄉——先言鴈而後言鄉者何也？見鴈而後數其鄉也。鄉者何也？鄉其居也。鴈以北方為居，何以謂之為居？生且長焉爾。九月遰鴻鴈，先言遰而後言鴻鴈何也？見遰而後數之，則鴻鴈也。何不謂南鄉也？曰非其居也，故不謂南鄉。記鴻鴈之遰也，如不記其鄉何也？曰鴻不必當小正之遰者也。

他的《夏小正戴氏傳》共有經文455字，傳文2472字，從渾渾古籍中，稽核舊文，剖分乾坤，使讀者有徑可尋，功勞自是不淺。不過，由於〈夏小正〉的經文被魯莽刪去，從傳文中去釐析經傳並不是容易的事。傅氏用力雖勤，所得自難盡如人意。《四庫全書總目提要》卷二十一就曾批評他誤經為傳，誤傳為經，所以朱熹《儀禮經傳通解》、王應麟《玉海》以降，研究〈夏小正〉者往往又重加釐析，而各有出入。另一個有名的例子是《墨子》的〈墨經〉。〈墨經〉是先秦哲學、自然科學和社會科學的名著，包括「經上」、「經下」、「經說上」、「經說下」四篇。〈經〉相傳是墨子自著，〈經說〉相傳是墨子及門弟子紀錄師說而成。由於〈墨經〉是採取論式的表達方式，所以最初可能像史書的譜表一般，分上下兩排，由右而左，一條一條書寫。後來抄寫的人不明體例，把上下兩排相當的文字改成一行直下，如：

> 故所得而後成也。止以久也。體分於兼也。必不已也。知材也。平同高也。……

以致經文前後義類失序，〈經〉與〈經說〉也參差舛錯。到了晉朝，魯勝作注，創立了「引說就經」的方法，於是各自單篇流傳的〈經〉與〈經說〉才能逐條拉上關係。到了清朝，張惠言《墨子注》、孫詒讓《墨子閒詁》進一步去訂正〈經說〉的標題，於是〈經〉與〈經說〉

的關係，才能怡然理順。而畢沅《墨子注》更根據〈經上〉末行「讀此書旁行」五字，將〈經〉錄為兩截，橫讀成文，於是〈經〉的眉目才較為清楚，如：

故所得而後成也。	止以久也。
體分於兼也。	必不已也。
知材也。	平同高也。

如果不是經過歷代學者的努力，將〈墨經〉的形式逐漸釐清，我們今天就不可能破除文字的障礙，去探討其中有關自然、數學、力學、光學等豐富的古代科技的內涵了。

（四）譌誤的校勘

1　譌誤的類型

每一本古書在傳抄的過程中多少都有譌誤，而不同的版本往往也有不少文字上的出入，所以在解讀古書之前，必先經過精心的校勘，儘可能恢復原書的本來面目，才有可能探索作者的原意。要從事校勘工作，首先必須了解古書致誤的根源，也就是古書錯誤的類型，其次就是要運用校勘方法來訂正這些錯誤，例如《爾雅・釋草》等七篇，臚列植物330種，動物340種，是先秦生物學的寶典，但古字、借字不少，錯誤也極多，其類型主要有四：

（1）錯字

文字發生錯誤，可能是形近而譌，音近而譌，或一字誤為兩字，二字誤為一字，或涉上下文而誤，如〈釋草〉：「葭、華。」「華」當作「蕫」就是形近而譌。

（2）闕文

有文字漏掉，包括脫字、脫句、脫行、脫頁、脫簡。如〈釋畜〉在「羊屬」之後。「狗屬」之前漏掉「豕子豬，牝豝」35字，大概是後人懷疑與〈釋獸〉文字重複而誤刪。

（3）衍文

有文字誤增，或涉上文而衍，或涉下文而衍，或涉注文而衍，或涉篇名而衍，或臆改而衍，或妄增而衍。如〈釋獸〉：「豕子豬。」「子」字涉上文「兔子嬔」而衍。

（4）錯位

上下文字顛倒，前後次序錯亂，包括倒文、錯簡、相鄰文字互錯其位、正文、注文相混等。如〈釋木〉：「楡，白枌。」當作「枌，白楡。」上下顛倒。

2　校勘的方法

針對這些錯誤，歷代注家在從事考釋之際，往往會進行「審定經文，增校郭注」（邵晉涵《爾雅正義・序》）的工作，他們的方法，主要有四：

（1）對校法

即以同書之較古或較精善之版本為底本，持與其他版本對讀，遇不同之處則注於其旁。如〈釋草〉：「芨，堇草。」郭璞注：「即烏頭也，江東呼為堇，音靳。」邵晉涵《爾雅正義》云：「監本脫『音靳』二字，今從宋本增補。」（《皇清經解》卷五一七，頁29）

(2)本校法

即以本書校本書，在本書內部尋找證據，如根據目錄與正文，附錄、注文與正文，上下文意，用韻情況等互相參校，以發現並改正訛誤。如〈釋草〉:「葭，華。」阮元云:「按華當作葦，字之誤也。……郭注:『葭，葦。』云:『即今蘆也。』注『葭，蘆』云:『葦也』，正彼此互證。」(《爾雅校勘記》卷八，頁22)

(3)他校法

即根據其他文獻與本書內容相關的記載，與本書互相參證，以發現並改正訛誤。如:〈釋獸〉:「猱蝯善援。」阮元云:「按《釋文》知此經舊作猨，從犬。《說文》虫部云:『蝯善援』，故《五經文字》、唐石經皆訂作蝯。」(《爾雅校勘記》卷十，頁12)

(4)理校法

即推理的校勘，是遇到無古本可據，或數本互異，而無所適從時，以文理、事理、義理為導向，以分析、綜合為手段，從語言、體例、史實等方面尋找可供推理的依據。如〈釋草〉:「葖，蘆葩。」郭璞注:「葩宜為菔。蘆菔，蕪菁屬。紫華大根。」王引之云:「葩菔字形相近，郭說似得之矣。及以《爾雅》異物同名之例求之，而後知其不然也。……蓋物之同名者往往有之，故觀於蘆蜰，而知蘆葩之必不誤也。」(《經義述聞》頁674)

這些方法各有其優缺點，如對校法最客觀，但也最機械，理校法最高妙，但也最危險，應仔細斟酌，靈活運用，才能使校勘工作做得較為理想。

（五）文獻的鑒別

古人著書往往不題作者姓名，甚至假託他人姓名，或羼雜後代資料，或擅改書中紀錄，如果不進行鑒別工作，將作者、時代、地域、真偽等考證清楚，在解讀時就會發生背景混淆、源流紊亂、是非顛倒、前後矛盾、枉費精神等問題。例如《周髀算經》是中國第一部自成體系，且以完備面目呈現的數理天文學專著，但其著作時代，長久以來始終是一個謎。由於該書開首有周公與商高的對話，曾使許多崇古之士相信，此書撰於商周之際，然而其文字與周初的文獻，如詰屈聱牙的《尚書・周書》之類實在相去太遠，李儼的《中算史論叢》第一集、陳遵嬀的《中國天文學史》第一冊因而認為其中有一部分為周初之作，其餘為戰國前著作。劉朝陽的《劉朝陽中國天文學史論文集・中國天文學史之一重大問題—周髀算經之年代》以為是劉歆以後，蔡邕以前的作品。錢寶琮的《錢寶琮科學史論文選集・周髀算經考》則將《周髀算經》與《淮南子・天文篇》及劉歆的《三統曆譜》（見於《漢書・律曆志》）三者進行比較，從天體論、測望、星象、曆法等方面發現了六條證據：

(1)《周髀算經》與《淮南子・天文篇》都論述「天圓地方」。

(2)《周髀算經》與《淮南子・天文篇》都有「日影千里差一寸」之說。

(3)《周髀算經》與《淮南子・天文篇》都有利用表竿測量日出、日入方位，以確定東西南北準確方向的方案。

(4) 關於日躔，也就是太陽在恆星間所處的位置，《周髀算經》所載為冬至在牽牛，春分在婁，夏至在東井，秋分在角，與《三統曆譜》相符，而《淮南子・天文篇》所載則不同，以歲差原理推算，《淮南子・天文篇》所載在年代上略早一些。

（5）《周髀算經》與《淮南子・天文篇》在二十四節氣及晷影推算方面，都不精確。

（6）《周髀算經》分一日為十二時，以地支紀之，稱時曰：「日加某支」，這種稱呼方法與《三統曆譜》相同，而在《呂氏春秋》、《淮南子》、《史記・曆書》等書中都還未曾出現過。最後，他推算《周髀算經》的成書年代應稍後於《淮南子・天文篇》，也就是西元前一百年左右，這樣的結論雖未必成為定論，卻是較為一般人所採信，無論對於《周髀算經》文本的解讀，或者中國數學發展史、天文學發展史的詮釋，都具有相當重要的意義。

三　古代科技文獻的解讀方法

（一）字詞的訓釋

古代的文獻，由於時間、空間的轉移，或人為的因素，造成文字的異形、聲韻的轉移、語義的改變、詞彙的變化、語法的改異、名物制度的隔閡，於是形成閱讀的障礙，這時就需要以今語釋古語，以通語釋方言，以已知的語言釋未知的語言，所以字詞的訓釋是解讀古書的第一步。訓詁學就是用來研究古籍訓解的學問，其方法主要有三：

1　以形索義

通過字形的分析來了解字所紀錄的詞的本義，即體現在造字意圖中的基本詞義。從許慎根據六書的原則，開始分析字形以求本義以來，一直到明代，這種方法都是訓詁的主流。例如《說文解字》云：

> 歲：木星也。越歷二十八宿，宣徧陰陽，十二月一次。从步，戌聲。〈律曆志〉云：「五星為五步」。

霸：月始生魄然也。承大月二日，承小月三日。从月，䨣聲。《周書》云：「哉生霸」。

閏：餘分之月，五歲再閏也。告朔之禮，天子居宗廟，閏月居門中。《周禮》：「閏月王居門中」，終月也。

歲字的解釋，讓我們了解歲星紀年法的根源及年歲的由來；霸字的解釋，使我們明白月相的變化及《周書》哉生霸的意義；閏字的解釋，令我們知道置閏的作用、方法及其禮儀。這些都是透過文字結構的分析，展現了作者的淵博。

2　因聲求義

通過語音去尋求或證明語義。這是從先秦兩漢的聲訓、宋代的右文說到清代的音近義通，才正式成熟的訓詁方法，可以用來考物名、求語源、破叚借、明連語、通轉語，使訓詁從文字研究進入語言研究，清人在訓詁方面有輝煌的成就，主要就是依賴這種方法。例如：

《爾雅・釋木》：「楓，欇欇」。王引之云：「楓之言風也。《廣雅》曰：『風，動也。』楓木厚葉弱枝而善動，故謂之楓。」（《經義述聞》頁674）

《爾雅・釋草》：「瓠棲瓣。」郝懿行云：「通做壺。《詩》：『八月斷壺』，《傳》：『壺，瓠也。』又通做華，〈郊特牲〉云：『天子樹瓜華。』鄭注：『華，果蓏也。』是華讀為瓠，瓠、華古音同也。」（《爾雅義疏》下之一，頁4）

由於楓厚葉弱枝，遇風善動，所以稱之為楓，此考察物名的來源。瓠、壺、華古音同屬匣紐，魚部，〈釋草〉用本字，《詩・豳風・七月》作壺，《禮記・郊特牲》作華，都是叚借字，此為破叚借字以求本字，又稱讀破、易字。這都是特過古音來探討語義。

3 比較互證

運用詞義本身的內在規律，通過詞與詞之間意義的關係和多義詞諸義項的關係對比，較其異，證其同，達到探求和判定詞義的目的。《爾雅》首先創立了同義詞相互比較的方法，後來的訓詁學家更廣泛尋求證據，使用比較、歸納、演繹等邏輯方法，進行綜合推定。例如《爾雅・釋蟲》:「蠪，朾螘。」王引之《經義述聞》頁678博引《經典釋文》、《玉篇》、《廣韻》、《說文》，並根據〈釋蟲〉文例，證明螘之赤色斑駮者謂之蠪，《玉篇》、《集韻》、《說文》段玉裁注之以蠪朾連讀皆非。他不但為赤螘正名，糾正舊說之誤，而且也歸納了朾、虰、朾、赬、經都是音義相同的同源詞，可說將因聲求義與比較互證做了巧妙的整合。

（二）舊說的商榷

在研讀古代科技文獻時，需要蒐集許多舊注及參考資料，這些資料固然提供了不少解讀的根據、研究的線索，但有時說法不同，出入極大，甚至眾說紛紜，莫衷一是，這時，如何商榷得失，善加取捨就更顯得十分重要了。例如：

> 《左傳・昭公十七年》:「冬有星孛於大辰西，及漢。」杜預注云:「夏之八月，辰星見在天漢西，今孛星出辰西，光芒東及天漢。」楊伯峻云:「謂彗星長尾光芒西及于銀河。」(《春秋左傳注》，頁1390)

星孛是彗星，大辰指心宿（天蠍座），由於銀河在心宿之東，而非心宿之西，所以杜注為是，而楊注則斷句、解釋皆非。可見在解讀兩家注解時，須具備天文學基本常識，才不致被「前修未密，後出轉精」之說所惑。另一個相類似的例子是：

> 〈墨經下〉：「一少於二而多於五。說在建位。」〈經說下〉：「一〇五有一焉，一有五焉。十，二焉。」俞樾云：「數至於十，則復為一，故多於五。五有一者，一二三四之一也。一有五者，一十、一百之一也。」曹耀湘云：「建，立也，位，上下左右之位也。珠算之法，上二，下五。上一當五，下一當一。左一而當十，右一而當一。故曰：一少於二而多於五者，視其所立之位也。」（譚戒甫《墨辯發微》，190-191）

「建位」的「位」，原本作「住」，依曹耀湘、孫詒讓說改。意思是說，個位數的一，比個位數的二少，但十位數的一卻比個位數的五多。原因是個位上五有五個一，十位上一有五個二，也就是十有二個五。這是就十進位值制的立場來說的，俞樾之說良是，曹耀湘的說法在道理上也相合，問題是珠算之名始見於北齊甄鸞《周髀算經注》，並非先秦所宜有，所以不能採用。梁啟超不明十進位值制之理，改〈墨經下〉為：「一少於二而多於五，說在進。」改〈經說下〉為：「一〇五，有一五焉，一十，有五二焉進，前取也。」並批評〈墨經〉「其論證已鄰於詭辯。」（《墨經校釋》，頁86）其說純出臆測，難以通解，更不足取。上面這兩個例子還算較為單純，有些舊注更為複雜，如〈夏小正・正月〉：「鞠則見—鞠者，何也？星名也。鞠則見者，歲再見爾。」我在《夏小正析論・夏小正之天文》頁20-22，曾歸納舊注，除金履祥懷疑此節可能在講「菊始苗」外，其他從天文來立論的，就有四類十二說：

1. 北方玄武：①危室說②黃星說③杵臼星說④祿星說⑤北落星說⑥虛星說⑦天錢星說⑧瓠瓜星說。
2. 南方朱鳥：①柳星說②南方朱鳥三次說。
3. 老人星說。
4. 辰星說。

說法之紛歧，幾乎到了無所適從的地步。最後，以文字、星候、載籍逐一加以檢驗，才發現洪震煊《夏小正疏義》虛星說較為合理，程鴻詔《夏小正集說》、宋書升《夏小正釋義》推許它遠勝諸家，的確是有道理的。

（三）新知的融入

古時由於民智未開，古籍及舊注往往有許多見理未瑩，甚至荒謬可笑之處，需要運用科學新知，去進行批判，並提出正確的說法。另一方面，古籍訓解牽涉甚廣，許多訓詁家或囿於學養，或格於習性，常產生不少流弊，也需要運用最新的語言文字學，去訂正前人的錯誤，並且提出更正確、更深刻、更有體系的成果。尤其在講究科際整合的今日，研讀古代科技文獻，除了科技及語言文字學外，有時也可能牽涉到歷史學、人類學、民俗學等的研究，這時就需要利用最新的人文社會科學工具，去發掘歷史的真相了。例如：

> 《本草綱目》「螢火」條，陶弘景曰：「此是腐草及爛竹根所化。」李時珍曰：「螢有三種，一種小而宵飛，腹下光明，乃茅根所化也，《呂氏》、〈月令〉所謂『腐草化為螢』者也。一種長如蛆蠋，尾後有光，無翼，不飛，乃竹根所化也。一名蠲，俗名螢蛆，〈明堂月令〉所謂『腐草化為蠲』者是也，其

> 名宵行，茅竹之根，夜視有光，復感濕熱之氣，遂變化成形爾。一種水螢，居水中。唐李子卿〈水螢賦〉所謂『彼何為而化草？此何為而居泉？』是也。」（李時珍《本草綱目》卷四十一，頁11）

螢火蟲本為卵生，棲息低溼之地，古人觀物未審，《呂氏春秋．季夏紀》、《禮記．月令》、〈明堂月令〉等遂有「腐草化為螢」之類的謬說，此與「鷹則為鳩」、「田鼠化為鴽」、「雀化為蛤」之類相似，本不值識者一笑，不意陶弘景、李時珍竟然還蹈襲舊說，引經據典，津津樂道，未免荒唐。清人郝懿行在《爾雅義疏》下之三，頁12曾加以駁斥，就是符合科學的說法。又如宋人沈括的《夢溪筆談》，有五分之三的篇幅，紀錄了許多有關數學、物理、化學、天文學、地學、生物學、醫藥學、工程技術等方面的科技史料，被李約瑟譽為「中國古代科學史上的里程碑」（《中國之科學與文明》第一冊，257頁）在解讀時，就必須參考大量的科學新知，例如：

> 《夢溪筆談》卷七：「緣斗建有歲差，蓋古人未有歲差之法。〈顓帝歷〉：『冬至日宿斗初』，今宿斗六度，古者正月斗杓建寅，今則正月建丑矣。又，歲與歲合，今亦差一辰。〈堯典〉曰：『日短星昴』，今乃日短東壁，此皆隨歲差移也。」胡道靜曰：「由于地球自轉軸方向的緩慢變化引起天赤道位置的微小變化，因而天赤道同黃道的一個交點（春分點）每年沿黃道向西移動50”24，從晉代開始稱這一現象為『歲差』。」（《夢溪筆談導讀》，頁86）

歲差是天文學上極其重要的理論，在西洋，西元前125年古希臘的伊巴谷（Hipparchus）首先發現此一現象，中國則是晉代的虞喜在西元330年首先發現的。但在宋代還是有許多人對此表示懷疑，所以沈括將他記入《筆談》；在今日，一般人對它還是茫然無知，所以胡道靜為它作了簡單的注解。至其《夢溪筆談校證》只交代王應麟《困學紀聞》卷九歷代冬至日躔不同之說，對歲差一詞並未加注，這可能是《校證》乃供專家參考，《導讀》則是給初學閱讀的緣故吧！陳奇猷《呂氏春秋校釋》在注〈有始篇〉:「極星與天俱游，而天極不移。」高平子《史記天官書今註》在注「中宮：天極星。」時，為了說明歷代北極星往往不同，對歲差的解說更為詳盡。所以在研讀古代科技文獻時，如能廣泛參考相關的文獻，對古代科技的了解可望格外深入。

（四）實物的驗證

自然科學、應用科學研究的對象是具體的物，在科技文獻的研究上，不能空談抽象的道理，也不能單憑紙面上的紀錄，所以走出書房，到田野進行調查，甚至到實驗室進行實驗，實在有其必要。例如，理論上，北極星應位於赤道北極上，而實際上，因歲差的緣故，不同的時代可能有不同的北極星，它只是較接近赤道北極的亮星而已，與真正的赤道北極多少仍有點距離。沈括為了測定唐宋時代的北極星一紐星（北極座天樞星）的確切位置，特別放大窺管，連續三個月，每夜觀測三次，並畫了兩百多張觀測圖，最後得出「天極不動處，遠極星猶三度有餘。」(《夢溪筆談校證》，頁296）的結論。雖然他的度數較真值多了一倍，但其探求真理的精神卻是值得學習的。相類似地，清代乾、嘉年間，學者特別重視名物訓詁，目驗求真的精神也十分強烈，如程瑤田〈釋草小記〉(《皇清經解》卷五五二)、〈釋蟲小記〉(《皇清經解》卷五五三）就有不少實際觀察的紀錄。段玉裁之注《說文》，則利用出宰巫山縣的機會進行田野調查；王念孫之疏證

《廣雅》，也培養了不少標本，供其觀察；郝懿行的《爾雅義疏》所以能超軼邵晉涵的《爾雅正義》，原因之一就是由於其異於舊說者，皆經目驗。不過，由於時空的轉移，滄海桑田的變遷，許多古代科技的成果早已湮沒無存，只留下一些紙面的紀錄而已。這時，如果有相關的地下文物出現，那就是彌足珍貴的資料，因為它們或可印證文獻之記載，或可糾正前人之謬說，或可補充古史之不足，都值得善加利用。例如程瑤田以古戈、古劍、古鐘、古爵、古斧、古矛等研究〈考工記〉的相關記載，就能別開生面，得到良好的成績，但在車制方面，則因缺乏實物佐證，而未能遠軼前人。民國以後，河南安陽殷墟和輝縣等地發現了古車遺跡，才使許多車制中的問題迎刃而解。又如湖北隨縣曾侯乙墓出土的編鐘，經過許多學者以電鏡掃描，X光透視，化學定量分析，對其成分、設計、音色、調音都已瞭若指掌，而有些學者採取建立模型、科學計算的方式，也使人們對鐘鼓的聲學特性得到更深刻的了解。〈考工記〉中鐘鼓的奧秘自此幾已揭發無遺。再如晉國侯馬、古晉城、燕下都、趙邯鄲等春秋戰國城市遺址的出土，證明了〈考工記〉所載「匠人營國」的規劃方式基本上是可信的，其有助於古代建築的研究不待言，近代〈考工記〉的研究所以能取得亮麗的成績，主要就是拜科學昌明及地下文物之賜。

（五）圖表的使用

古時沒有照相技術，為名物作注時，只能就物體的形狀、部位、大小、色味等竭力描述，期使讀者有較具體的認識。不過，言不盡意，百聞不如一見，所以後來就有繪圖的產生。如在天文學方面，宋代蘇頌的《新儀象法要》有圖63幅，包含天文星象圖和四時昏曉中星圖14幅，機械製圖49幅，其中機械圖包括總圖、部件製配圖和圖樣說明，開近代設計圖紙編纂體例的先河。近人王振鐸就曾經根據這些圖樣，主持複製了一件原大五分之一的「水運儀象臺」模型。在生物學方面，晉代郭璞為《爾雅》作注時，另撰《爾雅圖》十卷、《爾雅圖讚》二卷，惜先後亡佚。明代李時珍的《本草綱目》博採實考，附有藥物圖1109篇，繪製工巧傳神。清代吳其濬的《植物名實圖考》收入植物1714種，插圖1800餘幅，大多是在植物新鮮狀態時所繪，根莖葉花果，無一不逼真準確，栩栩如生，可據以鑑定科、目、種。因而德國植物學家布瑞施奈德（E.Breschneider）《中國植物學文獻評論》譽之為中國植物學書中科學價值最高之作。在建築學方面，宋代李誡的《營造法式》36卷，其中6卷繪出詳圖，包含房屋仰視平面圖、橫剖面圖、局部構件組合圖、部件圖、構件構造圖，彩畫、雕飾圖、施工儀器圖等，圖文並茂，十分清晰，可以按圖施工，實用價值極高。茲移錄《新儀象法要》的「水運儀象臺圖」（圖一）、《植物名實圖考》的「苜蓿圖」（圖二）、《史記天官書今註》的「天官概略圖」（圖三），以見一斑。當然，近代科技發達，倘能改繪圖為攝影，則效果可以更臻完美。此外，在古典文獻中，有許多資料十分繁瑣，如純用文字敘述，不僅浪費篇幅，而且效果不彰。如果採取《史記》十表旁行斜上的方式，便可網羅古今，一目了然，同時具有提綱挈領，貫串前後的作用。今人研究古代的科技文獻，就常常製作表格，以省文繁。如能田忠亮《東洋天文史論叢》的「禮記月令昏旦中星表」（表一），能將其推算結果，以最簡單、最清晰的方式呈現。戴吾三《考工記圖說》的「六齊銅錫含量比表」（表二），也能將梁津、陳夢家、郭寶鈞三家說法濃縮於一表，頗便比較。

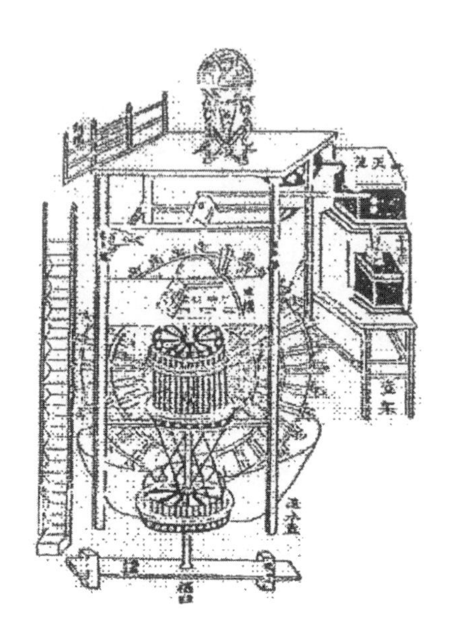

圖一　水運儀象臺圖

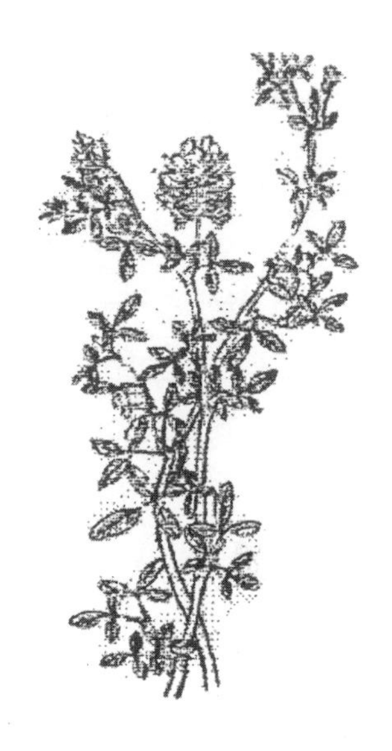

圖二　苜蓿圖

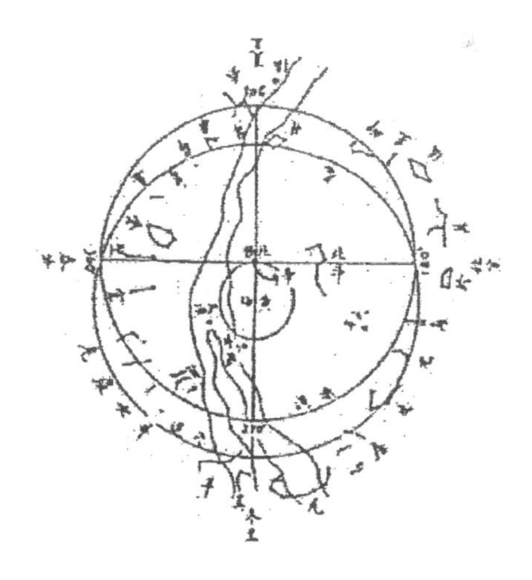

圖三　天宮概略圖

表一 禮記月令昏旦中星表

B.C. 620の各月節	昏(5刻)の南中星宿			旦(5刻)の南中星宿		
	星宿	去日度		星宿	去日度	
		初度	末度		初度	末度
孟春節	參	95°.3	101°.9	尾	103°.1	84°.3
仲春節	弧(井)	(71.9)	(104.3)	建(斗)	(104.1)	(77.5)
季春節	星	94.4	101.3	牛	107.5	99.5
孟夏節	翼	88.4	104.7	女	129.5	117.6
仲夏節	亢	104.5	113.3	危	138.0	121.2
季夏節	火	102.9	106.9	奎	126.2	109.3
孟秋節	建(斗)	105.9	(132.5)	畢	104.2	86.3
仲秋節	牛	102.5	110.5	觜	116.2	114.7
季秋節	虛	92.4	102.0	柳	101.0	85.6
孟冬節	危	72.0	88.8	星	115.6	108.7
仲冬節	壁	75.3	83.8	軫	105.3	87.2
季冬節	婁	70.7	80.2	氐	96.7	82.3

表二 六齊銅錫含量比表

六齐名称	梁津	陈梦家	郭宝钧
	铜合金:含锡量	铜合金:含锡量	铜合金:含锡量
钟鼎之齐	6:1	7:1	7:1
斧斤之齐	5:1	6:1	6:1
戈戟之齐	4:1	5:1	5:1
大刃之齐	3:1	4:1	4:1
削杀矢之齐	5:2	7:2	7:2
鉴燧之齐	2:1	2:1	3:1

四　結論

綜觀上述古代科技文獻的研讀方法之後，還有一些意見值得在此一提：

（一）文獻整理的方法，主要為資料的蒐集、版本的選擇、形式的釐清、譌誤的校勘、文獻的鑒別，這些方法主要屬於文獻學的範圍。文獻學是整理古代文獻的一種專業，它涵蓋目錄學、版本學、校勘學、辨譌學、輯佚學……，每一種都有許多研究的方法，都可獨立成為一門學問，允宜用心學習。

（二）文獻解讀的方法，主要為字詞的訓釋、舊說的商榷、新知的融入、實物的驗證、圖表的使用。這不僅是以傳統的訓詁學為主體，也融入了外來的詮釋學；不僅注重傳統文獻本身，也不忽略新知與實物、圖表的使用。務必貫通新舊、參合古今，賦古典以新義，才能達到溫故知新的目的。

（三）古代科技文獻的研讀方法極多，這裡所臚列的僅是較為重要的十種，事實上，還有許多方法可以隨時斟酌採取，靈活運用，才能使研讀的成果以嶄新而正確的面目出現。

——原載於福建師範大學、章法學會、萬卷樓合辦第八屆海峽文化發展論壇專題演講（2021年9月18日），頁1-13。

參考文獻

一　專書

中國科學院自然科學史研究所　《中國古代科技成就》　北京　中國青年出版社　1995年

江曉原、謝筠譯注　《周髀算經》　瀋陽　遼寧教育出版社　1996年

吳其濬　《植物名實圖考》　臺北　世界書局　1974年

李約瑟編著，陳立夫主譯　《中國之科學與文明》　臺北　商務印書館　1973年

李時珍　《本草綱目》　臺北　鼎文書局　1974年

杜石然、范楚玉、陳美東、金秋鵬、周世德、曹婉如　《中國科學技術史稿》　北京　北京大學出版社　2012年

杜澤遜　《文獻學概要》　北京　中華書局　2001年

段玉裁　《說文解字注》　臺北　黎明文化公司　1985年

洪湛侯　《中國文獻學新論》　杭州　杭州大學出版社　1994年

胡道靜　《夢溪筆談校證》　臺北　世界書局　1978年

胡道靜、金良年　《夢溪筆談導讀》　成都　巴蜀書社　1988年

高平子　《史記天官書今註》　臺北　中華叢書編審委員會　1965年

梁啟超　《墨經校釋》　臺北　中華書局　1965年

莊雅州　《夏小正析論》　臺北　文史哲出版社　1985年

莊雅州　《夏小正研究》　臺北　臺灣師範大學國文研究所博士論文　1981年

陳奇猷　《呂氏春秋校釋》　臺北　華正書局　1985年

陸寶達、王寧　《訓詁方法論》　北京　中華書局　2018年

楊伯峻　《春秋左傳注》　臺北　源流出版社　1982年
董洪利　《古典文獻基礎》　北京　北京大學出版社　2008年
管成學、楊榮垓、蘇克福　《蘇頌與新儀象法要研究》　長春　吉林文史出版社　1991年
聞人軍　《考工記導讀》　成都　巴蜀書社　1996年
錢寶琮　《錢寶琮科學史論文選集》　北京　科學出版社　1983年
戴吾三　《考工記圖說》　濟南　山東畫報出版社　2003年
譚戒甫　《墨辯發微》　臺北　世界書局　1979年

二　論文

莊雅州：〈左傳天文史料析論〉　《中正大學中文學術年刊》2000年第3期　頁115-164
莊雅州：〈從科學觀點探討周禮〉　《紀念林師景伊逝世十週年學術研討會論文集》（臺北：臺灣師範大學1993年）　頁405-420
莊雅州：〈論考釋爾雅草木蟲魚鳥獸之方法〉　東亞傳世漢籍文獻譯解方法國際學術研討會（臺北：臺灣大學，2003年）　頁1-24
莊雅州：〈呂氏春秋之天文〉《淡江學報》第26期（1988）　頁9-33
莊雅州：〈從科學的觀點探討說文解字〉　《慶祝周一田先生七秩誕辰論文集》（臺北：萬卷樓圖書公司　2001年）　頁7-25

從科學的觀點探討《說文解字》

一　前言

《說文解字》是中國文字學的經典。它從字形出發，闡述形音義三方面的關係，具有精密的體系，獨到的見解，影響後世，既深且鉅。世之研究《說文》者，或校勘、或正字、或註疏、或釋例、或解說六書、或探求語原，著作之多，已到了汗牛充棟的地步，方面之廣，也令人有難以開創新局之嘆。不過，我時常在想，在科學發達的現代，如果我們能暫時跳開文字學的圈子，從科學的立場來探測《說文》中所蘊含的材料，或者用科學的尺度來檢驗《說文》中所使用的治學方法，那麼是否能有一些新的發現呢？基於這樣一種理念，我在此作了一次簡單而淺陋的探索。

二　科學材料

（一）優點

1　取材豐富

許慎生當大儒輩出的東漢，而有「五經無雙許叔重」的美譽。其學問之淵博，涉獵之廣泛，可由其《說文解字》徵引之富略窺一斑。在《說文》一書中，所引的經籍以古文經為主，亦不廢《公羊》、《三家詩》等今文經。所引的群書有《墨子》、《山海經》、《楚辭》、《甘氏星經》等二十餘種。所博采的通人有董仲舒、劉向、揚雄、班固等三十餘家。他這種旁徵博引的方式，使得他的著作更顯得言必有據，語不空發。

正因為許慎學養深邃，加上長達22年的寫作時間，所以《說文解字》一書內容之豐富，在漢代的字書中無有出其右者。誠如其子許沖〈上說文解字表〉所云：

> 天地、鬼神、山川、艸木、鳥獸、蚰蟲、襍物、奇怪、王制、禮儀、世間人事，莫不畢載。

單以自然科學和應用科學而言，材料俯拾即是，不勝枚舉，如：

> 昴：白虎宿星。从日，卯聲。
>
> 閏：餘分之月，五歲再閏也。……从王在門中。
>
> 霾：風而雨土為霾。从雨，貍聲。
>
> 附：附婁，小土山也。从𨸏付聲。
>
> 尺：十寸也。人手卻十分動脈為寸口，十寸為尺，所以指斥規榘事也。从尸，从乙，乙，所識也。周制，寸尺咫尋常仞諸度量皆以人之體為法。
>
> 音：聲生於心，有節於外謂之音。宮商角徵羽，聲也；絲竹金石匏土革木，音也。从言含一。
>
> 釀：醞也，作酒曰釀。從酉，襄聲。
>
> 丹：巴越之赤石也。象采丹井，丶象丹形。
>
> 柰：柰果也。从木，示聲。
>
> 貂：鼠屬，大而黃黑，艸胡丁零國。从豸，召聲。

疸：黃病也。从疒，旦聲。

耘：除苗閒穢也。从耒，員聲。

軎：車軸耑也。从車，象形。

杇：所以塗也，秦謂之杇，關東謂之槾。从木，亏聲。

舉凡天文、曆法、氣候、地理、數學、物理、化學、礦物、植物、動物、醫學、農業、工藝、建築皆有所涉及。真是包羅萬象。宜乎高師仲華以為：

> 治博物之學者，實應以《說文》為淵藪，誠所謂取之不盡，用之不竭者也。(《高明文輯》中冊，〈對說文解字之新評價〉頁16)

蔣善國也說：

> 由於《說文》還保存著大量資料，在我們研究和總結我國古代社會歷史狀況、科學技術成就方面，它也有著不可忽視的作用。(《說文解字講稿》頁23)

所以我們今天對《說文解字》不能單以語言文字的經典視之，而應采取宏觀的態度，儘量去發掘它所蘊含的豐富的科學方面的材料。

2　重視類別

格於字書的體例，《說文解字》對於科學材料的分類當然是受到了許多限制。但許慎在可能範圍內還是儘量地去加以分類。這項努力，我們可以從三方面去體會出來。

首先是《說文》創立分部來董理群類。它不像《爾雅》將動植物的材料匯集於〈釋草〉、〈釋木〉、〈釋蟲〉、〈釋魚〉、〈釋鳥〉、〈釋獸〉、〈釋畜〉七篇。而是散布到全書之中。但又以部首來統御諸字，例如有關植物者散見於艸部、竹部、木部、林部、𣏟部、尗部、韭部、瓜部、華部……，有關動物者，散見於虫部、魚部、虎部、豕部、豸部、馬部、鹿部、犬部、鼠部、它部……，可見它已將各種動植物歸納成許多類別。

其次，每部之中，它也儘量區分異同，加以排列，例如馬、牛、羊等家畜，都按性別、年齡、毛色、高度等立了幾十種名稱，如：

騭：牝馬也。从馬，陟聲。

駔：牡馬也。从馬，且聲。

駒：馬二歲曰駒，三歲曰駣。从馬，句聲。

馱：馬八歲也。从馬、八，八亦聲。

驪：馬深黑色。从馬，麗聲。

騢：馬赤白襍毛。从馬，叚聲，謂色似鰕魚也。

驕：馬高六尺為驕。从馬，喬聲。

騋：馬七尺為騋，八尺為龍。从馬，來聲。

最後在釋字時，他也常用「屬」或「別」來點明生物的類別，如：

秔：稻屬。从禾，亢聲。

稗：禾別也。从禾，卑聲。

豠：豕屬。從豕，且聲。

甚至有時在解釋一種生物時，他也會仔細地加以分類，如：

雉，有十四種：盧諸雉、鷮雉、卜雉、鷩雉、秩秩海雉、翟山雉、翰雉、卓雉、伊雒而南曰翬、江淮而南曰搖、南方曰𠷎，東方曰甾、北方曰稀、西方曰蹲。從隹，矢聲。

所以，我們若將這些材料聚集在一起，重新按現代生物學的方法加以分類，那就是研究古代生物最好的材料了。

3 闡明特性

《說文解字》不僅重視材料的蒐集和整理，它更重視對每個材料的詮釋，力求以最精簡的字眼，使讀者得到明晰的概念。例如：

歲：木星也。越歷二十八宿，宣徧陰陽，十二月一次。从步，戌聲。〈律曆志〉云五星為五步。

霸：月始生魄然也。承大月二日，承小月三日。从月，䨣聲。《周書》云：「哉生霸。」

閏：餘分之月，五歲再閏也。告朔之禮，天子居宗廟，閏月居門中。周禮：閏月王居門中，終月也。

歲字的解釋，讓我們瞭解歲星紀年法的根源及年歲的由來；霸字的解釋，使我們明白月相的變化及〈周書〉哉生霸意義；閏字的解釋，令我們知道置閏的作用、方法及其禮儀。這些都須有淵博的學識始克勝任。又如：

橘：橘果出江南。从木，矞聲。

橙：橘屬。从木，登聲。

樝：樝果，似梨而酢。从木，虘聲。

梅：枏也，可食。从木，每聲。

木部421文，除了有關木器、木事者外，其餘將近一半是在介紹各種木本植物。對於這些植物的產地、分類、特徵、用途等都有詳細的觀察，可以略窺漢代生物學的水準。

（二）缺點

1　審物未諦

古人觀察生物的活動，有時不夠精細，以致產生錯覺，而留下一些錯誤的紀錄。例如〈夏小正〉云：

> 正月，鷹則為鳩。三月，田鼠化為駕。九月，雀入於海為蛤。十月，雉入於淮為蜃。

其他古籍如《莊子》、《呂氏春秋》、《淮南子》、《逸周書》、《易緯》、《禮記》、《列子》等往往也有類似的記載。許慎博極群書，但目驗的功夫有所不足，所以就產生了以訛傳訛的現象。例如：

> 鼢：地中行鼠，伯勞所化也。
> 蠲：馬蠲也。《明堂月令》曰：「腐草為蠲。」
> 蠕：蠕羸，蒲盧，細要土蠭也。天地之性，細要純雄無子。《詩》曰：「螟蠕有子，蠕羸負之。」
> 蜃：大蛤，雉入水所匕。
> 盒：蜃屬，有三，皆生於海。厲，千歲雀所匕，秦人謂之牡厲。海蛤者，百歲燕所匕也。魁蛤，一名復累，老服翼所匕也。

生物的變化，固然有毛蟲化為蝶，蝌蚪變成蛙者，但上述的那些「化生」之說則純屬無稽。例如伯勞與鼩，可能是互為食物生態的平衡，鼩鼠多了，伯勞無以為生，只好他遷，人們只見鼩鼠，不見伯勞，遂誤以為伯勞化為鼩鼠了。又如雉、燕等化為蜃、蛤，可能是由於秋冬之後，鳥雀南飛，而蚌類之殼適有種種花紋，古人不察，遂產生了錯覺。至於腐草為蠲，郝懿行《爾雅義疏・釋蟲》「熒火即炤」條已予以辨正。「螟蠕有子，蠣蠃負之。」孫中山先生的《孫文學說》也已指明螟蠕事實上成為蠣蠃幼蟲的飼品，而非成為其義子。在此就無須詞費了。許慎所以會產生這種以訛傳訛的錯誤，除了迷信古書之外，可能也是由於他相信鬼神之說的緣故。這從《說文》中對鬼、魃、彪、魖、蜩、蝲、祆、蠶等的解釋，即不難得知其中的訊息。

2　迷信五行

審物未諦的錯誤在許書中尚不多見，但陰陽五行的氣息在《說文解字》中則是到處都可嗅到，尤以干支、數目、顏色、五臟等為然。如：

> 甲：東方之孟，昜氣萌動。从木戴孚甲之象。《大一經》曰：「人頭空為甲。」
>
> 子：十一月昜氣動，萬物滋，人以為偁。象形。
>
> 四：侌數也。象四分之形。
>
> 五：五行也。从二，侌昜在天地間交午也。
>
> 青：東方色也，木生火。从生、丹，丹青之信言必然。
>
> 赤：南方色也。从大、火。
>
> 腎：水臧也。从肉，臤聲。
>
> 心：人心土臧也，在身中。象形。博士說以為土臧。

陰陽五行濫觴於戰國時代，而這些文字早就有了，以後起的學說解釋造字之本意，本已扞格難通。更何況這些學說往往閎大不經，窈冥難考呢！許慎這種做法，在科學發達的今天看來，實在令人覺得荒誕可笑。但我們必須瞭解他所處的時代，是陰陽五行學說盛極一時的漢朝，當時整個社會人心無不為陰陽五行學說所滲透，正如賀凌虛所云：

> 一切政治組織、社會生活、禮儀規範、天文曆算、文學醫藥，甚至農工技藝，幾無不謀求與之配合，並以之為解釋的根據。（《呂氏春秋的政治理論》，頁189）

不僅王公將相篤信它，士農工商也不反對它；不僅今文學家強調它，古文學家也常常提到它。許慎雖然對今文家及緯書都不敢苟同，但其好用陰陽五行解說文字的習氣，與今文家及緯書相較，也不過是五十步與一百步之差而已。人之難以超越於時代風氣之外，由此可見一斑。

三　科學方法

（一）優點

1　長於分析

《說文》最大的功績在於把漢字結構分析的理論——六書予以具體化，並且貫徹到全書當中。他分析字形的目的是為了探求本義，所以分析每個字的一點一畫，探求其組合的道理，總是希望能與字義取得密切的配合。例如：

> 向：北出牖也。从宀，从口。《詩》曰：「塞向墐戶。」

在古書中，向通常當方向、趨向、面向之類的意思，只有《詩經・豳風・七月》當北出牖解。許慎仔細探討這幾個不同字義與字形之間的關係，發現只有〈七月〉用的是本義，因此採用了它，並且使得字形的分析有了著落。後來者又發現《禮記・明堂位》：「刮楹達鄉。」鄭玄注：「鄉，牖屬，謂夾戶牕也。」《儀禮・士虞禮》：「啟牖鄉如初。」鄭玄注：「鄉，牖一名也。」鄉與向音同義通，向的本意更多了兩個證據，顯得更為確鑿。（王力《中國語言學史》，頁36）又如：

自：鼻也，象鼻形。

在古書中，自或訓為從，或解作由，或釋為自己，從沒有當作鼻子講的。但這幾個字義顯然都與字形不相應。許慎發現鼻字從自，自的篆文自，古文𦣹正象鼻形，而皆、魯、者等與詞氣有關的字所從之白，正為自之省體，所以他斷定自象鼻形，本義為鼻。近世發現的甲骨文，自字正有當鼻解者，如：

貞虫疾自，隹有壱？（乙、6385）
貞虫疾自，不隹有壱？（乙、6385）

更可證明許慎的說法是顛撲不破的。分析是思維術的最基本方法之一，是剖析疑難、割除困惑的利器，許慎在這方面的運用，無疑是十分成功的。

2 擅於綜合

綜合法與分析法剛好相反，它將錯綜複雜的現象、原因、性質、關係、同異、結果等整理成單純的統一體系，使人可以綱舉目張，執簡御繁，許慎對於這個方法使用是非常著意。《說文解字．後敘》云：

> 其建首也，立一為耑，方以類聚，物以群分。同條牽屬，共理相貫，雜而不越，據形系聯，引而申之，以究萬原，畢終於亥，知化窮冥。

清代的學者如段玉裁、王筠都十分重視許書條例的整理，高師仲華更有〈論說文解字之編次〉（《高明文輯》中冊頁93）專文加以闡發。要而言之，許書之體系如下：

（1）全書之分部：《說文解字》全書9353字，重文1163字，合計10516字，這麼浩繁的文字，許慎都逐一加以分析其結構，然後整理歸納其形類，建立了五百四十部首，使每個字都有了歸屬。讀者只要把握了這些部首，就不啻為認識中國文字找到了一把鑰匙。

（2）各部之次序：《說文》五百四十部首，始一終亥，以形體之相近者為次。如由「一」而「二」而「示」而「三」而「王」而「玉」……其安排都是煞費苦心的。

（3）每部之字次：每部中所收文字之先後，以義之相引為次。如一部段玉裁注云：

> 一而元，元，始也，始而後有天，天莫大焉，故次之以丕，而吏之从一終者是也。

即使是收字多達421的木部，他也是先羅列木名，次列樹木的各個部分，最後列木製品，顯得次第井然。

（4）每字之說解：許書解說文字都是先解說意義，再分析字形，最後說解其讀音。如：

> 昕：且明也，日將出也。从日，斤聲。讀若希。

其解說字義總是以本義為主，因為本義既明，則不難推知許多引申義，可以解決一系列的問題。

許氏將分析與綜合這兩種思維術運用得出神入化，使得《說文解字》全書成為一個充滿生命的有機體。《顏氏家訓・書證篇》云：

> 大抵服其為書，隱栝有條例，剖析窮根源。鄭玄注書，往往引其說為證。若不信其說，則冥冥不知一點一畫有何意焉？

顏之推以短短兩句話點出了分析與綜合在許書中的重要性。真可稱得上是許氏的知音。

3 慎於闕疑

《說文解字・敘》云：「其於所不知，蓋闕如也。」這種知之為知之，不知為不知的精神，是儒家的傳統。許慎秉承此種鄭重其事的學術態度，而將其落實於文字的說解。許書著「闕」之字甚多，有形音義全闕者，有三者中闕其二，或闕其一者。如：

> 旁：溥也。从二，闕，方聲。
> 臱：宀宀不見也，闕。

這是說旁从冂之說未聞，臱从自，其餘不詳，都是屬於闕其形者。如：

> 邑：从反邑，䣕字从此，闕。
> 屾：二山也，闕。

這是說𨛜、屾的讀音不清楚，都是屬於闕其音者。如：

> 𣗥：二東。𣘚从此，闕。
> 斦：二斤也，闕。

這是說𣗥、斦讀音意義都不清楚，屬於闕其音義者。如：

> [illegible]：闕。
> [illegible]：闕。

這是說[illegible]、[illegible]意義、形體、讀音一概不知，是屬於形音義全闕的。

今天，我們可以看到許多許慎所未見的甲骨文，鐘鼎文。曉得古文字中正反不拘，所以𨛜與邑實為一字，曉得古文字中方名有複體構字之例，（見魯師實先〈說文正補〉）所以屾、𣗥、斦等可能都是古方名複體之遺。許書中言闕之字，有一部分已經可以得到答案，但是還有不少迄今仍無法解答。我們當然也應該像許慎那樣，暫時付諸闕疑。

（二）缺點

1　界說不清

六書是中國文字構造的基本方法。在《周禮・地官・保氏》章中只提到六書一詞，《漢書・藝文志》只有具體的名目，直到許慎，才對六書下了定義，舉出實例，並將這些方法貫徹到全書的說解，這對中國文字研究的貢獻實在太大了。唯其界說過份簡單，力求整齊，舉例亦有不甚妥貼之處，所以引起後人不少爭議，其中聚訟最為紛紜者莫過於轉注，《說文解字・敘》云：

轉注者，建類一首，同意相受，考老是也。

建類是什麼？一首是什麼？考老二字有何關係？許慎語焉不詳，後人只好猜謎般的討論了。《說文解字詁林》所列說者不下數十家，約而言之，可分為三派：

（1）形轉派：裴務齊、陳彭年、戴侗等屬之。

（2）義轉派：徐鍇主之，復演為三支派：

1. 形聲派：鄭樵、趙宧光、曹仁虎等屬之。

2. 部首派：江聲、黃以周、朱駿聲等屬之。

3. 互訓派：戴震、段玉裁等屬之。

（3）聲轉派：張有、楊慎、章炳麟等屬之。

從古以來，學說之紛歧，恐怕無有出其右者，這實在不能不歸咎於許慎之界說不清。

此外，許慎在個別文字的說解上也常有值得商榷之處，謝雲飛就曾指出其缺失有六：一為互訓而義有出入，二為遞訓而還不了原，三為同訓法間的字義不能相通，四為音訓的捕風捉影，五為解字不當用道學之言，六為訓解語中有被訓之字。（〈說文訓詁之得失〉）這些無疑都是不能為賢者諱的。

2 牽強附會

《說文解字》在字體方面以篆文為主，古文、籀文為輔，這些文字距離造字時代極為遙遠。有些地方固然還保留造字筆意，有些地方卻僅是符號化的筆勢而已。根據這種筆勢來解釋造字本意，如果不能善用闕疑的原則，自然難免牽強附會。例如：

哭：哀聲也。从吅，獄省聲。

段玉裁就曾批評許書言省聲多有可疑者，因為取一偏旁，不載全字，就指為某字之省，實令人難以信從。而从犬之字，如狡、獪、狂、猝等往往本謂犬，後來才移以言人，焉知哭不也是本謂犬嗥，而移以言人呢？又如：

> 止：下基也。象艸木出有阯，故以止為足。

王筠《說文釋例》已疑「止者，趾之古文。」孫詒讓進而據甲、金文 、 ，以偏旁分析法斷定止之本義確為腳趾（〈名原〉）。又如：

> 為：母猴也。其為禽好爪，下腹為母猴形。王育曰：爪象形也。 古文為，象母猴相對形。

羅振玉據甲文 、 ，古金文、石鼓文 ，以為乃手牽象之形，古代役象以助勞動，故有作為之意（《增訂殷虛書契考釋》卷中，頁60）。他們據古文字為說，莫不怡然理順。可惜許氏未曾見到這些古文字，才會產生這麼多錯誤。

此外，漢代的學者解說文字或訓釋古書往往喜歡採取聲訓的方式，《說文解字》自然也難以例外。例如：

> 天：顛也，至高無上，从一、大。
>
> 馬：怒也，武也。象馬頭髦尾四足之形。
>
> 東：動也。从木，關溥說，從日在木中。
>
> 卯：冒也，二月萬物冒地而出，象開門之形，故二月為天門。

這些聲訓的資料固然有些可以作為探索語源的梯航，但帶有很大的主觀性和任意性，穿鑿附會之處也比比皆是。

四　結論

（一）《說文解字》中蘊含了大量的自然科學和應用科學的材料，許慎也注意到類別的區分和特性的闡明。可惜一千多年來，人們往往只注意到對其語言文字的研究，而很少去留意這些有關科學的材料。如果我們能從文化史的立場重新來探勘這些材料，也許可以有豐碩的收穫。

（二）許慎撰寫《說文解字》時，對於分析法、綜合法都十分重視，又能兼顧疑則闕之的原則，所以他能成為「五經無雙許叔重」，《說文》能成為中國文字學的經典。雖然經過一千多年的時間考驗，仍然具有無比崇高的地位。由此可見科學方法的重要。而許慎在一千多年前就擁有如此細密的科學頭腦，實在令人欽佩。

（三）無可諱言地，《說文》中審物未諦、迷信五行、界說不清、牽強附會之類的缺點都是違反科學，都是應該予以批評、修正甚至揚棄的。但我們不能以一眚掩大德，整體說來，《說文》還是大醇而小疵，它的地位還是不應該受到質疑的。

——原發表於中正大學第二屆古文字學研討會（1991年），頁1-15。

後收錄於《慶祝周一田先生七秩誕辰論文集》（臺北：萬卷樓圖書公司，2001年3月），頁7-25。

參考書目

一　專書

郝懿行　《爾雅義疏》　中華書局　1966年
莊雅州　《夏小正析論》　臺北　文史哲出版社　1985年
段玉裁　《說文解字注》　臺北　黎明文化出版公司　1985年附　魯實先　〈說文正補〉。
王　筠　《說文釋例》　臺北　世界書局　1984年
馬敘倫　《說文解字研究法》　臺北　華聯出版社　1967年
陸宗達　《說文解字通論》　北京　北京出版社　1981年
蔣善國　《說文解字講稿》　北京　語文出版社　1988年
章季濤　《怎樣學習說文解字》　臺北　群玉堂　1991年
周雙利、李元惠　《說文解字概論》　香港　香港新世紀出版社　1992年
蔡信發　《說文答問》作者印行　1993年
臧克和　《說文解字的文化說解》　武漢　湖北人民出版社　1994年
余國慶　《說文學導論》　合肥　安徽教育出版社　1995年
蔡信發　《說文商兌》　臺北　萬卷樓圖書公司　1999年
羅振玉　《增訂殷虛書契考釋》　臺北　藝文印書館　1999年
王　力　《中國語言學史》　臺北　泰順書局　1972年
賀凌虛　《呂氏春秋的政治理論》　臺北　商務印書館　1970年
周法高　《顏氏家訓彙注》　臺北　台聯國風出版社　1975年
高　明　《高明文輯》　臺北　黎明文化出版公司　1978年

二　期刊論文

謝雲飛　〈說文訓詁之得失〉　《學粹》第8卷第6期1966年
高　明　〈對說文解字之新評價〉　《人文學報》第1期1970年
高　明　〈論說文解字之編次〉　《人文學報》第5期1976年

《說文解字》中的神秘文化史料析論

一　前言

《說文解字》是文字學的經典，其研究從清代以來即蔚為顯學，顯示它具有高度的學術價值，高師仲華在〈對說文解字之新評價〉曾析論《說文解字》具有十四項價值：

一曰《說文》創分部之法
二曰《說文》存初文之跡
三曰《說文》收古籀之字
四曰《說文》定篆書之形
五曰《說文》明字例之條
六曰《說文》見古音之實
七曰《說文》為古義之匯
八曰《說文》具語根之體
九曰《說文》著語言之變
十曰《說文》藏先民之史
十一曰《說文》證古地之名
十二曰《說文》供博物之資
十三曰《說文》引經典之文

十四曰《說文》彰天人之理[1]

簡言之，前九項屬於語言文字學方面，這是清儒努力以赴的標的，後五項屬於文化學方面，則是民國以後的學者用心開拓的新領域。所謂文化，是人類經驗的累積，智慧的結晶，涵蓋廣袤，幾乎無所不包。從內容方面看，包含民生、科技、經濟、社會、政治、學術、語言、文學、藝術、倫理、道德、宗教；從層次方面看，包含物質文化、社會文化、精神文化；從智性方面看，包含科技文化、神秘文化。多年前，我曾發表〈從科學角度探討說文解字〉[2]，去年在本會主辦的研討會發表〈說文解字中的天文史料析論〉[3]，由於科技史料種類繁多，猝不易理，所以此次想從相反的角度探討《說文解字》中的神秘文化。所謂神秘文化，是充滿宗教神學色彩的文化，是對正統文化的補充、扭曲、衝突，企圖對未知領域進行思索、詮釋與對應，表現得撲朔迷離，神秘莫測。廣義的神秘文化，包括人物、思想、民事、數術、文獻、其他；狹義的神秘文化就是數術。[4]這是近些年學術界提出來的概念，比起「迷信文化」之類的名稱的確較為中性而客觀。我們在了解《說文》的科學面之後，也必須對其神秘文化有所認識，庶幾對《說文》中所表現的文化有較粗略而完整的體認。

1　高明：〈對說文解字的新評價〉，《高明小學論叢》（臺北：黎明文化事業公司，1911年9月再版），頁1-19。

2　莊雅州：〈從科學角度探討說文解字〉，《慶祝周一田先生七秩誕辰論文集》（臺北：萬卷樓圖書公司，2001年），頁7-25。

3　莊雅州：〈說文解字中的天文史料析論〉，中國文字學會主辦第23屆中國文字學國際學術研討會論文（2012年6月），頁1-19。

4　王玉德：《中華神秘文化》（長沙：湖南出版社，1993年），頁4-6。

二　漢代神秘文化鳥瞰

《說文解字》的產生有其歷史文化的背景，而其成書也反映了先秦兩漢的歷史文化，所以在探討《說文》神秘文化之前，先對漢代的神秘文化有些基本了解，是有其必要的。

（一）漢代思想與神秘文化

1　老莊之言

道家在先秦，與儒、墨、法同為顯學，以老莊為代表。凡事採取逆向、整體、循環式的思考，具有自然主義、退化史觀、消散政術、恬淡人生四個特徵，[5]與儒家之積極正面的主張大異其趣。但自有其細膩、深刻、獨到之處，可與儒家思想互補。戰國末年，黃老學派崛起，以黃帝為理想偶像，吸收了法家的「法」、儒家的「愛人」、名家的「形名」，對老莊思想進行了改造。在政治上主張清靜無為、與民休息，很適合全民在秦朝苛政峻法後的需求，因而成為西漢初年的政治指導方針，蕭規曹隨、文景之治都是其具體表現。直到漢武帝時國力復甦，改採獨尊儒家政策後，黃老思想才退居幕後。[6]但在思想上仍繼續發展，如河上公的《老子章句》、嚴遵的《道德指歸》，對道家的神秘思想，例如道的性質、元氣概念、自然思想、本體論都有所發揮，尤其嚴遵影響了揚雄的《太玄》，更成為魏晉玄學重要的思想淵源。[7]

5　張起鈞：《老子》（臺北：協志工業出版公司，1958年），頁18-20。

6　周桂鈿：《秦漢思想史》（石家莊：河北人民出版社，2000年），頁71-76。

7　金春峰：《漢代思想史》（北京：中國社會科學出版社，1987年），頁377-422。

2　象數思想

《周易》言天人之理，在儒家經典中是最富於神秘思想的。從古以來，《易》學可分為兩派六宗，[8]漢《易》是兩派之一，受道家及陰陽家影響，以象數為主，亦即以符號邏輯和數理邏輯來含括宇宙人生的萬象和變化的原則。所謂象，包含卦畫、卦象、爻象，是一個龐大的表象系統；所謂數，包含太極之數、大衍之數、天地之數、萬物之數、河圖洛書之數，是一個神秘的筮術系統，[9]漢儒將兩者揉合為一，使其繁瑣化、複雜化、結構化，用來說明和預測萬事萬物、解釋天體運行、氣候變化、天人關係等，可以說是數術思想的重要基礎之一。[10]西漢今文家孟喜、京房提倡卦氣說，以四季、十二月、廿四節氣、七十二候配以六十四卦，使卦與卦之間、爻與爻之間都有聯繫，成為一種嚴格的、有序的、複雜的、形象的、多變的整體系統，成為象數《易》的核心。[11]此外，揚雄的《太玄經》、鄭玄的爻辰說、魏伯陽的《周易參同契》、虞翻的變卦說，也都使漢《易》更為充實而複雜。[12]

3　陰陽五行學說

陰陽五行學說是數術思想的另一個重要基礎。陰陽與五行原本各有其不同的來源，陰陽本指日照所及或所不及，引申有寒暖之意，後來逐漸抽象化，成為萬事萬物兩極相對的大系統；五行原本是構成萬

8　兩派是以象數為主體的漢《易》派，以儒理、訓詁為主體的儒家《易》派，六宗是占卜、災祥、讖緯、老莊、儒理、史學。見紀昀：《四庫全書總目》冊一（臺北：臺灣商務印書館，1983年），頁54。

9　宋會群：《中國術數文化史》（開封：河南大學出版社，1999年），頁150-156。

10　同注4，頁19、49。

11　同注4，頁19-20。

12　李樹菁：《周易象數通論》（北京：光明日報社，2007年），頁20-23。

物的五種基本元素，後來具有相生相尅的功能。到了戰國時代，鄒衍始將兩者牽合為一，用來說明萬事萬物發展變化的道理。[13]漢代，陰陽五行學說透過方士、儒生、巫師、政治家、陰謀家的推波助瀾，無孔不入地滲透到政治、經學、數術、醫學各層面，深深影響到漢代的每一個領域。即以漢武帝以後獨受尊崇的經學而言，如《齊詩》之四始五際、伏生之《尚書大傳》、孟喜、京房之卦氣說、《禮記・王制篇》之禁忌十事、劉歆、鄭興之《春秋》說，乃至於《孝經》、《論語》、《孟子》、訓詁、文字等說，無論是今文家或古文家幾乎都沾上濃厚的陰陽五行色彩。[14]宜乎顧頡剛的《漢代學術史略》開宗明義即說：「漢代天人的思想的骨幹，是陰陽五行。無論在宗教上、在政治上、在學術上，沒有不用這套方式的。」[15]這種影響直到今日仍可見其餘威。

4 天人感應理論

董仲舒是西漢大儒，他以儒家思想為中心，附以陰陽五行之說，提倡五常，把神權、君權、父權、夫權融為一體，形成封建神權體系，[16]建立了漢代的新儒學，也使得陰陽五行學說更為昌行。他的核心理論是天人感應，在先秦諸子中，天的涵義有物質之天、自然之天、主宰之天、運命之天、義理之天等不同看法，[17]董仲舒以天人合一為出發點，肯定天是主宰之天，也就是有思想、有意志、有情感、有人格，可以主宰人類的命運，可以懲惡獎善，尤其人君的言行良

---

13 李漢三：《先秦兩漢之陰陽五行學說》（臺北：維新書局，1968年），頁47-61。

14 李漢三：《先秦兩漢之陰陽五行學說》，頁204、226、252、273、311、322。

15 顧頡剛：《漢代學術史略》（臺北：啓業書局，1975年），頁1。案此書原名《漢代的方士與儒生》。

16 同注9，頁218。

17 馮友蘭：《中國哲學史》（香港：三聯書店，1992年），頁43。

竄、施政得失，更是刑賞的重點。當人君的行為悖德、政策乖戾時，天會以種種災異、禍害加以示警或懲戒；但當人君幡然悔改，祈禳除災或施行德政時，天也會以種種祥瑞予以獎賞。天和人的關係是聯繫性、整體性的，彼此可以主動作用，也可以被動反應，萬事萬物都存在著相互作用的感應。[18]而天人感應說的重要內容就是使陰陽五行倫理化，董仲舒把五行之間的關係附會成父子、君臣關係，把仁、義、禮、智、信強加於五行，把五官和五行相比附，又提出「陽尊陰卑」、「陽貴陰賤」的說法，這種天人感應的學說後來又與讖緯迷信合流，其消極影響極為深遠，但從另一方面說，其監督政事、裁制君權的苦心還是值得體諒的。[19]

（二）漢代政治與神秘文化

1　讖緯

讖是「詭為隱語，預決吉凶」的神秘預言，也就是預測後事能夠靈驗的符號；緯是方士化的儒生用神學觀點對儒家經典進行解釋和比附的著作，相對於經而言。讖和緯本非一物，由於緯書中也常有讖語，所以後來往往把讖跟緯混為一談，通稱為「讖緯」。也就是把儒家經典神秘化和宗教化，把自然界某些偶然現象和人類社會、政治聯繫在一起，假託天意、天命，牽強附會，任意進行解釋或預言。[20]讖謠的功用，或用以欺世盜名，或為陰謀手段，或充輿論工具，或藉以表達心聲，或作起義號角，或預測政事；[21]緯書的內容，包含解釋經書、解釋古代的典章制度、解文正字、保存大量的天文曆法知識、地

18　同注4，頁113。

19　張豈之：《中國思想史》（西安：西北大學出版社，1996年），頁119-121。

20　李冬生：《中國古代神秘文化》（合肥：安徽人民出版社，2011年），頁183。

21　同注4，頁385-395。

理歷史知識、神話傳說及符瑞災異之紀錄。[22]二者均以陰陽五行、災異禎祥為核心思想，表現得荒誕無稽，光怪陸離，粗疏而庸俗。所以能夠廣泛流行，一則是王莽篡漢、光武中興，皆以圖讖為號召，故大力倡導；二則讖緯多偽託聖人所作，可以掩人耳目；三則讖緯符合今文經學以神學解經的需求；四則西漢末年社會動亂，各階層往往利用讖緯來爭取自己的權益，[23]所以讖緯是漢代極為特殊的產物。

2 封禪郊祀

漢代國家的祭祀大典有三：一為宗廟社稷，二為郊祀，三為封禪。宗廟社稷是內祀，在都城之中或附近的宮室類建築舉行，祭祀先王、先帝及土地神、穀神。郊祀，在都城四郊舉行，祭祀的是至上神太一及五帝。封禪在名山的山頂和山腳舉行，在山頂築壇稱為封，在山腳除地稱為禪，祭祀的是名山大川，兼祭八神，以報天地之功。郊祀和封禪都是外祀，也就是野祭，露而不屋。尤其封禪，因為離天較近，看到的地面比較廣，容易激發宗教靈感，但更重要的是：它還是以某種制高點，上應天星，控制其領土「四望」的祭祀，具有政治上的象徵意義。[24]宗廟社稷及郊祀源遠流長，世人較為熟悉，但封禪則據《史記．封禪書》:「自古帝王曷嘗不封禪？……古者封泰山禪梁父者七十二家。」[25]僅止於傳說。到了秦始皇統一宇內，才浩浩蕩蕩，朝山巡海，去泰山行封禪大典，表示自己得到符應，擁有天下。漢武帝雄才大略，野心勃勃，所以也效法秦始皇行封禪之禮，而且三歲一郊，五年一封。不過，武帝之後，封禪就絕跡不復行了。[26]

---

22 同注9，頁238-239。

23 同注15，頁177-189。又同注19，頁136-137。

24 李零：《中國方術續考》（北京：中華書局，2010年），頁105-107。

25 （日）瀧川龜太郎：《史記會注考證》（臺北：洪氏出版社，1981年），頁496-499。

26 同注24，頁107-113。

3 神仙方士

鬼神之說由來已久，神是自然天神，鬼是人死所歸，由於天地閉塞不通，只有靠巫覡之類才能與靈界溝通，但人死之後只能為鬼不可能成神。到了戰國，才有荊楚、燕齊的方術之士提倡凡人可以透過修鍊成仙，長生不老。這種說法對享盡榮華富貴，貪得無饜的帝王貴族特別具有吸引力。齊威王、齊宣王、燕昭王都是他們的信徒，秦始皇雖然絕世聰明，對此也深信不疑，先後使徐福、韓終、侯公、石生求三神山和仙人不死之藥，結果備受愚弄，惱羞成怒，坑殺了四百六十多個方士與儒生。[27]漢初，新垣平勸文帝立渭陽五帝廟，祠周九鼎，後被識破而伏誅。漢武帝受李少君、少翁、欒大的誘引，很喜歡祀神求仙，還召鬼神、鍊丹沙、候神，其迷信方術，不在秦始皇之下。[28]雖然方士所言都無法應驗，但兩漢以降，方士仍然不絕如縷。

4 五德終始

王師夢鷗認為鄒衍在融合陰陽與五行於一爐，使之成為宇宙諸現象的原動力之後，至少寫了兩部書，一部是依據五行相生理論的明堂時令，講一年一周的終始；另一部是依據五行相尅理論的五德終始，講一朝一代的遞嬗。[29]可惜鄒衍之說早已亡佚，只有《史記・孟子荀卿列傳》云：「稱引天地剖判以來，五德轉移，治各有宜，而符應若茲。」[30]而《淮南子・齊俗篇》高誘注也引：「鄒子曰：五德之次，從所不勝，故虞土，夏木，殷金，周火。」[31]可以窺豹一斑。這個缺水

---

27 唐贊功總彙：《中華文明史》第三卷（石家莊：河北教育出版社，1999年），頁509-510。

28 同注15，頁17-32。

29 王夢鷗：《鄒衍遺說考》（臺北：臺灣商務印書館，1966年），頁56。

30 同注25，頁944。

31 （漢）高誘注：《淮南子》（臺北：世界書局，1953年），頁176。

的五德終始，可能是為燕王日後稱帝而設計，但真正使用到這個設計的卻是秦始皇，他因數百年前，秦文公出獵，曾獲黑龍，故以水德自居，統一天下後，「以冬十月為年首，色上黑，度以六為名，音上大呂，事統上法。」(《史記・封禪書》)[32]到了漢高祖得天下，先從火德，後改水德，武帝時定為土德。後來劉歆佐王莽篡漢，依五行相生之說，自居土德，改漢為火德。[33]光武帝以赤伏符得天下，所以終漢之世，因而不改，仍居火德，此後人所以稱漢為炎漢。[34]這種改朝換代的歷史觀建立在五行生尅的機械運動上，完全忽視了歷史演進的社會、經濟因素，當然也是一種神秘文化。

5 時令災異

在明堂時令方面，鄒衍也未留下詳細的資料，倒是在《呂氏春秋・十二月紀》中有更縝密的推衍。〈十二月紀〉紀首是《禮記・月令》的前身，全文共分明堂位、時政綱領、休咎之徵三部分。明堂位是依春生、夏長、秋收、冬藏時節的不同，君王施政時在明堂中應居處的不同方位；時政綱領是天子於一年十二月中應行及禁忌的重大事項；休咎之徵是國君若依時政綱領施政就有風調雨順等休徵，否則就有饑饉兵戎等咎徵。[35]這套制度符合天人相應的理論，是五行思想最具體的表現，在漢代還繼續發揮它的影響力，王莽當權，曾建明堂，行月令，光武帝在洛陽續建明堂，明帝祀光武帝於明堂以配五帝，又頒發時令，迎五氣於五郊。從此以後，「順時令」一義遂為帝王施政的總綱，並經常從事春天養幼賑貧、秋天養老恤刑的工作。[36]尤其是

32 同注25，頁501。

33 王葆玹：《西漢經學源流》(臺北：東大圖書公司，1994年)，頁337-344。

34 同注15，頁139-140。

35 賀凌虛：《呂氏春秋的政治理論》(臺北：臺灣商務印書館，1970年)，頁163-177。

36 同注15，頁6-7，172-175。

與休咎之徵性質相近的災異祥瑞，更為漢人所講求，不僅今、古文經學家為此斷斷不休，更當作警戒人主或彈劾權臣與政敵的藉口，如日蝕、地震、蝗災時，天子往往下詔罪己，又如成帝時因熒惑守心，丞相翟方進竟被策免並賜死，皆是其例。[37]

（三）漢代社會與神秘文化

1　占星卜筮

在古代，占星術是根據天空各類星象的性質、位置及異常變化來占卜預測人間的吉凶禍福，它主要是用在軍國大事或重要人物，與唐以後的星命術占卜個人的吉凶禍福者不同。所謂異常變化包括日食、月食、行星逆行、流星、客星、彗星出現等皆是。先秦的巫咸、甘公、石申都是占星大師。漢代的不少學者也都精通占星術，如董仲舒善言災異、司馬遷結合星象學與歷史學，京房使《易》學與星象學聯姻，張衡混合科學與迷信，民間的星象家則有郎顗、襄楷。[38]他們將星象學與神學世界混合為一，成為當時普遍的時代思潮。至於透過龜甲和蓍草為主要工具的占卜與占筮乃至於各種雜占，其由來已久，通行於各階層更不待言。

2　風角望氣

運用四面八方的風向來進行占卜，叫做風角。漢代的魏鮮在每年正月初一觀測八風的動靜，判斷一年的吉凶，甚至可以在大白天傾聽市井之中的民眾之聲，來預測年景的好壞。[39]至於望氣術，通過觀察

---

37 同注7，頁320-325。又同注35，頁198-202。

38 劉韶軍：《神秘的星象》（南寧：廣西人民出版社，1991年），頁38-51。

39 俞曉群：《術數探秘——數在中國古代的神秘意義》（北京：生活・讀書・新知三聯書店，1994年），頁201-202。

雲氣的色彩與形狀的變化，來預測自然界的旱澇災變與人世間的吉凶禍福，在古代社會更是流行。像秦始皇聽說東南有天子氣，於是東游以壓之；呂后能從天上雲氣知道漢高祖行踪；漢武帝聽望氣者言河間有奇女子，因而找到拳夫人，後來生了昭帝，[40]諸如此類，都是有名的例子。

3 相術

相術是通過觀察人的面貌長相、聲音等因素，來預測人的吉凶的數術，相當於今日科學中的人體信息學。人的音容相貌與自己的吉凶禍福所以能發生聯繫，其中的橋梁便是陰陽五行和八卦。五行的抽象理論被相術借來解釋有關人體與命運的一些具體問題，特別是接受了《黃帝內經》的中醫學陰陽理論，便形成了獨特的理論系統。[41]相術起源甚早，到了漢代已相當發達，當時讖緯學為鼓吹聖王受命，用大量「奇相」附會帝王，與相學結下不解之緣。著名的相者有呂公、許負、田文、鉗徒、蔡父、龍淵等。當時相書亡佚殆盡，從王充《論衡・骨相》還可得知一二。[42]

4 擇吉

擇吉是人們進行各種生產、生活活動時，選擇吉日、吉時、吉方的一種數術，也是一種廣泛的民俗。它以式盤為工具，干支曆法為基礎，以八卦、五行、九星、二十八宿、十二直、六曜等為內容，根據年、月、日、時各種神煞進行推算，來尋找吉時良辰。[43]1942年在長

40 張榮明：《方術與中國傳統文化》（北京：學苑出版社，2000年），頁309-318。
41 劉筱紅：《神秘的五行》（南寧：廣西人民出版社，1994年），頁165。
42 同注9，頁299-305。
43 同注41，頁187-188。

沙子彈庫出土的楚帛書及後來睡虎地等文化遺址的《日書》，可以證明其歷史悠久。在《漢書・數術略》五行類中也著錄《泰一陰陽》、《四時五行經》等十書，多以陰陽為名，足見擇吉在漢代十分盛行，且與陰陽五行有密切關係。[44]《史記》中有一篇〈日者列傳〉，記載司馬季主的言行，道《易經》，術黃帝、老子，博聞遠見，[45]可見此中也大有學問。

5　勘輿

勘輿就是勘察地輿，又名相地術、形法，是以指南針為工具，指導人們確定陽宅（住宅、村落、城市）和陰宅（墳地）的位置、朝向、布局、營建等一系列的主張和方法，可說是古代的環境學。由於風水二字為環境之最重，而其中以近水而陽之地為上等，以藏風之地為次等，故勘輿俗稱看風水。漢代已將陰陽、五行、八卦、四方、四時、五音、十二月、十二律、二十八宿、天干、地支以及數字、色彩相互配合，形成了宇宙的具體結構，這個構架對於風水具有特別重要的意義。[46]當時的勘輿名著《堪輿金匱》、《宮宅地形》早已亡佚，風水師青烏子最享盛名，故後世又稱勘輿為青烏術。[47]

6　鍊丹

鍊丹分外丹和內丹，外丹是在爐鼎中鍊礦物，製成金丹，服之以求長生，是後代化學的先驅；內丹是以人體為爐鼎，鍊精、氣、神以求長生，也就是氣功。其目的都是為了使人能不死，能成仙，所以與

44　李零：《中國方術正考》（北京：中華書局，2006年），頁141-171。

45　同注25，頁1334-1337。

46　同注20，頁76-78。

47　同注40，頁204-206。

神仙說、氣論及陰陽五行說有密切關係。大約起於戰國時代，齊威王、齊宣王、秦始皇、漢武帝都曾耗盡國力，派人到海外求仙藥。李少君首倡鍊丹術，曾向漢武帝獻丹藥。東漢魏伯陽的《周易參同契》是現存最早、最重要的鍊丹術著作。順帝時，張道陵創道教，造作丹書，以鍊丹為天職，鍊丹場遍及全國，受到朝廷默認。[48]

7 房中術

房中術是一門關於兩性生活的方術。其宗師都托名於仙人和聖賢，仙人有彭祖、素女、玄女、務成子，聖賢有黃帝、堯、舜、湯、盤庚、容成公，在理論上則資取於《周易》的陰陽之道。1978年在長沙馬王堆漢墓出土的帛書《養生方》、竹簡《合陰陽》等七種，多與房中術有關，《漢書・藝文志・方技略》更著錄了《容成陰道》、《天一陰道》等八書，多以「陰道」為名，即「接陰之道」，是房中術的別名，現在均已亡佚，足見房中術在漢代與「醫經」、「經方」、「神仙」都處於重要的地位。[49]

8 養生術

先秦諸子無不重視養生，而各有其養生之道，如道家講順應自然，恬淡虛無，儒家講修身養性，有張有弛，醫家講形神俱養，起居有常，講求養生者融會貫通，提出一套預防保健、修身延年的醫療方術，就是養生術。其術多端，如保健功、導引術、服氣術、胎息術、辟穀術、仿生延命術，皆是。金文〈行氣銘〉、長沙馬王堆漢墓的帛畫〈導引圖〉、帛書〈卻穀食氣〉、〈十問〉、張家山漢簡〈引書〉都是

48 同注4，頁514-519。又同注41，頁148-149。

49 同注4，頁575-581。又同注44，頁302-321。

地下出土的養生文獻，值得研究。[50]

9 醫藥學

古代巫醫不分，求藥與求巫統一於醫療活動之中，後來醫藥學逐漸獨立成為一門內容專精、體系井然的學問，但中國傳統醫學離不開陰陽、五行、三才、八卦、干支、形法等概念，所以還是充滿神秘文化的色彩。[51]早在先秦，扁鵲等名醫，就以陰陽學說為指導，提出「六不治」的原則，以切脈診病，開展針灸、熨烙等療法，為中醫作出傑出的貢獻。大約在戰國秦漢間產生了現存最早、最重要的醫學專著《黃帝內經》，對後世影響極大，其「五運六氣」即是以陰陽五行的哲學思想作為整個理論的基礎。[52]可能成書於漢代的《本草圖經》是中國最早的醫藥學經典，東漢張仲景的《傷寒雜病論》是醫學方書的鼻祖，甚至連漢代名醫淳于意、張仲景、華陀，其神乎其技的醫療行為在外行人看來，也都充滿神秘色彩。

10 祝由術

祝由術是古代巫醫不分的遺跡，通過巫術活動治療疾病的一種方式。相傳黃帝時祝由擅長此道，故名；或說祝是詛咒之意，以咒禁治病而得名。《左傳》中記載了不少怪異妖祥，也記載了許多祝詛、祓除、移禍等對治方技。[53]馬王堆漢墓帛書〈五十二病方〉、〈養生方〉、〈雜療方〉都有不少用祝由術治病的例子，可與占卜簡、日書參看，[54]足見在漢代，這種方技在下層社會還很盛行。

---

50 同注4，頁495-513。又同注44，頁269-290。

51 同注39，頁211-213。

52 鄺芷人：《陰陽五行及其體系》（臺北：文津出版社，1992年），頁259-338。

53 劉瑛：《左傳國語方術研究》（北京：人民出版社，2006年），頁125-132。

54 同注44，頁261-268。

三　《說文解字》神秘文化的內容

《說文》是文字學的經典，其編撰目的在透過字形的分析，逐字說解文字的本義，並非闡釋文化的專書，但因所有文化典籍都是以文字書寫記載的，所以在解說文字的過程中，自然也就會反映出各種文化現象，《說文》中所以會出現許多神秘文化的史料，就是這個道理。

（一）《說文》中的天文律曆

1　天文

天文是研究空間的學問，曆法是研究時間的學問，二者密切相關，合稱「觀象授時」，也就是廣義的天文。這本是相當科學的學問，但因古人對宇宙奧秘不夠了解，所以賦予許多神秘的解說，成為神秘文化的根源之一。《說文》說：

> 日：實也。太昜之精，不虧，从〇一，象形。（頁305）
> 有：不宜有也。《春秋傳》曰：「日月有食之。」从月，又聲。（頁317）
> 媊：《甘氏星經》曰：「太白號上公，妻曰女媊，凥南斗，食厲，天下祭之，曰明星。」从女，前聲。（頁622）
> 閶：閶闔，天門也。从門，昌聲。楚人名門皆曰閶闔。（頁593）
> 地：天气初分，輕清昜為天，重濁侌為地，萬物所敶列也。从土，也聲。
> 墬，籀文地，从𨸏，彖聲。（頁688）[55]

55　〔清〕段玉裁注：《說文解字注》（臺北：洪葉文化事業公司，2005年9月增修一版三刷）以下引用《說文》皆同此本，僅注明頁碼。

許氏以「太易之精」釋日，顯然受陰陽家影響，後世逕稱日為太陽。太陽通常是充實不虧的，偶然會有日食，也是正常現象，但古人不知，以為是陰侵陽，后妃、權臣侵凌國君，是「不宜有」的異象，所以要透過占星加以預測攘除。除了日月占之外，行星占、變星占也是重要的占星項目。[56]在五大行星中，太白金星最為明大，所以有「居南斗，食厲」的神話，也有「天下祭之」的風光。在地球以外，為廣袤無際的外太空，古人幻想天宮有神明居住，有「閶闔」天門與人間隔絕。至於大地的由來，古人認為「太極生兩儀」，兩儀是一陰一陽之道。陽氣輕清，上升為天；陰氣重濁，下沈為地，這種樸素的理論就是漢人的氣化宇宙論，也是中國天文學最重要的學說。[57]

2　律曆

曆法有時可與音律合稱「律曆」，包括曆法、時令、物候、音律、度、量、衡等，在正史中，往往有〈律書〉、〈曆書〉、〈律曆志〉言之。《說文》云：

> 物：萬物也。牛為大物，天地之數起於牽牛，故从牛，勿聲。（頁53）
>
> 機：精謹也。从人，幾聲。〈明堂月令〉：「數將機終。」（頁375）
>
> 風：八風也：東方曰明庶風，東南曰清明風，南方曰景風，西南曰涼風，西方曰閶闔風，西北曰不周風，北方曰廣莫風，東北曰融風。从虫，凡聲。風動蟲生。故蟲八日而匕。（頁683）

56　同注38，頁147-155。

57　陳美東：〈中國古代的宇宙理論〉，《中國古代科技成就》（北京：中國青年出版社，1995年9月三刷），頁55-58。

辰：震也。三月昜氣動，雷電振，民農時也。物皆生，从乙、匕，匕象芒達，厂聲。辰，房星，天時也。从二，二，古文上字。（頁752）

稱：銓也。从禾，爯聲。春分而禾生，日夏至，晷景可度，禾有秒，秋分而秒定。律數十二，十二秒而當一分，十分而寸，其以為重。十二粟為一分，十二分為一銖，故諸程品皆从禾。（頁330）

物字謂「天地之數起於牽牛」，僟字謂「數將僟終」，本來是講古四分曆冬至點始於二十八宿的牽牛初度，[58]季冬之月，天數將終，歲且更始，皆講天文曆法之數，卻牽引《易・繫辭傳》的天地之數，顯然有意與象數掛鉤，以發揮數術的功能。風字講八風，是由甲骨文、《詩經》、《爾雅》的四方風，受八卦、八方影響，進一步演為《淮南子・天文篇》的八風。[59]《史記・律書》將八方、十二月、十二律呂、十二支、二十八宿、十干與八風相互搭配，是當時星象學及其他數術的基本根據。[60]辰字提及三月「陽氣動，雷電振」，正是農民春耕之時，可見律曆與人民的生產、生活也有密切關係。稱字提及天文、曆法、律數及度量衡之間的關係，故《說文》禾部科、程以下六字皆由此出。

（二）《說文》中的陰陽五行

1 陰陽五行釋義

陰陽五行為漢代神秘文化的核心思想，故《說文》全書亦籠罩在其氛圍之中，其說陰陽五行之字義云：

58 陳久金：〈中國古代的曆法成就〉，頁44。

59 何寧：《淮南子集釋》（北京：中華書局，1998年），頁195-199。

60 同注25，頁449-456。又同注38，頁80-82。

霒：雲覆日也。从雲，今聲。侌，古文霒省。（頁580）

昜：開也。从日、一、勿。一曰飛揚，一曰長也，一曰彊者眾皃。（頁458）

水：準也。北方之行，象眾水竝流，中有微陽之氣也。（頁521）

火：燬也。南方之行，炎而上，象形。（頁484）

木：冒也。冒地而生，東方行，从屮，下象其根。（頁241）

金：五色金也。黃為之長，久薶不生衣，百鍊不輕，從革不韋。西方之行，生於土，从土，ナ又注，象金在土中形，今聲。（頁709）

土：地之吐生萬物者也。二象地之上、地之中，丨物出形也。（頁688）

陰、陽本作侌、昜，其造字本義原本分別指雲蔽日而暗及太陽之明照而言。但如說珠為「蚌中之陰精」（頁17），說易為「日月為易，象侌昜也。」（頁463）則可見其類化範圍極廣，不無支離妄誕之處。[61]其說五行皆以音訓推究其得名之原因，原本指五種構成萬物的基本元素，但許氏在解說時都與方位搭配，且言明其特性，偶亦夾雜顏色及陰陽之說，足見已沾染濃厚的陰陽家色彩。

2　陰陽五行配置

五行既然是構成萬物的基本元素，則萬事萬物自然無不可與之相配。《管子》、《大戴禮》、《左傳》、《國語》、《山海經》、《楚辭》皆屢有所言，《呂氏春秋・十二月紀》中所配超過二十項，更為明備。[62]

61　同注13，頁342。

62　莊雅州：《夏小正析論》（臺北：文史哲出版社，1985年），頁170-174。

《說文》中雖然沒有那麼完整的配置，但也屢見不鮮，如：

> 庚：位西方。象秋時萬物庚庚有實也。庚承己，象人臍。（頁748）
>
> 嶽：東岱，南霍，西華，北恆，中大室，王者之所以巡狩所至，从山，獄聲。（頁442）
>
> 青：東方色也。木生火，从生、丹。丹青之信，言必然。（頁218）
>
> 龍：鱗蟲之長，能幽能明，能細能巨，能短能長。春分而登天，秋分而潛淵。从肉，𦚏，肉飛之形，童省聲。（頁588）
>
> 心：人心土臧也。在身之中，象形。博士說以為火臧。（頁506）
>
> 麥：芒穀，秋穜厚薶，故謂之麥。麥，金也，金王而生，火王而死。从來，有穗者也，从夂。（頁234）
>
> 鹹：銜也，北方味也。从鹵，咸聲。（頁592）

庚位西方，此以十干配五方；山嶽有五，各有所主，此以五嶽配五方；青為東方色，此以五色配五方；龍為鱗蟲之長，春分登天，此以五蟲配五時；心為土臟，此以五臟配五行；麥為金，秋種厚埋，此以五穀配五行；鹹為北方味，此以五味配五方。而歸根究柢，皆是與五行相配。五嶽、五色、五蟲、五臟、五穀、五味，其數有五，與五行固然可以相吻合；十干除以二，亦無不合。然五方則除東、南、西、北之外，不能不增加中央土；五時則除春、夏、秋、冬之外，在季夏、孟秋之間也不能不增加了一時。陰陽家為了使萬物萬象成為一個龐大無比的有機體，在五行的配置上可說無所不用其極了。

（三）《說文》中的干支數字

1　干支

干支是中國特有的周期紀時符號，早在殷商時代，即以干支紀日，殷王亦多以天干為名，如商湯名太乙，商紂名辛，後來擴大到可用以紀時、紀日、紀月、紀年。由於干支與庶政民生關係密切，所以成為數術的重要項目，占星、卜筮、擇日、勘輿，無施而不可。《說文》分部，始一終亥，對於干支與數字更是特別重視，干支列於全書之末，且均立於部首，如：

> 甲：東方之孟，昜气萌動。从木戴孚甲之象。《大一經》曰：「人頭空為甲。」（頁747）
>
> 乙：象春艸木冤曲而出，侌氣尚彊，其出乙乙也。與丨同意。乙承甲，象人頸。（頁747）
>
> 子：十一月昜气動，萬物滋，人以為偁。象形。（頁749）
>
> 酉：就也。八月黍成可為酎酒，象古文酉之形也。（頁754）
>
> 亥：荄也。十月微昜起接盛侌，从二、二，古文上字也。一人男一人女也。从乚象裹子咳咳之形也。《春秋傳》曰：「亥有二首六身。」（頁759）

《淮南子．天文篇》、《史記．律書》、《白虎通》等漢代典籍對干支之意義均有解釋，許氏多承之。其說干支，多以陰陽之氣為釋。於天干則側重以萬物之生長盛衰為說，且以十干配方位及人身各部位，表示與五行、與人體皆密切相關。於地支則透過音訓探究其得名的原因，而亦充滿神秘色彩。純就文字學而言，其析形釋義實難以釐然當於人心。如釋酉為酒，固然不錯；釋子為冬至之月，則誤以引申義為本義。

其釋乙、丙、丁皆與甲骨文不合，故乙字，吳其昌以為象刀形，唐蘭釋為玄鳥。丙字，陳晉釋為鯁，葉玉森以為象几形，于省吾以為象物之底座。丁字，葉玉森以為象釘，唐蘭以為象金鉼。[63]至郭沫若索性根據《爾雅．釋魚》，以為乙象魚腸，丙象魚尾，丁象魚枕。[64]古文字之解讀本已不易，漢代陰陽五行家所造成的迷團，更使人難以論定。

2 數字

在象數《易》學中，數居其半；在數術中，與數有關者觸目皆是，如：三式、六壬、九宮、六儀、二奇、八門、九星、八神。[65]《說文》分部始一終亥，對神秘文化又頗為傾心，故對數字亦特別重視，從一至十，悉數立為部首，例如：

> 一：惟初太極，道立於一，造分天地，化成萬物。（頁1）
> 三：數名，天地人之道也。於文，一耦二為三，成數也。（頁9）
> 五：五行也，从二，侌昜在天地間交午也。（頁745）
> 六：易之數，侌變於六，正於八。（頁745）
> 九：昜之變也，象其屈曲窮盡之形。（頁745）

在數學上，一至十都是數名，但在許慎眼中，這些數字有更深層的涵義；一不止是數之始，也等於《易．繫辭傳》的太極，《老子》的道，是萬物的本體。三是天地人三才之道的代表。五是五行的符號，其形

---

63 李孝定：《甲骨文字集釋》（臺北：中央研究院歷史語言研究所，1991年），頁4221-4225。

64 郭沫若：〈釋干支〉，《甲骨文字研究》（臺北：民文出版社，不詳），頁165-166。

65 同注20，頁85-97。

成是陰陽二氣在天地之間交午變化的結果。六是《易》卦的老陰，變而為少陰八，九是《易》卦的老陽，退而為少陽七。這是由於陽外漲，陰內縮，陽數以進為大，陰數以退為大，老變而少不變的緣故。在神秘文化中，數是純數，其特性有四，即：數沒有單位，數無大小可比，數無可施以精確計算之性，數只有整數無小數，故純數雖可包含從一到無窮大之數，但它們並非數學的數，[66]可說是哲學上的數。

（四）《說文》中的鬼神靈異

1　鬼神

先秦兩漢是原始宗教盛行的時代，泛神論的思想充斥於社會各階層。人們認為除了人類及草木蟲魚鳥獸之外，還有無形的、無窮大的世界是鬼神活動的空間。《說文》云：

> 神：天神引出萬物者也。从示，申聲。（頁3）
> 祇：地祇提出萬物者也。从示，氏聲。（頁3）
> 鬼：人所歸者為鬼，从儿，甶象鬼頭，从厶，鬼陰气賊害，故从厶。（頁439）
> 媧：古之神聖女化萬物者也。从女，咼聲。（頁623）
> 姓：人所生也。古之神聖人母感天而生子，故偁天子。因生以為姓，从女、生，生亦聲。《春秋傳》曰：「天子因生以賜姓。」（頁618）

配合三才思想，鬼神主要分三大類，即天神、地祇、人鬼。《周禮・

66 趙莊愚：〈論易數與天文曆法學〉，《周易縱橫錄》（武漢：湖北人民出版社，1986年），頁438。

春官》大宗伯「掌建邦之天神、人鬼、地示之禮。」並列有天神、地祇、人鬼的具體名目。天神包括昊天上帝、日月星辰、司中、司命、風師、雨師。地祇包括社稷、五祀、五岳、山林川澤、四方百物。人鬼包含先王和祖先等亡靈。[67]對於天神、地祇，《說文》僅說明是創造、長養萬物的神明。人鬼則在鬼部詳細介紹了陽氣為「魂」、陰神為「魄」、厲鬼為「鬾」、秏鬼為「䰠」、旱鬼為「魃」、老物精為「鬽」，甚至還有鬼服、鬼聲、鬼貌、鬼俗等一連串的字（頁439-441）。顯示古人普遍認為萬物有靈、靈魂不死。中國古代流傳人首蛇身的伏犧、女媧化生萬物的神話，也流傳簡狄吞燕卵而生契、姜嫄踩天神腳印而生后稷的感生故事。這一方面是圖騰崇拜的遺跡，另一方面也顯現巫史藉神權鞏固王權的用心。在《說文》的媧字、姓字中都略有觸及。

2 靈異

除了鬼神之外，在許慎筆下，草木蟲魚鳥獸，甚至沒有生命的山川百物，有時也會染上神秘色彩，例如：

> 鳳：神鳥也。天老曰：「鳳之像也，麐前鹿後，蛇頸魚尾，龍文龜背，燕頷雞喙，五色備舉。出於東方君子之國，翱翔四海之外。過崐崘，飲砥柱，濯羽弱水，莫宿風穴，見則天下大安寧。」从鳥，凡聲。（頁149）
>
> 廌：解廌獸也，似牛，一角。古者決訟，令觸不直者。象形，从豸省。（頁474）

---

67 （漢）鄭玄注，賈公彥疏：《周禮注疏》（臺北：藝文印書館，1985年），頁270-273。

蠥：衣服歌謠艸木之怪謂之祥；禽獸蟲蝗之怪謂之蠥。从虫，辥聲。（頁680）

䖳：蜃屬有三，皆生於海。厲千歲雀所化，秦人謂之牡厲；海蛤者，百歲燕所匕也；魁蛤一名復累，老服翼所匕也。从虫，合聲。（頁677）

玉：石之美有五德者。潤澤以溫，仁之方也。䚡理自外，可以知中，義之方也；其聲舒揚，專以遠聞，智之方也；不撓而折，勇之方也；銳廉而不忮，絜之方也。象三玉之連，丨其貫也。（頁10）

鳳與龍（頁588）、麒麐（頁475）、龜（頁685）並稱「四靈」，是中華民族長期以來圖騰崇拜的對象，天下太平希望之所繫。龍又有蛟、螭、虯（頁676）之屬；鳳亦有鸞、鷟、鸑、鷫鷞（頁150）之類，足見備受重視。廌能決獄訟，正如騶虞（頁211）為仁獸，鶾鷽（頁151）知來事，舄（頁159）知太歲之所在，蓍（頁35）千歲，可占筮，芸（頁32）能起死回生，皆具有美德或特異功能。相反的，祥蠥為人所懼，猶如螟、蟘（頁670）、蠡（頁682）為惡吏所生，蜮（頁678）以氣射害人，皆為人所惡一般。至於蛤蜃為燕、雀、蝙蝠所化，顯示古人相信生物可互相蛻變，蠲（頁672）為腐草所化，鵙（頁483）為伯勞鳥所化，皆同此類，其實只是古人觀物不夠精審的錯誤。玉有五德，是古人以物比德的最好例證。《說文》玉部收文124個，其中玉名就不下三、四十個。玉除可佩飾以示顯貴、執玉以朝君、饋玉以示好外，獻玉還可通神，葬玉亦可不朽，[68]足見玉在中國文化中的重要性。

---

68 王玉鼎：《漢字文化學》（西安：西安出版社，2010年），頁72-77。

(五)《說文》中的占卜祭祀

1 占卜

古人對自然界有許多奧秘無從了解，對社會人生有不少疑難無法解決，所以就想到用占卜的方式來請教鬼神。商代無論征伐、祭祀、田獵、年景、疾病、風雨、出巡，甚至生兒育女都要進行占卜，預測吉凶。在《尚書・洪範》中還將「明用稽疑」列為治理天下國家的九疇之一，[69]在兩周甚至秦漢以後，占卜的風氣還是十分盛行，《史記》就有一篇〈龜策列傳〉專言其事。[70]《說文》云：

> 卜：灼剝龜也。象灸龜之形，一曰象龜兆之縱衡也。(頁128)
> 占：視兆問也。从卜、口。(頁128)
> 筮：《易》卦用蓍也。从竹、𢍰，𢍰，古文巫字。(頁193)
> 卦：所以筮也，从卜，圭聲。(頁128)
> 用：可施行也。从卜、中，衛宏說。(頁129)

占卜的方式有二：一為以牛骨或龜甲鑿孔火灼，根據縱橫的裂紋—兆來判定吉凶；另一種是用50根蓍草經四營十八變得出一個卦，再根據《易經》來決定行止。卜所以用龜甲，是因為龜最長壽，而且背圓腹方，正象天圓地方；筮所以用蓍，因為蓍草相傳為千年草，一根百莖，也具有靈性。當卜筮得中，則可施用。但若卜筮結果不同，該如何處理呢？在《尚書・洪範》自有一套加入相關人士意見的解決辦

69 (漢)孔安國傳，(唐)孔穎達疏：《尚書正義》(臺北：藝文印書館，1985年)，頁168。

70 同注25，頁1338-1352。

法，[71]《說文》是字書，自然無須交代。

2　祭祀

祭祀和占卜一樣，都是人與鬼神最直接、最重要的溝通方式。在六禮中，祭祀屬於吉禮，足見其目的是在向鬼神求福。《說文》云：

> 祀：祭無巳也。从示，巳聲。（頁3）
> 雩：夏祭樂於赤帝以祈甘雨也。从雨，亏聲。（頁580）
> 社：地主也，从示、土。《春秋傳》曰：「共工之子句龍為社神。」《周禮》：二十五家為社，各樹其土所宜木。（頁8）
> 祫：大合祭先祖親疏遠近也。从示、合。《周禮》曰：三歲一祫。（頁6）
> 犧：宗廟之牲也。从牛，羲聲。（頁53）

古代祭祀名目、次數繁多，無有已時，同一種祭祀往往一年一周，故殷商時稱年為祀。祭祀的對象主要分為天神、地祇及人鬼。如「雩」祭是向天帝祈求甘雨，「社」是在社廟祭地祇，「祫」則是大合祭先祖。祭祀的地點，如祭天地五帝在「畤」（頁703），祭先祖在「祖」廟（頁4）。祭祀的時節，如「祠」在春季，「礿」在夏季（頁5）。祭品有用肉者，故說「犧」為宗廟之牲，有用酒者，如冠娶禮祭為「醮」（頁755），有用鬱鬯者，如始獻尸求神的「祼」祭（頁6），有用玉者，如祠宗廟用「瑒」（頁12），有用火者，如燒柴尞祭天的「祡」祭（頁4），至於祭祀用樂尤為常事，故雩祭要用盛樂。《說文》中提及的祭名不下於四十，而古代的祭禮何止倍蓰於此。《風俗

71 同注69，頁174-175。

通・祀典》云：「武帝尤敬鬼神，于時盛矣！至平帝時，天地六宗已下及諸小神，凡千七百所。」[72]可以為證。

（六）《說文》中的禳除雜術

1 禳除

祭祀所以崇德報功，祈求福祿，那是用於一般的鬼神，至於厲鬼異象，那就要訴諸禳祓之類了。《說文》云：

> 禳：磔禳，祀除厲殃也。古者燧人禜子所造。从示，襄聲。（頁7）
>
> 祓：除惡祭也。从示，犮聲。（頁6）
>
> 禜：設緜蕝為營，以禳風雨雪霜水旱厲疫于日月星辰山川也。从示，从營省聲。一曰：祟，衛使災不生。（頁6）

凡殃疫水旱，風雨雪霜不時，則分別祭祀日月星辰山川之神祇，或厲鬼惡煞，磔牲祀禱，使用送、趕、撻、驅、砍、捉各種手段，以求禳除殃疫，甚至防患於未來。這是採取賄賂的方法，祈求鬼靈保佑，讓鬼吃飽喝足，從它們那裡得到一定的許諾。相傳燧人禜子所造，可見由來甚久。古代之大儺，即屬此類，今日邊疆少數民族猶存其俗。[73]《說文》有「儺」（頁372）字，但本義是「行有節也」，驅疫之儺，據段玉裁說為「難」之叚借。

72 （漢）應劭《風俗通》《四部叢刊》初編本（上海：商務印書館，1936年），頁56。
73 同注20，頁120-125。

2　雜術

《漢書・藝文志》分〈數術略〉圖書為天文、曆譜、五行、蓍龜、雜占、刑法六類，共著錄190家，2528卷。[74]後世著作更多，分類更細，本文所舉，不過其犖犖大端而已，所不能盡者，姑名之曰雜術，載於末。《說文》云：

> 真：僊人變形而登天也。从匕、目、乚，八所以乘載之。（頁388）
>
> 蠱：腹中蟲也。《春秋傳》曰：「皿蟲為蠱，晦淫之所生也。」梟磔死之鬼亦為蠱。从蟲，从皿，皿，物之用也。（頁683）
>
> 詛：詶也。从言，且聲。（頁97）
>
> 㝱：寐而覺者也。从宀，从疒，夢聲。《周禮》以日月星辰占六㝱之吉凶，一曰正㝱，二曰㴅㝱，三曰思㝱，四曰寤㝱，五曰喜㝱，六曰懼㝱。（頁350）
>
> 巫：巫祝也。女能事無形以舞降神者也。象人兩褎舞形，與工同意。古者巫咸初作巫。（頁203）

「真」是仙人變形而登天，此求仙術、鍊丹術之所由興。「蠱」是腹中蟲，原指蛔蟲、絛蟲、蟯蟲之類的寄生蟲，古人不知，以為是晦淫所生，甚至以毒蠱之類害人，就是所謂巫蠱術。漢武帝時發生的巫蠱案，死者數萬人，是歷史上的大事。「詛」是用惡毒的語言詛咒仇敵，在先秦已有〈詛楚文〉，漢代有丁夫人、虞初咒詛匈奴、大宛，武帝子劉胥咒詛昌邑王、宣帝，王莽孫女詛咒婆母等，足見詛咒術在

74　（清）王先謙補注：《漢書補注》（臺北：藝文印書館，1965年），頁906-912。

漢代十分盛行。[75]「㝱」與占夢術有關，《周禮》已有六㝱之占，在先秦，占夢可以觀察國家吉凶、決定軍國大計、選官任職等，到了漢代以後，才逐漸演變為一種世俗迷信。[76]這些雜術，甚至大部分數術幾乎都假手巫覡為之，巫為女巫，「覡」（頁203）為男巫。巫覡在古代，掌管天文、曆法、祭祀、醫藥、紀事、典籍等，是中國文化史上第一代智識份子，在神秘文化中擔任非常重要的角色，所以後代就稱數術為巫術。

四　《說文》神秘文化史料評論

漢代是神秘文化充斥的時代，許慎的《說文解字》在分析解說文字時，有意無意間難免會受到當時文化的影響，沾染濃厚的神秘色彩。但作為一本字書，《說文》站在語言文字學的立場來詮釋神秘文化的字詞含意，自有其特殊意義，可與數術專書或相關資料相輔相成。當然，二者呈現的特色與局限也是大同小異的。

（一）《說文》神秘文化史料的特色

1　反映現實

兩漢原始宗教十分發達，本土的道教即將誕生，外來的佛教尚未傳入。除了揚雄、桓譚、王充等少數特立獨行之士外，一般人相信天是有人格的，可主宰人類命運，可與人相互感應；陰陽五行可架構萬事萬物成為龐大無比的有機系統。這種思想滲透到每一個層面，使儒生方士化，學術讖緯化，政治、社會陰陽五行化。在政治上，用終始

75　同注20，頁127。

76　同注4，頁745-746。

五德解釋改朝換代的歷史規律，用讖緯、時令災異來左右政局的走向，用封禪郊祀、神仙方士來滿足帝王的需求。在社會上，用占星卜筮、擇吉勘輿、養生術、醫藥學等來解決民生問題。《說文》雖以分析字形以求本義為主要任務，但在說解的過程中也能對這些現實做適當的反映。例如用陰陽五行解釋天文律曆、干支數字。在五行、干支、山嶽、神鳥、穀物、顏色、味道、臟腑等名詞的解釋時，刻意透露五行的配置。對鬼神靈異、占卜祭祀、攘除雜術諸字的解釋，也反映漢代信巫鬼、重淫祀的社會風氣。甚至在引用書證時，或明或暗，或直接或間接地資取於緯書，如「秘書曰」(頁463，易)、「孔子曰」(頁9，王)者亦復不少。[77]諸如此類，顯示《說文》與漢代的時代風氣是若合符節的。

2 內容龐雜

前述《漢書・藝文志》著錄〈術數略〉著作分為六類，厥後，《後漢書・方術列傳》、《隋書・經籍志》以降，至《清史稿・藝文志》，歷代史志分類各有不同。這一方面顯示各代對數術的範圍看法有所出入，另一方面也表示數術的種類不斷在增加。宋會群曾加以會整，分成天文式占、卜筮、命書相書、雜占、形法五大系統，下隸17門類、65屬類。[78]《說文解字》時代為東漢，性質為字書，其神秘文化的門類雖然不像後世那麼繁瑣，但也已算得上龐雜。本文分為天文律曆、陰陽五行、干支數字、鬼神靈異、占卜祭祀、禳除雜術六類，12小類，乃因薄物短篇，僅能舉其犖犖大端而言。近年相關之學位論文，如陳明宏《說文中巫術之研究》分為祭祀、占卜、天人感應、靈

77 舒懷：〈說文解字取資緯書說〉，《說文學研究》第二輯（武漢：崇文書局，2006年），頁43-58。

78 同注9，頁18-28

物崇拜、驅邪除災等五類13小類，[79]陳雅雯《說文解字數術思想研究》分為《易》學、陰陽五行、天文律曆、方技四類17小類，[80]研究都更專精而詳盡，可以參閱。

3 神秘莫測

宇宙奧秘難窺，人類雖然不斷在求知，科學雖然不斷在進步，但未知的世界永遠是無窮大，這就是鬼神可以活動自如的空間，也是神秘文化永遠不會絕跡的主要原因。科學與神祕文化同樣都是在求知，所不同的是科學常用客觀具體的方法去求知，而神祕文化則常用主觀抽象的方法去探索未知的世界。《周易・繫辭傳》說：「一陰一陽之謂道。」又說：「陰陽不測之謂神。」[81]兩極相對的陰陽體系涵蓋了萬事萬物，其變化無窮無盡，無方無所，固然神秘莫測；五行體系同樣鋪天蓋地，所有事物都可彼此配屬，相生相尅，它與陰陽結合之後，成為萬事萬物發展變化的動力，何嘗不是神秘難知？陰陽五行再與老莊之道、象數思想、天人感應理論結合，成為神秘文化的指導思想之後，當然使得所有的數術都染上神秘色彩。無論天文律曆、鬼神靈異、占卜祭祀、禳除雜術，甚至醫藥養生，都要乞靈於此一思想，以加強其理論根據及說服力。我們單看《說文》在解釋干支、數字、顏色、臟腑都要大談陰陽五行，就可知其魅力有多大了。而方士說神仙可求，殃疫可攘，六夢可占吉凶，包括許慎在內的漢朝人都深信不疑，也正是其充滿神秘的緣故。

---

79 陳明宏：《說文中巫術之研究》，嘉義：中正大學中文研究所碩士論文，2003年7月。

80 陳雅雯：《說文解字數術思想研究》，臺南：成功大學中文研究所博士論文，2009年7月。

81 （魏）王弼注，（唐）孔穎達疏：《周易正義》（臺北：藝文印書館，1985年），頁148、149。

（二）《說文》神秘文化史料的局限

1　零星散見

許慎根據「方以類聚，物以群分」的原則，據形系聯，首創以五百四十部首統攝9353個文字的方法，始一終亥，雜而不越（頁789），在文字學上確實是極為重要的發明。但如果就事類而言，同一類別的事物，就可能分散在許多不同部首之下，難以觀其會通。例如示部63文（頁2-9）、鬼部17文（頁439-441）固然多與鬼神祭祀有關，但如犧（頁53）、雩（頁580）、畤（頁703）、醮（頁755）等字，就要到牛部、雨部、田部、酉部去找。又如天干地支22字固然類聚在全書之末，列為22個部首（頁747-759），但一至十這些數目字，則分散在10個遠近不一的不同部首。至於天文律曆、五行配置、靈異、占卜、雜術更是零星散見，不成體系，這是字書的體例及性質使然，無法歸咎許氏，但終不能不說是一種局限。

2　真偽雜陳

在古代，科學與迷信只有一線之隔。陰陽家及術士之流以推往知來的精神努力探索宇宙奧秘，固然對科學的啟蒙有所貢獻，但也製造了不少迷霧。例如古人發現日經常充實光輝，月則有圓有缺，但日月有時會突然黯淡無光，對這種偶發現象的觀察探討，固然有助於天文曆法的研究，但視之為不宜有的異象，以陰陽理論解釋其成因，發明占星術加以預測禳救，那就淪於迷信了。又如草木蟲魚鳥獸的觀察記錄，在《說文》中留下了上千筆的資料，對生物學、農業學的研究頗有助益。但如說蜾蠃（頁675）細腰純雄，以螟蛉為子，龜（頁685）廣肩無雄，以蛇為雄，蠲（頁672）為腐草所化，鴳（頁483）為伯勞鳥所變，那就不僅觀物未審，而且顯然是受陰陽五行學說影響，以為物類可以相互交配蛻變，這些在《說文》都留下忠實的紀錄。今人喜歡站在科學的角度批評數術百偽一真，[82]這樣的評論容或過苛，但若說神祕文化真偽雜陳，見理未瑩，那應該是不錯的。

3 牽強附會

數術家奉陰陽五行及天人感應為天經地義的宇宙人生律令，並以之作為神秘文化的理論根據。陰陽與五行是由鄒衍加以牽合並改造的，《史記．孟子荀卿列傳》說：「其語閎大不經，必先驗小物，推而大之，至於無垠。」[83]他採取的是類推法，由小而大，由近而遠，由古而今，這種方法有一定限度，推得太遠，就成為主觀幻想。當他把萬事萬物都配置於陰陽五行的龐大體系中，來提供各種數術的取用時，自然會有許多衝突矛盾、牽強附會之處。所以早在東漢，王充的《論衡．物勢篇》就提出批評：「午，馬也；子，鼠也；酉，雞也；卯，兔也。水勝火，鼠何不逐馬？金勝木，雞何不啄兔？」[84]後代的激烈抨擊，更是層出不窮。至於天人感應則是植基於人格天的宗教神學，天是否有思想、有情感、有意志，可以獎善罰惡，真是見仁見智，信者恆信，不信者恆不信。更何況感應的媒介在陰陽災異，而這些災異，有許多其實是自然現象，與上天的旨意，或人君施政良窳毫不相干。過分信之，就會像《漢書．藝文志》所說：「及拘者為之，則牽於禁忌，泥于小數，舍人事而任鬼神。」[85]所以王充《論衡》的〈感虛篇〉、〈異虛篇〉、〈龍虛篇〉、〈雷虛篇〉等，對各種怪異都早就

82 同注9，頁11-13。
83 同注25，頁944。
84 北京大學歷史系論衡注釋小組：《論衡注釋》（北京：中華書局，1999年），頁211。
85 同注74，頁893。

提出批判。[86]足見天人感應，也多牽強附會，不足憑信。《說文》中的神秘文化，在科學發達的今日看來，當然多已成為歷史的陳跡。

五　結論

經由上述的評述，可以發現：

（一）漢代信巫鬼、重淫祀，是數術十分興盛的時代。在思想上，老莊之言、象數思想、陰陽五行學說、天人感應理論相互激盪。在政治上，讖緯、封禪郊祀、神仙方士、五德終始、時令災異左右政局的走向。在社會上，占星卜筮、風角望氣、相術、擇吉、勘輿、鍊丹、房中術、養生術、醫藥學、祝由術滲透到每一個角落。所以在神秘文化的發展史上，漢代是一個承先啟後，具有特殊地位的時代。

（二）許慎的《說文解字》雖非數術專書，但在解說文字之際，也反映出許多神秘文化現象，包括：天文律曆、陰陽五行、干支數字、鬼神靈異、占卜祭祀、禳除雜術等，與當時流行的數術若合符節。

（三）檢視《說文》中的神秘文化史料，具有反映現實、內容龐雜、神秘莫測等特色，但亦具有零星散見、真偽雜陳、牽強附會等局限。在科學發達的今日看來，難免成為歷史陳跡，但仍具有文化史及思想史的史料價值，值得研究。

——原載於中國文字學會主辦、中正大學承辦，第二十四屆中國文字學國際學術研討會論文（2013年5月），頁271-292。

86 同注7，頁490。

參考文獻

一　傳統文獻

（漢）孔安國傳　（唐）孔穎達疏　《尚書正義》　臺北　藝文印書館　1985年

（漢）高誘注　《淮南子》　臺北　世界書局　1953年

（漢）鄭玄注　賈公彥疏　《周禮注疏》　臺北　藝文印書館　1985年

（漢）應劭《風俗通》　《四部叢刊》初編本　上海　商務印書館　1936年

（魏）王弼注　（唐）孔穎達疏　《周易正義》　臺北　藝文印書館　1985年

（清）王先謙補注　《漢書補注》　臺北　藝文印書館　1965年

（清）紀昀　《四庫全書總目》　臺北　臺灣商務印書館　1983年

（清）段玉裁注　《說文解字注》　臺北　洪葉文化事業公司　2005年

二　近人論著

中國科學院自然科學史研究所主編　《中國古代科技成就》　北京　中國青年出版社　1995年

（日）瀧川龜太郎　《史記會注考證》　臺北　洪氏出版社　1981年

王玉鼎　《漢字文化學》　西安　西安出版社　2010年

王玉德　《中華神秘文化》　長沙　湖南出版社　1993年

王葆玹　《西漢經學源流》　臺北　東大圖書公司　1994年

王夢鷗　《鄒衍遺說考》　臺北　臺灣商務印書館　1966年

北京大學歷史系論衡注釋小組　《論衡注釋》　北京　中華書局　1999年

何　寧　《淮南子集釋》　北京　中華書局　1998年
宋會群　《中國術數文化史》　開封　河南大學出版社　1999年
李冬生　《中國古代神秘文化》　合肥　安徽人民出版社　2011年
李孝定　《甲骨文字集釋》　臺北　中央研究院歷史語言研究所　1991年
李　零　《中國方術正考》　北京　中華書局　2006年
李　零　《中國方術續考》　北京　中華書局　2010年
李漢三　《先秦兩漢之陰陽五行學說》　臺北　維新書局　1968年
李樹菁　《周易象數通論》　北京　光明日報社　2007年
周桂鈿　《秦漢思想史》　石家莊　河北人民出版社　2000年
金春峰　《漢代思想史》　北京　中國社會科學出版社　1987年
俞曉群　《術數探秘——數在中國古代的神秘意義》　北京　生活・讀書・新知三聯書店　1994年
唐明邦等編　《周易縱橫錄》　武漢　湖北人民出版社　1986年
唐贊功總彙　《中華文明史》　石家莊　河北教育出版社　1999年
高　明　《高明小學論叢》　臺北　黎明文化事業公司　1980年
張豈之　《中國思想史》　西安　西北大學出版社　1996年
張起鈞　《老子》　臺北　協志工業出版公司　1958年
張榮明　《方術與中國傳統文化》　北京　學苑出版社　2000年
莊雅州　《夏小正析論》　臺北　文史哲出版社　1985年
郭沫若　《甲骨文字研究》　臺北　民文出版社　不詳
賀凌虛　《呂氏春秋的政治理論》　臺北　臺灣商務印書館　1970年
馮友蘭　《中國哲學史》　香港　三聯書店　1992年
劉　瑛　《左傳國語方術研究》　北京　人民出版社　2006年
劉筱紅　《神秘的五行》　南寧　廣西人民出版社　1994年
劉韶軍　《神秘的星象》　南寧　廣西人民出版社　1991年

鄺芷人　《陰陽五行及其體系》　臺北　文津出版社　1992年
顧頡剛　《漢代學術史略》　臺北　啟業書局　1975年

三　期刊、學位論文

舒　懷　〈說文解字取資緯書說〉　《說文學研究》第二輯（武漢　崇文書局　2006年）　頁43-58
莊雅州　〈從科學角度探討說文解字〉　《慶祝周一田先生七秩誕辰論文集》（臺北　萬卷樓圖書公司　2001年）　頁7-25
莊雅州　〈說文解字中的天文史料析論〉　中國文字學會主辦第23屆中國文字學國際學術研討會論文（2012年6月）　頁1-19
陳明宏　《說文中巫術之研究》　嘉義　中正大學中文研究所碩士論文　2013年7月
陳雅雯　《說文解字數術思想研究》　臺南　成功大學中文研究所博士論文　2009年7月

輯二　天文之屬

論《詩經》天文意象的多元價值

一 前言

《詩經》為中國第一部詩歌總集，意象紛陳，眾美齊備，為後世文學開啟了無數法門。在古代，人與人、人與自然的關係都十分密切，除了人物及人文產物外，天文、氣象、草木、鳥獸、蟲魚……也都成為人們生活中不可或缺的伙伴。先民或極目直尋，或為物所感，形之於吟詠，遂塑造了許多靈活生動的意象。在這些更僕難數的意象當中，天文意象無疑是相當重要的一環，顧炎武曾云：

> 三代以上，人人皆知天文。「七月流火」農夫之辭也；「三星在戶」，婦人之語也。「月離於畢」戍卒之作也；「龍尾伏辰」，兒童之謠也。後世文人學士，有問之而茫然不知者矣！（《日知錄》卷三）

顧氏所舉，不過是《詩經》中的三個例子、《左傳》中的一個例子而已。其實，《詩經》當中曾出現天文詞的詩篇至少有五十餘篇，扣除氣象、曆令、時律等屬於廣義的天文意象之後，所剩下的星占、運行規則、天體、天象等屬於狹義天文意象的，也還有二十餘篇[1]，茲摘錄如下：

---

1 詳見林柏宏：〈詩經天文意象初探〉，《輔大中研所學刊》第7期（1997年7月），頁17-26。

嘒彼小星，三五在東。……嘒彼小星，維參與昴。(〈召南・小星〉)
日居月諸，胡迭而微？(〈邶風・柏舟〉)

日居月諸，照臨下土。……日居月諸，出自東方。(〈邶風・日月〉)

雝雝鳴雁，旭日始旦。士如歸妻，迨冰未泮。(〈邶風・匏有苦葉〉)

定之方中，作於楚宮。……靈雨既零，命彼倌人，星言夙駕，說於桑田。(〈鄘風・定之方中〉)

日之夕矣，羊牛下來。(〈王風・君子於役〉)
綢繆束薪，三星在天。……綢繆束芻，三星在隅。……綢繆束楚，三星在戶。(〈唐風・綢繆〉)

昏以為期，明星煌煌。(〈陳風・東門之楊〉)

月出皎兮，佼人僚兮。舒窈糾兮，勞心悄兮。(〈陳風・月出〉)

七月流火，九月授衣。(〈豳風・七月〉)

如月之恆，如日之升。(〈小雅・天保〉)

百日維戊，既伯既禱。(〈小雅・吉日〉)

> 十月之交，朔月辛卯，日有食之，亦孔之醜。彼月而微，此日而微。今此下民，亦孔之哀。日月告凶，不用其行。四國無政，不用其良。彼月而食，則維其常；此日而食，於何不臧！（〈小雅·十月之交〉）

> 哆兮侈兮，成是南箕。彼譖人者，誰適與謀？（〈小雅·巷伯〉）

> 維天有漢，監亦有光。跂彼織女，終日七襄。雖則七襄，不成報章。睆彼牽牛，不以服箱。東有啟明，西有長庚。有捄天畢，載施之行。維南有箕，不可以簸揚。維北有斗，不可以挹酒漿。維南有箕，載翕其舌。維北有斗，西柄之揭。（〈小雅·大東〉）

> 月離於畢，俾滂沱矣！（〈小雅·漸漸之石〉）

> 牂羊墳首，三星在罶。（〈小雅·苕之華〉）

> 倬彼雲漢，為章於天。（〈大雅·棫樸〉）

> 倬彼雲漢，昭回於天。（〈大雅·雲漢〉）

這些藉由天文所建構的心靈圖象，在當時只是詩人用來抒情寫志的素材而已。但在二、三千年後的今日看來，它們除了具有高度的文學價值之外，在科技史、年代學、社會學、神話學、思想史等方面，也都大有探討的空間，這是我們在研究《詩經》時不可忽略的。

二　從科技史角度探討

恆星「日」、衛星「月」是和人們關係最密切的星球，在《詩經》當中出現不下數十次。〈女曰雞鳴〉、〈東門之楊〉中的「明星」，「大東」中的「啟明」、「長庚」，都是指的是行星中最亮的金星，並無疑義。由於它日出前出現在東方，日落後出現在西方，古人以為是兩顆不同的星星，所以才會有兩個不同的名稱。其他的恆星，〈小星〉中的「三五」，即「三心五噣」（《毛傳》），亦即心宿三星（天蠍座）、柳宿五星（長蛇座）；「參」即參宿（獵戶座）；「昴」即昴宿（金牛座）。〈定之方中〉中的「定」即營室（飛馬座）。〈七月〉中的「火」即心宿。〈吉日〉中的「伯」即房宿（天蠍座）。〈巷伯〉中的「南箕」、〈大東》中的「箕」即箕宿（人馬座）。〈大東〉中的「織女」即織女星（天琴座），「牽牛」即河鼓大星（天鷹座），「天畢」即畢宿（金牛座）。〈大東〉中的「天漢」、〈棫樸》、〈雲漢〉中的「雲漢」即本銀河，基本上也無爭議。惟〈綢繆〉中的「三星」，《毛傳》以為參宿，《鄭箋》以為心宿，朱文鑫以為河鼓大星[2]；〈大東〉中的「斗」，孔穎達《毛詩正義》以為南斗六星（人馬座），朱熹《詩集傳》以為北斗七星（大熊座），迄今仍無定論。

上述這些恆星，參、昴、營室、心、房、箕、畢，皆在二十八宿之列，而且占了二十八宿的四分之一，顯然在研究二十八宿的形成時代問題時，《詩經》的記錄具有舉足輕重的地位[3]。此外，《詩經》所

2　朱文鑫說詳見《天文考古錄・唐風三星說》（臺北：臺灣商務印書館，1966年台一版），頁120-122。王引之《經義述聞》卷六贊成南斗之說，但蔡懋棠〈詩經上的星〉（《大陸雜誌》第21卷第8期〔1955年10月〕，頁290-294）、鄭衍通〈詩經中的天文詩〉（《南洋大學學報》第3期〔1969年〕，頁29-37）依然主北斗之說。

3　二十八宿之名散見於《詩經》、《尚書・堯典・洪範》、《大戴禮記・夏小正》、《左傳》、《國語》、《爾雅》，至《呂氏春秋・有始篇》才完整記錄了全部名稱。二十八

記錄的恆星當中，「日永星火」（心宿）「日短星昴」（昴宿）曾見於《尚書・堯典》；「星有好風」（箕宿）「星有好雨」（畢宿）曾見於《尚書・洪範》；參、昴、大火、織女、北斗、漢曾見於《大戴禮記・夏小正》。古人以為〈堯典〉是唐虞時代作品，《夏小正》是夏代文獻，〈洪範〉是箕子為周武王陳述之治國大法，現代一般學者則普遍認為這些文獻寫定的時間在《詩經》之後，然則，在恆星的觀測及記錄方面，除了甲骨文的「火」、「鳥星」、「鷸星」、「新大星」之外，《詩經》這些天文史料又可說是時代最早，彌足珍貴的了[4]。

日食、月食為天文異象，一向為人們所重視。早在殷商時代，甲骨文就有日食、月食的記錄。《十月之交》云：「彼月而食，則維其常；此日而食，於何不臧！」足見在《詩經》時代，對月食週期大抵已能掌握，故習以為常，而對繁複的日食週期則難以捉摸，故特別重視。而「十月之交，朔月辛卯，日有食之，亦孔之醜。」則首次明確記錄了月份、朔日、干支，是古代天文學史上極其重要的史料。惟這次日食的確切年代，歷來異說紛紜，主要有三派：

（一）《毛傳》云：「大夫刺幽王也。」自梁代虞劆以降，唐一行、元郭守敬皆測得周幽王六年十月辛卯（西元前776年9月6日）曾發生日食。惟此次日食，中原地區食分太小，故不可信。

（二）《鄭箋》云：「當為刺厲王作」孔穎達《正義》從之，但自古歷家並無一人言及。

宿究竟建立於何時？眾說紛紜，如新城新藏、竺可楨認為是西元前三千年，施古德（G. Schlegel）、李約瑟（J. Needham）主張是西元前一千六百年，飯島忠夫則斷定為西元前396年至西元前382年之間，以1978年出土的曾侯乙墓「二十八宿青龍白虎圖象」衡之，飯島忠夫之說可不攻自破，但其餘各說仍無定論。

4 恆星的觀測及記錄，詳見夏靳〈漢以前恆星發現次第考〉，《幼獅學誌》第6卷第3期（1967年10月），頁1-54；潘鼎《中國恆星觀測史》，學林出版社，1989年。

（三）日本平山清次〈論《書經》《詩經》中的日食記載〉主張此次日食發生於周平王三十六年十一月辛卯朔日，（西元前735年11月30日），橋本增吉、能田忠亮、張培瑜等從之。此說符合奧泊爾子（V. Oppolzes）《日月食典》的記錄，也符合現代天文學精密的測算，較為可信[5]。

〈十月之交〉所引起的爭論，歷時已久，牽涉之久，牽涉之廣，在中外天文學史上真是罕有其儔。

曆法與天文息息相關，除了〈十月之交〉涉及曆法外，如「定之方中」、「七月流火」也為研究《詩經》中的曆法乃至先秦的三正論提供了基礎[6]。此外，如「定之方中」及「既景迺岡」（〈大雅・公劉〉）表明當時人已能據定星和日影測定子午線；「月離於畢，俾滂沱矣！」證明古代黃河流域處暑前後恰值滿月入畢之時，為多雨之季；「跂彼織女，終日七襄。」顯示當時人已實行日分十二辰之制，而且可能已用漏壺計時[7]。諸如此類，都是在研究古代科技時，《詩經》所能提供的助益。

5　詳見陳遵媯《中國天文學史》第3冊《天象紀事編・詩經日食》（臺北：明文書局，1987年），頁20-26；張培瑜〈春秋、詩經日食和有關問題〉，《中國天文學史文集》第3集（北京：科學出版社，1984年），頁1-23；沈長雲〈詩經小雅十月之交日食及相關歷史問題辨析〉，頁181-193，《詩經國際學術研討論文集》，保定：河北大學出版社，1944年；李慶〈日本近代的詩經研究——以十月之交為中心〉（臺灣大學中文系日本漢學國際學術研討會論文，2001年3月16日），頁1-10。

6　雷學淇《古經天象考》云：「如星之麗天，其象有見、有出、有中、有正、有流、有伏、有入、有中與正，又有旦、有昏，古人區而別之，所以系曆法，傳後世也。」（卷五，頁36），新文豐出版公司《叢書集成續編》，1991年。後世考證〈七月〉曆法者，如華鍾彥〈七月詩中的曆法問題〉（《歷史研究》1957年第2期）、殷崇浩〈七月之曆探〉（《文史》十五輯）、聶鴻音〈豳風七月曆法考辨〉（《中華文史論叢》1981年第3期）、張汝舟〈談豳風七月的用曆〉（《二毋室古代天文曆法論叢》）皆是。

7　詳見徐傳武、王文清《文史論集・略論詩經中的天文氣象》（大連：海事大學出版社，1995年），頁14-21。

三　從年代學角度探討

席澤宗說：

> 天文學和歷史學的關係更加密切。研究一個歷史事件，首先要確定它發生的時間，對古代史來說，有時就很困難，經常需要借助天文學的方法來解決，所以年代學既是天文曆法中的一個分支，又是歷史學的一門基礎課。[8]

例如〈十月之交〉是〈小雅・節南山之什〉中的一篇，屬於變雅。《詩序》及《毛傳》、《鄭箋》以為這十首詩多為「刺幽王之作」，然詩中的日食時間既經考定為周平王三十六年，則不僅可確定該詩為東周之作，非西周之詩，而且可藉以與其他九個詩篇互相印證。沈長雲說：

> 從詩的格調上看，〈節南山〉以下，包括〈正月〉、〈十月之交〉、〈雨無正〉、〈小旻〉等篇，都蘊含著一種莫名的哀怨憂傷的情緒，顯係詩人在經過一番國破家亡的慘痛之後，又思及眼前政治上的繼續紊亂，並遭天災人禍的情形，結合個人的不幸而發出的悲憤的歌吟。[9]

尤有進者，如果我們檢查文本，不難發現：〈節南山〉云：「國既卒斬，何用不監？」〈正月〉云：「赫赫宗周，褒姒滅之。」〈雨無正〉

8　《科學史八講・天文學在中國傳統文化中的地位》（臺北：聯經出版事業公司，1994年），頁118。

9　〈詩經小雅十月之交日食及相關歷史問題辨析〉，頁187。

云:「宗周既滅,靡所止戾。」都很清楚透露,這幾首詩應作於東遷之後,所以朱熹注〈雨無正〉才會說:「疑此亦東遷後之詩也。」(《詩集傳》卷五)惠周惕也才會認為《毛傳》、《鄭箋》、《孔疏》對於上述詩篇時代的認定皆「乖剌不相合。」(《皇清經解》卷一九二《詩說》)他們的懷疑在得到〈十月之交〉年代新證據的支持後,應該就可灼然無可疑了。這些篇章時代的考定,不僅對探討這些詩的內容有所裨益,而且也可彌補周平王一代文獻不足的缺憾。[10]

四 從社會學角度探討

天文為科學之祖,文化之母。古時文化落後,氣候的轉移,時間的早晚,方向變遷,往往有賴於仰觀天象,才能判斷。因而,無論游牧、農耕、旅行、航海乃至日常生活起居,都與天文脫離不了關係。例如,在衣食方面,〈七月〉云:「七月流火,九月授衣。」顯示《詩經》時代,人們在黃昏看到醒目的大火星(天蠍座α)由正南方最高位置往西滑落,就曉得已經是夏曆七月,暑氣馬上要消退,到九月就得準備冬衣了。如果繼續觀察大火星整年的運行規律,那就是所謂「火曆」;再參考「四月秀葽,五月鳴蜩。八月其穫,十月隕蘀。」等動植物的變化,那就構成詳細的「物候曆」[11]。古人就是利用這些自然的曆法,來掌握農時,作為從事農業生產的主要根據。〈七月〉一詩所描述的,正是這種農業生活的寫照。在建築方面,〈定之方中〉云:「定之方中,作於楚宮。」是說夏曆十月黃昏,營室二星

---

10 同上注,頁187-192。

11 大火星三月黃昏出現在東方地平線上,六月黃昏出現於正南方,位置最高,九月黃昏,沉入西方地平線,十二月清晨出現於正南方,詳見拙作〈左傳天文史料析論〉,《中正大學中文學術年刊》第3期(2000年9月),頁127。

（飛馬αβ）見於正南方，與東壁二星（飛馬γ、仙女α）剛好連成四方形，好像告訴人們：正值農暇，可以築牆立板了。《國語・周語》：「營室之中，土功其始。」所講的就是這個意思。在旅行方面，〈小星〉云：「嘒彼小星，三五在東。肅肅宵征，實命不同！」是說勞於仕宦者，三月黃昏看到心宿三星、五月黃昏看到柳宿五星出現的位置，就曉得那是東方，可以確定方向，方便夜間趕路了。因為所有恆星都有一定的方位，只要熟悉星象，即使在漆黑的夜晚，也不至於迷路。在禮俗方面，〈綢繆〉云：「綢繆束薪，三星在天。今夕何夕，見此良人，子兮子兮，如此良人何！」方玉潤《詩經原始》、姚際恆《詩經通論》、劉大白《白屋說詩》、陳子展《詩經直解》等，都以為是賀新婚，鬧洞房之詩。因為古時男女結婚多是「昏以為期」，故三星的出現，表明結婚時間，並通過三星「在天」、「在隅」、「在戶」位置的移易，表示歡樂熱鬧時光之易逝。〈吉日〉云：「吉日維戊，既伯既禱。」伯就是馬祖，亦即天駟，《爾雅・釋天》云：「天駟，房也。」這是說天子準備田獵時，先命主管馬政的官員選擇吉日，祭祀馬祖——房宿，祈禱平安，然後才出發去追逐獵取野獸。由上述諸例可見，古人的生活的確與天文息息相關。

五　從神話學角度探討

余光中〈重上大度山〉詩說：「神話很守時，星空，非常希臘。」西洋88個星座有不少是以希臘神話命名，每個星座幾乎都有一段浪漫的希臘神話故事。相形之下，中國的天文神話就貧乏得多，扣除夸父逐日、羿射九日、嫦娥奔月、吳剛伐桂等日月神話後，剩下的星辰神話就寥寥無幾了，而其中以牛郎、織女的神話傳誦最廣、影響最為深遠。牛郎、織女的神話不知濫觴於何時，但以今日所能看到的文獻來說，則以〈大東〉的「維天有漢，監亦有光。跂彼織女，終日七襄。雖則七襄，不成報章。睆彼牽牛，不以服箱。」為時最早。據王孝廉的考證，牛郎、織女的神話是「一個由大地上農耕信仰的崇拜對象與天上的實際星象觀察結合而形成的」[12]。在《詩經》當中，牽牛代表穀物神，織女代表桑女神，只是兩顆虛有其名，不能從事實際工作的星辰而已，絲毫沒有後世戀愛悲劇的傳說痕跡。到了東漢末年，曹丕的〈燕歌行〉、《古詩十九首》的〈迢迢牽牛星〉始具備牛郎、織女戀愛的雛型。西晉傅玄的〈擬天問〉才有七夕相會，周處的《風土記》才有鵲橋，而在梁朝宗懍的《荊楚歲時記》中，牽牛、織女傳說的故事，才正式的具體完整地形成了[13]。這個纏綿悱惻的神話傳說，後來在詩詞、小說、戲曲、曲藝、歌謠、民間故事、信仰、習俗裡都有了蓬勃的、多采多姿的發展，甚至流傳到了日本、韓國[14]，成為最膾炙人口，深入人心的神話故事。而追本溯源，終不能不歸功於〈大東〉這段天文意象的記錄。

六　從思想史角度探討

單從星宿的命名，就可以看出中西思想文化的異趣。如中國的牽牛、織女具有男耕女織的農業背景，西洋稱之為天鷹座、天琴座，則是出自宙斯攫取尼美德斯，奧費烏斯冥界尋妻的故事，又如中國的

---

12 〈牽牛織女傳說的研究〉《幼獅月刊》第40卷第1期（1974年7月），頁57。

13 同上，頁57-64。另可參閱周蒙《詩經民俗文化論・從天文星象說到牽牛織女》（哈爾濱：黑龍江教育出版社，1994年），頁207-225；徐傳武、王文清《文史論集・試論牛女神話起源於母系氏族時期》，頁3-13。

14 詳見朱介凡〈牛郎織女神話傳說〉，《幼獅文藝》第46卷第2期（1979年8月），頁4-22；洪淑苓〈牛郎織女在俗文學中的特色〉，《中外文學》第17卷第3期（1988年8月），頁87-108。

畢、箕、斗分別代表捕鳥網、畚箕、挹酒器，都是日常用具，西洋稱之為金牛座、人馬座、大熊座，也都各有它們的綺麗傳說[15]。良以中國古代文化中心的黃河流域，土地貧瘠，謀生不易，故人們重視實際而黜玄想，中國哲學所以充滿人文色彩，可以說其來有自。

中國古代君尊臣卑、男尊女卑、嫡尊庶卑的階級觀念，在《詩經》天文意象裡也有充分反映。如〈柏舟〉:「日居月諸，胡迭而微？」《鄭箋》云:「日，君象也；月，臣象也。微謂傷也。君道當常明如日，而月有虧盈，今君失道而任小人，大臣專恣，則日如月然。」朱熹《詩集傳》則云:「婦人不得於其夫……豈亦莊姜之詩也歟？……言日當常明，月則有時而虧，由正嫡當尊，眾妾當卑，今眾妾反勝正嫡，是日月更迭而虧，是以尤之。」(卷二) 無論這首詩主題是在表現「仁人不遇，小人在側」，或是「莊姜傷己」，其以日喻高高在上的國君或嫡妻，以月喻居於下位的臣子或眾妾則是沒有疑義的。這種尊卑思想早已深入人心，漢代董仲舒「君為臣綱，父為子綱，夫為妻綱」的三綱之說不過是將它表而出之罷了。

〈十月之交〉的日食，加上其前的月食及地震，所以會引起那麼大的震撼，就是因為古人認為天人是一體的，彼此可以相互影響。君上無德，則上天會以日月交食、水澇乾旱、蟲螟、地震等各種災異來示警，所謂「日月告凶」，正是這種天人關係的反映。天人合一、天人感應的思想在中國哲學裡具有重要的地位，我們在《詩經》裡已可見其端倪。

15 詳見馮鵬年《奇妙的星星》，中國電視公司，1979年；力強《星座與希臘文化》，科學普及出版社，1980年。

七　從文學角度探討

《詩經》的性質本來就是文學作品，所以天文意象在文學方面的價值當然特別豐富。首先，它可能影響到主題的判斷，例如〈小星〉一詩，《詩序》云：「夫人無妒忌之行，惠及賤妾，進御於君。」後人多以為是小臣行役之詩[16]，胡適則以為是「寫妓女生活的最古記載。」(《胡適文存》四集《談談詩經》)說法如此懸殊，主要是因為「嘒彼小星，三五在東。」引起他們不同的聯想。又如〈大東〉，《詩序》云：「刺亂也。東國困於役而傷於財，譚大夫作是詩以告病焉。」後代一般學者也都多主「詠政賦煩重，人民勞苦」之說[17]，唯獨鄭衍通以為是「遣興的謎語詩」[18]，這也是由於他對詩中那麼多想像瑰奇的天文意象別有會心的緣故。

其次，天文意象還可以用來抒情、敘事。例如〈棫樸〉中的「倬彼雲漢，為章於天，」讓詩人興起了對周文王仰之彌高的情懷；〈大東〉中諸多有名無實的星象，使作者宣洩了對周朝官員尸位素餐的不滿；〈月出〉則藉月光的明朗姣好來抒發對美女的朝思暮想。又如〈七月〉的「七月流火」指示了季節，〈綢繆〉的「三星在天」「三星在隅」「三星在戶」點明了時間；〈漸漸之石〉的「月離於畢，俾滂沱矣！」交代了天候，而這些星象也都同時描寫了夜景。〈定之方中〉的「定之方中，作於楚宮」，也敘述了利用農暇建築宮室的忙碌景

---

16 如洪邁《容齋隨筆》、姚際恆《詩經通論》、余冠英《詩經選譯》、陳子展《詩經直解》，皆主小臣行役之說，見楊合鳴、李中華《詩經主題辨析》上冊（南寧：廣西教育出版社，1989年），頁60-61。

17 如方玉潤《詩經原始》、陳子展《詩經直解》、程俊英《詩經譯注》所說皆相近。同上注《詩經主題辨析》下冊，頁172。

18 詳見〈詩經中的天文詩〉，頁29-33。

象；〈女曰雞鳴〉的「子興視夜，明星有爛」，則以對話方式寫出了妻子勸丈夫早起的溫馨場面。

尤有進者，比喻、象徵、擬人等修辭技巧，也都可透過天文意象來表現。如〈衛風·淇奧〉的「充耳琇瑩，會弁如星。」是以星明喻皮帽上的珠玉；〈苕之華〉的「三星在罶」是以三星清楚映現在捕魚竹籠中，隱喻水面平靜，無魚可捕。又如〈月出〉的「月出皎兮，佼人僚兮。舒窈糾兮，勞心悄兮。」，以明月與美女相互映襯，兩者可以彼此替代，已臻至象徵的境界。再如〈大東〉的「跂彼織女，終日七襄。雖則七襄，不成報章。」「維南有箕，載翕其舌。」更把沒有生命的織女星、箕宿都人格化了，直接當作有生命的人來描寫，顯得格外生動。

正因為《詩經》中的天文意象深具文學價值，所以後世受其影響的作品不知凡幾，今略加徵引如下：

> 迢迢牽牛星，皎皎河漢女。纖纖擢素手，札札弄機杼。終日不成章，泣涕零如雨。河漢清且淺，相去復幾許！盈盈一水間，脈脈不得語。（〈古詩十九首〉）

> 星火五月中，景風從南來。數枝石榴發，一丈荷花開。（李白〈過汪氏別業〉）

> 人生不相見，動如參與商。（杜甫〈贈衛八處士〉）

> 我生之辰，月宿南斗。牛奮其角，箕張其口。……箕獨有神靈，無時停簸揚。（韓愈〈三星行〉）

夜深金氣應，天靜火星流。（劉禹錫〈新秋寄樂天〉）

銀燭秋光冷畫屏，輕羅小扇撲流螢。天階夜色涼如水，臥看牽牛織女星。（杜牧〈七夕〉）

喜鵲填河仙浪淺，雲軿早在星橋畔。……一別經年今始見，新歡往恨知何限，天上佳期貪眷戀。（歐陽修〈漁家傲・七夕〉）

嗟君妙質皆瑚璉，顧我虛名但箕斗。（蘇軾〈和三舍人省上〉）

纖雲弄巧，飛星傳恨，銀漢迢迢暗渡。金風玉露一相逢，便勝卻人間無數。柔情似水，佳期如夢，忍顧鵲橋歸路。兩情若是久長時，又豈在朝朝暮暮。（秦觀〈鵲橋仙〉）

其中尤以七夕詩詞為數最多[19]，足見牛郎、織女故事流傳之廣，感人之深，故能成為人們吟詠不盡的主題。

八　結語

《詩經》的內容可分為抒情詩、史詩、社會詩、戰爭詩、祭祀詩、宴飲詩、農事詩……等，其涉及天文者雖然多達數十篇，但各篇少則一二句，多則十餘句，只是藉天文意象來抒情寫志而已，殊乏專寫天文的篇章，猶不足以獨立的成為一類，以與上述類型相頡頏。然其意象之繽紛，點染之巧妙，設想之瑰奇，較之能獨立成類者實亦不

19 詳見《古今圖書集成・歲功典・七夕藝文》，卷六五、六六所收賦、詩詞多達二百餘首。

遑多讓，而對各類型詩篇之寫作又各有所裨益。尤其是在今日讀來，更可發現它們確實具有多元的價值，不啻是章學誠「六經皆史」說的最佳注腳。本論文站在宏觀的立場，對這些價值都有所析論，約而言之，在科技史方面，可以考恆星、二十八宿、日食及曆法等；在年代學方面，可以定若干詩篇之寫作時間；在社會學方面，可以明古人衣、食、住、行、禮俗之梗概；在神話學方面，可以證牛郎織女傳說之源流；在思想史方面，可以溯人文主義、三綱思想及天人合一精神之緣由；在文學方面，可以察主題、抒情、敘事及修辭技巧之運用。但在這些方面本論文都只能算是點到為止，如欲求其詳盡深入，可能還有待於專家學者的努力。

——發表於張家界「第五屆中國詩經國際學術研討會」（2001年8月），後收錄於《第五屆詩經國際學術研討會論文集》（北京：學苑出版社，2002年），頁553-567。

〈夏小正〉之天文

顧炎武云：「三代以上，人人皆知天文。『七月流火』，農夫之辭也；『三星在戶』，婦人之語也；『月離於畢』，戍卒之作也；『龍尾伏晨』，兒童之謠也。後世文人學士，有問之而茫然不知者矣！」(《日知錄》卷三十）古人所以特重天文，是由於當時文化落後，節候的轉移、時間的早晚、方向的變遷，往往有賴於仰觀天象，才能判斷。因而，無論游牧、農耕、旅行、航海乃至日常生活起居，都與天文脫離不了關係。人類就在天文長期的指引下，慢慢地改進生活，創造文化，朱文鑫云：「天文為科學之祖，文化之母。世界文化之起源，莫不與天文相表裡，世界科學之發達，莫不藉天文以推進。」(《天文學小史》) 實在是一點也不錯的。

〈夏小正〉是中國現存最古的曆書，其中天象紀錄見於經文者計有：

正月：鞠則見。初昏參中。斗柄縣在下。

三月：參則伏。

四月：昴則見。初昏南門正。

五月：參則見。初昏大火中。

六月：初昏斗柄正在上。

七月：漢案戶。初昏織女正東鄉。斗柄縣在下則旦。

八月：辰則伏。參中則旦。

九月：內火。辰繫于日。

十月：初昏南門見。織女正北鄉則旦。

這些都是中國古代天文學史上極其重要的資料，很有研究的價值。茲以星辰為單位，逐一論述於後，首為在二十八宿之列者，次及南門、織女兩大星，而以斗柄、漢殿焉。另附洪震煊的「〈小正天象圖〉」（見《傳經堂叢書》本《夏小正疏義》）及高平子的「天官概略圖」（見《史記天官書今註》），左文右圖，隨月旋轉，當有索驥之便。

小正天象圖

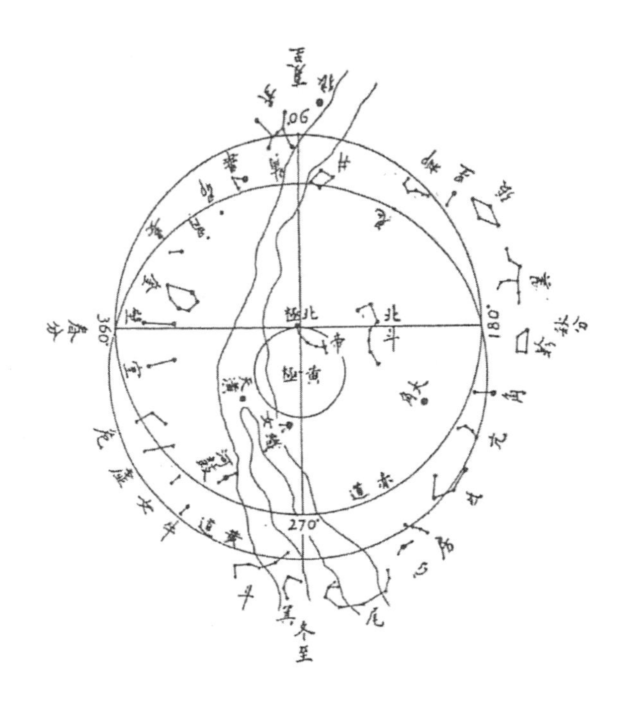

天官概略圖

一　鞠

正月：「鞠則見——鞠者，何也？星名也。鞠則見者，歲再見爾。」

傳謂鞠為星名，在《史記．天官書》及甘公、石申夫的《星經》都無可考，金履祥《夏小正注》因而懷疑此節可能是在講「菊始苗」。由於《夏小正》記草木與記星象的用詞完全不同（如係草名，應說：「鞠始生」），古籍裡所載星名又往往與天文專書有異，一般學者還是贊同傳文的解釋。問題是鞠究竟是何星呢？對於此點，自來聚訟紛紜，莫衷一是，茲依星空分區，將歷代說法歸納為四類十二說：

（一）北方玄武

1. 危室說：金履祥《夏小正注》主之。
2. 黃星（即危宿天鉤星）說：黃叔琳《夏小正注》主之。
3. 杵臼星（在危宿北）說：盛百二主之（洪震煊《夏小正疏議》引）。
4. 祿星（在虛宿北）說：王聘珍《大戴禮記解詁》主之。
5. 北落星（在虛、危之南）說：王引之《經義述聞》主之。
6. 虛星說：洪震煊《夏小正疏義》主之。
7. 天錢星（在危宿）說：雷學淇《介菴經說》主之。
8. 瓠瓜星（在虛宿）說：顧鳳藻《夏小正經傳集解》主之。

（二）南方朱鳥

1. 柳星說：戴震聚珍版《大戴禮記》主之。
2. 南方朱鳥三次說：馬徵麐《夏小正箋疏》主之。

（三）老人星（近南極）說：王筠《夏小正正義》主之。

（四）辰星（即五星之水星）說：黃模《夏小正異義》主之。

所謂「則見」，依《小正》之例，是指旦見於東方。各家之說，或乖違星候，誤認正月晨伏之星（如戴震、馬徵麐、王筠）；或所言非明大之星，古人不可能取以紀候（如黃叔琳、王聘珍、盛百二、雷學淇、顧鳳藻）；或缺乏字義形聲之據（如王引之），多不足採信。惟有洪震煊虛星之說，覈以文字、星候、載籍都能相合，程鴻詔、宋書升推許為遠勝諸家，今姑從之。虛宿二星在西圖為寶瓶β（3.1等星）及小馬α（4.1等星）二星，也就是〈堯典〉「宵中星虛」的虛，宋書升云：「正月朔氣黃道日躔東壁三度四十三分，距虛四十八度，故見。」（《夏小正釋義》）此星正月晨出東方，則七月昏見東方，所以傳云：「歲再見爾」，然七月經傳不復提及，可能是有闕文。

二　參

參宿即西圖獵戶座諸星。四隅皆大星，左肩α星最大，為零至一等之間的紅色變星，直徑三萬億哩，體積比太陽大325萬倍，光度比太陽強2900倍，是現在已知體積最龐大的星球。距離地球272光年（一光年約合58656億9600萬哩）。右足β星為青白色的0.3等星，直徑比太陽大35倍，距離地球540光年。中腰三星（衡石）皆二等星，於西圖為獵戶之帶，下垂三星（罰，或作伐），為獵戶之劍，景象至為壯觀，是西方白虎七宿中最明大者。不僅在古埃及視為大辰，農事之作息，以其見伏為依歸，即在中土，也常用以紀時令，單以《夏小正》而言即數見：

（一）正月：「初昏參中——蓋紀時也云。」

古時西方為游牧社會，未明即起，較重視晨星，中國為農業社會，日入而息，較重視昏星。黎明或黃昏時出現在正南方（即子午圈上，亦即午位）的星，就叫作中星。長期觀察中星，可以驗寒暑、均節候、定昏旦、審歲差，其用途至為廣泛。王聘珍曰：「正月節，參去日九十度，昏刻中於南方也。」（《大戴禮記解詁）洪震煊以為去日九十六度，宋書升以為去日七十三度二十一分，他們三位所推步雖有出入，但都認定為夏代星象，而日本的能田忠亮則以為正月參中與〈月令〉所載正同，當是西元前六百年左右的記事（〈夏小正星象論〉）。關於這點，早在唐代，一行《大衍曆議》（見《新唐書・歷志》）就已發現大有問題，而刪去「參中」二字，使「初昏」與下文「斗柄縣在下」逕相連接。如果《夏小正》正月經文確有「參中」，那麼其寫定時間當在春秋時代。

（二）三月：「參則伏——伏者，非亡之辭也。星無時而不見，我有不見之時，故曰伏云。」

洪震煊云：「伏者，去日近也。凡星西去日躔三十度許，則昏而伏於西方；東去日躔三十度許，則晨而見於東方。〈小正〉正月日在營室，則二月日在婁，三月日在昴，是時參西去昴不及三十度，故伏也。」（《夏小正疏義》）一行以為去日十八度，宋書升以為去日十三度，推步更為精密。星之不見，或為日所奪，或為地所蔽，三月參則伏，是因為接近日躔，為日光所奪的緣故，傳文所釋，十分精要，清孫詒讓推許曰：「其於地圓之理，蓋尤明辨晰矣！」（《籀膏述林》卷四〈大戴禮記斠補敘〉）能田忠亮認為此節所記是西元前2144至2081年的星象，正是夏代文獻之遺。

（三）五月：「參則見——參也者，牧星也，故盡其辭也。」

孔廣森云：「五月，日在東井之末，參距日三十度，將旦，先出東方也。」（《大戴禮記補注》）王聘珍以為去日四十二度，宋書升以為去日四十五度，都在三十度以上，旦見東方是很合理的。范家相懷疑三月既明書參則伏，豈有逾一月而參復為中星之理，因斷為十一、十二月經文之錯簡（《夏小正輯注》）。其實，「則見」指旦見東方，與「中」之指見於南方者有別，范氏不瞭解此點，所以有所誤會。《大戴禮記》本傳文以牧星釋參，馬徵麐云：「謂參主牧事也。……牧星誼晦久矣！」（《夏小正箋疏》）傅崧卿本牧星作伐星，倒是與《周禮．考工記》、《毛詩．小星傳》、《公羊傳．昭公十七年》何休注等相符。

(四) 八月：「參中則旦。」

一行以為此節失傳。王聘珍云：「古法秋分昏明中星去日百度，夏時八月中日在氐七度，參初去日一百四十九度，非中也。」（《大戴禮記解詁》）所說皆甚是。黃叔琳、戴震還為之迴護，未免失察。孔廣森、雷學淇以為是七月錯簡，朱駿聲以為當云柳中，他們都是在彌補失傳的缺憾，用意固然不錯，不過似乎皆不如顧鳳藻所說：「參當為壘，七星也，篆書曑壘形相似。月中之氣，日躔大火之中，日出加卯位之中，故七星中也。」（《夏小正經傳集解》）宋書升申之曰：「仲秋旦中之星，即仲春昏中之星，皆去日九十度，依此推知參實星之譌文也。……是月中氣黃道日躔氐十一度二十分，距星後八十九度五分，故旦中。」（《夏小正釋義》）如此一字之易，文字、星候俱順，可說是釐然當於人心。星宿為南方朱鳥七宿之一，又稱七星，於西圖為長蛇之心，其大星α，光2等。

三　昴

四月：「昴則見。」

昴宿為西方白虎七宿之一，於西圖屬金牛座，距離地球300光年，是最有名的疏散星團，主星為3等星。高平子云：「昴即昴宿星群，西名Pleiades，肉眼明察者可見七星，故俗名『七姊妹會』。望遠鏡中小星無數，混有彌漫星氣，古人因其朦朧髣髴，稱為髦頭。」（《史記天官書今註》）夏四月昴去日之度數，各家推步不同，王聘珍云四十一度，洪震煊云三十度，宋書升云四十二度一十三分，能田忠亮云四十四度餘，然去日皆在三十度以上，所以能夠旦見於東方，雷學淇謂：「昴則見乃三月之朔象，簡脫於後。」（《古經天象考》卷八）恐怕是不對的，能田忠亮以為此節乃西元前1933年星象，也是夏代遺文。

四　大火

大火即心宿，東方蒼龍七宿之一。心大星為西圖之天蠍α，為1.2等大星，直徑為太陽的480倍，亮度為太陽的1600倍，色赤。距離地球250光年。其前後二星為天蠍σ及τ，皆3等星。汪中云：「東方七宿最明大者莫如心，西方七宿最明大者莫如參，故古人多用之以紀時令。」（《述學·內篇》）卷一，〈釋農釋參〉二文）傳說早在顓頊時代就有「火正」之官，專司大火之觀測，根據其出沒來指導農業生產；《左傳昭公元年》謂心為殷之守護神；甲骨文中如：「七月己巳豆☐㞢新大星並火。」（《殷虛書契後編》下卷九頁一片）也記載了殷代有祭祀大火之禮，都足見古人對此星之重視。大火在〈夏小正〉凡二見：

（一）五星：「初昏大火中——大火者，心也。心中，種黍菽糜時也。」

王聘珍云：「五月中，日在柳，心宿去日一百一十八度，昏刻中於南方。」（《大戴禮記解詁》）雷學淇以為去日一百有七度，宋書升以為去日一百一度二十分，所推步都十分接近，一行《大衍曆議》云：「古曆冬至昏明中星去日九十二度，春分秋分百度，夏至百一十八度。」（《新唐書·曆志》）夏至在五月，所以此時初昏大火中是毫無問題的。孔廣森云：「〈小正〉五月心中，合於〈堯典〉『日永星火，以正仲夏。』此虞夏時歷也；〈月令〉六月心中，合於《左傳》『火中寒暑乃退』，此周秦時歷也。恆星東行，故古今差焉。」（《大戴禮記補注》）近人頗疑〈堯典〉晚出，也許它與〈夏小正〉一樣，也保留了某些古代星象的記載，由於歲差關係，所以比〈月令〉六月昏火中早一個月吧？

（二）九月：「內火——火也者，大火。大火也者，心也。」

洪震煊云：「九月房繫于日，心比于房，不及十度，是為內入也，視伏為深矣！」（《夏小正疏義》）宋書升也說：「內，古文納。內伏異例，伏者，謂星隱於日光之中也；內者，謂星內於地平之下也。……是月朔氣黃道日躔心三度四十分，與星體同度，日入之時，即火入之時，故云內。則古人之言內火、出火，當與〈堯典〉之言納日、出日同義。」（《夏小正釋義》）唯金履祥、姚燮則否定傳文的說法，以為內火與下「主夫出火」相對，猶《周禮．司爟》之內火，所講的是王政，而非天象。殊不知古今時制往往不同，怎可用《周禮》說〈小正〉？何況《周禮》出火在季春、內火在季秋，而〈小正〉出火，內火都在九月呢！如果一定要以《周禮》說之，則「主夫出火」勢必非移到三月不可，豈不是削足適履？

五　辰

沈括云：「事以辰名為多。」（《夢溪筆談》卷七）辰字載籍屢見，而所指往往各有不同。新城新藏云：「所謂辰者，或為大火，或為參伐，或為北斗，又周初用二十八宿法，遂以日月交會點為辰，至春秋中期，用土圭以測日中太陽高度，則謂太陽為辰。」（〈東漢以前中國天文學史大綱〉）在夏小正中曾兩度提及辰，到底它是那一個星宿，也是見仁見智的。

（一）八月：「辰則伏——辰也者，謂星也。伏也者，入而不見也。」

辰，金履祥以為是大火，徐世溥以為水星，王聘珍以為角星，孔廣森以為房星。大火就是心宿，〈小正〉屢見，然或謂之大火，或謂之心，此處果為大火，何必改用異稱，徒增讀者的困擾？而且八月也不是大火伏之時，所以金說不可從。水星一名辰星，是行星之一，見伏並無常期，不適合紀候，因而徐說不足為據。角星此時固然也伏而不見，但辰角之名僅見於《國語・周語》，如果省稱為辰，極易與他星之稱辰者相混，是以王說也有可議之處。唯獨孔廣森房星之說最為合理，因為今天我們看到《初學記》卷二、《太平御覽》卷廿五引此傳正作「辰，房星」，而《說文解字》曰：「晨，房星，為民田時者也。」《爾雅》曰：「大辰，房心尾也。」《楚辭・遠遊》：「奇傅說之託辰星兮。」王逸注：「辰星，房星也。」也都足以作為旁證。宋書升云：「是月朔氣黃道日躔亢七度五十分，距房前二十一度，故伏。」房宿為東方蒼龍七宿之一，以西圖的天蠍β（2.9等星）δ（2.5等星）π（3.4等星）ρ（4等星）四星為主，陳啟源曰：「房四星，心三星，體皆明大，舉目共見，易以曉民，宜古人多用以布令也。」（《毛詩稽古編》）

（二）九月：「辰繫于日。」

王聘珍以為八月的辰是角星，此月的辰是房心尾，前後不一致，而且房心尾三宿廣達28度，未免失之過泛，所以此處還是從孔廣森說，當作房星較為適當。洪震煊日：「八月日躔在角，故房則伏，九月日躔在房，則房且繫綴于日矣！不言日繫於辰，而言辰繫于日者，〈小正〉重在言天體以定時，不重在言日月五星也。重言日月五星者，後世法也。」（《夏小正疏義》）

六　南門

《史記・天官書》云:「亢為疏廟，主疾，其南北兩大星曰南門。」南門在庫樓南，於西圖屬半人馬座，ε星即南門一，為2.4等星，α星即南門二，是目視雙星，大者0.1等星，次者1.7等星，相當明亮，距離地球4.3光年，是一顆公認為除了太陽及比鄰星（距離4.25光年）之外最接近地球的恆星。其運轉速率極快，每秒約五、六十英里，只有大角星可與相比，所以在天空之位置，一千餘年可以相差一度。〈夏小正〉南門凡二見，是否即此二大星，自來是有異議的。

(一) 四月:「初昏南門正——南門者，星也。歲再見，壹正，蓋大正所取法也。」

洪震煊懷疑庫樓外之南門離赤道過遠，入地平下不見，故據邵晉涵《爾雅正義》之說，以為即亢宿，然鄒伯奇曾詳加推步，頗不以為然，其說云:「如法算得南門一在赤道南三十度五分五十六秒，南門二在赤道南三十七度五十八分五十秒。夏都在漢安邑，即今之夏縣，北極出地三十五度一十一分即為赤道，距天頂加星南緯與象限相減餘得南門二星加正午在地平上，其一當二十四度四十三分四秒，其二星一十六度五十分十秒。……〈天官書〉『其南北兩大星曰南門』，即庫樓外之南門，北字為衍文無疑也。若亢南北兩星據今測皆四等，無緣稱為大星。南門則一、二等，在當時燦然地上，固當取為中星者。洪氏不察古今星距赤道有遠近，而以或有明暗說之，非事實也。」(《學計一得》卷上〈夏小正南門星考〉) 宋書升更以術推之，亦相合，能田忠亮也以為四月南門正是西元前二千年的星象。所以今從鄒說，仍以南門為庫樓外兩大星。此外，李調元主張南門即〈月令〉之翼宿(《夏小正箋》)，無人採信，可不具論。至於經文「正」字，傳未詳解，王筠以全書文法衡之，疑「正」下有闕文（《夏小正正義》），宋書升則云：「中星之法，古人專用近赤道一帶諸星。……其南北距緯漸遠之天，古人特取其星之顯者以參合中星用之。但遠乎赤道者不得稱中，則取其正而已，中必於南方，正不必於南方也。凡取正之星必數星成體，縱橫分明，乃得指審定定向之處。」（《夏小正釋義》）尚可自圓其說。

（二）十月：「初昏南門見——南門者，星名也，及此再見矣！」

十月南門應晨見而非昏見，一行《大衍曆議》以為失傳。戴震聚珍版《大戴禮記》、秦蕙田《五禮通考・觀象授時》也都主張「初昏」二字衍文，所見良是。孔廣森亦贊成南門晨見，而以為初昏指昏姻而言，另成一節。殊不知〈小正〉初昏一詞除此條外凡五見，皆謂日入以後，從來沒有作昏姻講的。洪震煊在四月主張南門為亢宿，此處則以為是東井八星，未免前後游移，而且傳文明言「及此再見」，則兩南門仍當視作同一星辰比較適當，朱駿聲《夏小正補傳》以為洪說殊誤。

七　織女

織女三星成三角形，位於天河之西北邊緣。其大星即西圖之天琴座α，專名Vega，直徑為太陽的2.5倍，亮度為太陽的53倍，表面溫度約在10000度左右，呈青白色，星光0.1等，為北天第一明星。全天第四亮巨星，僅遜於天狼星（-1.6等）、老人星（-0.9等）、南門二（0.1等）。此星距離地球27光年，由於歲差關係，12000年後將成為地球的北極星。高平子云：「此亦當為最古紀節候之星，而後代以近黃道之女宿（婺女）代之。故女宿四星均極微小，反列於二十八宿，而織女乃專為神話故事之對象矣！」(《史記天官書今註》)〈夏小正〉兩次記載織女，而不及女宿，其時似仍以織女紀候。

(一) 七月：「初昏織女正東鄉。」

戴震以為織女三星恆嚮降婁(《戴東原集》卷五〈記夏小正星象〉)，孔廣森則以為嚮陬訾之口(《大戴禮記補注》)。洪震煊云：「《爾雅・釋天》云：『娵訾之口，營室、東壁也。降婁，奎、婁也。』今實測圖織女兩距小星恆嚮營室宿之南星，尚不及東壁，於奎、婁更遠也。七月初昏，箕斗正加午，則室、壁正加卯、奎、婁加寅，寅，東北隅也。織女嚮卯，是為正東嚮，若嚮寅，則不得云正東矣！」(《夏小正疏義》)宋書升亦云：「是月朔氣黃道日躔軫三十八分，昏時娵訾加卯，故織女正東。而東向之時最近天頂，經文不言中者，知遠乎赤道者不得稱中。」(《夏小正釋義》)可見當以孔說為是。

(二) 十月：「織女正北鄉則旦。」

此處一行《大衍曆議》以為失傳。王應麟(《玉海》本〈夏小正〉無「則旦」二字，徐圃臣移上文「初昏」二字於此節「織女正北鄉」上，移此節「則旦」二字於上文「南門見」下(黃模《夏小正異義》引)。梁廣庵云：「當是『初昏織女見，南門正北向則旦。』」(同上)雷學淇云：「十月之象皆錯簡。……南門見乃仲秋之朔象，織女正北向在旦乃仲冬之朔象也。」(《古經天象考》卷八)他們都是懷疑經文有錯簡的。但孔廣森、王聘珍、洪震煊等仍然主張經文無誤，宋書升亦云：「今時織女屬斗初度，夏時織女屬斗末度，赤極移故也。是月中氣黃道日躔斗十六度十一分，日旦出辰方，星紀加卯，故織女北向矣！」(《夏小正釋義》)能田忠亮也認為此處並無錯簡，唯〈夏小正〉所記織女星象當以西元前六百年左右較為適合(〈夏小正星象論〉)。可見此節異說極多，還有待專家學者進一步研究。

八　斗柄

《春秋運斗樞》云：「北斗七星：第一天樞，第二旋，第三璣，第四權，第五衡，第六開陽，第七搖光。第一至第四為魁，第五至第七為杓，合而為斗。」(《檀弓正義》、《史記索隱》引）此七星即西圖大熊座之α（2等星，距離110光年，本為二千年前的北極星）、β（2.4等星，距離160光年）、γ（2.5等星）、δ（3.4等星，距離63光年）、ε（1.7等星，距離66光年）、ξ（2.4等星，距離88光年）、η（1.9等星，距離800光年）等，素無疑義。北斗七星在不同的季節和夜晚出現於天空不同的方位，十分醒目易識，自古以來往往用來辨方向、測時間、定季節，是一個很重要的星座。錢寶琮云：「蓋觀象授時所取星隨各地之風俗習慣而異，亦不限於赤道鄰近之星。北辰、北斗、織女等星座緯度極高而常見不隱者，亦得視其在天空中之方向以推測歲時之早晚也。」(〈論二十八宿之來歷〉)〈夏小正〉有關七星的記載，主要的當是以斗柄位置表示一日之時刻。固然，經過長期觀察，也可以推測歲時的早晚，但它與後世「是月斗柄建子」、「正月指寅」之類的「斗建」到底還是有區別的。斗建之說，始見於《逸周書・周月篇》、《淮南子・天文篇》，由來甚晚，據史景成說那已是戰國末年以後的事了(〈周禮成書年代考〉)。

（一）正月：「斗柄縣在下——言斗柄者，所以著參之中也。」

孔廣森云：「斗柄以南為上，北為下。斗魁枕參首，參南上，則斗杓北下矣！」(《大戴禮記補注》）因地球自轉之故，北斗七星每日以反時針方向環繞北極一周，即每時辰轉移30度。若以十二時辰之名順次安排，必與地平面上習用之子午卯酉等十二方位相符。正月初昏斗柄北指，適在子位，斗魁則枕著午位（南方）的參宿，所以孔氏以南上北下說之。徐世溥云：「下，寅位也。……禮上西，故寅為下。」則涉及正月斗建寅位之說，已非〈小正〉原意了。故宋書升云：「以經文考之，正月之昏，斗柄指子，知當時不用斗建法也。……斗建之法殆起於周與？」(《夏小正釋義》)

(二) 六月：「初昏斗柄正在上——五月大火中，六月斗柄正在上，用此見斗柄之不在當心也。蓋當依依尾也。」

宋書升云：「六月朔氣，黃道日躔張五度四十二分，昏中之星當距一百零六度，日距尾前九十四度，昏時析木加午，故斗柄正在上矣！傳覆舉五月經文者，欲以定斗柄實當之宿也。當心，心即大火也。云『用此見斗柄之不在當心』者，謂心以五月中於午，六月即移於未，而斗柄正在上之象，實加午宮之西偏，未及於未，故言『不在當心』。尾，尾宿也。……依依乃附著之辭。今實測斗柄所指，正切尾體之右，故言依依以形容之。」(《夏小正釋義》) 傳文不甚明晰，經宋氏疏證，已明暢可讀。此外，黃叔琳釋依為尾、洪頤煊讀依如殷(〈與朱德輝書〉)、洪震煊釋依為倚、馬徵麐釋上依為倚，下依為苗裔，皆較牽強，不及宋說。

(三) 七月：「斗柄縣在下則旦。」

孔廣森移八月「參中則旦」於此「斗柄縣在下」上，而刪去複衍的「則旦」二字，其實八月的「參中」當依顧鳳藻說改作「星中」，那麼此處就無須移易刪汰了。宋書升云：「是月朔氣黃道日躔軫三十八分，旦中之星當距日一百零二度，日距參後一百零七度，距尾前六十四度，旦時析木加子，故斗柄縣在下。昏旦中星不齊之故，以黃赤二道不平行，而大距有近遠也。」(《夏小正釋義》)

九　漢

七月：「漢案戶——漢也……。案戶也者，直戶也。言正南北也。」

傳文「漢也」，語氣不完，其下必有奪文。漢即銀河，是由一千億以上恆星所組成的白雲色淡光帶（我們的太陽僅是其中的一個恆星而已，而整個銀河系在廣闊的宇宙中，猶如滄海一粟），直徑長約十萬光年，厚度二萬光年。從東方尾宿和箕宿之間開始，呈不規則寬度而橫亙著全天球，頗為偉觀。《詩・小雅・大東》：「維天有漢，監亦有光。」〈大雅・棫樸〉：「倬彼雲漢，為章于天。」都表現出它從古以來就極為人所矚目。〈夏小正〉稱之為漢，蓋以漢水形容其大，猶如以黃河形容天河一般。洪震煊云：「夏后氏世室，世室之制，每室四戶，漢南見於南戶，亦北見於北戶，以是謂直戶也。直具正義，此正南北，即申釋直戶之義也。……《爾雅・釋天》云：『箕斗之間，漢津也。』漢南直箕斗，是正南也；北絡參井之間，是正北也。正南北，不斜倚也。七月正南北，八月則斜倚矣！」(《夏小正疏義》) 其說甚為明瞭。

十　日躔

〈夏小正〉完全依靠昏旦中星測定歲時，《呂氏春秋・十二月紀》才兼載「孟春之月，日在營室」、「仲春之月，日在奎」……之類的資料，到了西漢以後，天文家推步之術益精，曆法愈密，考定季節乃專重日躔度數，不必再仰賴昏旦中星了。〈夏小正〉既未載明每月太陽運行所在，那我們如何推測其日躔呢？洪震煊曰：「九月『辰繫于曰』，此明言日躔也。有一月日躔即可以得餘月日躔，而每月晨見、昏見、晨中、昏中、伏、內諸星，又皆可以定每月日躔所在。得每月日躔，亦可以驗每月昏旦星也。」(〈夏小正昏旦星說〉) 所以從唐代以降，研究〈小正〉星象者，在這方面往往可得而說。茲自一行〈大衍曆議〉、戴震〈記夏小正星象〉、陳懋齡〈經書算學天文考〉、王聘珍《大戴禮記解詁》、洪震煊〈夏小正昏旦星說〉、雷學淇《古經天象考》、《介菴經說》、宋書升《夏小正釋義》、能田忠亮〈夏小正星象論〉等著作中，爬羅各家所推步的日躔，列一對照表如下：

日躔／推測者		一行	戴震	陳懋齡	王聘珍	洪震煊	雷學淇	宋書升	能田忠亮
正月	節	營室之末	降婁	奎	營室十六度	營室	降婁之初首壁三度	東壁三度四十三分	壁四度餘（4°.07）
	中				奎七度		降婁之十六度		
二月	節		大梁		婁	婁			
	中				胃				
三月	節	昴十一度半	實沈	參	昴	昴		畢三度	畢三度（2°.96）
	中				畢		畢		
四月	節	井四度	鶉首	井	井	參		井六度六分	井六度半（6°.35）
	中				井		鶉首之十六度	井廿一度六分	

日躔／推測者		一行	戴震	陳懋齡	王聘珍	洪震煊	雷學淇	宋書升	能田忠亮
五月	節	輿鬼一度半	鶉火	柳	井	東井	鶉火之初（柳）	柳九度九分	鬼末度（3°.74）
	中				柳		七星	柳十六度九分（？）	
六月	節		鶉尾	翼	張	七星		張五度四十二分	張八度餘
	中				翼				
七月	節		壽星	亢	翼	翼	巽維（東南）	軫三十八分	軫二度半餘
	中				軫		壽星之次		
八月	節		大火	房心	角	角	卯宮之末	亢七度五十分	氐四度
	中				氐七度		大火之十六度	氐十一度二十分	
九月	節		析木之津	尾	心	房	尾	心三度四十分	尾九度半餘（9°.39）
	中				尾		箕	尾十一度七分	
十月	節		星紀	斗	箕	箕			
	中				斗			斗十六度十一分	

日躔／推測者		一行	戴震	陳懋齡	王聘珍	洪震煊	雷學淇	宋書升	能田忠亮
十一月	節		玄枵		牛		玄枵		
	中				女				
十二月	節		娵訾之口		危				
	中				室				

以上所列，可分三組，即：（一）一行、王聘珍、洪震煊一組，（二）戴震、陳懋齡一組，（三）雷學淇、宋書升、能田忠亮一組。各家或以廿八宿為主，或以十二次為準；或統舉一月而言，或分節氣、中氣而論；或僅舉宿次，或詳載度分，頗為參差。若欲詳加比勘，殊非易事。單就正月來說，第一組與第三組相差約四、五度，與第二組似乎相去更遠。而同組之中，每月推步有時也頗有出入，如第三組宋書升九月中氣日躔在心三度四十分，能田忠亮在尾九度半餘，兩者相差十一度左右，所以詳細的研究，唯有待諸異日，期諸專家。

十一　小結

綜觀〈夏小正〉星象，我覺得有幾點值特別留意：

（一）〈夏小正〉猶如古代的農民曆，星象的記載占有十分重要地位，而二月、十一、十二月在這方面卻付諸闕如，顯然並非完璧。即使在有記載旳各月之中，錯簡、脫簡、衍文、奪文的現象也在所難免，自然也就增加後人研究上的困難，這是一般古書常有的現象，實在令人十分遺憾。

（二）在先秦遺籍中，如《詩經》、《尚書》、《左傳》、《國語》、《逸周書》、《周禮》、《呂氏春秋》等往往有星象的記載，而大多零星散見，不似〈夏小正〉之專注。小正所載，屬於二十八宿者有虛（鞠）、參、昴、心（火）、房（辰）、星（八月誤作參），其餘大星有南門、織女、北斗、天漢等，莫不詳記昏旦伏見、中正當鄉，而且頗為井然有條。如洪震煊曰：「〈小正〉凡一月候數星必一在晨，一在昏。」（《夏小正疏義》）雷學淇云：「凡言星見、旦中、朝覿，皆是紀月之朔氣；凡言星伏、昏中、昏正，皆是紀月之中氣，絕無有錯亂淆混者。」（《介菴經說》卷六）安吉云：「春夏先記旦星，春夏蚤起，先見旦星也；秋冬先記昏星，而後及旦星，秋冬夜深而寐，先見昏星也。」（《夏時考》）皆足見其記事之用心，因而不僅可與載籍互相印證，且可供現代天文學者鑽研，誠屬彌足珍貴。

（三）新城新藏以為中國天文學的演進，最初是觀測昏旦中星及大星以定歲時的觀象授時，周初始有二十八宿法，至春秋中葉，才有土圭測日法（詳見〈東漢以前中國天文學史大綱〉）。〈夏小正〉對昏旦中星特別重視，所記二十八宿又遠不及《呂氏春秋》、《淮南子》完備。雖有「養日」「養夜」等疑似夏至、冬至的記載，尚不能十分確定，所以它所代表的主要應屬觀察授時時期。固然，〈夏小正〉的經文可能至春秋時始寫定，但它所記載的卻不完全是當時的星象，而很可能頗有上古之遺，竺可楨云：「《史記》、《淮南子》及經傳中所述天象，因歲差之故，不特不能合於現代，且有與原書著作時代亦不相合者，則其天象殆為邃古之遺歟？」（〈二十八宿起源之時代與地點〉）明瞭這個道理，我們就不會覺得能田忠亮所云：「〈夏小正〉乃從夏代到春秋為止的產物。」（〈夏小正星象論〉）過分矛盾，也不致苛責一行以迄宋書升等人夏代星象之說過分落伍了。當然，〈夏小正〉天象記載的上限是否可定在夏代，還有進一步探討的必要，但它保存了某些早期的天文資料應該是沒有問題的。

（四）天象隨時空不同，天文技術亦與時俱進，以〈夏小正〉所載星象來推測其成書時代，按道理說是最客觀可信的。可是，歷覽各家的說法卻發現他們不一其辭，甚至大相逕庭，徒然增加我們的困惑而已。從一行至宋書升主張夏代所作的傳統說法姑且不論，即以近代的日本學者而言，如新城新藏主張其時代為西元前一千年（《東洋天文學史研究》）、能田忠亮主張為西元前二千年迄六百年，（〈夏小正星象論〉）、飯島忠夫主張為西元前二百年左右（〈支那古曆法餘論〉），彼此差距之大，令人咋舌，到底問題的關鍵在那裡呢？竺可楨在〈論以歲差定尚書堯典四仲中星之年代〉一文中，曾論及以現代天文學測定〈堯典〉星象的困難，我們對〈夏小正〉也可以舉一反三，作如是觀。要研究〈夏小正〉天文，起碼有幾個因素是很重要的：1. 觀測的日期：夏代觀測與周初觀測所得不同，與春秋或漢初比較，當然更是相去甚遠，即使是同一時代，同一月份，如果觀測的日期不同，所得的自然也不會一樣。2. 觀測的時間：日期就算確定了，但觀測的時間相差一小時，所估之年代即可差一千餘年。單就初昏的時刻而言，蔡邕以為是日入後三刻，孔穎達以為是日沒後二刻半、一行以為是真正黑暗之際、雷學淇、宋書升以為是日入時、飯島忠夫不管任何季節一概定在下午七時，採取的時刻不同，結論自然不會一致。3. 觀測之緯度：緯度與晝夜之長短、朦影之久暫均有密切之關係，對觀測影響極大。而〈夏小正〉的觀測地點，是在夏都所在的山西陽城呢？在杞國所在的河南杞縣或山東昌樂或山東安邱呢？還是在淮海地帶呢？誰也不曉得，這些地方的緯度由北緯33度至37度不等，觀測結果自然相去不可以道里計。4. 觀測之星宿：觀測之日期、時間、地點即使確立了，所觀測的星辰如無精密的指定，則年代仍無從估定，如五月「鞠則見」、八月「辰則伏」、九月「辰繫於日」，究竟是指那一顆星，異說紛紜，實在很難取捨。以上這些因素，由於〈夏小正〉記載十分簡略，可說都無法確定，再加上上述錯簡衍奪的現象，更嚴重地影響估定的正確性。所以我們對〈夏小正〉的天象所代表的時代迄無定論，除非今後天文學有不可思議的突破，恐怕也很難有定論了。

——原載於《夏小正析論》，臺北：文史哲出版社，1985年。

《左傳》天文史料析論

一　前言

《左傳》之作者與成書年代自古以來一直聚訟紛紜，迄無定論，唯其書不僅為史學之淵藪，也是詞章的典範，則是眾口同聲，少有異詞的。單以其蘊涵的史料而言，舉凡歷史、政治、軍事、思想、科技都讓人有鑽研不盡的感覺。可惜在天文方面的研究，除了日食之外，一直缺乏較有體系的專文，實在是一大缺憾。因此不揣淺陋。在此將《左傳》中有關天文的史料全部整理一過，並用現代的天文學知識加以分析討論，希望能得到方家的指教，更希望能引起大家對古代天文研究的興趣。

二　太陽紀事

（一）日躔

所謂日躔，古人以為是指太陽在黃道上的運行位置，在科學昌明的今日看來，應該是從地球軌道不同位置所看到的太陽視運動。《左傳》是最早記載到日躔的古書之一。其中有三則紀錄特別值我們注意：

1、僖公五年云：

八月甲午，晉侯圍上陽，問於卜偃曰：「吾其濟乎？」對曰：

> 「克之。」公曰：「何時？」對曰：「童謠云：『丙之晨，龍尾伏辰。均服振振，取虢之旂。鶉之賁賁，天策焞焞。火中成軍，虢公其奔。』其九月、十月之交乎！丙子旦，日在尾，月在策，鶉火中，必是時也。」

晉軍圍南虢上陽，卜偃藉著童謠，預言晉如日與鶉火之盛，必能致勝；虢如龍尾、天策為日所奪，必敗無疑。僖公五年（西元前655年）夏曆十月朔（晉用夏曆，夏曆十月合周曆十二月），日躔在尾宿（天蠍座），與《呂氏春秋・孟冬紀》：「孟冬之月，日在尾。」正相符合。呂書約成於秦王政六年（西元前241年），與僖公五年相去四百餘年，因歲差之故，日躔本應有所不同，但在不知歲差的古代，載籍沿襲前代的天文紀錄實不足為奇。根據日人能田忠亮《禮記月令天文考》的推算，西元前640至455年，孟冬之初，日在尾宿10.78°-13.43°[1]，然則，呂書的紀錄或者是取自於《左傳》吧！十月丙子朔，日月合朔於尾宿（日月之會曰辰），也就是東方蒼龍七宿之第六宿。由於日月的視運動快慢不同，日行每日一度，月行每日約十三度，因而，清晨月亮已走到了天策星（尾宿、箕宿間之傅說星，即天蠍座G，3.1等）[2]。這時，尾宿正值日躔所在，其光為日所奪，伏而不見，故曰：「龍尾伏辰」，天策星也因近月而黯淡無光，故曰：「天策

1　詳見能田忠亮：〈禮記月令天文考〉《東洋天文學史論叢》，頁502。拙作〈呂氏春秋之天文〉《淡江學報》第26期，頁27。下同。

2　杜預注：「天策，傅說星也。」竹添光鴻會箋云：「《晉書・天文志》：『王良五星在奎北，居河中前一星曰策星，王良之御策也。』……《傳》所云『天策』者，策星也。……杜云：『天策，傅說星。』謬。」按奎宿北之策星即仙后座γ，去尾宿逾百度，由午夜至清晨短短幾小時中，月球不可能走到策星。而且日月五星軌道都在黃道兩側各8°的範圍內。策星去黃道帶甚遠，亦非月球所經。所以天策之說仍以杜注為是，竹添之說非。

焞焞」。只有正南方的中星鶉火（柳宿，即長蛇座）因去日月極遠，而格外耀眼，故云：「鶉之賁賁」。《左傳》的描寫，透過稚童、卜人之口顯得十分具體生動。

2、昭公四年正月云：「古者日在北陸而藏冰，西陸朝覿而出之。」北陸指北方玄武七宿，《爾雅・釋天》：「北陸，虛也。」乃舉中央之虛宿以為代表。「日在北陸而藏冰」，謂夏曆十二月，日躔在北方玄武七宿中央的虛宿（寶瓶座β、小馬座α）與危宿（寶瓶座α、飛馬座θ及ε），其時正值二十四節氣的小寒、大寒，氣候凜冽，因而開始藏冰。《呂氏春秋・季冬紀》：「季冬之月，日在婺女。」根據能田忠亮的推步，西元前731至514年十二月初，日躔在女宿8.44°-11.09°（女宿凡12°），旋即進入虛宿與危宿，所以呂書的記載與《左傳》並無不合。

3、昭公三十一年十二月云：「六年及此月也，吳其入郢乎？終亦弗克。入郢必以庚辰，日月在辰尾。庚午之日，日始有謫。火勝金，故弗克。」杜預注：「辰尾，龍尾也。周十二月，今之十月，日月合朔於辰尾而食。」辰尾，指東方蒼龍七宿的尾宿，《爾雅・釋天》云：「大辰・房心尾也。」房心尾三宿於西圖同為天蠍座，在蒼龍七宿中最醒目，故稱大辰。尾宿為大辰之尾，亦蒼龍之尾，故稱辰尾。周之十二月為夏曆十月，日躔在尾，其說見上，不贅。

（二）日食

當月朔時，若太陽、月球、地球剛好排在一直線上，也就是日月離黃白交點較近時，日光為月所掩，就會發生日食；當月滿時，太

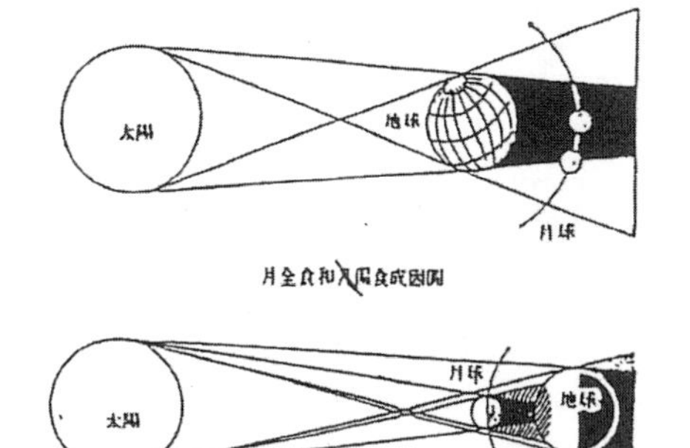

圖一　日全食和日偏食成因圖

陽、地球、月球若剛好排在一直線上，也就是日月距黃白交點較近時，月光為地所掩，就會發生月食（見圖一，採自明文書局《中國天文史話》，頁115）。《詩・小雅・十月之交》云：「彼月而食，則維其常。此日而食，于何不臧？」可見月食從古以來即習以為常，周期可能較易掌握，因此在《春秋》中完全沒有記載。而日食則變化繁複，在先秦還無法預測其周期[3]，而且太陽又是君王的象徵，因此日食成為災異。早在甲骨文、《書》、《詩》中即有記載[4]，《春秋》一書記載更是特別詳細。總計《春秋》242年之中，紀錄的日食共有37次，如下：

隱公三年：春王二月己巳，日有食之。
桓公三年：秋，七月壬辰朔，日有食之，既。
桓公十七年：冬，十月朔，日有食之。
莊公十八年：春王三月，日有食之。
莊公廿五年：六月辛未朔，日有食之。
莊公廿六年：冬，十有二月癸亥朔，日有食之。
莊公三十年：九月庚午朔，日有食之。
僖公五年：九月戊申朔，日有食之。
僖公十二年：春王三月庚午，日有食之。
僖公十五年：夏五月，日有食之。

---

3 《史記・天官書》中記有交食發生的周期、食間間距，可惜數據有脫誤。《漢書・律曆志》所載劉歆《三統曆》中已有135個月有23次食的周期及其計算方法。可見中國在漢代即已有成熟的交食預報。古代巴比倫的沙羅（Saros）周期為223個月有41次日食，與中國漢代的交食周期相近，但顯然是兩個不同的系統。詳見李約瑟：《中國之科學與文明》第五冊，頁392-395。

4 甲骨文的日食記載凡三見，《詩・小雅・十月之交》、《書・胤征》也都有日食的紀錄。詳見陳遵嬀：《中國天文學史・天象記事編》，頁7-26。

文公元年：二月癸亥，日有食之。

文公十五年：六月辛丑朔，日有食之。

宣公八年：秋，七月甲子，日有食之，既。

宣公十年：夏，四月丙辰，日有食之。

宣公十七年：六月癸卯，日有食之。

成公十六年：六月丙寅朔，日有食之。

成公十七年：十二月丁巳朔，日有食之。

襄公十四年：二月乙未朔，日有食之。

襄公十五年：八月丁巳，日有食之。

襄公二十年：冬，十月丙辰朔，日有食之。

襄公廿一年：九月庚戌朔，日有食之。

襄公廿一年：冬，十月庚辰朔，日有食之。

襄公廿三年：二月癸酉朔，日有食之。

襄公廿四年：秋，七月甲子朔，日有食之，既。

襄公廿四年：八月癸巳朔，日有食之。

襄公廿七年：冬，十有二月乙卯朔，日有食之。

昭公七年：四月甲辰朔，日有食之。

昭公十五年：六月丁巳朔，日有食之。

昭公十七年，六月甲戌朔，日有食之。

昭公廿一年：七月壬午朔，日有食之。

昭公廿二年：十二月癸酉朔，日有食之。

昭公廿四年：五月乙未朔，日有食之。

昭公卅一年：十二月辛亥朔，日有食之。

定公五年：三月辛亥朔，日有食之。

定公十二年：十一月丙寅朔，日有食之。

定公十五年：八月庚辰朔，日有食之。

哀公十四年：五月庚申朔，日有食之。

從這些記載當中，我們可以發現幾種值得一提的情況：

1 《春秋》的日食紀錄並不完整

據今日統計，平均每年會發生日食2.3次，月食1.5次。由於地影大而月影小，每次月食，只要是夜間的地區都能看得到；而日食則未必所有的晝間地區都能看見[5]，所以《春秋》所記載的日食自然比實際發生的要少得多。依張培瑜的研究，春秋時代日食在魯都曲阜可見的應為98次，《春秋》僅記載三分之一強，其原因主要可能是天候不佳以及食分太小吧！可見失記的仍不在少數[6]。唯《史記・六國年表》及〈秦本紀〉所載277年中（自魯哀公十四年至漢高帝三年）僅紀錄9次日食，又不記月日，相形之下，《春秋》的日食紀錄雖不夠完整，已經算是十分豐富了。

2 最後一次日食為孔門弟子所記

孔子據魯史作《春秋》，上起魯隱公元年（西元前722年），下迄魯哀公十四年（西元前481年）春西狩獲麟，《左傳》卻到哀公二十七年（西元前468年）才結束。可見「哀公十四年五月庚申朔」那次日食是孔門弟子所續記的。因此，《史記・天官書》才說：「太史公推古天變未有可考于今者，蓋略以春秋二百四十二年之間，日蝕三十六，彗星三見。」

3 《左傳》有傳者九，經傳不同者一

《春秋》日食三十七，《左傳》所解釋的只有九次，而其重點除了星占之外，不外是：

---

5 詳見陳遵嬀：《中國天文學史・天文測算編》，頁93-94。

6 詳見《中國天文學史文集》第三集〈春秋詩經日食和有關問題研究〉，頁13。

> 不書日，官之失也。（桓公十七年）
> 鼓，用牲于社，非常也。（莊公廿五年）
> 鼓，用牲于社，非禮也。（文公十五年）
> 辰在申，司曆過也，再失閏矣！（襄公廿七年）

足見經文無可發揮者，《左傳》就不多言，有所解釋的，則側重於星占、曆法及禮儀。其中最特別的是「襄公廿七年冬，十有二月乙卯朔，日有食之。」傳書「十一月乙亥朔」，月朔都與經文有所不同。杜預注云：「今長曆推十一月朔，非十二月，傳曰：『辰在申，再失閏』，若是十二月，則為三失閏，故知經誤。」唯朱文鑫〈春秋日食考〉則依奧泊爾子（V. Oppolzes）《日月食圖表》（Canon der Finster-nisse，或譯作《日月食典》）訂正為「襄公二十七年十二月乙亥朔」[7]，月從經而日從傳，較杜注允當，可從。至於星占之例，如昭公二十一年「秋七月壬午朔，日有食之」，傳云：

> 公問於梓慎曰：「是何物也？禍福何為？」對曰：「二至三分，日有食之，不為災。日月之行也，分，同道也；至，相過也。其他月則為災，陽不克也，故常為水。」

應用陰陽五行來解釋星象。所謂「日月之行也，分，同道也；至，相過也。」實為古人對天體運行的一種誤解，並不符合現代天文知識。因為赤道與黃道交角為23°27’，一交於春分點，一交於秋分點[8]。然太陽運行於黃道，月球運行於白道，黃白交角為5°09’，日月每月相

7 詳見朱文鑫：《天文考古錄》，頁96。

8 今日春分點在黃經360°，秋分點在黃經180°，因歲差關係，每年春分點沿黃道向西退50.2"，因此，古時春分點、秋分點與今日又有所不同。

會，實與春分點、秋分點無任何關係。不過，從「日月之行」談到「陽不克也」，似乎已知日食與月球的運行有關，則是值得稱道的。

4　干支及朔日或載或否，體例不一

《春秋》日食有干支者三十四，無干支者三；書朔者二十八，不書朔者九；其中既無干支又不書朔者一（莊公十八年），體例顯然相當參差。《穀梁傳》的解釋是：

> 言日不言朔，食晦日也。（隱公三年）
> 言日不言朔，食正朔也。（桓公三年）
> 言朔不言日，食既朔也。（桓公十七年）
> 不言日，不言朔，夜食也。（莊公十八年）

所謂「食正朔」較無疑義，其餘情況則有待商榷。因為莊公十八年三月的那次日食，從初虧到復圓都在白晝，中原可以望見，不得謂之「夜食」[9]。而且先秦觀測日食，全憑目驗，夜食既然不可見，如何能書？所以夜食之說實不可信。至於「食晦日」、「食既朔」也與日食發生於朔的事實不合。不過，這乃是由於當時曆法較為疏闊，無法審定定朔，因而才有「或失之前，或失之後」（《公羊傳》隱公三年）的緣故。當然也可能魯史本來就有闕文，《左傳》桓公十七年所謂「不書日，官失之也。」講的正是這個道理。

日食都發生於朔日，而且必須在「食限」以內才會發生[10]。在春

9　詳見朱文鑫：《天文考古錄》，頁97。

10　陳遵嬀云：「（日月）合時黃經與交點黃經之差在153°以內，一定發生日食；在15.4°至18.5°之間，可能發生日食，超過18.5°一定不發生日食。」《中國天文學史・天文測算編》，頁89。

秋時代雖然還不知道食限，但已逐漸對朔日與日食的關係有所了解，朱文鑫云：

> 自隱公三年至宣公十七年，凡一百二十八年，記載日食一十五，書朔者七，不書朔者八。自成公十六年至哀公十四年，凡九十四年，記載日食二十二，書朔者二十一，不書朔者一。由此觀之，宣公以前，平均約八年半書一日食，而不書朔者多；成公以後，平均約四年半書一日食，而不書朔者僅一。足證當時曆家已知日食之必在朔，而觀測所得，亦有合於天象，故後之記載，較勝於前也。[11]

當時天文曆法正日趨進步，由此可見一斑。

5 日食種類略有區分

日食的種類有三，即偏食、環食、全食。《春秋》日食書「既」者有三，都是指日全食而言，也就是日本所謂「皆既食」。朱文鑫云：

> 古人以日食在七分以上者謂之「既」，揆諸上表，皆係全食。一為桓公三年，經黃河流域；一為宣公八年，由西北而至江蘇；一為襄公二十四年，經長江流域，皆確為中原所能望見，足證經傳記載之確。[12]

有關日全食的紀錄的確彌足珍貴，可惜對偏食及環食猶未有所分辨，易言之，也就是將日食種類區分為全食及非全食兩種。

---

11 見朱文鑫：《歷代日食考》，頁15。

12 見朱文鑫：《天文考古錄》，頁96。

6　資料大多準確，偶有疏舛

19世紀末，奧地利學者奧泊爾子經專家十人協助，盡二十餘年之力，於西元1887年發表《日月食圖表》。該書記載了從西元前1208年迄西元後2161年。約三千三百餘年間所有8000個日食與5200個月食，資料翔實，學者稱便。幾十年前，新城新藏、朱文鑫都曾據以比對，發現《春秋》37次日食中，除四次顯有傳訛之外，33次皆與推算相合[13]。近年，張培瑜更進一步採用漢森公式和天文年代學的方法，仔細計算了自隱公元年到哀公十九年整個春秋時期曲阜可見的全部日食，也發現《春秋》所載37次日食中有31次是確實無疑的，僅有6次不能十分確定[14]。這一方面可以佐證現代推法之完密，另一方面也可證明《春秋》之為信史。而中國在二千多年前就擁有這麼豐富而珍貴的天文史料實在足以睥睨群倫。

三　恆星紀事

（一）二十八星宿之屬

在古代，西洋將星空劃分為八十八個星座，中國則劃分為三垣二十八宿。二十八宿（見圖二：天官概略圖，採自高平子《史記天官書

---

13 襄公二十一年十月庚辰朔、襄公二十四年八月癸巳朔、僖公十五年夏五月、宣公十七年六月癸卯皆不應有日食，顯然有錯簡或誤記、誤傳，詳見新城新藏《中國天文學史研究》，頁328-344。朱文鑫則以為僖公十五年五月、昭公二十四年五月二次日食中國皆不可見，《春秋》誤書。襄公二十一年十月及二十四年八月並無日食，《春秋》所載，年月不符。詳見《天文考古錄》，頁97-98。

14 張培瑜認為六次不能十分確定的是：宣公十七年六月、昭公十七年六月、襄公二十年十月、襄公二十一年九月、襄公二十一年十月、僖公十五年五月，詳見《中國天文學史文集》第三集〈春秋詩經日食和有關問題研究〉，頁1-13。

今註》，頁83）在中國天文學史中具有特殊重要的地位，唯二十八宿到底成立於何時，則是異說紛紜。我們不能因為傳統文獻直至《呂氏春秋・有始篇》才完整紀錄了二十八宿的名稱，遂認為二十八宿是戰國末年的產物。因為早在戰國初期的曾侯乙墓中就已有二十八宿及青龍白虎圖象，不難想見其形成時代應該要比這件文物入葬的時間早得多[15]。

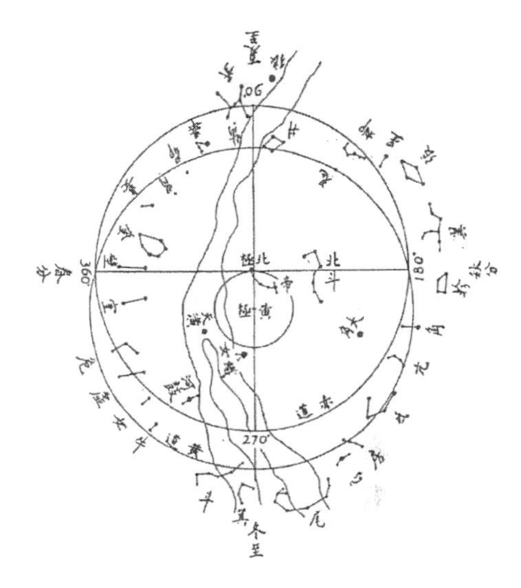

圖二　天官概略圖

《左傳》一書雖然像《尚書》、《詩經》、〈夏小正〉、《國語》、《爾雅》等古書一樣，只是零零星星紀錄了二十八宿中的一部分星象，但這些文獻不僅是恆星觀測史上的重要資料，而且其中有兩則還可當作至遲在春秋時代已有二十八宿存在的旁證，值得我們特別注意：

1. 丙之晨，龍尾伏辰。……丙子旦，日在尾，月在策，鶉火中，必是時也。（僖公五年）

在天文學史上，測定日躔是較觀測昏旦中星更進步的方法。要準確地測定日躔，除了參酌昏旦中星、日沒日出前的星辰、月滿時月亮的位置外，還要能掌握二十八宿的距度。否則，白晝不見星辰，夜晚不見太陽，怎能知道日躔所在呢？春秋時代的人能夠測定僖公五年夏曆十月丙子朔，日月合朔於尾宿，顯然他們已經有二十八宿可供測算的根據了。

15 詳見拙作〈呂氏春秋之天文〉，頁13-14。

2. 有星出於婺女……今茲歲在顓頊之虛，姜氏、任氏實守其地，居其維首。……天以七紀。(昭公十年)

《爾雅．釋天》:「玄枵，虛也；顓頊之虛，虛也；北陸，虛也。」顓頊之虛即二十八宿中的虛宿，玄枵為十二次之一，包含二十八宿中的婺女、虛、危。婺女為玄枵三宿之首，故云:「居其維首」。就學理講，必須先有宿度各異的二十八宿，然後才有將二十八宿十二等分的十二次。春秋時代既然已有十二次，自然也早已有二十八宿了。下文所謂「天以七紀」，更是表明二十八宿分布四方，每方七宿，也就是後世所謂的四象，這不也是當時已有二十八宿的明證嗎？

《左傳》所提及的星辰在二十八宿中的有七個，其中尾、婺女在先秦古籍中是第一次出現的，其餘如心、虛、營室、參、柳雖然曾見於《詩》、《書》、〈夏小正〉等古籍，而名稱未必相同，且往往指明恆星出、見、在、正、中、入、伏各種活動，也都是值得珍惜的史料。

1　心(火、大火、商、大辰)

心宿包含西圖天蠍 $\sigma\alpha\tau$，心大星即天蠍 α，為赤色之1.2等星，故稱大火，在東方七宿中最為明亮，古人視之為東方蒼龍之心。早在甲骨文中就有「火」的紀錄，先秦典籍中它也經常出現。在《左傳》裡它更是屢見不鮮，而且名稱不一，如：

> 冬，有星孛于大辰西，及漢。……火出，於夏為三月，於商為四月，於周為五月，夏數得天。(昭公十七年)
>
> 譬如火焉，火中，寒暑乃退，此其極也，能無退乎？(昭公三年)
>
> 冬十二月，螽，季孫問諸仲尼。仲尼曰:「丘聞之，火伏而後蟄者畢。今火猶西流，司曆過也。」(哀公十二年)

> 古之火正，或食於心，或食於咮，此出內火。是故咮為鶉火，心為大火。陶唐氏之火正閼伯居商丘，祀大火，而火紀時焉。（襄公九年）
>
> 昔高辛氏有二子，伯曰閼伯，季曰實沈，居於曠林，不相能也，日尋干戈，以相征討。后帝不臧，遷閼伯於商丘，主辰，商人是因，故辰為商星。遷實沈于大夏，主參，唐人是因，以服事夏、商。（昭公元年）
>
> 冬十二月，城諸及防，書，時也。凡土功，龍見而畢務，戒事也；火見而致用，水昏正而栽，日至而畢。（莊公二十九年）
>
> 古者日在北陸而藏冰，西陸朝覿而出之，……火出而畢賦。（昭公四年）

所謂火、大火、商、辰、大辰都是指心宿而言。古時觀象授時，大火的出沒就成為紀時的重要指標。當大火在黃昏出現於東方地平線上時，正值夏曆三月，商曆四月，周曆五月，足見三代曆法各有不同（此即「三正論」），而都可以用「火」來校正其月份。到了夏曆六月黃昏，大火星出現於正南方，位置最高，成為六月的昏中星，這時正值盛暑，而也就是暑氣馬上要消退的時候了。到了九月黃昏，大火開始沈入西方地平線，百蟲也都蟄伏不見。到了十二月清晨，大火星出現於正南方，這時正值隆冬，而也就是寒氣馬上要消退的時候了。如此周而復始，可以當作曆法使用，即「火曆」是也。魯哀公十二年（西元前483年），夏曆十月（周曆十二月），火未盡沒，蝗蟲也未蟄伏，孔子就是根據這個簡單的天文曆法常識斷定當時當閏而未閏，以致有一個月之差，是司曆之官的過失。古時帝王十分重視大火，特別設置了火正，封為上公（《左傳》昭公二十九年），專司觀測及祭祀大火，並且推行火政，大火春出秋入，因而令民季春出火，季秋內火，這大概是古時「火耕火收」之遺吧！陶唐時代，閼伯就曾經擔任過火正之官，而在古史傳說裡，他是因為和其弟實沈兄弟鬩牆，才被封為主管祭祀商星（心宿）的火正，而實沈則被封為主管祭祀參星的官，兩人從此永遠不再見面，正如天上的參商，一在西，一在東，相去二百度左右，永遠不會同時出現一般。杜甫〈贈衛八處士〉所謂：「人生不相見，動如參與商」，正是典出於此。在古代，大火和人民生活關係十分密切，除了農業生產、出火內火外，如準備土木工程的材料，就是在夏曆十月，大火晨見於東方時進行，因為那時正值農暇；又如頒冰，是在三月大火出現時全部完成，因為那時天氣已經漸漸暖和了。

2　尾（龍尾、辰尾）

尾宿即天蠍座$\mu\varepsilon\xi^2\eta\theta\iota^1\kappa\lambda\upsilon$九星，其星等介於1.7至3.8之間，雖不如心大星那麼明亮，但形狀彎曲如鉤，也頗為醒目，是東方蒼龍的尾部，在西圖則為天蠍座的尾部。春秋時代，是夏曆十月日纏所在，僖公五年、昭公三十一年都曾著錄，上文已兩度提及，茲不贅。

3　女（婺女）

婺女即女宿，在西圖為寶瓶座εμ4κ四星。《廣雅・釋天》稱之為須女，婺、須都是服務之義，指從事帛布、裁製、嫁娶等事。《左傳》昭公十年：「春王正月，有星出於婺女」，是為了記載鄭裨竈預言晉君將死而發。

4　虛

虛宿即西圖寶瓶β、小馬χ。北方三次，玄枵居中，而玄枵三宿，虛居中。在北方玄武七宿中，虛也是居於中央，所以《爾雅・釋天》

云：「玄枵，虛也；顓頊之虛，虛也；北陸，虛也。」就是以虛代表玄枵與北方玄武七宿。《左傳》昭公四年：「古者日在北陸而藏冰」，已詳上文。又，襄公二十八年云：「玄枵，虛中也。」正是說明玄枵三次，虛宿居中。足見《爾雅・釋天》是將《左傳》這幾段文字歸納貫串而成的。唯「顓頊之虛」，《左傳》指玄枵，《爾雅》則舉虛宿為代表，略有差異。

5 營室（水，大水）

營室即西圖飛馬座α、β二星，與壁宿二星（飛馬γ、仙女α）可連成四方形，故二宿均以建築為名。營室屬北方玄武七宿，北方配水，也許是這個緣故，在《左傳》稱之為水或大水：

> 凡土功，龍見而畢務，戒事也，火見而致用，水昏正而栽，日至而畢。（莊公二十九年）

> 衛，顓頊之虛也，故為帝丘，其星為大水。（昭公十七年）

《呂氏春秋・孟冬紀》：「孟冬之月……昏危中。」營室與危比鄰，所以《左傳》謂夏曆十月黃昏，營室黃昏正見於南方，此時正值農暇，可以築牆立板，故謂之營室。《詩・鄘風・定之方中》：「定之方中，作于楚宮。」《國語・周語》：「營室之中，土功其始。」其義亦皆相近。

6 參

參宿即西圖獵戶座的ξεδαγχβ等星，其中左肩α星為零至一等之間的紅色變星，右足β星為青白色的0.3等星，中腰三星皆二等星。是西方白虎七宿中最明亮者。見於《左傳》者為：

> 昔高辛氏有二子，伯曰閼伯，季曰實沈，居於曠林，不相能也。日尋干戈，以相征討。后帝不臧，遷閼伯于商丘，主辰，商人是因，故辰為商星。遷實沈于大夏，主參，唐人是因，以服事夏、商。……故參為晉星。（昭公元年）

此段古史傳說係子產為解答叔向的疑問：「寡君之疾病，卜人曰：『實沈、臺駘為祟。』」而發。在天文學史上，參商都是非常重要的星宿，而《左傳》顯然詳彼而略此，不似〈夏小正〉在短短的篇章中連續記載了四次[16]，這主要是因為這兩種文獻的性質大不相同。

7　柳（咮、鶉火）

柳宿即西圖長蛇座 δσηρεξυωθ 等八星，曲折如柳，因而得名，在《左傳》中稱之為咮，襄公九年傳云：「古之火正，或食於心，或食於咮。以出內火，是故咮為鶉火，心為大火。」《爾雅・釋天》云：「咮謂之柳，柳，鶉火也。」就是在解釋《左傳》這一段文字。柳是鶉火次之首，故以之代表鶉火。柳所以稱之為咮，是因為鶉火和鶉首、鶉尾共同組成南方朱鳥，而柳宿彎曲，正像鳥喙，《爾雅》郭璞注云：「咮，朱鳥之口。」正是此意。《詩・小星》毛傳：「三心五噣」，《史記・天官書》：「柳為鳥注。」《漢書・天文志》：「柳為鳥喙。」所謂噣、注、喙，字形雖殊，其義則無別。

（二）其他恆星

1　北斗

北斗七星位於紫微垣，依次為天樞、天璇、天璣、天權、玉衡、

16 詳見拙著《夏小正析論》，頁23-25。

開陽、搖光，即西圖大熊座 αβγδεξη 諸星，星等為1.7至2.4之間，且位於恆顯圈上，中原地區終年可見，十分璀璨耀眼。所以甲骨文、《詩．小雅．大東》、《大戴禮記．夏小正》、《楚辭．九歌．東君》都曾提到它[17]，《左傳》也說：

> 有星孛入于北斗，周內史叔服曰：「不出七年，宋、齊、晉之君皆將死亂。」（文公十四年）

> 十一月乙亥朔，日有食之。辰在申，司歷過也，再失閏矣！（襄公二十七年）

北斗附近極少出現彗星，故以為災異。至於「辰在申」，辰是指斗柄；也就是玉衡、開陽、搖光三星，由於地球自轉的關係，每日以反時針方向環繞北極一圈，時辰不同，斗柄所指方位就有別。又由於地球公轉的關係，不同月份的同一時辰，斗柄所指的方位也各殊（見圖三，北斗七星之運行，採自山本一清《宇宙壯觀》，頁381）。因此，古人將它當天然時鐘使用，不僅以之紀一日之時辰，也用來指明月份或季節的更迭。魯襄公二十七年夏曆正月斗柄指寅位（正東偏北），則夏曆九月（周曆十一月），斗柄應指戌位（正西偏北），而斗柄卻仍指申位（正西偏南），足見當時曆法與實際月份相差兩月，《左傳》認為這是當時主管曆法的官員的過失，竟然有兩次應置閏而未置閏。其實，《左傳》這段記錄是有問題的，詳見上文二、（二）、3。清儒江永早就曾批評道：

---

17 詳見拙作〈古書中的北斗七星〉，頁234-258。

> 此左氏之妄也。春秋時，曆術不精，失一閏者固有之，如昭二十年日南至在二月是也；然亦隨時追改，豈有再失閏而不覺者乎？如再失閏，則近此數十年間日食皆不能合，何以去之千百年間，曆家猶能推算與經符合乎？[18]

其說良是，在曆法方面，《左傳》誠然有所疏漏，但只要依據後代曆術加以訂正，仍不失為研究先秦曆法之最重要材料，從杜預以降，歷代研究《春秋》曆算的專著更僕難數，就是明證。

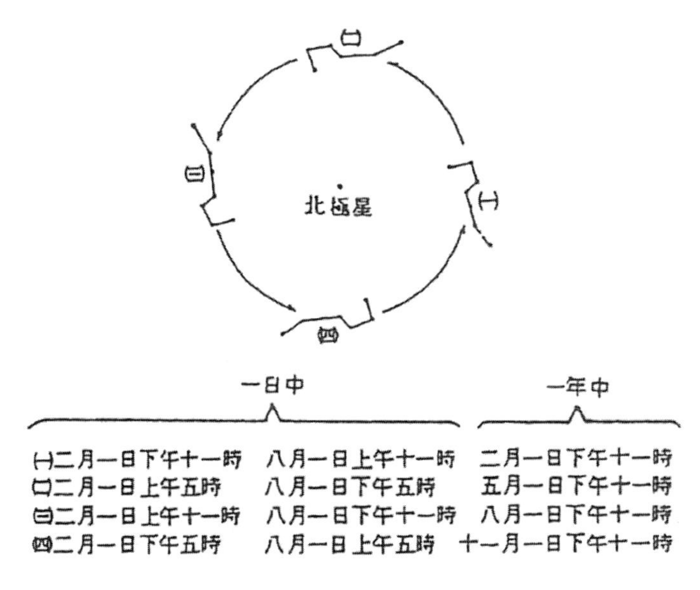

圖三　北斗七星之運行

2　銀河（漢、津）

銀河是太陽系所在的星系，由一千億顆以上恆星所組成，直徑長約十萬光年，厚度二萬光年。在夜間呈白雲色淡光。從東方尾宿和箕

18 見《群經補義》，《皇清經解》，頁2689。

宿之間開始，橫亙著全天球，氣勢十分雄偉，因此，古人以黃河或漢水來形容它，稱之為河、漢或津。如《詩・大雅・棫樸》:「倬彼雲漢，為章于天。」〈夏小正〉云:「漢案戶。」皆是其例。《左傳》也說：

> 陳，顓頊之族也，歲在鶉火，是以卒滅。陳將如之。今在析木之津，猶將復由。(昭公八年)

> 冬有星孛于大辰西，及漢。(昭公十七年)

析木為十二次之一，包含尾、箕、斗三宿，析木之津是指箕斗之間的銀河。《爾雅・釋天》云:「析木之津，箕斗之間漢津也。」正是在解釋這段傳文。至於昭公十七年冬，彗星出現在心宿之西，彗尾光芒一直拖到銀河，也是異象，所以《左傳》特別藉申須之口預言諸侯將有火災。杜預注云:「夏之八月，辰星見在天漢西，今孛星出辰西，光芒東及天漢。」是也。楊伯峻《春秋左傳注》云:「謂彗星長尾光芒西及于銀河」，則斷句、解釋皆非，因為銀河在心宿之東，並非在心宿之西。

四　行星紀事

(一) 木星 (歲)

木星是太陽系第五個行星，也是最大的行星。西洋以羅馬神話中的眾神之王邱比德 (Jupiter) 名之，在中國則稱之為歲星、攝提、重華、應星或紀星。其直徑為地球的11.19倍，體積為地球的1309倍，超過其他八大行星的總和，擁有16顆衛星。其光度為-2.5等，僅遜於太陽、月亮及金星，比-1.6等的天狼星還亮，而且在一年中可以見到的時間又特別長，所以從古以來在行星的觀測史上就占有特殊的地位。《左傳》所載尤為詳細。如：

> 公送晉侯，晉侯以公宴于河上，問公年。季武子對曰：「會于沙隨之歲，寡君以生。」晉侯曰：「十二年矣，是謂一終，一星終也。」（襄公九年）

> 晉侯問於史趙曰：「陳其遂亡乎？」對曰：「未也。」公曰：「何故？」對曰：「陳，顓頊之族也，歲在鶉火，是以卒滅。陳將如之。今在析木之津，猶將復由。」（昭公八年）

> 夏四月，陳災，鄭裨竈曰：「五年陳將復封，封五十二年而遂亡。」子產問其故，對曰：「……歲五及鶉火，而後陳卒亡，楚克有之，天之道也，故曰五十二年。」（昭公九年）

> 七月戊子，晉君將死。今茲歲在顓頊之虛，姜氏、任氏實守其地，居其維首，而有妖星焉。（昭公十年）

> 景王問于萇弘曰：「今茲諸侯何實吉？何實凶？」對曰：「蔡凶。此蔡侯般弒其君之歲也，歲在豕韋，弗過此矣！楚將有之，然壅也。歲及大梁，蔡復，楚凶，天之道也。」（昭公十一年）

我們發現《左傳》記載歲星，主要是用來紀年（故謂之歲星），而其目的則在於星占或預言。歲星所以能用來紀年，是因為古人觀測木星大約十二年一周天，於是將星空十二等分，稱之為十二次，依序為星紀、玄枵、娵訾……等，木星每年由西向東行走一次，如果把每年歲星所在的位置記下來，不就成為最自然的紀年資料了嗎？在春秋戰國時代，諸侯林立，傳統的王公在位紀年法各不相謀，顯得相當混亂（如魯隱公元年即周平王四十九年、齊釐公九年、晉鄂侯二年、秦文公四十四年、楚武王十九年……），有了這種歲星紀年法，很容易就可以將各國的紀年加以對比，甚至統一起來。在春秋戰國時代，這種紀年法所以會流行一時，實在是有其道理的。而《左傳》和《國語》是最早出現這種紀年法的古籍，其意義確屬非凡。

襄公九年（西元前564年），歲在實沈，上距成公十六年（西元前575年）沙隨之會，歲在鶉首，前後剛好12年，所以季武子一提到魯襄公生于沙隨之會那年，晉悼公馬上就知道襄公虛歲十二，因為木星剛好一周天，他說：「是謂一終，一星終也。」正是指木星的行次而言。而昭公八年（西元前534年），歲在析木，昭公十一年（西元前531年），歲在豕韋（即娵訾），《左傳》更是記載得十分清楚。至於昭公九年（西元前533年）杜預注云：「是歲歲在星紀，五歲及大梁，而陳復封。自大梁四歲而及鶉火，後四周四十八歲，凡五及鶉火，五十二年。」也是稍加推算，就不難明白的。《左傳》之歲星紀事都集中在襄公、昭公年間。如果將襄公元年至昭公三十二年的歲星所在製成圖表（如表一），那就更可以一目瞭然了。

表一　襄公元年至昭公三十二年歲星所在表

十二次	壽星	大火	析木	星紀	玄枵	娵訾	降婁	大梁	實沈	鶉首	鶉火	鶉尾
年份	襄元	襄2	襄3	襄4	襄5	襄6	襄7	襄8	襄9	襄10	襄11	襄12
	襄13	襄14	襄15	襄16	襄17	襄18	襄19	襄20	襄21	襄22	襄23	襄24
	襄25	襄26	襄27	襄28	襄29	襄30	襄31	昭元	昭2	昭3	昭4	昭5
	昭6	昭7	昭8	昭9	昭10	昭11	昭12	昭13	昭14	昭15	昭16	昭17
	昭18	昭19	昭20	昭21	昭22	昭23	昭24	昭25	昭26	昭27	昭28	昭29
	昭30	昭31										

《左傳》在實際運用歲星紀年法時，卻發現了天象與曆法有不能密合的情況，如：

> 春，無冰。梓慎曰：「今茲宋、鄭其饑乎！歲在星紀，而淫於玄枵，以有時菑。」（襄公二十八年）

> 裨竈曰：「今茲周王及楚子皆將死。歲棄其次，而旅於明年之次，以害鳥帑，周楚惡之。」（襄公二十八年）

> 於子蟜之卒也，將葬，公孫揮與裨竈晨會事焉。過伯有氏，其門上生莠，子羽曰：「其莠猶在乎？」於是歲在降婁，降婁中

而旦，裨竈指之，曰：「猶可以終歲，歲不及此次也已。」及其亡也，歲在娵訾之口，其明年，乃及降婁。（襄公三十年）

襄公二十八年，歲星應在星紀，實際上卻超過一個次，走到明年之次——玄枵，這是什麼緣故呢？原來古人不知歲星並非十二年一周天，而是11.85865年（4332日）就繞天運行一周，每年都要比一個次（30度）超出0.3542度，累積84.7年就會超過一個次，此之謂「超辰」（十二次可配子丑寅卯等十二辰，故超次謂之超辰，又叫跳辰）。超辰之說是漢代劉歆的《三統曆》首先提出的。不過，他認為歲星每144年超辰一次，則是不夠精細，到了南北朝時，祖沖之《曆議》謂歲星行天七匝，輒超一位，才較接近真值。除此之外，木星視運動的不均勻也可能產生超速的現象。這是由於木星繞日運行，地球也在繞日運行，兩者速度不同，人從不同的軌道點看去，就覺得木星有見、伏、遲、疾、行、留、順、逆各種現象[19]，其理參看圖四（外行星運動圖解，採自陳遵嬀《中國天文學史・天象紀事編》，頁492），自然明瞭。鄭慧生云：

「合日」之後，「東行十二度，百日而止」（《史記・天官書》），百日當行8.33度，今行十二度，一下子多走了二十天的路程。現在歲星該在「星紀」，「而淫於玄枵」，就是這種超前速度所致。百日以後，歲星速度放慢，「停留」、「逆行」，然後把超前的路程再退回來，於是歲星紀年又恢復正常。[20]

19 高平子曰：「凡曲勢向東者為順行，向西者為逆行，不東不西者為留。有點線區域者，行星過近太陽（約十五度以內）而不能見，古書謂之『伏』，或『入』，或『沒』。」（《史記・天官書今註》，頁34）

20 見《古代天文曆法研究》，頁75。

誠然，木星超速也可能造成超辰的現象，但不須多久，又會因停留、逆行而使歲星紀年恢復正常。這與84年的超辰使得天象與曆法無法相合是不相同的。

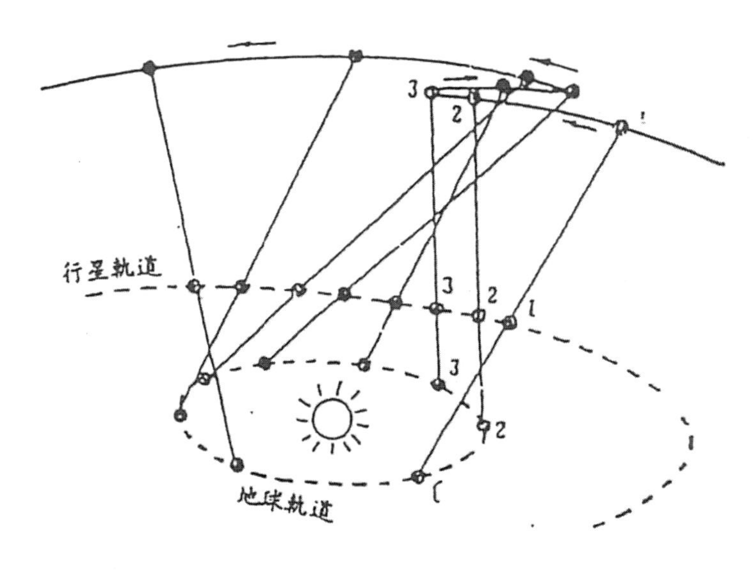

圖四　外行星運動圖解

我們再看看，襄公三十年（西元前543年）歲在娵訾，次年到達降婁，歲星的紀年似乎又恢復正常，這只有幾種可能：

1、如鄭慧生所言，襄公二十八年的超辰只是短期超速，不久就恢復正常，但襄公二十八年梓慎說「歲在星紀，而淫於玄枵」是在正月，裨竈說「歲棄其次，而旅於明年之次」是在八月，相去已逾半年，歲星仍然超辰，然則短期超速的可能性似乎不大。

2、如杜預注所云：「二十八年，歲星淫於玄枵，今三十年在娵訾，是歲星停在玄枵二年。」也就是襄公二十九年歲星曾在玄枵多停一年，以補足襄公二十八年的超辰。但超辰之說直至漢代劉歆才提出，古人不知，在曆法上更無兩年停一次之理。程師旨雲云：「歲星有公轉，有自轉，每秒速率為八．一哩，豈有停居玄枵二年而不運行乎？以周時不知歲星超辰，故記載有誤也。」[21]足駁杜氏之非。

3、如竹添光鴻所云：「二十八年傳是驗星行之實，三十年及昭八年、十年、十一年傳是但舉歲次之名，觀象與紀道，事不相蒙。」[22]是天象自天象，紀年自紀年，二者已經逐漸脫節了。這種可能性倒是相當大。

無論如何，歲星的超辰的確造成紀年的困擾，《左傳》之歲星紀年只局限在襄、昭二公年間，其關鍵或許在此。後代所以創立太歲紀年法以與歲星紀年法相對應[23]，東漢順帝以後，所以廢歲星紀年法改為干支紀年，也都是為了避免這種困擾。

固然，歲星紀年法並不是理想的紀年方式，但《左傳》、《國語》首先提到它，就天文學史立場而言，還是很有價值的。而且《國語》所記的歲星運行從來沒有遲速之差，完全符合人們心中的理想周期，則不如《左傳》所載超辰的現象那樣符合客觀的自然規律，足見在這方面，《國語》的價值是趕不上《左傳》的。[24]

---

21 見《春秋曆數》講義第六篇，頁26。

22 見《左傳會箋》第十八，頁49。

23 所謂太歲紀年法，是假想有一個看不見的理想天體——太歲星（又名青龍，天一或歲陰、太陰），其運行方向與歲星相反，從東向西（左行，由北而東而南而西），也是12年一周天，但是速度均勻。它和歲星大致保持一定的對應關係，如歲星在星紀，太歲便在析木（寅）；歲星在玄枵（子），太歲便在大火（卯）。劉歆的超辰法提醒人們，要得到連續而不混亂的紀年，就應該拋棄這種對應關係，所以太歲紀年法後來就蛻變為單純的干支紀年法。詳見中國天文學史整理研究小組編著：《中國天文學史》，頁114-115。

24 鄭慧生云：「《國語》所記歲星紀年，都不是當事者的實際紀錄，而是不懂『超辰』的戰國人根據《左傳》所作的推算。此人寫作態度與《左傳》作者明顯不同，一個全憑實錄，一個加以推算。這樣的不同說明一個問題：《左傳》的作者與《國語》的作者不會是一個。」（《古代天文曆法研究》，頁92）

（二）火星（熒惑）

火星是太陽系第四顆行星，直徑僅為地球的0.53倍，體積為地球的0.15倍，有兩個小衛星。它是最接近地球的外行星，與地球的距離有極大的變化，在最接近時亮度為-2.8等，超過木星，在遠離時則不甚醒目。而其顏色呈火紅色，順行、逆行的情形非常錯綜複雜，也給人一種恐怖迷惑的感覺。無論古今中外，都視之為不祥之物，西方稱之為Mars（戰神名），中國古時稱之為熒惑，殆以此故。在星占史上，熒惑是重要的星體，但在先秦古籍則缺乏明細的記載，《左傳》有云：

> 若火作，其四國當之。在宋、衛、陳、鄭乎！宋，大辰之虛也；陳，大皞之虛也；鄭，祝融之虛也，皆火房也。（公十七年）

杜預注僅云：「房，舍也。」其他各家均未詳解，陳遵嬀獨云：「火房意即火星所舍之次，這裡『火』當指五大行星之一的火星，才能繞日運行，移動它的位置，時而走到大辰之虛，時而走到祝融之虛。」[25]先秦古書所載的火多指恆星心宿，不指行星火星，但火星的公轉周期約一年又三百二十二日，其與心宿相遇有一定的周期，所以熒惑和心宿還是有密切關係的，《呂氏春秋・制樂篇》云：「熒惑在心」，就是一個明證，所以陳遵嬀之說有足以採信之處。《左傳》又云：「古之火正，或食於心，或食於味，以出內火。是故味為鶉火，心為大火。」（襄公九年）陳遵嬀也說：「這裡的『或食於心，或食於味』是表示

25 見《中國天文學史・天文測算編》，頁151。

行星移動的現象。」[26]其說於「食」字無著，較缺乏說服力。此處應該是指古之火正食邑，或封之於心宿分野，或封之於柳宿分野，猶如《尚書・堯典》羲氏、和氏之分在四方，既便於觀測及祭心宿，也便於推行火政，其重點皆在大火星，而與熒惑無關。

五　異星紀事

（一）客星

客星，現代天文學稱之為「新星」或「超新星」，是一種爆發型的變星。恆星如果外表氣殼突然激烈爆炸，亮度驟增幾千到幾百萬倍的叫新星；如果整個激烈爆炸，亮度驟增幾千萬到幾億倍的叫超新星。後來亮度慢慢減弱，在幾年或十幾年後往往又恢復為微光的星，宛如在天空中作客一般，所以稱之為客星。這種異星，其見無期，其行無度，與一般變星之亮度有規則的周期變化，顯然有所不同。早在甲骨文中就有「新大星」、「新星」的紀錄。《左傳》也說：

> 春王正月，有星出于婺女。鄭裨竈言於子產曰：「七月戊子，晉君將死。」（昭公十年）

杜預注云：「客星也，不書非孛。」古代限於科學水準，測候雖勤，分類往往未密，所以《左傳》只著錄「有星出于婺女」，並未注明是何種星辰，直至《史記・天官書》才正式定名為客星。而《漢書・天文志》以降，也往往將客星和彗孛相混，杜注特別將它和彗孛區分開來，其故在此。

---

26 同上注。

（二）彗星（孛）

天上的星象，除了日月食之外，最讓古人驚異的莫過於彗星。彗星是太陽系裡的一種特殊星體，數量大約有一千億顆，能被人們觀測到的卻少之又少，每年不過十顆左右而已。有的彗星體積龐大，亮度超過金星，連白天都可看到，其實質量不大，大約需六百億個彗星才能等於一個地球。彗星的結構通常可分為彗核、彗髮、彗尾三部分，而其內容主要是由鐵、鎳、鈣、冰等流星物質及氫、氧、氫氦、碳氫等氣體集合而成。由於長相特殊，來歷又不明，從古以來都被視為不祥之物，而賦予孛星、妖星、欃搶、天欃、天槍、蓬星、燭星、長星、掃帚星等各種異名。近年出土的馬王堆漢墓帛書《天文氣象雜占》，其中彗星圖就有29幅之多（見圖五，採自《馬王堆漢墓》，頁129。其中第三天箭圖不清，第廿一圖文均不清，沒有列出。），琳瑯滿目，形狀各殊，足見古人觀測之精細。在《春秋》之中，孛凡四見，在《左傳》之中，彗凡二見[27]：

> 秋七月，有星孛入於北斗。（文公十四年經）有星孛入於北斗。周內史叔服曰：「不出七年，宋、齊、晉之君皆死亂。」（文公十四年傳）

> 冬，有星孛於大辰。（昭公十七年經）冬，有星孛於大辰西，及漢，申須曰：「彗所以除舊布新也。天事恆象，今除於火，火出必布焉，諸侯其有火災乎？」（昭公十七年傳）

---

27 朱文鑫云：「孛之名始見《春秋》，書諸經者凡三，彗之名始見於戰國及秦，載諸史者凡九。」（《天文考古錄》，頁59）按孛之見於經者應為四次，朱氏少算了一次。

> 齊有彗星，齊侯使禳之。晏子曰：「無益也，祇取誣焉。」（昭公二十六年傳）

> 冬，十有一月，有星孛于東方。（哀公十三年經）

> 冬有星孛。（哀公十四年經）

彗星的運行軌道有三種，即橢圓形、拋物線型及雙曲線型，第一種為周期彗星，其餘兩種為一去不返的非周期彗星。在周期彗星中，第一個被發現周期，而且聲名最著的是哈雷彗星，許多學者都認為文公十四年（西元前613年）的「有星孛入于北斗」是世界上最早的哈雷彗星紀錄[28]，從秦王政七年（西元前230年）到清宣統二年（西元1910年），哈雷彗星的二十九次回歸更在中國古籍中一一留下了紀錄，從未間斷。這些都是彌足珍貴的天文學資料。昭公十七年的「冬有星孛于大辰」也記了彗星的位置。哀公十三年的「有星孛於東方」，只記其方位，杜預注云：「平旦眾星皆沒，而孛乃見，故不言所在之次。」[29]只有哀公十四年「冬有星孛」未言彗星所在，大概是史料失傳的緣故。綜觀這四次《春秋》的紀錄，大多記載了彗星出現的時間、位置或方位，這也為後世更詳盡的天文紀錄樹立了良好的典範。傳文中兩度提到彗星，昭公十七年那次以彗釋孛，乃是彗孛渾言無別

---

28 威廉《中國彗星》一書之說，見陳遵嬀《中國古代天文簡史》，頁65。張鈺哲則以為《淮南子．兵略篇》：「武王伐紂，東面而迎歲，……彗星而出授殷人其柄。」也是哈雷彗星的紀錄。誠如其說，則哈雷彗星的最早紀錄又要提前到西元前1056年武王伐紂了。見李芝萍、徐登里編《星象預測萬年曆》，頁112。

29 楊伯峻云：「《公羊傳》云：『孛者何？彗星也。其言于東方何？見於旦也。』日出於東方，若非陰沈雲厚，彗星光芒不易見。《公羊》之說可疑，而杜取之。」（《春秋左傳注》，頁1675）

的緣故，這在科學不太發達的古代是常有的現象。《漢書・文帝紀》文穎注云：「孛、彗形象小異，孛星光芒短，其光四出，蓬蓬孛孛也；彗星光芒長，參參如掃彗。」則顯然是後世較為仔細的析言。而另外一次，昭公二十六年《左傳》所提到的彗星並未見於經文，杜預注：「出齊之分野，不書，魯不見也。」竹添光鴻則不以為然，而曰：「彗度高於月，而齊魯比鄰，安有齊見而魯不見之理哉？經不書者，其所出玄枵之次，其為異輕，非北斗、大辰之比故爾。蓋小事不書，《春秋》之例也。」[30]其說足以駁正杜氏之非。

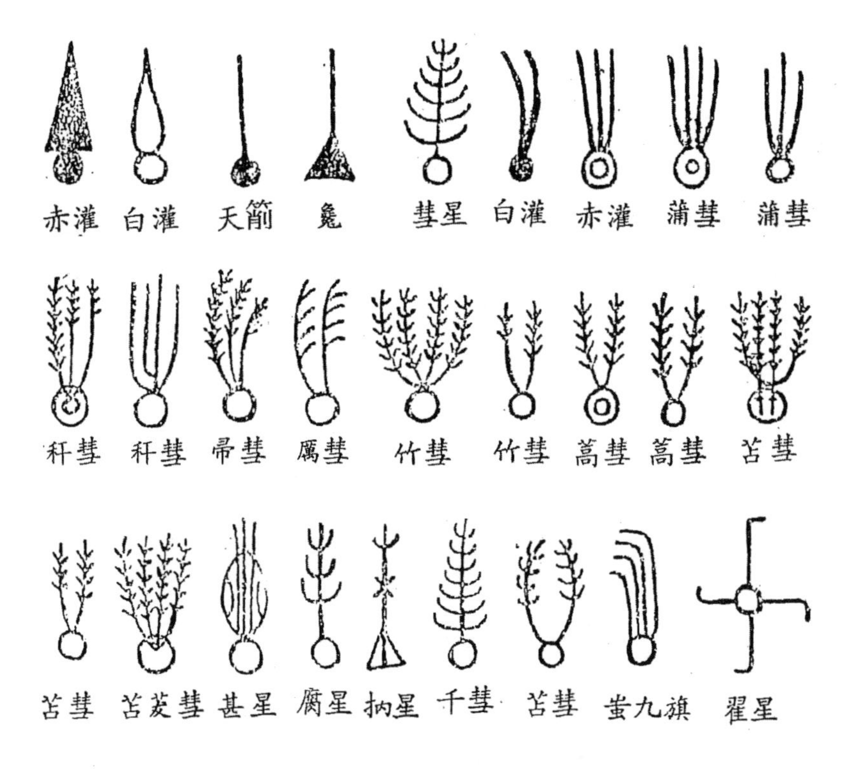

圖五　《天文氣象雜占》中彗星圖

30　《左傳會箋》第二十五，頁54。

（三）流星、隕石

在晴朗的夜晚，突然有星光劃破天空，轉瞬就消失無蹤的，就是流星。如果流星大大小小不計其數，從一個輻射點向四方流竄的，就叫流星雨。流星本來只是太陽系內的天體碎片或宇宙塵，由於受到地球引力的吸引，以每秒數十公里的速度穿越大氣層，因而產生燃燒發光的現象。它和日月、五星、恆星、客星、彗星等性質完全不同，只是古人認知不足，所以才將它納入異星的範圍，甚至當作星占的重要對象。《春秋・左傳》中曾記載：

> 夏四月辛卯，夜，恆星不見。夜中，星殞如雨。（莊公七年經）
> 夏，恆星不見，夜明也。星殞如雨，與雨偕也。（莊公七年傳）
> 春王正月戊申朔，隕石於宋五（僖公十六年經）春，隕石於宋五，隕星也。（僖公十六年傳）

莊公七年（西元前687年）的流星紀事，《不修春秋》（魯國史官所記的原本《春秋》）本作「雨星不及地而復」，是孔子將它改成「星隕如雨」的[31]。《公羊》、《穀梁》二傳都解為流星極多，似雨而落，只有《左傳》將「如」解釋為「而」，謂星與雨同時俱下。流星通常見於晴朗的夜晚，很少發生在雨天，而且「星殞如雨」是足以讓古人駭異的流星雨，所以孔子才用「如雨」來形容此一奇觀，而《左傳》所釋，實不如公、穀妥貼，根據法國天文學家俾俄（J. B. Biot）《中國流星》的推算，這是世界上最古的天琴座流星雨的紀事[32]。誠如其說，則這條紀錄更是彌足珍貴。流星如果體積較大，沒有燃燒完畢就掉在地上

31 見《公羊傳》莊公七年。

32 見陳遵嬀：《中國古代天文學簡史》，頁73。

的，就是隕石。僖公十六年（西元前644年）在宋國落下了五塊隕石，這是世界上最早的隕石紀錄，難得的是《左傳》說它是「隕星」，比起歐洲直至西元1803年才知道隕石來自天外[33]，實在先進得多。

六　四象、十二次、分野

（一）四象

所謂四象，又稱四陸、四宮、四獸或四維。即將星空聯想成四種不同的動物形象。分別為東方蒼龍、北方玄武、西方白虎、南方朱雀，每一象都包含了二十八宿中的七個宿。原來各不相關的七個宿經過這一番聯想之後，關係頓時趨於密切，而且便於辨識與觀測了。早在戰國初年，曾侯乙墓的漆箱蓋上就有二十八宿青龍白虎圖象。足見四象的由來甚古。《左傳》昭公十年云：「天以七紀」。顯示當時不僅有二十八宿，而且也有四象，只是它們都散見全書，而且名稱也不顯著而已。

1　東方蒼龍（龍）

東方蒼龍包含有角、亢、氐、房、心、尾、箕七宿。《左傳》除了著錄心、尾二宿外，也數度提到「龍」，就是指東方蒼龍而言：

> 秋，大雩。書，不時也。凡祀，啟蟄而郊，龍見而雩，始殺而嘗，閉蟄而烝。過則書。（桓公五年）

> 凡土功，龍見而畢務，戒事也。（莊公二十九年）

33 見中國天文學史整理研究小組編著：《中國天文學史》，頁147。

丙之晨，龍尾伏辰。（僖公五年）

龍見，是說蒼龍的角（室女座 $\alpha\xi$）、亢（室女座 $\chi\iota\lambda\psi$）兩宿在夏曆四月黃昏出現於東方，就可以舉行祈雨的雩祭；在夏曆九月清晨出現於東方，就可以結束農事，開始準備土木工程了。由於角宿是二十八宿的第一個宿，主星角宿一（室女座α）為1.2等星，從北斗七星的斗杓三星順勢略作30°的曲線，很容易就可以找到大角（牧夫座α，0.2等星）及角宿一，所以只要角、亢二宿出現，就曉得蒼龍已開始現身了。至於「龍尾」謂尾宿為蒼龍之尾，形象也十分鮮明。

2 北方玄武（北陸）

北方玄武包含斗、牛、女、虛、危、室、壁七宿。《周禮・考工記》云：「龍旂九斿以象大火，鳥旟七斿以象鶉火，熊旗六斿以象伐，龜蛇四斿以象營室。」足見玄武就是龜蛇。《左傳》除了著錄女、虛、營室三宿外，昭公四年也曾提到「古者日在北陸而藏冰」，北陸即指北方玄武七宿。《爾雅・釋天》：「北陸，虛也。」乃舉中央的虛宿以為代表，說已見前，不贅。

3 西方白虎（西陸）

西方白虎包括奎、婁、胃、昴、畢、觜、參七宿。《左傳》除著錄參宿外，昭公四年也曾提及「西陸朝覿而出之」。西陸即指西方白虎而言，唯「西陸朝覿」則有二種不同說法：

（1）杜預注：「謂夏三月，日在昴畢，蟄蟲始出而用冰，春分之中，奎星朝見東方也。」案《爾雅・釋天》：「西陸，昴也。」乃是舉中央的昴宿作為西方白虎的代表。朝覿，謂星在日前15°則清晨見於東方。據《呂氏春秋・季春紀》：「季春之月，日在胃。」昴宿（金牛座17、19、21、20、23、25、27）在胃宿（白羊座35、39、41）之後，須俟四月才能朝覿。而春分（二月中氣）朝覿的奎宿（仙女座 $\eta\xi\varepsilon\delta\pi\sigma\mu\beta$ 及雙魚座 $\sigma\tau\iota\chi$）不過是白虎七宿的第一宿而已。不足以代表白虎七宿，所以杜氏之說不符傳意。

（2）孔穎達《正義》引《鄭志》答孫皓問云：「西陸朝覿，謂四月立夏之時，《周禮》『夏班冰』是也。」據《呂氏春秋・孟夏紀》：「孟夏之月，日在畢。」昴宿在畢宿（金牛座 $\varepsilon\delta_1\delta_3\gamma\alpha\theta^1 71\lambda$）之前，所以夏曆四月朝覿，鄭玄之說舉昴宿以賅白虎七宿，與《爾雅》相符，與上文「日在北陸而藏冰」之舉虛宿以賅北陸亦相應，較為可取。

4　南方朱雀（鳥）

南方朱雀包含井、鬼、柳、星、張、翼、軫七宿。《左傳》除著錄柳宿外，又云：

> 裨竈曰：「今茲周王及楚子皆將死。歲棄其次，而旅於明年之次，以害鳥帑，周、楚惡之。」（襄公二十八年）

杜預注云：「歲星所在，其國有福。失次於北，禍衝在南。南為朱鳥，鳥尾曰帑，鶉火、鶉尾，周楚之分，故周王、楚子受其咎。」足見鳥指南方朱雀七宿。鳥帑指鶉尾。朱雀由鶉首、鶉火、鶉尾三次組合而成，鶉尾為楚之分野，鶉火為周之分野。歲星失次，禍衝在南，所以周王、楚子受其害。

（二）十二次

古代天文學家將周天分為二十八宿，用以觀測日月五星的運行，確實十分方便，唯二十八宿少則2°（如觜巂），多則33°（如東井），未

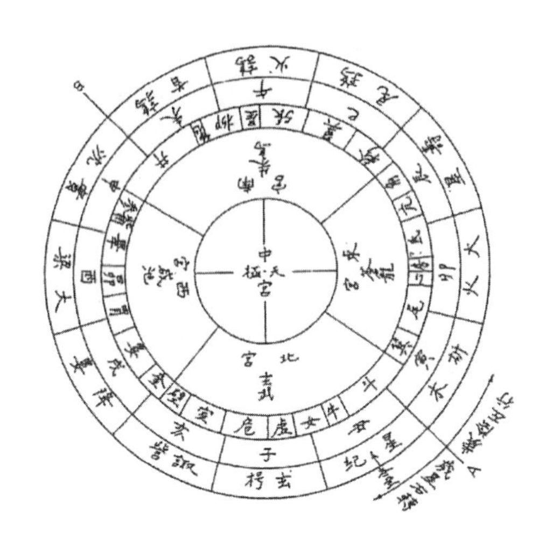

圖六　五宮二十八宿十二次方位配合圖

免失之參差。後來有人發現歲星十二年一周天，於是就想到，如果將周天十二等分（每一等分古度為30°43’68’，今度為30°），與二十八宿相配，不就既可以記錄歲星的行度，又可以記錄日月及其他行星的行度了嗎？這就是十二次的由來。所謂十二次就是日月五星運行所經的十二個處所，相當於西洋的黃道十二宮，由西向東，分別為壽星、大火、析木、星紀、玄枵、娵訾、降婁、大梁、實沈、鶉首、鶉火、鶉尾（參見圖六：五宮二十八宿十二次方位配合圖，採自高平子《史記天官書今註》，頁85）。這些名稱雖是到了《漢書・律曆志》才正式確定，並且完整紀錄下來，但其形成，則可上溯到先秦。因此，在《左傳》當中，我們已可找到它們大部分的踪影：

> 古之火正，或食於心，或食於咮，以出內火。是故咮為鶉火，心為大火。（襄公九年）

> 宋，大辰之虛也。（昭公十七年）

> 今在析木之津，猶將復由。（昭公八年）

> 歲在星紀，而淫於玄枵。（襄公二十八年）

今茲歲在顓頊之虛，姜氏、任氏實守其地，居其維首，而有妖星焉。（昭公十年）

及其亡也，歲在娵訾之口，其明年乃及降婁。（襄公三十年）

蔡凶。此蔡侯般殺其君之歲也，歲在豕韋，弗過此矣！（昭公十一年）

歲及大梁，蔡復，楚凶，天之道也。（昭公十一年）

故參為晉星，由是觀之，則實沈參神也。（昭公元年）

唐叔受之，以處參虛。（昭公十五年）

丙子旦，日在尾，月在策，鶉火中，必是時也。（僖公五年）

歲棄其次，而旅於明年之次，以害鳥帑，周楚惡之。（襄公二十八年）

除了壽星、鶉首未見外，其餘十次均已粲然略備，而且異稱極多，如大辰之虛即大火，顓頊之虛即玄枵，豕韋即娵訾，參虛即實沈，鳥帑即鶉尾[34]，顯示當時應該已有完整的十二次，否則如何用來紀年而無

34 《左傳》昭公十年：「今茲歲在顓頊之虛，姜氏、任氏實守其地，居其維首。」杜預注：「姜，齊姓；任，薛姓。齊、薛二國守玄枵之地。」故顓頊之虛即玄枵。昭公十一年：「此蔡侯般殺其君之歲也，歲在豕韋，弗過此矣！」《廣雅．釋天》云：「營室謂之豕韋。」木星紀年皆依十二次，危、室、壁、奎屬娵訾，故豕韋即娵

扞格呢？只是《左傳》隨文臚舉，故未能見其全貌而已。而異稱較多，亦足見當時十二次仍在演變階段，猶未成為定型。《爾雅．釋天》云：

> 壽星，角亢也，大辰。房心尾也；大火謂之大辰。析木之津，箕斗之間，漢津也。星紀，斗牽牛也。玄枵，虛也。娵訾之口，營室東壁也。降婁，奎婁也。大梁，昴也。柳，鶉火也。

一共只提到九次，較《左傳》為少，而且有很多地方顯然是《左傳》的注腳。可見《左傳》在十二次的發展史上，實具有舉足輕重的地位。至於十二次之得名，新城新藏云：

> 壽星之命名，為其當二十八宿之起首（角、亢）。大火本為星名。析木之意義不明。星紀之命名，為其含有冬至點。玄枵之命名，為其含有虛之意。虛之名係由于其本來之星象類似廬墟之形，乃原有墟或丘之意，至後更加以堯時代之冬至點之思想，遂成空虛之意，而以含此次名為玄枵者歟？娵訾或豕韋之名，係由來於分野之分配。降婁原為星名，乃與奎婁同音。大梁及實沈之名，係由來於分野之分配。鶉首、鶉火、鶉尾之名，係以其星象分布之形擬為朱鳥而來。[35]

可見十二次之命名，除與星象有關外，與分野亦密不可分，因為它的起源，本來就和星占不可割離呀！到了《漢書．律曆志》以後，十二

訾，特舉營室以為代表而已。其餘大辰之虛即大火，參虛即實沈，鳥帑即鶉尾，俱詳上文。

35 見《中國天文學史研究》，頁407。

次不僅配二十八宿，還配二十四節氣，其用途就更廣了。不過，由於春分點因歲差而逐年西退的緣故，十二次與二十八宿的對應關係，實際上已隨著時代而有所移易。十二次在今日看來，和黃道十二宮一樣，只是星占的工具、天文的遺跡而已[36]。

（三）分野

《國語・周語》云：「歲之所在，則我有周之分野也。」《周禮・春官・保章氏》也說：「以星土辨九州之地。所封封域皆有分星，以觀妖祥。」可見分野是基於天人感應思想，將天上的星象和地上的州國彼此對應，藉以道禨祥、驗吉凶的一種制度。天上的列宿為地上州國的分星，地上的州國為天上列宿的分野。反過來說，天上的列宿也可以稱為地上州國的分野，彼此密切相關，互相影響。對於星相家而言，這真是一種最好的星占理論，所以從春秋戰國以後分野就成為星占學的重要內容。《左傳》是最早提到分野的古籍之一，而且言之不厭其詳：

> 龍，宋、鄭之星也。宋、鄭必饑。玄枵，虛中也，枵，耗名也。土虛而民耗，不饑何為？（襄公二十八年）

> 宋，大辰之虛也；陳，大皞之虛也；鄭，祝融之虛也，皆火房也。（昭公十七年）

> 今茲歲在顓頊之虛，姜氏、任氏實守其地，居其維首，而有妖星焉。（昭公十年）

---

36 詳見陳遵嬀：《中國古代天文學簡史》，頁90-92。

去衛地，如魯地，於是有災，魯實受之。（昭公七年）

遷閼伯於商丘，主辰，商人是因，故辰為商星。遷實沈於大夏，主參，唐人是因，以服事夏、商。……故參為晉星。（昭公元年）

歲棄其次，而旅於明年之次，以害鳥帑，周、楚惡之。」（襄公二十八年）

不及四十年，越其有吳乎！越得歲，而吳伐之，必受其凶。（昭公三十二年）

依《左傳》之說，宋、鄭為東方蒼龍分野[37]，宋為大火分野。齊為玄枵分野，晉為實沈分野，周、楚為南方朱雀分野，其餘則不太清楚[38]。到了東漢，鄭玄之注《周禮・春官・保章氏》云：

星紀，吳越也；玄枵，齊也；娵訾，衛也；降婁，魯也；大梁，趙也；實沈，晉也；鶉首，秦也；鶉火，周也；鶉尾，楚也；壽星，鄭也；大火，宋也；析木，燕也。

以十二次配列國，所言就更為明備了。從先秦到東漢，隨著星占的百家爭鳴，分野之說也呈現著異說紛紜的局面，如《呂氏春秋・有始

37 《左傳》襄公二十八年杜預注云：「歲星，木也，木為青龍。……歲星本位在東方，東方房、心為宋，角、亢為鄭，故龍為宋、鄭之星。」故宋、鄭為東方蒼龍分野。

38 《左傳》昭公七年杜預注：「衛地，豕韋也；魯地，降婁也。」昭公三十二年杜預注：「此年歲在星紀，星紀，吳、越之分也。」皆依後代之說注之，其義始瞭。

篇》以九野配九州，《淮南子・天文篇》以二十八宿配列國，《史記・天官書》以二十八宿配十二州，以五星配列國，《漢書・地理志》以十二次二十八宿配列國，《春秋緯》以北斗七星配九州皆是[39]，足見分野之說宛如喬太守亂點鴛鴦譜，只是星占家用以熒惑世人的工具，不值得深信。不過，在古代迷信與科學往往只是一線之隔，陳遵嬀云：

> 這種占星術，很能引起當時人們對星象觀測的重視；因而，在天文學逐漸精密化、逐漸數量化的漫長過程中，分野說起了相當的作用。[40]

足見包含《左傳》在內的這些分野資料，在天文學的發展史上還是具有相當的價值。

七　辰

新城新藏云：「辰者，實極重要之字也。余嘗謂苟真能明解此字之意義與來歷，則自足以明中國古代天文學之發達者矣！」（《中國天文學史研究》，頁4），在天文學史上，「辰」字固然十分重要，但其意義則言人人殊，早在魯昭公七年（西元前535年），晉平公就曾問伯瑕（士文伯）說：「多語寡人辰而莫同，何謂辰？」而《左傳》一書中所提及的辰的確就有多種意義：

（一）天象之代表

在觀象授時時代，辰的原始意義是選擇一定的星象作為分辨一年

39 詳見陳遵嬀：《中國天文學史・星象編》，頁177-183。

40 見陳遵嬀：《中國天文學史・星象編》，頁184。

四季的標準。不同時代或不同地區的人，其選擇觀測的星象可能就有所不同，《左傳》云：

> 遷閼伯於商丘，主辰。商人是因，故辰為商星。遷實沈於大夏，主參，唐人是因，以服事夏、商。……故參為晉星。（昭公元年）

> 冬，有星孛於大辰西，及漢。（昭公十七年）

> 十一月乙亥朔，日有食之。辰在申，司歷過也，再失閏矣！（襄公二十七年）

> 三辰旂旗，昭其明也。（桓公二年）

> 在此月也，日過分而未至，三辰有災。（昭公十七年）

大火（心宿二）是東方蒼龍中最明亮的大星，從古以來就是觀象授時的重要指標，甚至據以制定火曆，所以殷商人乃至春秋時代的宋人皆視之為辰，或稱之為大辰。唯《公羊傳》昭公十七年云：「大辰者何？大火也。大火為大辰，伐為大辰，北辰亦為大辰。」就唐人、晉人而言，則西方白虎中最明亮的參宿才是他們的大辰（伐為參宿中央三星，代表參宿）。而北辰居其所，眾星拱之，當然北極星也就可以稱之為辰。左氏、公羊所言，各有所主，實不相妨。在紫微垣中的北斗七星是另一個亮麗醒目的星座，斗柄可以當作天然時鐘使用，既指明時辰，也指明月份與季節，所以《左傳》也稱斗柄為辰。到了後來，因為日月星都是觀象授時的重要依據，索性就合稱三辰了。

（二）時間之階段

時間與空間、天文與曆法都是息息相關、密不可分的，所以辰有時也就指時間而言，《左傳》云：

> 公曰：「何謂六物？」對曰：「歲、時、日、月、星、辰是謂也。」
> 公曰：「多語寡人辰而莫同，何謂辰？」對曰：「日月之會是謂辰，故以配日。」（昭公七年）
>
> 丙之晨，龍尾伏辰。（僖公五年）
>
> 入郢必以庚辰，日月在辰尾，庚午之日，日始有謫，火勝金，故弗克。（昭公三十二年）
>
> 故〈夏書〉曰：「辰不集於房，瞽奏鼓，嗇夫馳，庶人走。」此月朔之謂也。（昭公十七年）
>
> 辰在子卯，謂之疾日。（昭公九年）

針對晉平公「何謂辰」的問題，伯瑕的答覆是「日月之會是謂辰」，也就是月朔時推定日月交會的位置，即可決定年月日時，因此日月交會之際就是辰。「龍尾伏辰」、「日月在辰尾」，謂夏曆十月朔，日月交會于尾宿。「辰不集於房」，謂日月交會時不輯睦於次，故發生日食。都是符合伯瑕所言之意。後來，由於日月聚會有時，辰遂引申為一切時日。「辰在子卯，謂之疾日。」就是指在干支記日中，商紂亡於甲子曰，夏桀亡於乙卯日，故後人以甲子、乙卯為忌日。

綜合上述各種說法，新城新藏曾云：

> 在中國古代，辰或為大火，或為參伐，或為北斗。至周初用二十八宿之時，則視日月之交會點為辰。厥後，至春秋中葉，用土圭測太陽高度之時代，則指日（太陽）稱辰。要之，自西元前二、三千年至西元前六百年間，中國之天文學史，可謂衹是辰之變遷歷史而已。[41]

關於辰的一些不同說法，在《左傳》中大多有所涉及，對研究辰之變遷歷史，甚至研究中國古代的天文學而言，《左傳》都提供了非常寶貴的史料。

八　結論

綜觀上述，我以為有幾點特別值得注意：

（一）《左傳》所蘊含的天文史料十分豐富，舉凡日躔、日食、恆星、行星、異星、四象、十二次、分野、辰等古代天文學較重要的領域皆有所涉及，在先秦古籍中除《呂氏春秋》外尚無出其右者。

（二）這些材料散見全書，不似《呂氏春秋》之明備，此一則其書時代較早，大輅椎輪，難免較為簡陋，再則格於經傳及史書體例，僅能隨文臚舉。我們本來就不宜求全責備，更不能因其材料不夠完整，就懷疑四象、二十八宿、十二次之類在春秋時代是否已形成。

（三）四象、二十八宿、十二次等在《左傳》中不僅紀錄不甚完

41 新城新藏著，沈璿譯：《中國天文學史研究》（臺北：翔大圖書公司，1993年），頁

整，而且異名頗多，足見春秋時代天文學之發展雖有長足進步，仍未成為定型，這些材料對研究古代天文學之發展演進而言，具有相當價值。

（四）在日食、歲星紀年、彗孛、流星、隕石、辰等方面，《春秋左傳》不乏全世界最古老或最豐富的紀錄。不僅為中國學者所珍惜，亦為域外專家所重視；不僅可作為鑽研古代天文學的重要資料，也可供鑽研現代天文學的印證。其價值極高，值得多加闡揚。

（五）《左傳》本身的紀錄或杜預注以降的詮釋，固然殊多精義，但限於當時科學水準，錯誤亦在所難免。我們應該利用後人研究成果或現代天文知識予以匡正，而亦不可有菲薄前賢之心。

（六）《左傳》有許多天文紀事如日食、歲星、異星，往往充滿陰陽五行色彩，或夾雜星占迷信思想，這在科學與迷信同出一源的古代乃是極其自然的現象。我們只要予以適當釐清即可，不必一味加以排斥，本文限於篇幅，僅能點到為止，容俟來日專文論述。

——原載於《中正大學中文學術年刊》第3期（2000年9月），
頁115-163。

參考書目

一　專書

杜預注、孔穎達疏　《春秋左傳正義》　臺北　藝文印書館　1955年

竹添光鴻　《左傳會箋》　臺北　廣文書局　1961年

楊伯峻　《春秋左傳注》　臺北　源流出版社　1982年

何休解詁、徐彥疏　《春秋公羊傳注疏》 臺北　藝文印書館　1955年

范寧注、楊士勛疏　《春秋穀梁傳注疏》 臺北　藝文印書館　1955年

馮　澂　《春秋日食集證》　臺北　臺灣商務印書館　1968年

程發軔　《春秋曆數》講義　臺北　臺灣師範大學出版組　1967年

陳廖安　《春秋曆學研究》　臺北　臺灣師範大學國文研究所博士論文　1994年

秦蕙田　《五禮通考・授時通考》　臺北　聖環圖書公司　1994年

莊雅州　《夏小正析論》　臺北　文史哲出版社　1985年

江　永　《群經補義》(《皇清經解》本)　臺北　復興書局　1961年

雷學淇　《古經天象考》(《叢書集成續編》本)　臺北　新文豐出版公司　1989年

高平子　《史記天官書今註》　臺北　中華叢書編審委員會　1965年

陳遵嬀　《中國古代天文學簡史》　臺北　木鐸出版社　1982年

陳遵嬀　《中國天文學史》　臺北　明文書局　1985年

中國天文學史整理研究小組　《中國天文學史》　北京　科學出版社　1987年

（不詳）　《中國天文史話》　臺北　明文書局　1982年

中國天文學史文集編輯組　《中國天文學史文集》第三集　北京　科學出版社　1984年

朱文鑫　《天文考古錄》　臺北　臺灣商務印書館　1966年
鄭彗生　《古代天文曆法研究》　開封　河南大學出版社　1995年
新城新藏著，沈璿譯　《中國天文學史研究》　臺北　翔大圖書公司　1993年
能田忠亮　《東洋天文學史論叢》　東京　恆星社　1943年
朱文鑫　《歷代日食考》　上海　上海商務印書館　1934年
潘　鼐　《中國恆星觀測史》　上海　學林出版社　1989年
山本一清著，陳遵嬀譯　《宇宙壯觀》　臺北　臺灣商務印書館　1979年
劉韶軍　《神秘的星象》　南寧　廣西人民出版社　1991年
江曉原　《歷史上的星占學》　上海　上海科技教育出版社　1995年
李芝萍、徐登里　《星象預測萬年曆》　北京　氣象出版社　1999年
李約瑟著、曾謨譯　《中國之科學與文明》冊五　臺北　臺灣商務印書館　1975年
（不詳）　《馬王堆漢墓》　臺北　弘文館出版社　1985年

二　期刊論文

陳建樑　〈漢人七音解發微——兼評學界對左國歲星紀年的論爭〉　《國立編譯館館刊》　第23卷第2期（1994年）　頁77-97
莊雅州　〈呂氏春秋之天文〉　《淡江學報》　第26期（1988年）　頁9-33
莊雅州　〈古書中之北斗七星〉　《淡江大學中文學報》　第1期（1992年）　頁234-258

《周禮》天文資料析論

一　前言

《周禮》是西漢河間獻王所得先秦古文典籍之一，原名《周官》，王莽居攝八年（西元8年），才根據劉歆的建議，正名為《周禮》。東漢末年，鄭玄兼注三禮，由於他特別推崇《周禮》，後人又特別推崇鄭玄，《周禮》遂一躍而為三禮之首。劉宋立十經，唐代立九經，《周禮》皆在其中，南宋光宗紹興年間合刊《十三經注疏》，《周禮》更正式成為官定的經書，士子必讀、學者爭相鑽研的寶典。其書內容主要在記載周王朝以天地四時序列的中央六部官制，是介於理想與實際之間的著作。不過，漢代初年，〈冬官〉部分已經亡佚，懸賞購求不得，只好以〈考工記〉補之。全書的體例，是在六官每篇前面都有「惟王建國，辨方正位，體國經野。設官分職，以為民極。」[1]作為總序，接著是說明六官的總職，再簡要敘明各官的僚屬，以及官秩的高低和編制人員。然後列出官吏的職等、建制，最後詳細開列各屬官的專司職掌，這才是《周禮》的正文所在。[2]全書在政治、歷史、思想、科技等方面都有很高的價值，影響十分深遠。筆者在二十

1　（漢）鄭玄注，（唐）賈公彥疏：《周禮注疏》（臺北：藝文印書館，景印阮元刻《十三經注疏》本，1989年），頁10。本文凡引用《周禮》原文及注疏，皆用此本，僅隨文標明頁碼，不再加注。

2　莊雅州：《經學入門》（臺北：臺灣書店，1997年），頁101-109。

幾年前曾發表過一篇〈從科學觀點探討周禮〉論文，[3]對天文、數學、物理、生物、農學、化學、機械、建築、醫學等方面都略有著墨，其中天文方面也只是點到為止，未嘗深究。由於學界在這方面的研究成果寥若晨星，所以擬在此進一步加以探討，以補過去研究的不足，而供有志之士參稽。

二　天文機構及職官

《周禮》設官分職，天文曆法主要由春官宗伯的保章氏、馮相氏主管。春官掌邦禮，首長為大宗伯，舉凡宗廟祭祀、朝會、樂舞、卜筮、史冊、車馬、儀仗等皆屬之。天文曆法也是重要的邦禮之一，清代秦蕙田的《五禮通考》有〈觀象授時〉14卷專門加以探討，即是明證。[4]所以春官成為天文曆法的主管機構。由於天文曆法牽涉甚廣，由不同機構、不同官職分別掌理者為數不少。玆簡要介紹如下：

（一）保章氏

《周禮・春官・保章氏》云：

> 保章氏，掌天星以志星辰日月之變動，以觀天下之遷，辨其吉凶。以星土辨九州之地，所封封域，皆有分星，以觀妖祥。以十有二歲之相，觀天下之妖祥。以五雲之物，辨吉凶水旱降豐荒之祲象。以十有二風，察天地之和命、乖別之妖祥。凡此五物者，以詔救政，訪序事。（頁405-407）

3　莊雅州：〈從科學觀點探討周禮〉，《紀念林師景伊逝世十周年學術研討會論文集》（臺北：臺灣師範大學，1993年），頁405-420。

4　（清）秦蕙田《五禮通考》（臺北：復興書局《皇清經解》冊9，1961年）卷288-301，頁2991-3233。

陳遵嬀認為中國古代天文學可分成兩派：一派是天文觀測家，像《周禮》的保章，以及春秋時代的梓慎、裨竈等就是；另一派是實用天文學家，也就是曆法家，像《周禮》的馮相以及〈黃帝曆〉以降的102種曆法就是。[5]保章氏的工作主要有五項，包含：紀錄日月星辰的變動、辨別各封地與分星的對應、觀測木星十二年一周天的運行、觀測五種雲色與水旱豐荒的關係、考察十二辰不同風向的吉凶。這些工作不純是天象的觀測與紀錄，也包含氣候、占星的業務；不止是科學的專業，也彌漫迷信的色彩，這些現象，充分顯現中國古代天文學的特色。

（二）馮相氏

《周禮．春官．馮相氏》云：

> 馮相氏掌十有二歲、十有二月、十有二辰、十日、二十有八星之位，辨其敘事以會天位。冬夏致日，春秋致月，以辨四時之敘。（頁404-405）

馮相氏的工作有兩項：一為紀錄木星十二年的一周天，一年的十二月，地支紀月、紀時、紀方位的十二辰，天干紀日的十日，以及二十八宿的位置。這些都是客觀不變、無象可見的天時天位，[6]也是曆法的主要內容。〈秋官．硩蔟氏〉云：「掌覆夭鳥之巢，以方書十日之號、十有二辰之別、十有二月之號、十有二歲之號、二十有八星之號，縣其巢上則去之。」（頁558）就是這些曆法符號的表現與應用。

5　陳遵嬀：《中國古代天文學簡史》（臺北：木鐸出版社，1982年），頁14-15。

6　（清）雷學淇：《古經天象考》（臺北：新文豐出版公司《叢學集成續編》第七十八冊，1991年7月）卷五頁2（總頁86）。

第二項工作是在冬至、夏至測量日影長短，春分、秋分測量月影差異，以辨別四時的次第，這是根據天文的數據來校正曆法的精確度，可見天文、曆法是相輔相成，密不可分。

（三）其他相關職官

由於《周禮》時代介於科學與迷信之際，學科區分亦不明朗，天文官的任務是一個混合宗教祭祀、卜筮、天文觀測與資料紀錄的綜合體。[7]所以除了保章氏、馮相氏之外，《周禮》中與天文曆法有關的官員還有不少。據謝世俊的統計，涉及到冢宰、大司徒、大宗伯、大司馬、大司寇、大司空全部六位上卿，大夫一級19人，士235人，府、史、胥143人，徒614人，冬官大司空門下的人員還未統計在內。[8]舉其要者，如冬官玉人製作各種玉器（頁632），春官典瑞典藏各種玉器（頁315），其中有土圭，就是提供給馮相氏及夏官土方氏（頁503）、冬官匠人（頁642）等測量日月之影使用的。春官眡祲掌十煇之法（頁359），觀察太陽雲氣等的異象，作為占卜吉凶的根據。春官大史正歲年，頒告朔（頁401）則是屬於曆法方面的業務，夏官挈壺氏掌漏刻以計時（頁461），秋官司寤氏以星分夜（頁540）也都與曆法有關。就是這些不同機構、不同職官的通力合作，所以促進了古代天文曆法的發達。

三　天文儀器

在古代天文學萌芽之初，對於天象的觀測全憑目測，到了觀象授時時代，才開始使用儀器。近代西洋天文技術東傳之前，傳統的天文

7　劉昭民：《中華天文學發展史》（臺北：臺灣商務印書館，1985年），頁20。

8　謝世俊：《中國古代氣象史稿》（重慶：重慶出版社，1992年），頁297-305。

儀器主要為圭表、漏壺、渾儀、渾象，《周禮》一書中屢言圭表，而絕無儀、象的踪影。儀、象是測量天體位置和演示天體視運動的儀器，到漢朝渾天說興起後才趨於完備。[9]可見《周禮》應為先秦古書，不是宋儒或清末今文家所言為劉歆所偽造的。[10]不過，先秦已有窺管，或者傳說的璇璣玉衡，可說是渾儀的前身，《周禮》亦未提及，只能說是限於古書性質，史料不求完備吧！

（一）圭表

中國古代最古老、最簡單、最實用的天文儀器莫過於圭表。古籍中最早提到圭表的是《周禮》，「土圭」一詞在大司徒（頁153）、典瑞（頁315）、馮相氏（頁405）、土方氏（頁503）、玉人（頁632）、匠人（頁642）都曾出現，而談及形制的只有〈冬官・玉人〉：

> 土圭尺有五寸，以致日，以土地。（頁632）

鄭玄注云：「土猶度也。建邦國以度其地，而制其域。」（頁632）《說文解字》云：「圭，瑞玉也，上圜下方。……从重土。」[11]從字面來看，土圭是古代用以測日影、度土地的玉製儀器。早在新石器時代，先民就懂得立竿測影，這就是表。其長度大約如《周髀算經》所講的8尺。[12]相當於一個人高。至於圭，則是正南北方向平放在地上量度日

9 陳遵媯：《中國古代天文學簡史》，頁129。

10 莊雅州：《經學入門》，頁102-103。

11 （漢）許慎撰，（清）段玉裁注：《說文解字》（臺北：洪葉文化公司，2005年9月修訂一版三刷），頁700。魯師實先則以為：「圭以土圭為本義，從二土者，一以示其質，一以示其度地之用。」《文字析義》（臺北：魯實先全集編輯委員會，1993年），頁785，其說與前人皆有不同，可備一說。

12 《周髀算經》云：「周髀長八尺，夏至之日晷一尺六寸。」程貞一、聞人軍譯注：《周髀算經譯注》（上海：上海古籍出版社，2012年）卷上，頁370。

影的尺。兩者原本各自獨立，當兩者結合在一起使用，甚至連為一體時，遂稱之為圭表。

圭表的材料原本為木桿或石柱，其後用竹則為竿，用木則為梟、為槷、為椑，用石則為碑。[13]《周禮》用玉，顯示窺測天意，須鄭重其事，且執事者為貴族。但〈玉人〉謂土圭尺有五寸，則難免啟人疑竇，宜乎潘鼐提出兩點質疑，首先，作為玉器的圭很短，是否有如此大的玉塊尚不得而知。其次，即使有這樣大的玉塊，按當時人們對玉的珍視程度，恐不會把大塊寶貝用於測影工具。[14]所以土圭可能是用來測量影長變化的玉質量度工具，而不是圭表本身吧！[15]

〈地官・大司徒〉云：

> 以土圭之灋測土深，正日景，以求地中。（頁153）

單就天文測量而言，圭表可用以：1. 定緯度，2. 測定方向，3. 測定回歸年長度，4. 測定時刻，5. 應用兩條表影，測得黃赤交角，6. 測北極星上下中天的高度。[16]可見用途極廣，宜乎成為先秦最重要的天文儀器。1965年在江蘇儀徵縣石碑村東漢墓中出現一具袖珍銅圭表，這是迄今為止，最早的物證。（見圖一）圭表再進一步發展，就是後代的日晷了。

---

13 吳守賢、全和鈞《中國古代天體測量學及天文儀器》（北京：中國科學技術出版社，2008年），頁365。

14 潘鼐：《中國古天文儀器史》（臺北：春光出版社，2007年），頁131。

15 李東生：《中國古代天文曆法》（北京：北京科學技術出版社，1995年），頁58-60。

16 吳守賢、全和鈞：《中國古代天體測量學及天文儀器》，頁365-366。

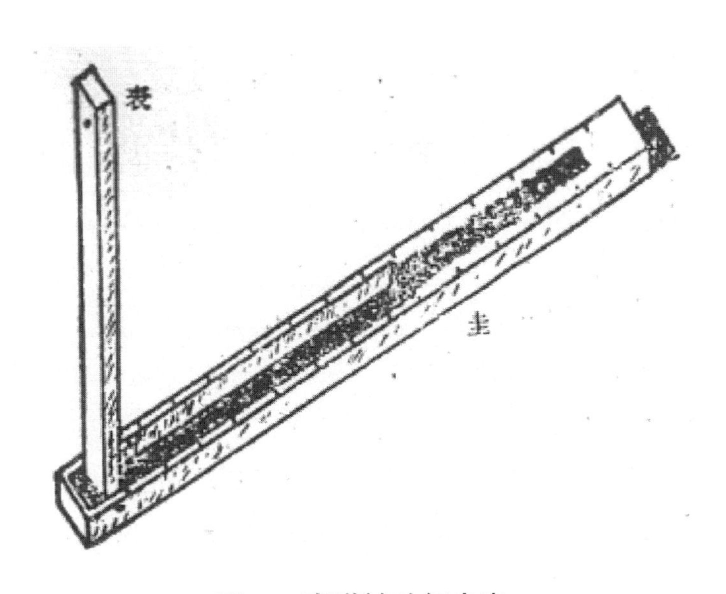

圖一　東漢袖珍銅圭表

採自李東生《中國古代天文曆法》，頁59

（二）漏壺

漏壺是西洋鐘錶東傳之前，中國傳統的計時、授時儀器，又稱壺漏、刻漏、銅漏、銅壺滴漏，或簡稱漏。在古書中首先提到漏壺的是《周禮・夏官・挈壺氏》：

> 挈壺氏掌挈壺，以令軍井。……凡軍事，縣壺以序聚欜。凡喪，縣壺以代哭者，皆以水火守之，分以日夜。及冬，則火爨鼎水而沸之，而沃之。（頁461）

漏壺是利用水滴的等時性、水量的多少來計量時間，全天候使用，可以補圭表、日晷在夜晚、陰雨天時的不足。其形制是用銅壺盛水，壺底穿有一洞，壺中立有一箭，箭上刻著度數，壺中的水按漏漸減，箭上所刻的度數也就依次顯露，如此就可以知道時間。[17]（見圖二）挈壺的挈是說有提梁可以將漏壺懸掛起來。其用途極廣，如在軍事方面，用來輪流更換擊柝和警衛的人；在喪事方面，用來輪流更換守夜哭喪的人。這個工作需要人手不分晝夜輪流值班，所以挈壺氏的編制有「下士六人，史二人，徒十有二人。」（頁461）由於溫度的不同，會影響水流速度，尤其冬季北方結冰，更影響漏壺的運作，所以挈壺氏要以火燒水，保持一定的水溫。近代出土的漢代漏壺如興平銅壺，滿城銅壺、千章銅漏、巨野銅漏，都是單壺型，可以略窺先秦漏壺的形制。[18]東漢以後，出現了有補償壺的多級漏壺，在方法上也經歷了淹箭法、沈箭法、浮箭法的歷史嬗變的過程，漏刻更曾有一日100刻、120刻、96刻、108刻的更迭，[19]這些改良，都使漏刻計時的工作益臻精密。

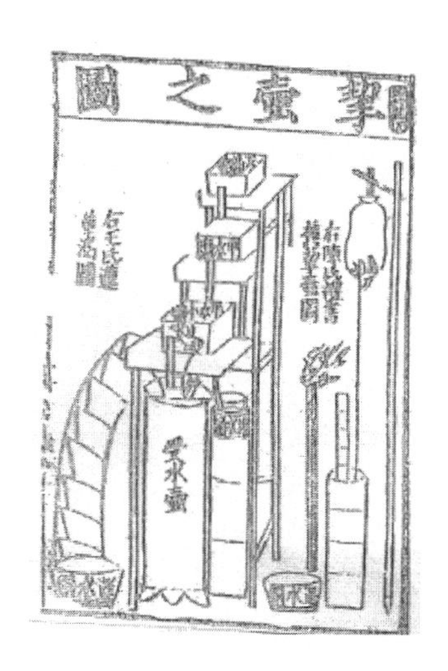

圖二　挈壺之圖

採自：李約瑟《中國之科學與文明》冊五，頁245

17 陳遵嬀：《中國古代天文學簡史》，頁125。

18 吳守賢、全和鈞：《中國古代天體測量學及天文儀器》，頁391。

19 李東生：《中國古代天文曆法》，頁64-71。

四　天文測算

古代天文官的工作主要是觀象授時。觀象是觀察日月星辰的運行及種種天象的變化；授時是依據觀象的結果，去編排曆法，並頒授給各國及民眾使用。在《周禮》中對這兩方面都曾約略提到：

（一）致日月

所謂致日、致月就是測量日影、月影，這是天文曆法最基本、最重要的工作，其儀器主要為土圭。《周禮》中凡是提到土圭之處幾乎都會談到致日（見圖三），其中最詳細的當數〈地官・司徒〉：

> 大司徒……以土圭之灋測土深，正日景，以求地中。日南則景短，多暑；日北則景長，多寒；日東則景夕，多風：日西則景朝，多陰。日至之景尺有五寸，謂之地中，天地之所合也，四時之所交也，風雨之所會也，陰陽之所和也。然則百物阜安，乃建王國焉，制其畿方千里而封樹之。（頁153）

土圭之法，首先在「測土深」，也就是測量大地東西南北的寬深遠近。其次是求「地中」，也就是求大地東西南北的中心點，其地大約是在東周京城洛邑附近的潁川陽城（今河南登封告成鎮。鄭注頁154。）為周公測景臺所在。此地在夏至時日影長度為一尺五寸，冬至依〈春官・馮相氏〉鄭玄注則為「冬至日在牽牛，景丈三尺；夏至日在東井，景尺五寸。」（頁405）夏至日影最短，是因為太陽運行到北回歸線，陽光直射，天氣暑熱；冬至日影最長，是因為陽光運行到南回歸線，陽光斜射，天氣寒冷。有了這兩個節氣日期，從冬至到下一個冬至，或從夏至到下一個夏至，依據其一個周期的長度，再詳細觀察幾年，就可求得回歸年的長度（歲實）為365$\frac{1}{4}$日，這就是古四分曆最重要的推算基礎。同時，由二至也就可以進而推求春秋二分，推求四立、八節、二十四節氣。這些不僅是寒暑變化攸關，也顯示日躔——太陽視運動的不同位置所在，這在天文曆法都是十分重要的關鍵。《周禮》：「日至之景尺有五寸。」雖則其日期、地點、表高、長度的單位性質等因數都不確定，李約瑟（Joseph Needham）因而質疑其正確性，[20]但這是古書中最早的日景紀錄，仍有其重要性。

另一個有名的數據是鄭玄注：「凡日景於地千里而差一寸。」（頁153）其說來自《周髀算經》：「周髀長八尺，勾之損益寸千里。」[21]這個數據為蓋天和渾天論者普遍采納，後來卻受到懷疑，隋代劉焯覺得其說與事實不符，建議進行實際檢驗，唐代一行和南宮說等人更具體實施大地測量，發現北極高度每差一度，則地面距離為351華里（合129.2公里，今測值為111.2公里），亦即每千里影長約差四寸，此一結果推翻了寸差千里的舊說，是中國古代科技史的一項重要成就。[22]

《周禮》多言致日，提到致月的只有兩章：

〈春官・典瑞〉：土圭以致四時日月，封國則以土地。（頁315）

〈春官・馮相氏〉：冬夏致日，春秋致月，以辨四時之敘。（頁405）

賈公彥疏云：

---

20 英國・李約瑟（Joseph Needham）著，陳立夫主譯：《中國之科學與文明》（臺北：臺灣商務印書館，1975年），冊五，頁176。

21 程貞一、聞人軍譯注：《周髀算經譯注》，卷上，頁37。

22 劉金沂、趙澄秋：《中國古代天文學史略》（石家莊：河北科學技術出版社，1990年），頁118-123。

> 若春秋致月之法，亦於春分、秋分，於十五日而望，夜漏半而度之。但景之長短，自依二分為長短，不得與冬夏日景同。景之至否，亦知行之得失也。(頁315)

春分、秋分晝夜長短相同，於當月十五日，月圓之夜，夜半以土圭度月影之長短，可以修正春分、秋分之正確度，這也是天文觀測的一項重要工作。

圖三　夏至致日圖

採自：《欽定書經圖說》(李東生《中國古代天文曆法》，頁55)

(二) 考星辰

除了日月之外，天上的星體還有經星（恆星）和緯星（行星）。日月和五大行星合稱七政，和所有星辰合稱三光或三辰，這些都是天文觀測的重要對象。在《周禮》中提及星辰觀測的也只有兩章：

〈春官・保章氏〉:「保章氏，掌天星以志星辰日月之變動，以觀天下之遷，辨其吉凶。」(頁406)

〈冬官・匠人〉:「匠人建國，水地以縣，置槷以縣，眡以景。為規，識日出之景，與日入之景。晝參諸日中之景，夜考之極星，以正朝夕。」(頁642)

〈保章氏〉章提到紀錄星辰日月之變動，要記錄，當然需要和馮相氏一起進行觀測，但《周禮》並沒有較詳細的介紹，而且其主要任務是在「觀天下之遷，辨其吉凶」，也就是占星，這正是古代天文學的特色。至於〈匠人〉章則提到匠人要建造城邑，必須先用下懸重物的懸繩，以水平法定地平，樹立表桿，以懸繩校正曲直，觀察日影。畫圓，分別識記日出與日落時的桿影。白天參究日中時的桿影，夜裡考察北極星的方位，用以確定東西方向。[23]匠人在確定方位時，特別重視北極星的觀測。這是因為北極星又稱帝星，位於天軸北端，古人認為它是天神太一所居，固定不動，所有的星辰都繞著它在運行，所以可以作為帝王為政以德的象徵。《六經天文編》引沈氏云：

日月星謂之三辰者，日月星至於辰而畢見。星有三類：一經星，北極為之長，二舍星，大火為之長，三行星，辰星為之長，故皆謂之辰。[24]

在天文學上，北極星是正北方向的標的，是觀察群星運動的標準星，

23 程貞一、聞人軍譯注：《考工記譯注》(上海：上海古籍出版社，1993年)，頁84。

24 (宋)王應麟：《六經天文編》(臺北：新文豐出版公司，《叢書集成新編》，1985年)，冊四十二，頁80。

同時也以其他星辰距離北極星的度數——去極度當作赤緯，以其他星體進入二十八宿的度數——入宿度當作赤經。甚至以北極星的高度定當地的地理緯度，所以舟山的諺語才會說：「知南斗北斗，天下可走。」[25]其重要性不言可喻。

（三）明歲時

四方上下謂之宇，往古來今謂之宙。宇宙由時間和空間構成，兩者密不可分。天文學所以研究空間，曆法學所以研究時間，必觀象而後授時，授時而後國政民生皆有所依循。在《周禮》中提到曆法的主要有兩章：

> 〈春官・馮相氏〉：「馮相氏掌十有二歲、十有二月、十有二辰、十日、二十有八星之位，辨其敘事，以會天位。冬夏致日，春秋致月，以辨四時之敘。」（頁404）

> 〈春官・大史〉：「正歲年以序事，頒之于官府及都鄙。頒告朔于邦國，閏月詔王居門終月。」（頁401-402）

曆法的要素，主要是年、月、日、時。地球自轉一周為一日，依漏壺分為百刻，或依地支子、丑、寅、卯、辰、巳、午、未、申、酉、戌、亥紀之，分為十二時辰（每一時辰分為兩小時）。累積十日為一旬，以天干甲、乙、丙、丁、戊、己、庚、辛、壬、癸紀之，是為十日，亦可以干支相配，由甲子至癸亥，紀六十日。月球繞地球一周為一月，大月30日，小月29日，初一為朔，十五為望。每月都有月名，如正月、二月、三月，或陬月、如月、寎月，或孟春、仲春、季春。

25 《中國天文史話》（臺北：明文書局，1983年），頁247。

每三月為一季，四季即春、夏、秋、冬。太陽曆由冬至至下一個冬至，亦即一歲為365 $\frac{1}{4}$ 日，太陰曆由正月朔至下一個正月朔，亦即一年為354日，兩者相差11 $\frac{1}{4}$ 日，故以閏月加以調和，初為3年一閏，5年再閏，後定為19年7閏，是為陰陽合曆。王在明堂各室按月施政，遇閏月，則居路寢門旁，故閏字从王从門。馮相氏負責依據曆法種種要素編排曆法；大史則以閏月補正歲年的不同，而且頒告朔於諸侯，表示天下一統。兩者任務各有異同，互相支援，金春峰云：

> 太史所掌是實際的政府官定的年曆，馮相氏所掌則是客觀的天時天位，是天文歲時；太史屬於史官性質，馮相氏則是天文星象家，其任務是測定一年四季的歲時所在，不致發生時令物候的差錯。兩者既有聯繫，又有區別。[26]

對兩者的關係言之甚明。至於「十有二歲」則是歲星紀年法。這是因為周代行封建，諸侯林立，各國使用王公在位紀年法，使用上諸多捍格。古人觀測歲星（木星）大約十二年一周天，於是將星空十二等分，稱之為十二次，依序為星紀、玄枵、娵訾……等，木星每年由西向東行走一次，如果把每年歲星所在的位置記下來，不就成為最自然的紀年資料了嗎？後來因歲星超辰的緣故，就改用虛擬的太歲紀年法。[27]鄭注：「歲謂太歲。」（頁404）應該是指歲星才是。因為保章氏「十有二歲之相」，著一「相」字，乃有相可觀之意，自是指在天之星象而言，雷學淇《古經天象考》卷2頁13所言甚是。

---

26 金春峰：《周官之成書及其反映的文化與時代新考》（臺北：東大圖書公司，1993年），頁183。

27 莊雅州：〈左傳天文史料析論〉，《中正大學中文學術年刊》第3期（嘉義：中正大學中文系，2000年9月），頁18-22。

五　星象紀錄

天上星象有恆星，有行星，有衛星。太陽、三垣、二十八宿屬恆星，五大行星屬行星，月亮屬衛星，由於《周禮》不是天文專書，只是設官分職略有涉及，故星象紀錄十分簡單，不求完備，舉其要者，有：

（一）恆星紀事

1　三垣

中國古代天文主要分星空為三垣、二十八宿，這是隋・元丹子《步天歌》才有的。《史記・天官書》則分為五宮二十八宿，五宮包含中宮、東宮、南宮、西宮、北宮，中宮相當於紫微垣，其餘四宮相當於四象，而天市垣附於東宮，太微垣則附於南宮。[28]在《周禮》中雖然無三垣、中宮之類的名稱，但提到的星辰屬於此一星區的有：

（1）極星

〈冬官・匠人〉云：

> 晝參諸日中之景，夜考之極星，以正朝夕。（頁642）

極星就是北極星，最接近赤道北極點的星辰。由於歲差的緣故，不同的時代有不同的北極星，兩周、秦漢時代的北極星為帝星，即今之小熊座β，二等星。明清以來之北極星則為勾陳二（小熊α）。

---

28 莊雅州：〈科學與迷信之際——史記天官書今探〉，《中正大學中文學術年刊》第6期（嘉義：中正大學中文系，2004年12月），頁127。

（2）司中、司命

〈春官・大宗伯〉云：

> 以槱燎祀司中、司命。（頁270）

鄭玄注：

> 司中、司命，文昌第五、第四星，或曰中能、上能也。（頁270）

帝星代表天子，附近有代表三公、正妃、後宮的星，其外有代表藩臣、護兵、帝車（北斗七星）的星，又有文昌六星及三能代表天府，[29]《史記・天官書》云：

> 斗魁戴匡六星曰文昌宮：一曰上將，二曰次將，三曰貴相，四曰司命，五曰司中，六曰司祿。在斗魁中，貴人之牢。魁下六星，兩兩相比者，名曰三能。三能色齊，君臣和，不齊，為乖戾。[30]

司中為文昌五（大熊ξ），司命為文昌四（大熊υ），與斗魁相值，輔佐天帝，或曰中能、上能則為斗魁下方的三能（三台）六星，上台（大熊ι）起文昌，中台（大熊λ）對軒轅，下台（大熊ν）抵太微。[31]司

29 陳遵嬀：《中國天文學史》冊二、星象編（臺北：明文書局，1985年），頁7。

30 日本・瀧川龜太郎：《史記會注考證》（臺北・洪氏出版社，1981年），頁473。

31 韓兆琦：《新譯史記》〈天官書〉（臺北：三民書局，2008年），卷27，頁1325-1357。

中、司命無論是指哪些星，都屬於大熊座。唯古代文昌屬紫微垣，三台屬太微垣。

（3）司民、司祿

〈春官・天府〉云：

> 若祭天之司民、司祿，而獻民數、穀數，則受而藏之。（頁312）

鄭玄注：

> 司民，軒轅角也。司祿，文昌第六星，或曰下能也。（頁312）

賈公彥疏：

> 司民，軒轅角也者，案《武陵太守星傳》云：軒轅十七星，如龍形，有兩角，角有大民、小民。（頁312）

司民為軒轅角，西圖軒轅屬獅子座，其角大民、小民屬天貓座。司祿若為文昌第六星亦屬大熊座，若為下能則為太微垣。（見圖四）

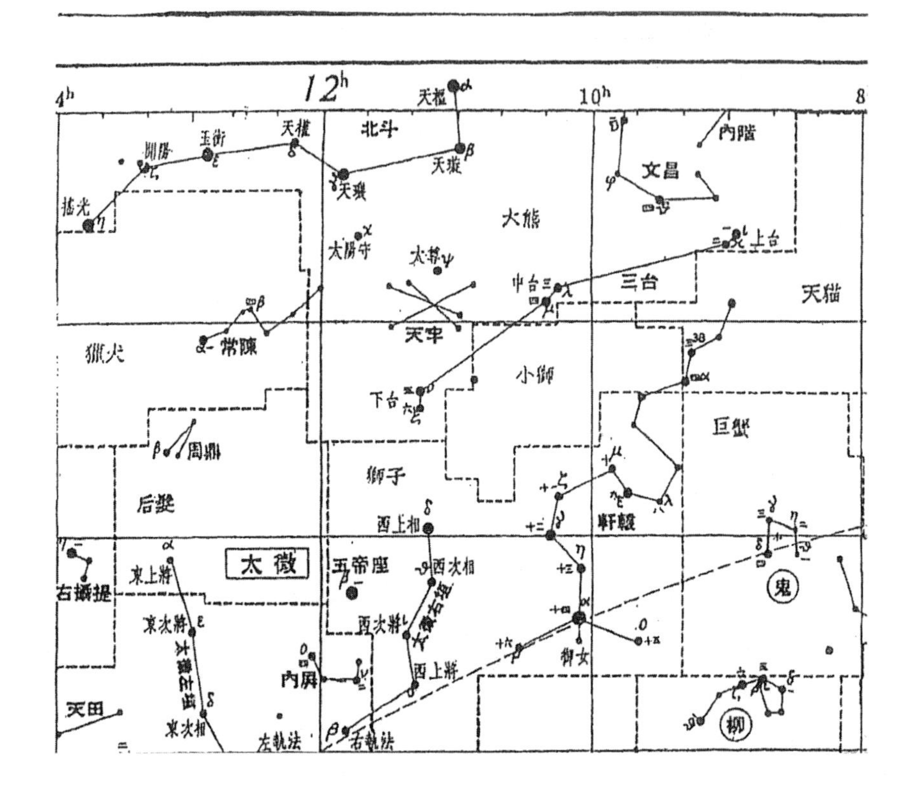

圖四　文昌、三能、軒轅角圖

採自：王力主編《古漢語通論》（臺北：泰順書局）附錄一〈天文圖〉

2　四象、二十八宿

《周禮》中提到四象的有〈春官・司常〉（頁420）、〈冬官・輈人〉（頁614）兩章，提到二十八星的有〈春官・馮相氏〉（頁404）、〈秋官・硩蔟氏〉（頁558）、〈冬官・輈人〉三章。可見只有〈冬官・考工記・輈人〉是四象、二十八宿都提到的：

> 蓋弓二十有八，以象星也。龍旂九斿，以象大火也；鳥旟七斿，以象鶉火也：熊旗六斿，以象伐也；龜蛇四斿，以象營室也：弧旌枉矢，以象弧也。（頁614）

《周禮》始終沒有列出二十八星之具體名稱，過去的注家如賈公彥都把二十八星注成二十八宿（頁614）。王建民雖以為〈輈人〉章下文旌旗上的游（飄帶）數和它們所象徵的星座中的星數總和正好是二十八，而主張二十八星是指大火、鶉火、伐、營室、弧所包含的二十八顆星。[32]但這些星都依四象排列，與二十八宿亦密切對應，為了方便析論，姑且仍以四象、二十八宿統攝之，而以十二次及弧附焉：

（1）東方青龍：大火、箕

〈輈人〉章提到「龍旂九斿，以象大火也。」龍旂代表的是四象中的東方青龍，包含十二次的壽星、大火、析木三次，其中大火包含氐、房、心、尾四宿，氐為天秤座，房、心、尾相當於天蠍座，心宿二（天蠍座α）為1.2等大星。又，〈夏官・校人〉云：「春祭馬祖，執駒。」鄭玄注：「馬祖，天駟也。《孝經說》曰：房為龍馬。」（頁495）房宿西圖亦屬天蠍座。〈春官・大宗伯〉：「以槱燎祀司中、司命、飌師、雨師。」鄭司農（眾）注：「風師，箕也。雨師，畢也。」（頁270）箕宿即人馬座，屬東方青龍，析木之次。箕星好風，故為風師。（見附圖五）

32 王建民：〈周禮二十八星辨〉，《中國天文學史文集》第三集（北京：科學出版社，1984年），頁117-123。

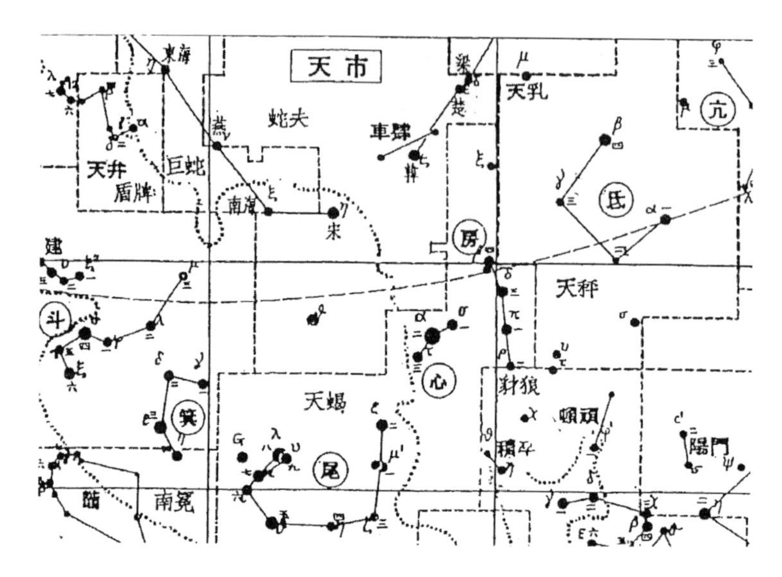

圖五　氐、房、心、尾、箕圖

採自：《古漢語通論》〈天文圖〉

（2）南方朱雀：鶉火

〈輈人〉章提到「鳥旟七斿，以象鶉火也。」鳥旟代表的是四象中的南方朱雀，包含十二次中的鶉首、鶉火、鶉尾三次，其中鶉火包含柳、星、張三宿，均屬長蛇座。（見附圖六）

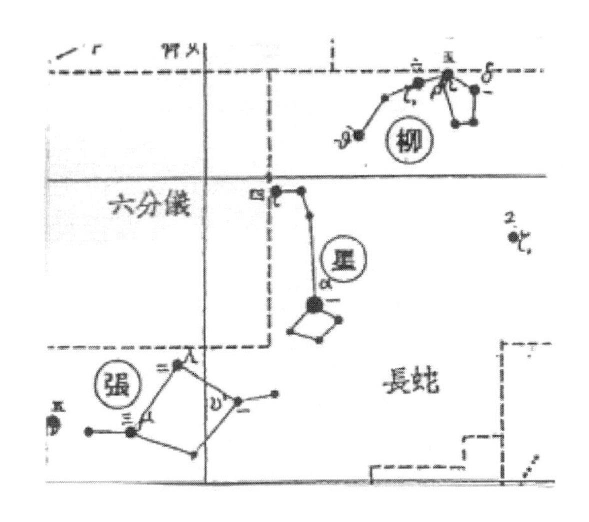

圖六　柳、星、張圖

採自：《古漢語通論》〈天文圖〉

（3）西方白虎：伐、畢

〈輈人〉章提到「熊旗六斿，以象伐也。」鄭玄注：「伐屬白虎，與參連體而六星。」（頁614）熊旗代表的是四象中的西方白虎，《史記・天官書》稱之為西宮咸池。包含十二次的降婁、大梁、實沈三次，其中伐屬於參宿，與觜宿同屬獵戶座，伐是獵戶座的中央三星（獵人腰帶、三人行）下的獵戶42、θ、τ三顆三等星，西方所謂「獵人佩劍」、「小三人行」。又，《春官・大宗伯》：「以槱燎祀司中、司命、飌師、雨師。」鄭司農（眾）注：「風師，箕也。雨師，畢也。」（頁614）畢宿為金牛座，屬西方白虎，介於大梁、實沈之次。畢星好雨，故為雨師。（參見圖七）

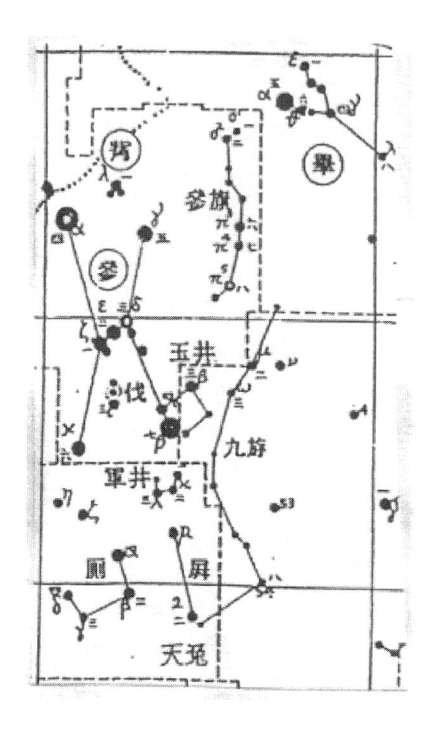

圖七　畢、觜、參圖

採自：《古漢語通論》〈天文圖〉

（4）北方玄武：營室

〈輈人〉章提到：「龜蛇四斿，以象營室也。」鄭玄注：「營室，玄武宿與東壁連體而四星。」（頁614）龜蛇之旐代表的是四象中的北方玄武，包含十二次的星紀、玄枵、諏訾三次。營室三星為飛馬α、β，古稱定星、水或大水，與東壁二星（飛馬γ、仙女α）可連成四方形，故二宿均以建築為名。（參見圖八）

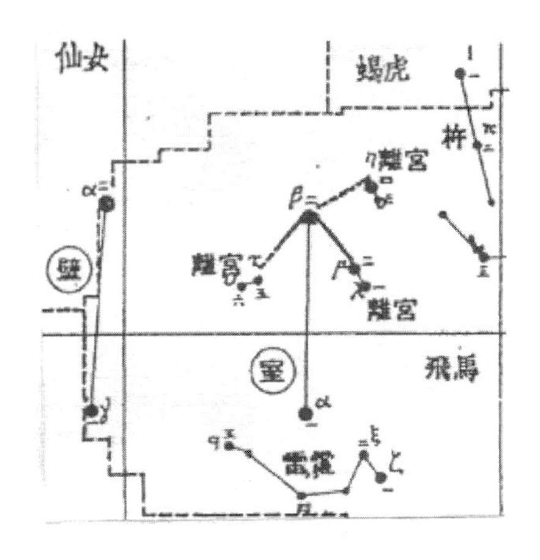

圖八　營室圖

採自：《古漢語通論》〈天文圖〉

（5）弧

〈輈人〉章云：「弧旌枉矢，以象弧也。」（頁614）鄭注無說，賈公彥疏云：「以象弧也者，象天上弧星，弧星則矢星也。」（頁614）王建民據《史記・天官書》以為弧乃天狼星下四星，亦即弧矢九星中較亮的兩顆星，屬CMa（大犬座）。[33]筆者以為《禮記・月令》言昏旦中星多依二十八宿為準，唯仲春之月「昏弧中」、孟秋之月「昏建星中」例外。孔穎達疏云：「弧與建星非二十八宿，而昏明舉之者，由弧星近井，建星近斗，井有三十三度，斗有二十六度，其度既寬，若舉井、斗，不知何日的至井、斗之中，故舉弧星、建星也。」[34]與《周禮》可以互證，井宿介於鶉首、實沈二次之間，亦即介於南方朱雀與西方白虎之間，屬雙子座，弧矢屬大犬座（見圖九）。

33 王建民：〈周禮二十八星辨〉，頁121。

34 （漢）鄭玄注，（唐）孔穎達疏：《禮記正義》（臺北：藝文印書館，景印阮元刻《十三經注疏》本，1989年），頁298。

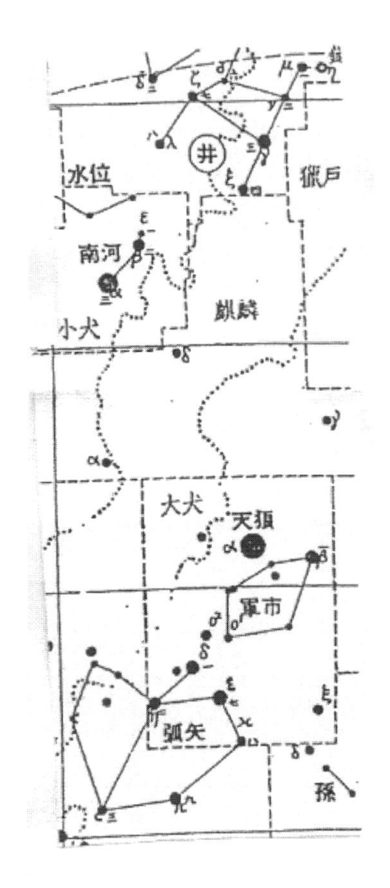

圖九　弧矢圖

採自：《古漢語通論》〈天文圖〉

(二) 日月紀事

在日月星辰中，與人類關係最密切的莫過於日月。太陽為地球提供光與熱，是生命的泉源，帝王的象徵，備受人類重視；月亮則為夜間提供光源，是抒情的對象，后妃的象徵，也為人類所謳歌。在《周禮》中，除了致日、致月的觀測外，對於日月的記載都融入生產、禮儀、祭祀等日常生活中，如：

〈春官・司常〉:「司常掌九旗之物名,各有屬以待國事,日月為常。」(頁420)

〈秋官・司烜氏〉:「司烜氏掌以夫遂取明火於日,以鑒取明水於月,以共祭祀之明齍、明燭供明水。」(頁550)

〈秋官・薙氏〉:「薙氏掌殺草,春始生而萌之,夏日至而夷之,秋繩而芟之,冬日至而耜之。」(頁557)

司常九旗中有常旗以象日月,司烜氏取明火於日,取明水於月,以供祭祀,都是反本報功之意。薙氏在夏至夷草,冬至耜地,以便農耕,更與民生密切相關。若日月有異象,則救之、占之,詳見下文。若斯之比,足見先民對日月重視的程度。唯限於其書性質,《周禮》對日月並無更直接的描述。

(三)行星紀事

太陽系有八大行星,除了地球本身以外,在西洋發明望遠鏡以前,目所能見的依次為辰星(水星)、太白星(金星)、熒惑(火星)、歲星(木星)、填星(土星),這些都是地球的重要伙伴,在恆星背景中穿梭不息,謂之緯星。其顏色各異,路線亦不易掌握,甚至有見、伏、止、贏、縮、逆行、聚、合、同舍等種種怪現象,所以引起先民觀測的興趣。[35]可惜在《周禮》中,除了歲星之外,都沒有留下任何紀錄。而歲星都是以「十二歲」的面目出現,如馮相氏章(頁404)、保章氏章(頁405)、硩蔟氏章(頁558),所謂十二歲之相、十

35 莊雅州:〈科學與迷信之際——史記天官書今探〉,頁5-9。

二歲之號皆是。十二歲就是將星空十二等分，賦予壽星、大火、析木、星紀、玄枵、娵訾、降婁、大梁、實沈、鶉首、鶉火、鶉尾等十二次名，以之作為紀年的根據，並且作為占卜吉凶的憑依，輈人章提到的有大火、鶉火二次，這些在上文已曾提及，下文還會再談，不贅。

六 宇宙觀

宇宙何自而來？天地的形狀如何？結構如何？諸如此類問題，從古以來就為人們所關注。認識的不同，正是科學程度高下的表徵。在這方面，《周禮》也留下了蛛絲馬跡，楊天宇〈周禮之天地觀考析〉專文曾加以探討，[36]惜無緣拜讀，茲依管見分兩點言之：

（一）天地的形狀——天圓地方

〈冬官·輈人〉云：

> 軫之方也，以象地也；蓋之圜也，以象天也。（頁614）

賈公彥疏云：

> 云：「軫之方也，以象地也」者，據輿方而言，不言輿，言軫者，軫是輿之本，故舉以言之。云：「蓋之圓也，以象天也」者，即上輿人所造者也。（頁614）

軫方象地，蓋圓象天，本來只是工匠觀物取象之意，但正透顯古人對

---

36 楊天宇：〈周禮之天地觀考析〉，《中國史研究》1990年4期（總48期）（1990年11月），頁119-128。

天地形狀的觀察（見圖十）。〈春官・大宗伯〉云：「以蒼璧禮天，以黃琮禮地。」鄭玄注云：「禮神者必象其類。璧圜象天；琮八方，象地。」（頁281-282）其含意與此相同。正如北齊民歌〈敕勒歌〉所吟唱：

> 敕勒川，陰山下。天似穹廬，籠蓋四野。天蒼蒼，野茫茫，風吹草低見牛羊。[37]

天像圓形的穹廬，籠罩著大地的東西南北，的確很符合人們耳目的認知，所以《呂氏春秋》也說：

> 〈圜道篇〉：「天道圜，地道方，聖王法之，所以立天下。何以說天道之圜也？精氣一上一下，圜周複雜，無所稽留，故曰天道圜。何以說地道之方也？萬物殊類殊形，皆有分職，不能相為，故曰地道方。」

> 〈序意篇〉：「嘗得學黃帝之所以誨顓頊矣！嘗有大圜在上，大矩在下，汝能法之，為民父母。」[38]

這是藉天圓地方來闡釋政治哲學，但一方一圓，難免枘鑿不入，只是主觀的直覺、表面的印象，未能反映客觀的真相，所以曾子早就質疑說：

> 有單居離問於曾子曰：「天圓而地方者，誠有之乎？」……曾

37 逯欽立編：《先秦漢魏晉南北朝詩》（北京：中華書局，1983年），頁2289。

38 陳奇猷：《呂氏春秋校釋》（臺北：華正書局，1985年），頁171、648。

> 子曰：「……上首之謂圓，下首之謂方。如誠天圓而地方，則是四角之不揜也。且來，吾語汝。參嘗聞之夫子曰：『天道曰圓，地道曰方。』」[39]

如果天圓地方，兩者是不能接合的，這真是一針見血之論。為了彌補此一矛盾，成書於秦漢之後的《周髀算經》曾一再加以修正：

> 環矩以為圓，合矩以為方。方屬地，圓屬天。天圓地方。天象蓋笠，地法覆槃，天離地八萬里。[40]

《周髀算經》是中國第一本理論與實用兼具的天文學著作。為了解釋其宇宙模型，除了將天圓地方修正為天地都是半圓的拱形外（見圖十一），還依勾股弦定理提出了三環、七衡六間及一整套天高地廣的數據、太陽周年視運動的描述、二十八宿的見伏等[41]。當然，這些努力都未能饜然當於人心，以致在漢代引起激烈的渾天、蓋天之爭，甚至融合成渾蓋合一，最後渾天說儼然成為中國古代正統的天文學體系。[42]但無論如何，渾、蓋二家都是中國古代最重要的宇宙觀，後來的宣夜說、三國姚信的昕天說、東晉虞聳的穹天說、虞喜的安天說，[43]都不

---

39 （清）王聘珍：《大戴禮記解詁・曾子天圓》（北京：中華書局，2011年），頁98。

40 程貞一、聞人軍譯注：《周髀算經譯注》，卷上，頁80、卷下，頁102。又，（唐）房玄齡等撰，吳士鑑、劉承幹注《晉書斠注・天文志》也曾引蓋天家說：「天似蓋笠，地法覆槃，天地各中高外下，北極之下，為天地之中，其地最高，而滂沲四隤，三光隱映，以為晝夜。……天員如張蓋，地方如棋局。天旁轉如推磨而左行，日月右行，隨天左轉，故日月實東行，而天牽之以西沒。」（臺北：藝文印書館，1982年），頁190，可以參閱。

41 鄭文光：《中華天文學源流》（臺北：萬卷樓圖書公司，2000年），頁210。

42 鄭文光：《中華天文學源流》，頁233-239。

43 劉昭民：《中華天文學發展史》，頁453-458。

能與之相提並論。今天，天文學十分發達，大家都曉得天地皆圓，地球只是太陽系的一個小行星，太陽系在本銀河中毫不起眼，本銀河在整個宇宙中也微不足道，目前所測知最遠的天體距離約達130億光年，可能測知的天體不下百萬億億。所以天圓地方之說固然荒謬，渾天說認為天地皆圓，但宇宙上半部為星空，下半部為水，地如雞卵浮於其中（見圖十二），這種說法也未得其實。唯限於古代科技的水準，這些錯誤都不宜苛責，古人長期黽勉求知的精神還是應該給予肯定的。

圖十　蓋天說示意圖

採自：《中國天文史話》頁17

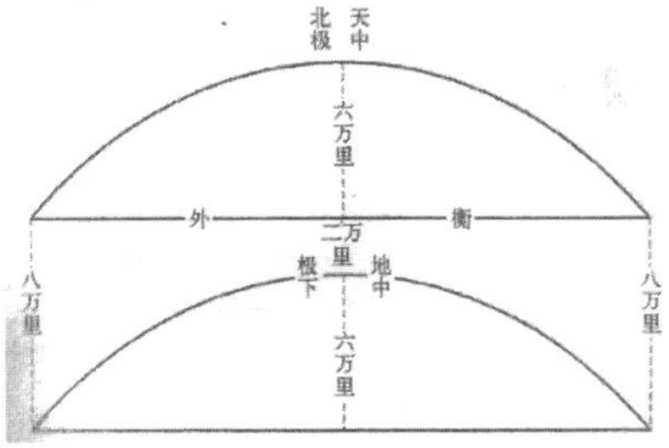

圖十一　平行球冠的蓋天模型

採自：《周髀算經譯注》頁101

圖十二　渾天說示意圖

採自：《中國天文史話》頁25

（二）天地的結構——陰陽五行

陰陽五行是中國古代涵蓋面最廣，影響最大的自然哲學。陰陽是由形而上的太極（道）演化而出的形而下之氣，兩者互相激盪消長，可以產生萬事萬物，同時萬事萬物也都可以進行相對兩極的畫分，如：天地、日月、晝夜、暑寒、男女、君臣、貴賤、善惡、剛柔、生死……。五行則是以水、火、木、金、土代表構成萬物的基本元素，五者相生相剋，用來解釋萬事萬物變化成敗的現象。陰陽與五行原非一物，到了戰國時代，陰陽家鄒衍才將二者牽引合一，使其全面滲透到政治、經學、數術、醫學各個層面。[44]在天文學方面，以陰陽代表日月，以五行代表五星，以科學的技術配合陰陽五行的學說，在漢代也形成「氣化宇宙論」此一古代最重要的宇宙形成理論。

戰國末年成書的《呂氏春秋・十二月紀》是《禮記・月令》的前身，書中以陰陽五行搭配五方、五色、五帝、五神、五音、五穀、十干、十二月、十二辰、十二律……，構成一個無所不包的宇宙圖式，[45]可說是集先秦陰陽五行學說的大成。《周禮》成書的時代與《呂氏春秋》相去不遠，據彭林的研究，從王國格局以陰陽為綱、出現了王與后的兩個宮廷系統、自然神論中也有陰陽對立三方面看出《周禮》彌漫陰陽思想。除五官、五帝外，又從：1. 六玉，2. 九旗，3. 五路，4. 六龜，5. 五味、五穀、五藥，6. 五氣、五聲、五色，7. 四時國火，8. 五雲，9. 五蟲，10. 四學等佐證《周禮》具有系統的五行說。可見《周禮》的陰陽五行說散見於六官，未集中表述，有些地方還說得比較隱晦，但卻是較完整的、系統的，其成熟的程度已不在《呂氏春

44 李漢三：《先秦兩漢之陰陽五行學說》（臺北：維新書局，1968年），頁103-439。

45 莊雅州：《夏小正析論・夏小正月令異同論》（臺北：文史哲出版社，1985年），頁170-174。

秋》之下。[46]由於《周禮》陰陽五行宇宙結構的思想散見於全書，且徵引、說明俱費篇幅，在此就不舉例說明了。

七　占星術

天文與占星同出一源，在民智未開的古代，甚至可以說，人們觀察、紀錄天象，除了滿足求知慾及民生需求外，主要是為了占卜吉凶，天文依附占星而行，占星促進了天文的進步，所以占星術是天文學重要的一環。《史記・天官書》全文7513字，至少有三分之二與占星有關，[47]其故在此。所以談到《周禮》的天文資料，勢必不能置占星於不論。

（一）救日月

當月朔時，若太陽、月球、地球剛好在一直線上，而且月球離黃白交點15.3°以內，日光為月所掩，就會發生日食；當月望時，若太陽、地球、月球剛好排在一直線上，而且月球距離黃白交點15.3°以內，月光為地所掩，就會發生月食。在今日看來，這本來是一種周期性的自然現象，不足為奇。但古人無法了解其原因，難以掌握其周期，而且把太陽當作君王的象徵，月亮當作后妃或大臣的象徵，所以突然間，日月失光，天昏地暗，極易引起人們的高度恐慌，因而有救日、救月的行動：

〈地官・鼓人〉：「救日月則詔王鼓。」（頁190）

46 彭林：《周禮主體思想與成書年代研究・周禮的陰陽五行思想》（北京：中國人民大學出版社，2009年），頁17-46。

47 莊雅州：〈科學與迷信之際——史記天官書今探〉，頁126、147。

〈春官・大司樂〉:「凡日月食、四鎮五嶽崩、大傀異烖、諸侯薨，令去樂。」(頁345)

〈夏官・大僕〉:「凡軍旅田役，贊王鼓，救日月亦如之。」(頁476)

〈秋官・庭氏〉:「掌射國中之夭鳥，若不見其鳥獸，則以救日之弓與救月之矢射之。」(頁559)

日月有眚，與大山崩隤、星墜地裂、諸侯崩殂等同為重大災變，大司樂必須馬上去樂藏之。緊接著，鼓人要報請天子親自擂鼓，大僕與御者、戎右則佐擊鼓之餘面。庭氏亦以救日之弓或救月之矢仰天射之，希望能把吞食日月的怪獸嚇走。《周禮》所記可補《左傳》救日之不足。[48]

特別值得注意的是《左傳》只記日食，不記月食。[49]《詩・小雅・十月之交》云:「彼月而食，則維其常。此日而食，于何不臧？」[50]可能是因為月食時所有夜晚地區都看得到，變化較日食單純，人們習以為常的緣故吧？當然，〈鼓人〉章賈公彥疏云:

〈春秋〉不記救月食者，但日食是陰侵陽、臣侵君之象，故記之。月食是陽侵陰、君侵臣之象，非逆事，故略不記之也。(頁190)

---

48 莊雅州:〈左傳占星術析論〉,《第五屆中國經學國際學術研究會論文集》(臺北:政治大學，2007年)，頁207-208。

49 同上注。

50 (漢)毛亨傳，鄭玄箋，(唐)孔穎達正義:《毛詩正義》(臺北:藝文印書館，1989年)，頁405。

男尊女卑，君貴臣賤，也是一個重要的理由。至於《周禮》何以兼記月食？筆者以為可能是戰國以後，后妃、大臣僭越君王的現象更趨嚴重，難免要將以月亮為象徵的后妃、大臣也接受檢驗。另外，《周禮》出現了王與后兩個宮廷系統，[51]或許也不無關係吧？無論如何，都可以證明《周禮》應較《左傳》晚出。

（二）察十煇

天空所發生的現象，可以分為兩大類，一類是關於日月星辰的現象，即星象；一類是地球大氣層內所發生的現象，即氣象。以中國歷史來說，古代天文學實際上是研究星象和氣象兩門的知識，也就是說氣象被包括在天文學裡面。[52]《周禮・春官》中的眡祲就是屬於這種廣義天文學的官，其職掌為：

> 眡祲掌十煇之灋，以觀妖祥，辨吉凶。一曰祲，二曰象，三曰鑴，四曰監，五曰闇，六曰瞢，七曰彌，八曰敘，九曰隮，十曰想。掌安宅敘降，正歲則行事，歲終則弊其事。（頁382-383）

《周禮》為古文經，多用古字，眡是視的古字。《六經天文編》引易氏曰：「煇者，日之光氣也。日以光為主，是謂太陽，陰邪侵之則為祲。此眡祲占象所以有十煇之法。」[53]正因為十煇與日光有關，所以孫詒讓說：「煇、暉為日月光氣之通名，秦漢以後，天官家以為氣圍

51 彭林：《周禮主體思想與成書年代研究》，頁19-20。

52 劉昭民：《中華天文學發展史》，頁2。

53 （宋）王應麟：《六經天文編》，頁68。

繞日月之專名，煇字俗作暈。」[54]將十煇解為十暈是有一定的道理。至於十煇的內容，從漢・鄭司農（眾）、鄭玄，唐・李淳風《晉書・天文志》以降，以至現代的劉昭民、王鵬飛解釋不一。[55]現在以李淳風之說為主，檃括各家要點來說：「一曰祲」，是陰陽五色之氣浸淫相侵，或曰抱珥（侵略性之暈）、背璚（日旁上反之氣）之類，如虹而短。「二曰象」，是雲氣成形之象，如赤烏夾日以飛之類。「三曰鑴」，日旁氣四面反嚮，刺日，形如童子所佩之飾物。「四曰監」，是雲氣監臨在日之上，即霍爾暈部分之上弧。「五曰闇」，是日月食或日脫光而暗。「六曰瞢」，是雲霧迷漫，日光隱暗無光。「七曰彌」，是白虹彌天而貫日，即完整的幻日環。「八曰敘」，是氣如山而在日上，或日冠珥（46度暈部分之側弧，似耳環）、背璚，次序重疊，在於日旁。「九曰隮」，是暈氣或白虹，即《詩經・鄘風・蝃蝀》所謂「朝隮於西，崇朝其雨。」「十曰想」，是雲氣有五色，有形可想，如海市蜃樓之類。總之，當時對於大氣光象之變化，已有所辨識，分析日暈之類型十分詳細，只是對於暈與虹的辨別還不夠清楚。[56]在先秦，大概只有《呂氏春秋・季夏紀・明理篇》所言八種日旁雲氣、八種月旁雲氣可以比美。[57]

〈春官・保章氏〉云：

---

54 （清）孫詒讓《周禮正義》（臺北：台灣商務印書館《國學基本叢書》，1967年），卷48，冊13，頁95。

55 二鄭之說見《周禮注疏》，頁382-383，李淳風說見《晉書：天文志》，頁223-224，劉昭民說見《中華氣象學史》（臺北：臺灣商務印書館，1980年），頁48，王鵬飛說見〈中國古代氣象史上的主要成就〉《南京氣象學院學報》1978年創刊號。

56 劉昭民：《中華氣象學史》，頁48。

57 許維遹：《呂氏春秋校釋》，頁358。又，莊雅州：〈呂氏春秋之氣候〉《中正大學學報》第1卷第1期（人文分冊）（嘉義：中正大學，1990年），頁8-9。

以五雲之物辨吉凶水旱降豐荒之祲象。以十有二風察天地之和命，乖別之妖祥。（頁406）

所謂五雲之物，是觀雲色之青、白、赤、黑、黃以占吉凶，這已超出氣象範圍，進入「望氣」之說的領域，高平子云：

所謂氣者，大約包含雲霞霧靄煙塵在內。其目的並非氣象之預測，更非統計，而主要作用卻在於軍事利害及社會動態之占，此當非今日科學所能解釋也。[58]

其說在科學昌明之今日亦難以理解，則迷信之成分居多。而「十二風」也者，更是純屬氣象學的範圍，所以都只在此附帶一提，不贅。

（三）占吉凶

除了救日月、察十煇之外，《周禮》用天象占卜吉凶的，為數還不少，在此僅舉兩章：

〈春官・保章氏〉：「以星土辨九州之地，所封封域皆有分星，以觀妖祥。以十有二歲之相，觀天下之妖祥。」（頁406）

〈春官・占夢〉：「掌其歲時，觀天地之會，辨陰陽之氣，以日月星辰占六夢之吉凶。一曰正夢，二曰噩夢，三曰思夢，四曰寤夢，五曰喜夢，六曰懼夢。季冬聘王夢，獻吉夢于王，王拜而受之，乃舍萌于四方以贈惡夢。」（頁381-382）

58 高平子：《史記天官書今註》（臺北：中華叢書編審委員會，1965年），頁67。

〈保章氏〉章主要在講分野，也就是基於天人感應思想，將天上的星宿與地上的州國互相對應，用來道禨祥，驗吉凶，是占星術最重要的理論基礎之一。鄭玄注云：

> 星紀，吳、越也；玄枵，齊也；娵訾，衛也；降婁，魯也；大梁，趙也；實沈，晉也；鶉首，秦也；鶉火，周也；鶉尾，楚也；壽星，鄭也；大火，宋也；析木，燕也。（頁406）

此外，各家分野之說不一而足，如《六經天文篇》〈六家分星異同之譜〉所列班固、陳卓、費直、蔡邕、皇甫謐、一行各有不同。[59]跡近亂點鴛鴦譜，不足深信。至於「十二歲之相」，也是以歲星在十二次的運行，配合分野說來進行占卜。《左傳》曾有詳細的事例，如襄公九年、昭公八年、九年、十年、十一年皆是。[60]《周禮》只講設官分職，並未細說。

〈占夢〉章根據日月之行度及合辰所在，以解析夢境，將夢分為六類，不似《左傳》之以實例詳記各種夢兆，唯左氏書中提到日月星辰之夢占也只有成公十六年呂錡夢射月而已。[61]倒是近世出土的敦煌卷子伯希和3908號《新集周公解夢書》二十三章有大量夢境星占的條目，[62]可以參閱。

59 （宋）王應麟：《六經天文編》，頁74。

60 莊雅州：〈左傳天文史料析論〉，頁18-22。

61 陳熾彬：《左傳中巫術之研究》（臺北：政治大學博士論文，1989年），頁222-239。

62 江曉原：《中國星占學類型分析》（上海：上海書局，2009年），頁153-154。

八　特色

《周禮》主要在講周代之設官分職，介於理想與實際之間，與《左傳》之紀春秋時代史實、《呂氏春秋》之薈萃諸子學說，性質各有不同，故其言天文，自然有別於他書，而自有其特色。

（一）資料古老，彌足珍貴

鄭玄說《周禮》是周公致太平之書，自然不足憑信，但若說《周禮》是戰國古書，則可為一般學者所接受。[63]就天文學而言，在《周禮》中，有許多例證不僅可以顯示它不是漢以後的偽書，而且可以補先秦天文史料的不足。例如在天文儀器方面，它屢言圭表、漏壺，而絕無與渾天說關係密切的渾儀、渾象踪影。在星象紀錄方面，它隱約提到四象、二十八宿，也不似《呂氏春秋》、《淮南子》詳明，但卻是在古典文獻中最早提到的。[64]在宇宙觀方面，它提到天圓地方，和《呂氏春秋》〈圜道篇〉、〈序意篇〉、《大戴禮記・曾子天圓篇》都是最早出現蓋天說的典籍，其時代比蓋天說的代表作《周髀算經》還要早。而其陰陽五行的天地結構思想散見全書，也可以與許多先秦古書相互印證，略窺陰陽五行在先秦的流衍。

（二）零星散見，不成體系

《周禮》旨在架構理想的中央六部的職官體系，並非天文專書，故其天文資料只是吉光片羽，散見全書。如星象紀錄方面，王建民從〈春官・馮相氏〉、〈秋官・硩蔟氏〉、〈冬官・輈人〉，甚至〈春官・

63 莊雅州：《經學入門》，頁102-103。

64 陳久金：《斗轉星移映神州——中國二十八宿》（深圳：海天出版社，2012年），頁9-10。

司常〉九旗中蒐羅整理，才呈現出四象、二十八宿的雛型。在宇宙觀方面，則是彭林以三個證據證明《周禮》陰陽對立的宇宙觀，以十個證據佐證《周禮》五行思想體系，用力尤勤。同樣地，本論文也是彌綸全書，才從天文機構及職官、天文儀器、天文測算、星象紀錄、宇宙觀、占星術等層面架構出《周禮》天文資料的體系。當然，這個體系是後設的拼圖，但至少可以讓我們了解《周禮》中出現了哪些資料？哪些資料是未曾出現的？以及在中國天文學史上，其呈現的概略情況究竟如何？

（三）天文人事，結合為一

天人合一不僅是中國思想、中國文化的重要特色，也是天文學與占星術的共同基礎。早在遠古時期，人們就發現生活與生產都與日月星辰有密切關係，而且震懾於天象的複雜、大自然力量的偉大，遂創造觀測、占卜以揣摩天意。所以天人合一一直是中國天文學的主要精神，此在設官分職的《周禮》中尤其顯而易見。例如《周禮》中提到的星象：營室、弧矢與生活有關，飌師、雨師與自然有關，司中、司命、司民、司祿與職官有關，其命名猶如牛郎、織女之代表男耕女織，與西洋88星座之天琴座、天鷹座充滿希臘神話色彩者大異其趣。又如《周禮》中與天文相關的職官數十種，遍布六部，人數逾千人，職位上自卿、大夫，下至士、府、史、胥、徒，職務包含天文、曆法、氣象、文史、禮樂、祭祀、卜筮、醫療、交通、生產、工藝，其規模之宏大，涵蓋面之寬廣，是任何古籍所未曾見的。

（四）觀象授時，相輔相成

上古時期，人們基於生活與農牧生產的需要，由觀測物候進而觀測天象，敬授民時。年、月、日、時、四季，節氣的紀時系統是由日月星辰運行規律的推算產生的。但反觀曆法的內容，不僅在安排曆日，還包括計算日月位置、日月食發生的時間、程度及行星位置等等，相當於一部天文年曆。[65]可以說曆法幾乎包括天文學的全部內容，曆法的改革和編算，帶動了天文學的發展。[66]這種觀象授時相輔相成的現象，在《周禮》中也明顯可見。如保章氏和馮相氏是《周禮》中最重要的主管天文曆法的官員，保章氏雖然主管天文，但其主要工作項目如「志星辰日月之變動」、「以十有二歲之相，觀天下之妖祥。」（頁405-406）都與曆法有關。馮相氏雖然主管曆法，但也須從事「冬夏致日，春秋致月」（頁405）的天文觀測工作。他們的業務可以說是相互支援，合作無間，又如大司徒以土圭測土深，求地中，測日影的長短，這是天文工作，但其主要觀測時間在二至二分（頁153），則又牽涉到曆法。再如眡祲「掌十煇之灋」（頁382）是天文，但「掌安宅敘降，正歲則行事，歲終則弊其事。」（頁383）則又依曆法行事。

（五）陰陽五行，瀰漫全書

上文提到古人認為宇宙萬物都是由陰陽五行構造而成，這種宇宙觀當然也滲透到天文學裡，劉昭民說：

> 人格化的天人合一觀為官方天文研究形上的基礎，陰陽五行為中層的運作基礎，曆法則為形下的實用基礎，三者密切配合，展現出中國古代天文研究的特殊面貌。[67]

---

65 陳久金、楊怡：《中國古代的天文與曆法》（臺北：臺灣商務印書館，1993年），頁144。

66 劉金沂、趙澄秋：《中國古代天文學史略》，頁2。

67 劉昭民：《中華天文學發展史》，頁18。

在先秦時代，《周禮》與《管子》、《呂氏春秋》、《易・繫辭傳》一樣。都是陰陽五行思想最為濃厚的典籍。其天文資料對一切天文現象也好以陰陽五行學說作人事的解釋，如大司徒在夏至測日影，求地中，說它是「天地之所合也，四時之所交也，風雨之所會也，陰陽之所和也。」（頁154）占夢的職掌為「掌其歲時，觀天地之會，辨陰陽之氣。」（頁381）這都是講求陰陽之道的。又如保章氏「以五雲之物，辨吉凶水旱降豐荒之祲象。」鄭玄注：「觀雲色青為蟲，白為喪，赤為兵荒，黑為水，黃為豐。」（頁407）司常掌九旗之物名，九旗中的交龍之旂、熊虎之旗、鳥隼之旟、龜蛇之旐，相當於四象：東方青龍、西方白虎、南方朱雀、北方玄武，加上常旗代表日月，為中央土，色黃，合而為五行，比輈人之只言四象者完整。這都是講求五行之理的。

九　結論

綜合上述析論，可得到以下結論：

（一）《周禮》為先秦古書，旨在記載周王朝以天地四時序列的中央六部官制，並非天文專書，但其職官涉及天文者不下數十種，遍布六部，人數超過千人，可謂規模宏大，涵蓋寬廣。固然其書介於理想與實際之間，未必盡為史實，但仍有可與先秦典籍相互印證，或補先秦天文史料之不足者。

（二）以後世天文學體系架構《周禮》天文資料，可得而言者六端：

1. 天文機構及職官：春官掌邦禮，為天文曆法之主管機構。保章氏掌天文，馮相氏掌曆法，其餘與此相關者為數眾多。

2. 天文儀器；圭表用途甚廣，主要在測量日影、月影，漏壺則用以計時、授時，這是當時最重要的天文儀器。至於渾儀、渾象晚出，在《周禮》中並無踪影。

3. 天文測算：主要在測量日影、月影的長短，考察星辰的運行，進而編排曆法，頒告朔於諸侯。

4. 星象紀錄：在恆星方面，記錄了三垣中的極星、司中、司命、司民、司祿，四象及二十八宿中的部分星辰，如伐、弧、營室。在日月及歲星方面沒有詳細的描述。

5. 宇宙觀：認為天地的形狀是天圓地方，此為人們主觀的直覺；天地的結構是陰陽五行，此則為民族長期思想的積澱。

6. 占星術：日月食時以各種方法救日、救月；觀察日暈的十種類型；辨別九州分野以及根據日月星辰占六夢，這些都是為了占卜吉凶。

（三）《周禮》的天文資料具有1. 資料古老，彌足珍貴；2. 零星散見，不成體系；3. 天文人事，結合為一；4. 觀象授時，相輔相成；5. 陰陽五行，瀰漫全書五大特色。這些特色，個別而言，未必是《周禮》所獨有，整體合觀，確實有別於他書。

——原載於浙江大學古籍研究所主辦「東亞禮樂文明暨紀念沈文倬先生百年誕辰國際學術研討會論文」（2016年10月），頁161-193。

《呂氏春秋》之天文

一　緒言

《呂氏春秋》「兼儒、墨，合名、法。」（班固《漢書藝文志・諸子略》）而於道、農、兵、陰陽、縱橫、小說各家也頗有所採，實不愧為先秦雜家的代表作。二千年來，研究的學者為數頗多，成績也十分可觀。唯大多站在人文社會科學的立場，致力於其思想的分析、價值的判斷、體系的建立，而對其書所蘊含的天文、曆法、氣候、生物、農業……等方面豐富的素材較少究心，在自然科學日益昌明的今日，這不能不說是一個缺憾。本篇擬就宇宙觀與星象紀錄、太陽紀事、太陰紀事四方面來探討《呂氏春秋》在中國古代天文學史上所應有的地位，並且希望藉此收到就教方家、拋磚引玉的效果。為了讓平日較少接觸天文學的讀者也能引起閱讀甚至進一步研究的興趣，有些地方難免不憚詞費，多所解說，這是需要在此特別聲明的。

二　宇宙觀

人類與萬物渾然雜處於天地之中，對於每日生活的大環境到底何自而來、如何演化、有無邊涯等問題，難免產生追根究柢的好奇心。隨著民智的發達，此種好奇心與日俱增，於是上帝創世、盤古開天闢地等種種宗教玄說與神話幻想就應運而生。此外，還有許多哲學家與天文學家則試圖從推理與實驗的立場來解決問題，而提出各種不同的說法。當然，這些問題太深奧、太複雜，迄今還無法得到較為圓滿的答案，不過，芸芸眾說都是人類智慧的結晶，就文化史的立場而言，其本身就是很豐盛的收穫了。

（一）宇宙的本體

關於宇宙的本體，《呂氏春秋》主張一元論，其言曰：「萬物所出，造於太一，化於陰陽。」（〈大樂〉）「道也者，至精也，不可為形，不可為名，彊為之名，謂之太一。」（同上）「道」為《老子》所常言，「太一」則首見於《莊子・天下篇》：「建之以常無有，主之以太一。」很明顯地，在這方面呂書是承襲了道家的說法。《老子》云：「道生一，一生二，二生三，三生萬物。」（第四十二章）一為數之最簡者，簡之又簡，比一還簡、還高，而為萬物所自出的就是「太一」，也就是「道」。呂書所講的「太一」，正如《老子》的「道」、宋鈃、尹文的「氣」（《管子・內業》）、《易・繫辭傳》的「太極」、希臘愛奧尼亞學派（Ionian School of Philosophy）的「一物生萬物」，都是主張宇宙現象的本質出於單一的原理，而其為物，「視之不見，聽之不聞，不可為狀。」（〈大樂〉）是超逾現象界的玄妙的本體，這種說法已進入形而上學的領域。

（二）宇宙的起源

談到宇宙的起源，《老子》主張「天下萬物生於有，有生於無。」（第四十章）「無、名天地之始；有，名萬物之母。」（第一章）既然是無，如何能生有？真是玄之又玄，這種說法自非抱持功利主義、現實原則的呂氏所願採納，所以《呂氏春秋》轉而乞靈於《易・繫辭傳》的「太極生兩儀」和陰陽家的「陰陽交感」，其言曰：「太一出兩儀，兩儀出陰陽，陰陽變化，一上一下，合而成章，渾渾沌沌，離則復合，合則復離，是謂天常。」(〈大樂〉) 陰陽可以代表所有相反相成的物質與力量，由於互相吸引、互相排擠，於是肇化了天地，產生了萬物。當宇宙誕生之初，天地處於一種朦朧不分、渾渾噩噩、深沉幽暗的渾沌狀態，不知經過了多少億年的演化，才形成了今日的大千世界。這樣的說法，不但彌綸群言，而且符合傳統的觀念，較易為世人所接受。陳郁夫云：「《呂氏春秋》以『陰陽交感』代『有生於無』，實為極進步之思想，吾人若不低估前賢智慧，必不致以此構想為偶然。」(《呂氏春秋撢微》第五章第一節) 評論甚為中肯。不僅如此，呂氏在〈有始篇〉中更具體地提出「有」，作為天地之始，以與《老子》之「無」相抗衡，其言曰：「天地有始，天微以成，地塞以形，天地合和，生之大經也。」微細的物質擴散於太虛，而呈現輕清之氣體狀態者就形成天，重濁而不透明之固體凝滯下沉者，就形成地。這與《素問》的「清陽為天，濁陰為地。」(〈陰陽應象大論〉)《淮南子》的「清陽者薄靡而為天，重濁者凝滯而為地。」(〈天文〉) 立說雖異，其旨實同。西方許多解釋太陽系或宇宙成因的學說，如康德（I. Kant）拉不拉斯（P. S. Laplace）的星雲說、(詳見山本一清《宇宙壯觀》第四篇第六章。) 凱伯（Gerard Peter Kuiper）的氣體雲說、(詳見《牛頓科學研習百科：宇宙》62頁。) 樂梅特（George Lemaitre）、迦模（G. Gamow）的霹靂說，(詳見沈君山《天文漫談》第十章、《新世紀叢書：我們的宇宙》第六章。) 道理也可與此通。陳奇猷云：「陰陽家與道家之宇宙觀根本不同，故道家發而為『無為』，而陰陽家演而為『刑尅』也。」(《呂氏春秋校釋》卷三十·〈有始〉) 對二家之分水嶺言之至瞭。

（三）宇宙的演化

《呂氏春秋》云：「天地車輪，終則復始，極則復反，莫不咸當。」(〈大樂〉)又云:「何以說天道之圜也?精氣一上一下,圜周復雜,無所稽留,故曰天道圜。」(〈圜道〉)將宇宙萬事萬物之演化,視同圓環無端,循環不已,正是華夏特色之一。如《老子》、《易經》、《莊子》、《禮記禮運》甚至《孟子》皆具有此種思想,呂書之說正是上承此種思想。陳郁夫云:「此種周流復始之本體大化流觀,順利解決宇宙創始問題,蓋宇宙運行,若循一直線進行,則必產生宇宙『何時始?』『孰使之始?』諸問題,若周而復始,無始無終,則此問題自然消失,中國無上帝創造萬物之說,蓋因此也。」(《呂氏春秋撢微》第五章第一節)其高明由此可見。近代桑代奇(Allan Sandage)根據霹靂說進而推衍出振盪宇宙說,(又名關閉宇宙說。)以為宇宙是由密集億萬個星雲的大火球——原始卵爆炸膨脹而成的,有朝一日,星雲與星雲會再縮回去,成為一個火球,如此周而復始,每八百億年就進行一次爆炸、收縮的循環,永無終止。(詳見沈君山《天文漫談》第十章、《新世紀叢書:我們的宇宙》第六章。)其說十分新奇,頗為世所重,而道理與中國的本體大化流觀實無二致。

(四)宇宙的形態

六朝以前之論天者有蓋天、宣天、渾天、昕天、安天、穹天六家,其中以蓋天、渾天起源最早,爭議最烈。《呂氏春秋・圜道篇》云:「天道圜,地道方,聖王法之,所以立上下。」〈序意篇〉云:「嘗得學黃帝之所以誨顓頊矣!爰有大圜在上,大矩在下,汝能法之,為民父母。」呂氏旨在闡發天道之方圓,未直說天地之形狀,卻反映了早期蓋天說「天圓地方」的觀念。(見圖一,採自《中國天文史話》。)如此說法,純自直觀出發,《大戴禮記・曾子天圓篇》即曾提出質疑說:「如誠天圓而地方,則四角之不揜也。」也就是說,如果天圓地方,則天地不能完全吻合,豈不是自我矛盾?所以此派學者將它修正為「天象蓋笠，地形覆槃。天地各中高外下。」(《晉書天文志》) 使天地都成為半圓的拱形，(見圖二，採自《中國天文史話》。)《周髀算經》還計算了各種數據來證明其正確性。(詳見陳遵嬀《中國天文學史》第四章第二節。) 不過，蓋天說畢竟存有許多致命的缺點，從西漢至晉朝之間，被揚雄、張衡、葛洪等猛烈攻擊後，遂為渾天說（見圖三，採自《中國天文史話》）所取代。當然，今日科學日新月異，天地皆圓已是一個極普通的常識，而太空船所拍攝的地球全貌相片、影片更是屢見不鮮。這是經過畢達哥拉（Pythagorus）、亞里斯多德（Aristotles）以降的西方學者不斷倡導研究，直至麥哲倫（F. Magellan）周航世界，始完全證明的，歷時達二千年，非難壓迫，不知凡幾，真理之確立，誠非易事。中國早在戰國時代，惠施即曾主張「南方無窮而有窮……，我知天下之中央，燕之北，越之南是也。」(《莊子・天下篇》) 漢朝張衡也說：「天體圓如彈丸，地如雞中黃，孤居於內。」(〈渾儀〉,《後漢書・律曆志》劉昭補注引) 都屬地圓之說，可惜無人進一步去加以求證，只能讓西人專美於前。

圖一　蓋天說示意圖

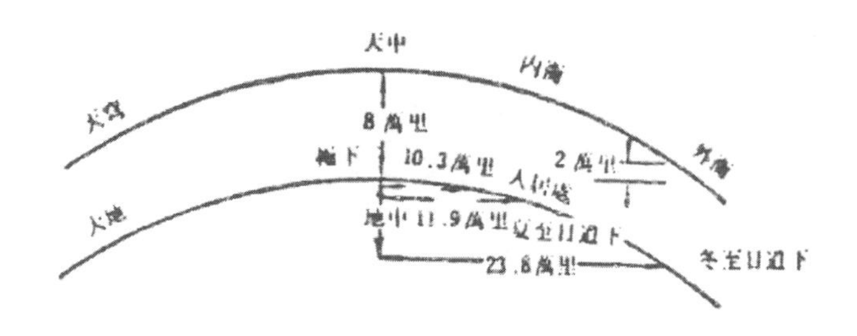

圖二　修正蓋天示意圖

圖三　渾天說示意圖

（五）宇宙的大小

《呂氏春秋》云：「凡四海之內，東西二萬八千里，南北二萬六千里。……凡四極之內，東西五億有九萬七千里，南北亦五億有九萬七千里。」（〈有始〉）所謂四海之內，當即指中國，亦即赤縣神州而言，其幅員大小，《管子・地數篇》、《輕重乙篇》、《山海經・中山經》、《周髀算經》、《淮南子・墬形篇》所載並同，依一周里合0.3654公里（據高平子《學曆散論・中國人的宇宙圖象》。）換算，則東西

10,231公里，南北9,500公里，面積為中國版圖四、五倍，比整個亞洲還稍大些，足見並非先秦實測，只是陰陽家閎大不經之語而已。至於四極，當係指四方極遠之地，亦即大九洲而言，(《爾雅·釋地》:「東至於泰遠，西至於邠國，南至於濮鈆，北至於祝栗，謂之四極。」)其相去里數，與《山海經》、《周髀算經》、《淮南子·墬形篇》、《詩含神霧》、《河圖括地象》、《衡張靈憲》等所載頗有出入。東西、南北各為597,000里，(億為十萬。)合218,144公里，比地球赤道圓周40,076公里、極圓周40,008公里都要長數倍，面積則比地球大數十倍，實在也是信口開河。至於天地的大小，蓋天家認為「天離地八萬里。」(《周髀算經》卷下)則他們心目中的半球形宇宙與今日所知天球相較，實不啻滄海一粟。我們曉得，地球僅係太陽系的一顆小行星，太陽系在本銀河中毫不起眼，本銀河在整個宇宙中也微不足道。目前所能測知最遠天體距離約達一百億光年，(一光年約合五萬八千六百五十六億九千六百萬哩。)可能測到的星球總數不下百萬億億。(詳見曹謨《新天文學基礎一、宇宙》。)宇宙有無邊際？其涯岸何在？早在二千多年前，屈原《天問》就提出這個問題，今日我們還是無法給他一個肯定的答覆。

三　星象紀錄

(一) 二十八宿

日月五星的運行，可以驗節候，知歲時，與人類生活息息相關，向為人們所注意。只是它們在天空的位置變動不居，不易掌握。古人經過長期的摸索，發現以彼此間相關位置永恆不變的恆星作為觀測的背景最為理想。(那時人們還不知恆星自行的道理。)於是在觀象授時的基礎上，進一步去挑選、增補，終於在黃道、赤道附近選定了一些比較適當的星座，那就是有名的二十八宿。（見圖四，採自高平子《史記天官書今註》）有了二十八宿以後，不啻在神秘複雜的天空找到了紀錄方位的座標，不僅可以準確地測定日月五星的運行周期和軌道，而且可以用來編撰曆法、劃分天區、繪製星圖、觀測恆星、記錄特殊天象，在中國古代的天文學史上，具有無與倫比的重要性。

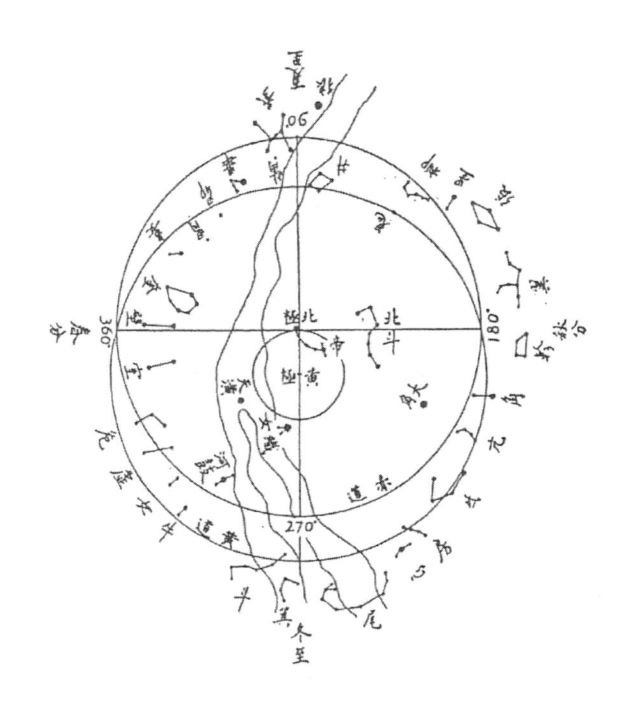

圖四　天官概略圖

二十八宿究竟建立於何時？眾說紛紜，如新城新藏、竺可楨認為是西元前三千年，施古德（G. Schlegel）、李約瑟（Joseph Needham）主張是西元前1600年，飯島忠夫則斷定為西元前396年至西元前382年之間，迄今仍無定論。在傳統的文獻裡，二十八宿零零落落地出現於

〈堯典〉、〈洪範〉、〈夏小正〉、《詩經》、《左傳》、《國語》、《爾雅》，（詳見陳遵嬀《中國天文學史》第十章第三節。）直至《呂氏春秋·有始篇》才完整地記錄了全部的名稱，其言曰：「天有九野，地有九州……何謂九野？中央曰鈞天，其星角、亢、氐。東方曰蒼天，其星房、心、尾。東北曰變天，其星箕、斗、牽牛。北方曰玄天，其星婺女、虛、危、營室。西北曰幽天，其星東壁、奎、婁。西方曰顥天，其星胃、昴、畢。西南曰朱天，其星觜、參、東井。南方曰炎天，其星輿鬼、柳、七星。東南曰陽天，其星張、翼、軫。何謂九州？河、漢之間為豫州，周也。兩河之間為冀州，晉也。河、濟之間為兗州，衛也。東方為青州，齊也。泗上為徐州，魯也。東南為揚州，越也。南方為荊州，楚也。西方為雍州，秦也。北方為幽州，燕也。」1978年在湖北省隨縣擂鼓墩發掘的戰國早期曾侯乙墓中，有一件漆箱蓋，其兩旁繪有青龍白虎，中間則書寫二十八宿全名，並環繞著一個大斗字。（見圖五，採自〈曾侯乙墓出土二十八宿青龍白虎圖象〉。）二十八宿的名稱雖與傳統頗有差異，（如「柳」作「酉」、「奎」作「圭」、「昴」作「矛」。）而體系則無不同。依據出土銅鏄的銘文考證，可以確定其時代為西元前433年左右，比《呂氏春秋》早了將近兩百年。這個發現，在中國天文學史研究上實深具意義。王建民云：「如果考慮到曾國在戰國初期只是一個小國，並且二十八宿是被描繪在箱蓋上作為裝飾圖案的，就不難想像：二十八宿體系在當時已經是一種相當普及的天文知識，它的形成時代還要比這件文物入葬的年代早得多。」（〈曾侯乙墓出土二十八宿青龍白虎圖象〉）

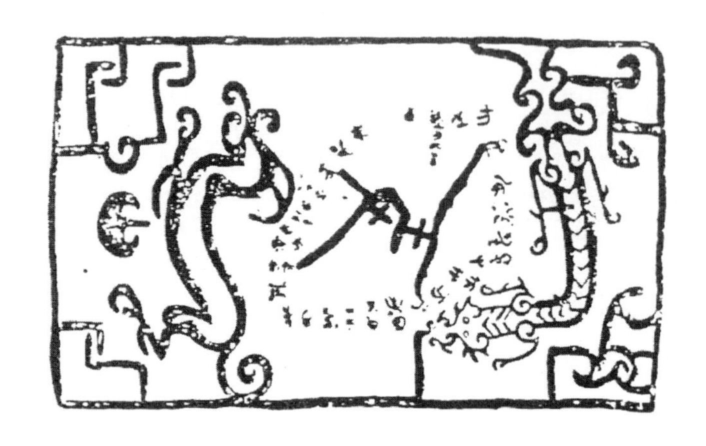

圖五　二十八宿青龍白虎圖象

中國有二十八宿，巴比倫、印度、阿拉伯、埃及也有，唯內容、次序均不盡相同。《呂氏春秋・圜道篇》云：「月躔二十八宿，軫與角屬，圜道也。」中國二十八宿始於角，與埃及相同，而與印度始於昴者有別。錢寶琮云：「二十八宿以何宿始，以何宿終，俱不害其為圜道。然既云：『軫與角屬』，則二十八宿始於角而終於軫，明矣！蓋東宮蒼龍為四宮之首，而角為蒼龍第一宿，順次至於軫，列為二十八宿，原無甚深意也。」(〈論二十八宿之來歷〉）其實，選角為首宿，應當是經過相當慎重的考慮的。因為它屬於中央鈞天，與北斗七星的斗杓距離最近，若從斗杓三星順勢略作30度的曲線，則適經大角（西圖牧夫α）與角宿一（西圖室女α），（見圖六，採自何丙郁《中國科技史概論》。）前者為0.2等星，是全天第六亮恆星，後者為1.2等星，是全天第十六亮恆星，也是二十八宿中最明亮的距星，極易辨識，找到了角宿，其餘各宿也就不難按圖索驥。《史記・天官書》所講的「杓攜龍角，衡殷南斗，魁枕參首。」李約瑟所謂的：「那些拱極星的中天位置實可用為在地平下不能見的星宿位置的指標。」(《中國之科學與文明》第五冊e）就是這個道理，由曾侯乙墓二十八宿圖中心有個大「斗」字，「車」（軫）和「角」之間有較大的空隙，更不難洞悉其關鍵。

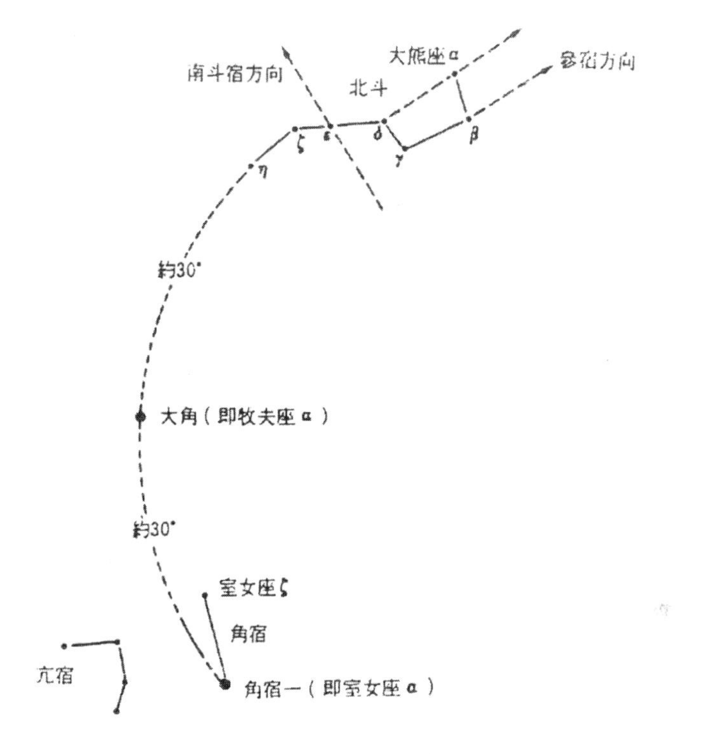

圖六　由斗杓尋找角宿圖

如果要使二十八宿發揮實際觀測的效果，我們還應該知道這些星宿包含那些恆星？以哪一顆作為測量標誌的距星？各距星之間的角度多少？在這方面，先秦天文學家甘德、石申等人已有很好的成績，可惜《星經》久佚，《呂氏春秋》中對此又全無交代，茲參考《淮南子・天文篇》、《漢書律曆志》以迄現代的資料，編成九野二十八宿表，（見表一）列於下：

表一　九野二十八宿表

九野		二十八宿						
方位	天名	宿名	星數	西方星名	距星		度數	
					西名	等級	淮南距度	今距度
中央	鈞天	角	2	室女 $\alpha\zeta$	室女67 α	1.2	12°	11°55′
		亢	4	室女 $\chi\iota\phi\lambda$	室女98 χ	4.3	9°	9°28′
		氐	4	于秤 $\alpha\iota\gamma\beta$	天秤9 α^2	2.9	15°	16°57′
東方	蒼天	房	4	天蝎 $\pi\rho\delta\beta$	天蝎6 π	3.0	5°	5°35′
		心	3	天蝎 $\sigma\alpha\tau$	天蝎20 σ	3.1	5°	7°35′
		尾	9	天蝎 $\mu\varepsilon\zeta^2\eta\theta\iota'\kappa\lambda\upsilon$	天蝎 μ_1	3.1	18°	18°32′
東北	變天	箕	4	人馬 $\gamma\delta\varepsilon\eta$	人馬10 γ	3·1	11.25°	9°59′
		斗	6	人馬 $\phi\lambda\mu\sigma\tau\zeta$	人馬27 ϕ	3·3	26°	23°54′
		牽牛	6	摩羯 $\beta\alpha^2\xi\pi o\rho$	摩羯9 β	3.2	8°	6°41′
北方	玄天	婺女	4	寶瓶 $\varepsilon\mu$ 4 κ	寶瓶2 ε	3.8	12°	10°59′
		虛	2	寶瓶 β 小馬 χ	寶瓶22 β	3.1	10°	8°35′
		危	3	寶瓶 α 飛龍 $\theta\varepsilon$	寶瓶34 α	3.2	17°	14°45′
		營室	2	飛馬 $\alpha\beta$	飛馬54 α	2.6	16°	17°06′
西北	幽天	東壁	2	飛馬 γ 仙女 α	飛馬88 γ	2.9	9°	10°59′
		奎	16	仙女 $\eta\zeta\varepsilon\delta\pi\upsilon\mu\beta$ 雙魚 $\sigma\tau\iota\chi$	仙女38 η	4.6	16°	14°20′
		婁	3	白羊 $\beta\gamma\alpha$	白羊6 β	2.7	12°	12°10′
西方	顥天	胃	3	白羊 35 39 41	白羊35	4.6	14°	16°00′
		昴	7	金牛 17 19 21 20 23 25 27	金牛17	3.0	11°	10°18′
		畢	8	金牛 $\varepsilon\delta_1\delta_3\gamma\alpha\theta'$ 71 λ	金牛74 ε	3.6	16°	16°39′
西南	朱天	觜巂	3	獵戶 $\lambda\phi_1\phi_2$	獵戶39 λ	3.7	2°	1°28′
		參	7	獵戶 $\zeta\varepsilon\delta\alpha\gamma\kappa\beta$	獵戶50 ζ	2.0	9°	10°26′
		東井	8	雙子 $\mu\upsilon\gamma\xi\varepsilon$ d $\zeta\lambda$	雙子13 μ	3.2	33°	32°13′
南方	炎天	輿鬼	4	巨蟹 $\theta\eta\gamma\delta$	巨蟹31 θ	6.0	4°	1°33′
		柳	8	長蛇 $\delta\sigma\eta\rho\varepsilon\zeta\omega\theta$	長蛇4 δ	4.2	15°	12°31′
		七星	7	長蛇 $\alpha\tau_1\tau_2\iota\rho$ 26	長蛇30 α	2.2	7°	9°23′
東南	陽天	張	6	長蛇 $\upsilon_1\lambda\mu\kappa\phi_1$	長蛇39 υ_1	4.7	18°	13°40′
		翼	22	巨爵 $\alpha\gamma\zeta\delta\chi$ 長蛇 $\upsilon\chi$	巨爵7 α	4.2	18°	18°59′
		軫	4	烏鴉 $\gamma\varepsilon\delta\beta$	烏鴉4 γ	2.8	17°	17°20′

（二）分野

與二十八宿息息相關者厥為四象、十二次與分野，《呂氏春秋》僅提及其中的分野。

〈有始篇〉裡先並舉九野、九州，然後將天空劃分為中央及四正、四偶等九個方位，謂之九野，以二十八宿與之相配，又將大地依〈禹貢〉劃分為州，以周以來國名與之相配，如果我們進一步將九野與九州逐一仔細配合，那不就形成星占家所謂的「分野」了嗎？陳遵嬀曾析論其內容與思想云：「其中有八野各配三宿，獨北方則配四宿。這大概認為北極是天的中央，是天帝之位，應配以四宿，至於把它配於北方，也許和〈禹貢〉九州的思想是同一系統，和地上天子南面稱孤，古王首都配於冀北之地的思想相同。其順序從中央而東、北、西、南，是保持二十八宿的次序。這個分野思想以東方曰蒼天、北方曰玄天、西方曰顥天、西南曰朱天、南方曰炎天，是從五行思想而來的；顥是白的形貌，炎是火性上升的意思。東北曰變天、西北曰幽天、東南曰陽天，則從陰陽思想而來。」（《中國天文學史》第十七章）分野是古人用來道禨祥、驗吉凶的，也可算是天人合一思想的一種體現，《呂氏春秋・制樂篇》提及宋景公時，熒惑在心，子韋曰：「熒惑者，天罰也；心者，宋之分野也。禍當於君，雖然，可移於宰相。」就是一個著名的例子。不過，九野之說，只有《淮南子・天文篇》曾略加修改並沿用，後世則改而以地方州域分統二十八宿，如《史記・天官書》所載是也。（詳見莊萬壽〈古代文化的發展與空間知識的擴張〉、林金泉〈詩緯星象分野考〉。）蓋秦漢之後，大一統之局已定，當然不再採用群雄並峙的列國名稱了。

順便一提的是：四象又指四陸或四宮，即東方蒼龍、（包括角、亢、氐、房、心、尾、箕。）北方玄武、（包含斗、牛、女、虛、危、室、壁。）西方白虎、（包含奎、婁、胃、昴、畢、觜、參。）南方朱雀，（包含井、鬼、柳、星、張、翼、軫。）這是古人將每一方的七宿聯繫起來，想像成四種動物形象，以便觀測星象時易於識別。四象的具體記載，在現存先秦文獻中可說付諸闕如，直至《淮南子》和《史記》始有明白的交代，所以一般學者都將四象的時代定在秦漢。不過，近年出土的曾侯乙墓二十八宿圖東西方位已清楚地繪出青龍、白虎，（南北方位未畫朱鳥、玄武，可能是長方形的箱蓋不易安排。）足見四象之形成至少也是戰國初年以前，這個發現，正可以補《呂氏春秋》與其他先秦文獻的不足。至於十二次，相當於西洋的黃道十二宮，是將周天由西向東分為星紀、玄枵等十二等分，每次都有二十八宿中的某些星宿作為標誌，用來指示日躔及歲星位置，並決定二十四節氣的早晚。在《左傳》、《國語》中已有零星的記載，呂氏的時代理應粲然大備，只是其書未曾登錄而已。

（三）昏旦中星

地球一方面自西向東自轉，一方面以每秒19哩的速度繞著太陽公轉，吾人站在地球上，覺得整個天球彷彿繞著一個軸心自東向西旋轉。當白晝時，日烈星隱，一俟夕陽西下，群星始現，最能引起人們注意的，大概是初昏或黎明時出現天際的亮星，尤其是出現在子午圈的正南方（亦即日出、日落的東、西方之中。）離地平線上最高者，更為人們所矚目，此即所謂昏旦中星。雷學淇云：「古經之法，凡星在日前十五度外則旦見，在日後十五度內則昏伏。」（《古經天象考・卷二》恆星旦見東方之後，每日必提早四分鐘左右出現，然後慢慢接近子午圈。哪顆恆星在一年中什麼時段昏旦中天是有一定的，長期觀察的結果，就可以驗寒暑、均節候，做為人們生產與起居的重要依據，在古代天文曆法還不甚發達之際，這種觀象授時的工作是十分重要的。

《詩經》、〈堯典〉、〈夏小正〉、《左傳》、《國語》等古籍中，有各種星象的紀錄，然而或局限於四季仲月，（詳見竺可楨〈論以歲差定尚書堯典四仲中星之年代〉。）或雜記昏、旦、伏、見、中、正、當、鄉，（詳見拙著《夏小正析論・夏小正之天文》。）其完整地記載一年十二月的日躔及昏旦中星的，應數《呂氏春秋》的〈十二月紀〉。後代曆書中多有製出中星表以備測時之用者，實濫觴於此，在中國天文學史上，這也是很值得重視的一點。〈十二月紀〉云：

孟春之月，日在營室，昏參中，旦尾中。

仲春之月，日在奎，昏弧中，旦建星中。

季春之月，日在胃，昏七星中，旦牽牛中。

孟夏之月，日在畢，昏翼中，旦婺女中。

仲夏之月，日在東井，昏亢中，旦危中。

季夏之月，日在柳，昏心中，旦奎中。（《禮記・月令》「心」作「火」。）

孟秋之月，日在翼，昏斗中，旦畢中。（《禮記・月令》「斗」作「建星」。）

仲秋之月，日在角，昏牽牛中，旦觜觿中。

季秋之月，日在房，昏虛中，旦柳中。

孟冬之月，日在尾，昏危中，旦七星中。

仲冬之月，日在斗，昏東壁中，旦軫中。

季冬之月，日在婺女，昏婁中，旦氐中。

所載中星先昏後旦，正是中國重昏星的表現，與西洋之重旦星者異趣。所用星宿除仲春「昏弧中，旦建星中」外，概在二十八宿之列。弧矢九星即大犬座δηεκ等，建六星即人馬座ξοπdρυ，孔穎達云：

「弧與建星非二十八宿，而昏明舉之者，由弧星近井，建星近斗，井有三十三度，斗有二十六度，其度既寬，若舉井斗，不知何日的井、斗之中，故舉弧星、建星也。」(《禮記注疏》卷十五）足見還是以二十八宿為依歸。至其所載各月星象，昔人或持保留態度，或奉為圭臬，如孔穎達云：「凡十二月，日之所在，或舉月初，或舉月末，皆據其大略，不細與歷數齊同，其昏明中星亦皆如此。」(《禮記注疏》卷十四）孫希旦則斥之曰：「孔氏不計歲差，直以漢時之日躔中星為〈月令〉之日躔中星，其說非是。」(《禮記集解》卷十五）對於〈月令〉星象的探討，除了考慮歲差因素外，還需顧及觀測年代、日期、時間、緯度、每月中星去日度數……等因素，(參見竺可楨〈論以歲差定尚書堯典四仲中星之年代。〉) 如唐僧一行云：「古歷冬至昏明中星去日九十度，春分、秋分百度，夏至百一十八度。」(《新唐書歷志》引〈大衍歷議〉) 蓋日行有遠近，每月中星去日度數自然各有不同，要詳細推算各月中星去日度數，就得大費周章，僅此一端，即可概見其餘因素之複雜。日人能田忠亮〈禮記月令天文考〉以西元前620年（魯文公七年）北緯三十五度日沒後五刻，日出前五刻為準，詳細推步各月初的昏旦中星去日初度與末度，(見表二。）並計算其距離子午線之度數泰半在東西十五度以內，(見圖七。）以為〈月令〉（亦即〈呂紀〉）所載，大體尚無不合。由於這個問題過於專門而複雜，在此就不深究了。

表二　月令昏旦中星表

B.C. 620の各月節	昏（5刻）の南中星宿			旦（5刻）の南中星宿		
	星宿	去日度		星宿	去日度	
		初度	末度		初度	末度
孟春節	參	95°.3	101°.9	尾	103°.1	84°.3
仲春節	弧（井）	(71.9)	(104.3)	建（斗）	(104.1)	(77.5)
季春節	星	94.4	101.3	牛	107.5	99.5
孟夏節	翼	88.4	104.7	女	129.5	117.6
仲夏節	亢	104.5	113.3	危	138.0	121.2
季夏節	火	102.9	106.9	奎	126.2	109.3
孟秋節	建（斗）	105.9	(132.5)	畢	104.2	86.3
仲秋節	牛	102.5	110.5	觜	116.2	114.7
季秋節	虛	92.4	102.0	柳	101.0	85.6
孟冬節	危	72.0	88.8	星	115.6	108.7
仲冬節	壁	75.3	83.8	軫	105.3	87.2
季冬節	婁	70.7	80.2	氐	96.7	82.3

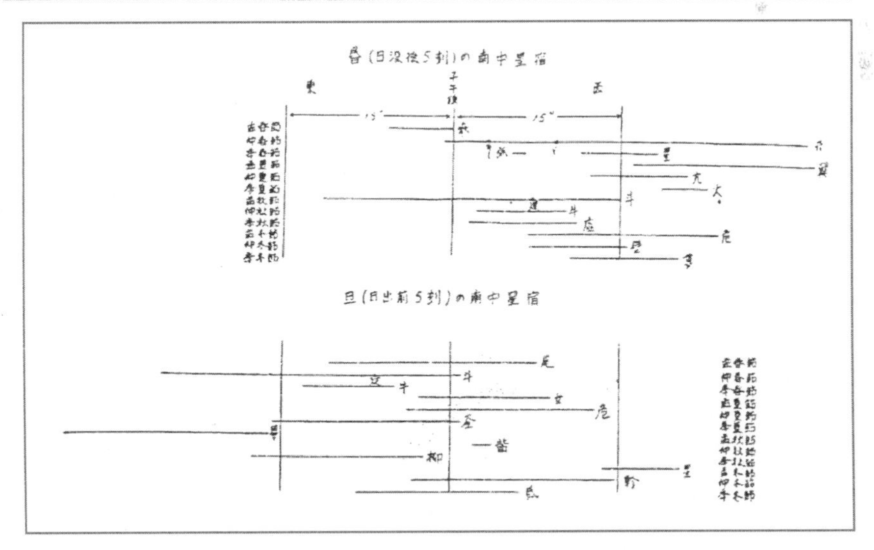

圖七　月令昏旦中星去日度數圖

（四）極星

〈有始篇〉云：「極星與天俱游，而天極不移。」昔人囿於極星萬世不移的觀念，對此二句皆不得其解，或強為之辭，或肆意改字，如高誘之附會《論語》，陳昌齊之改「天極」為「天樞」，王念孫之改「極星」為「眾星」、「天極」為「極星」，雖言之鑿鑿，實難採信。唯有陳奇猷獨排眾說，以歲差之理解之，曰：「朱文鑫曰：『極星古今不同，今以勾陳大星為極星，《史記・天官書》以帝為極星，自歲差之理明，恆星東行之實測有據，然後知北極亦動，而極星古今不同矣！』猷案：地球除繞其軸自轉外，而地軸又繞黃軸旋轉，二萬五千八百餘年而一周。因此，每年春分點沿黃道向西退行五十又十分之二秒。此一現象謂之歲差（Precession）。地軸北端之一點謂之赤極，黃軸北端之一點謂之黃極。故黃極不動，而赤極則不斷改變。今作赤極軌跡之詳圖以明之。（按：見圖八。）明於赤極繞黃極之軌跡，則呂氏此文之義極易了解。恆星東行，每夜可見，故古人以天為游動。今極星亦游動，故曰：『極星與天俱游』。『天極』即『黃極』，蓋黃極為天不動處，乃中天之極，故呂氏謂之『天極』。中天之極不動，故曰『天極不移』。據此，則呂氏早已記載歲差之理。考希臘天文學家依巴谷（Hipparchus）於西元前一二五年始發現歲差，則呂氏之記載較依巴谷早百餘年。據《史記・呂不韋傳》，呂氏此書係其門客『人人著所聞集論』而成，則此歲差之理係呂氏門客所聞戰國之舊說。然則中國學者發現歲差較依巴谷不止前百餘年矣。惜後人不善讀呂氏書，致呂氏說湮沒而不彰。治中國天文學史者，僅知晉成帝（公元三二六～三四二）時虞喜發見歲差，則是後依巴谷數百年矣。惜哉！」（《呂氏春秋校釋》卷十三）其言頗能發千古之秘，誠為呂書之功臣。

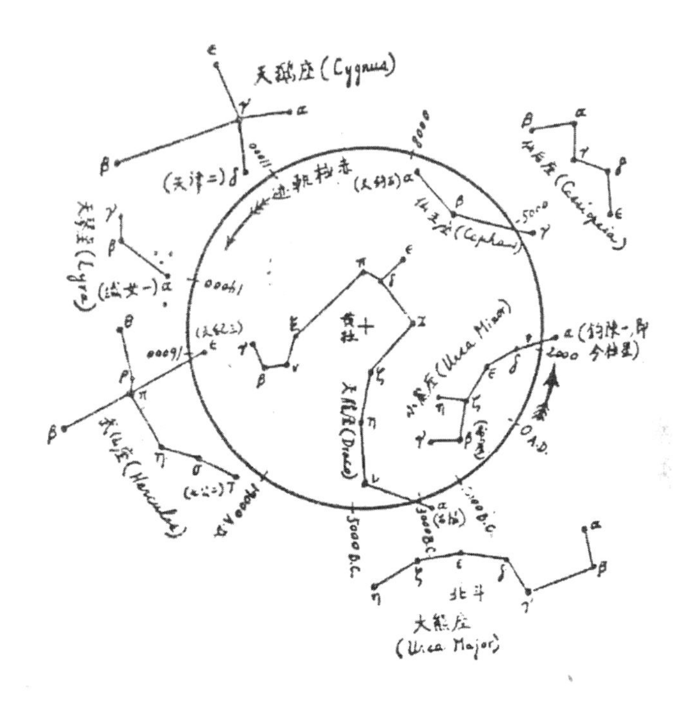

圖八　赤極軌跡圖

我以為除了太陽與月亮對地球赤道凸出部分的吸力所產生的歲差，使北半球的人在不同時代所看到的北極星往往有所不同以外，（如周初北極星為帝星，即小熊β；唐宋為北極座天樞星；明清至今為勾陳一，即小熊α；八千年後為天津四，即天鵝α；一萬二千年後為織女，即天琴α；二萬四千年後，勾陳一又重新回到天極附近，成為北極星。）如果從更長遠的時間觀點，也就是「恆星自行」的道理來看，極星也不可能萬世不移。古人以為恆星永恆不動，其實，不僅行星繞著恆星旋轉，就是恆星本身也對著各種不同的方向很快在運行。如太陽以每秒12哩的速度向武仙座移動，天狼星以每秒五哩的速度向太陽系飛來。大角星運轉速率更高，每秒可達90哩，在天空的位置，一千餘年可以相差一度。巴納得星（十等星）每年移動十弧秒，自行速度尤為驚人。這些現象雖非短短的千百年所能發現，但若經過漫長的歲月，情況就完全改觀了。例如我們今天所看到的北斗七星（西圖大熊座）形狀與《詩經》時代並無差別，然而，二十萬年前完全不是這個樣子，二十萬年後又有不同的面貌。（見圖九，採自陳遵嬀《中國古代天文學簡史》。）那時，整個星空與現在的星圖已完全不合，北極星又怎麼可能和現在的相同呢？所以呂書之說是很有道理的。

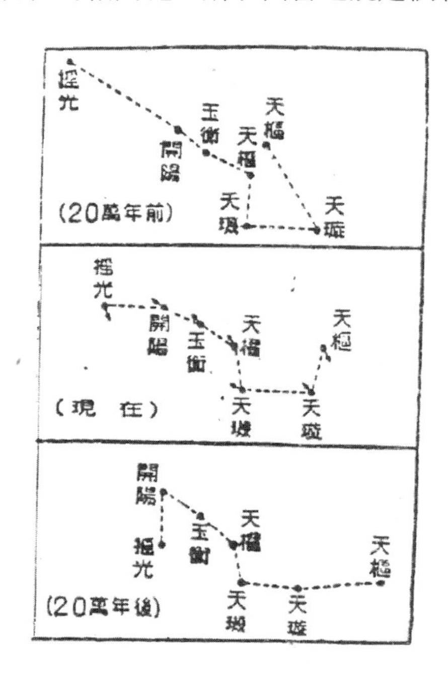

圖九　北斗七星的自行

呂書之說當本之於陰陽家，不過，從周初到六朝，概以帝星為極星，未曾改動，戰國時代的陰陽家應該沒有可能在短短的數十百年中發現極星移動的事實。因此，我以為這只是陰陽家閎大不經、不幸而言中的想像之詞，與大九洲之說如出一轍。陳奇猷將歲差之發現提早到戰國時代，頗有保留的必要。

（五）異星

〈明理篇〉列舉雲、日、月、星、氣、妖孽各種妖祥之徵，冀人主有所警戒，殆為陰陽五行之言，頗有星占迷信色彩，然無意之中，卻為後人提供了不少寶貴的天文氣象資料。朱天順云：「（星占家）根據星體的運行、星體的位置、顏色、亮度、芒角，以及一個星體與其他星體的關係等複雜的現象來推斷來事或決疑。」（《中國古代宗教初探》第五章第四節）呂書所提及的異星：「其星有熒惑，有彗星，有天棓，有天欃，有天竹，有天英，有天干，有賊星，有鬭星，有賓星。」除鬭星係泛指星體之相遇者外，熒惑專指火星，彗星以下七種為各種彗星之異名，賓星即新星，茲分述如下：

1. 熒惑：〈制樂篇〉：「熒惑在心。」高誘注：「熒惑，五星之一，火之精也。」陳奇猷云：「此熒惑當非五星之一的火星，火星之公轉周期約為一年三百二十二日，其與心宿相遇有一定的周期，則熒惑在心不足為奇，此熒惑乃妖星。」（《呂氏春秋校釋》卷六）我以為陳氏之說頗可商榷，火星是九大行星中從太陽算起的第四顆行星，也是緊鄰地球的第一顆外行星，其體積雖僅為地球的0.15倍，但因距離較近，看起來是一顆 -2.8等亮星，呈火紅色，給人一種恐怖的感覺。無論古今中外，都認為它是不祥之物，西方稱之為Mars（戰神名），中國古時稱之為熒惑，殆以此故。每當靠近地球或占卜時與它同在，就會引起人們的恐慌，《史記・天官書》中即有一段專論其占卜，並云：「與他星鬭，光相逮，為害；不相逮，不害。」科學昌明的今日，76年光臨地球一次的哈雷彗星尚且引起許多人的杞憂，然則在民智未開的古代，熒惑與心宿相遇縱有常期，其被視為禨祥，應該是很合理的。

2. 彗星：彗星是太陽系裡的一種特殊星體，由鐵、鎳、鈣、冰等流星物質及氫、氧、氫氮、碳氫等氣體集合而成。通常可分彗核、彗髮、彗尾三部分。質量不大，在10^{17}克左右，大約需六百億個彗星才能等於一個地球。但因體積龐大，長相特殊，來歷又不明，所以也不為世人所歡迎，而賦予掃帚星、妖星、孛星、蓬星、燭星、長星等各種不客氣的名稱。現在每年所能觀測到的彗星平均在十顆左右，古時沒有望遠鏡，憑著肉眼，大約每百年才能發現二十至三十顆，而記錄最早、最多、最詳盡的則應數中國。早在魯文公十四年（西元前613年），《春秋》即有「星孛入於北斗」的紀錄，直至清末，彗星之見於史籍者不下五百次，其中有的還詳細記載了彗星的運行路線、視行快慢及出現時間，這些都深為現代各國天文學家所讚佩與珍視。《呂氏春秋》記載了七種彗星，雖然未進一步去加以描述，但在先秦彗星文獻中已算是十分珍貴的了。1972年湖南長沙馬王堆漢墓出土的文物中有一部「天文氣象雜占」帛書，繪有各種天象250幅，最精彩的是29幅彗星圖象。（見圖十，採自《馬王堆漢墓》。）正可拿來與古籍對看，陳奇猷云：「呂氏此文之『天欃』當即帛書之『毚』，『天竹』即帛書之『竹彗』，『天干』即帛書之『干彗』。至於呂氏此文之『彗星』，當即帛書之『菁星』，亦即《詩經・大雅・雲漢》『有嘒其星』之『嘒星』，非一般的彗星。」（《呂氏春秋校釋》卷六）此外，《管窺輯要天文大成》第十六卷也載有彗星、天棓、天欃、六賊等十四種彗星類的異星圖，（見圖十一。）並雜引甘公、朱文公、《晉書》、《宋志》諸說以明其形狀、色彩，（見陳遵嬀《中國古代天文學簡史》第三章・五・彗星紀事引。）如果將這些材料排比並觀，對呂書的七種彗星也不難有較具體的認識了。

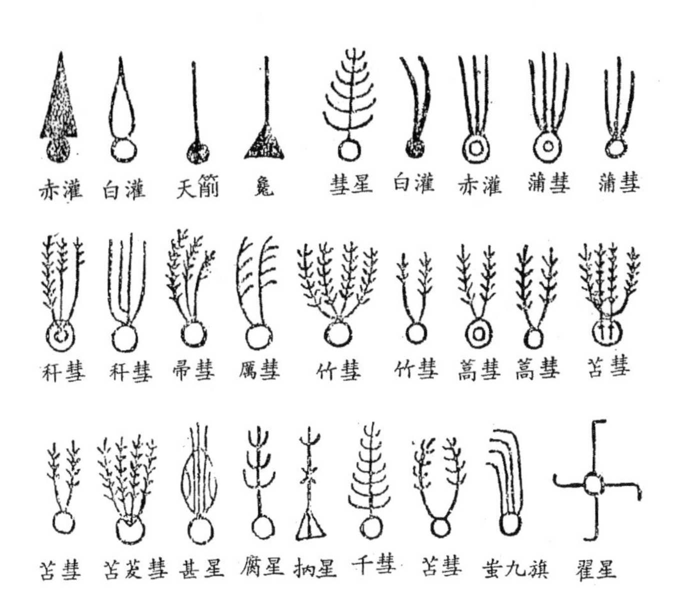

圖十　彗星圖

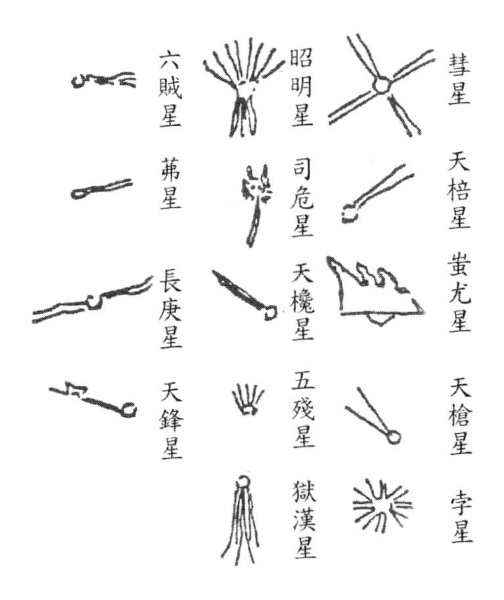

圖十一　異星（屬於彗星類）

3. 鬪星：恆星在天空的視運動是每小時行15度，而彼此相關位置卻不會有所改變，行星則不然。太陽系有九大行星，除地球外，古人肉眼所能見的為：辰星（水星）、太白（金星）、熒惑（火星）、歲星（木星）、鎮星（土星），即五大行星是也。它們的恆星周期少則88日，多則10,760日，行度各有不同，當然會有彼此遇合或其它恆星會合的時候，所以《呂氏春秋》稱之為鬪星。星占家每以星之相遇占吉凶，如《史記．天官書》云：「木星與土合，為內亂，饑。主勿用，數敗。水，則變謀而更事。火，為旱。金，為白衣會，若水。」《春秋文耀鉤》云：「熒惑與木鬪，夷狄肆害。」（《開元占經》卷十九引）馬王堆漢墓更有一本長達六千字的「五星占」帛書專論其事。（詳見《馬王堆漢墓》122頁。）正由為古人對這些行星運動的重視，也促成了天文學的進步。如戰國時，甘、石已測出金星和木星會合周期的長度，並定火星的恆星周期為1.9年，（應為1.88年。）木星為12年。（應為11.86年。）漢代以後，對行星的見、伏、遲、疾、行、留、順、逆的研究，對會合周期、恆星周期的制定，就更是日趨精密了。（詳見高平子《學曆散論》．漢曆五星步法的整理。）

4. 賓星：賓星，史志多稱客星，即今日天文學所謂的新星，屬於恆星裡面變星的一種。當一顆恆星因繼續不斷地收縮，常導致中心的溫度逐漸升高，最後突然激烈膨脹甚至爆炸。此時溫度可以高達太陽的數十萬倍，其亮度驟增幾千到幾百萬倍的叫做新星，驟增一億到幾億倍的叫做超新星。後來又慢慢減弱，在幾年或十幾年以後才恢復為微光的星。宛如在天空裡作客一般，所以稱之為客星。卜辭「七日己巳夕𣪘〼㞢新大星并火。」（《殷墟書契後編》下9．1）是世界最古的新星紀錄，比希臘依巴谷記錄的第一顆新星要早一千年以上。中國從殷代到康熙二十九年（1690年）記錄的新星和超新星大約九十顆。其中最有名的是宋仁宗至和元年到嘉祐元年（1054-1056年）出現的天關客星，如今仍以每秒1000公里的速度向外膨脹的蟹狀星雲就是它的產物。今（1987）年2月22日在麥哲倫星系（15萬光年）發現了一顆383年來最明亮的超新星，至今還令舉世的天文學家為之振奮不已呢！在現代，研究新星可以探討中子星、銀河系裡射電源以及天體演化的秘密，是相當尖端的學問。但在古代，它卻是拿來占卜吉凶的，如天關客星的出現，宋朝司天監以為將有大賢人出現，群臣還向皇帝致賀呢！另外，《遼史・契丹國志》記載客星出現昴宿（西圖金牛座），劉義叟以為不詳，果然未久契丹皇帝興宗就死了。《呂氏春秋》提及賓星，在先秦古籍裡也是極為罕見的。

四　太陽紀事

（一）日躔

太陽在黃道上的運行位置叫做日躔，這是由於古人不知地球繞日所產生的一種幻覺。科學發達的今天，我們了解，所謂日躔，實際上是從地球軌道不同位置所看到的太陽視運動。更準確地說，黃道就是地軌平面，而日躔就是地球沿著黃道繞日運行的位置，只是其方位與太陽剛好相對而已。

地球介於太陽與恆星之間，當夜晚時，我們看到恆星由東向西運行，（所謂左旋。）而太陽則由西向東運行，（所謂右旋。）每日相去一度。（太陽的目視直徑約為半度。）錢寶琮云：「日在天運行，一歲一周，觀察日所在星度，以定四時節候，自是最嚴正之法則。」（〈論二十八宿之來歷〉）就天文學史而言，以星度定日躔，的確較觀測昏旦中星更為進步。而古籍中，首先完整記錄年十二月日躔的就是《呂氏春秋・十二月紀》，（見本文參・三。）其開創之功誠不可沒，唯大輅椎輪，可議之處亦復不少。首先，〈十二月紀〉僅記載：「孟春之月，日在營室」「仲春之月，日在奎」……，既未明言是月初或月中的日躔，又未詳記星宿的度數，實在是遠不如《漢書・律曆志》以降史志精細。其次，「仲秋之月，日在角」「季秋之月，日在房」，衡以全年日躔，殊有未合，雷學淇云：「房星之初至尾星之末止二十八度，季秋日在房，何以孟冬日尚在尾？」（《介菴經說》卷六）所說甚是，不過雷氏更進一步對呂氏猛烈抨擊：「今考篇中凡日躔所在，及昏旦中星，多是秦象，而尚有不合者，後人不能正其誤，反以月氣之說彌縫之，殊亦舛誤。……日躔必晝夜移一度，盡一月之氣，共移三十度有奇，安得僅以一星為紀？呂不韋竊《左傳》之說，改周公之書，戴聖、賈逵、蔡邕皆從呂說，誤矣！」（同上）則未免持論過苛了。

日人能田忠亮〈禮記月令天文考〉曾以西元前720年（魯隱公三年）為上限，西元前519年（魯昭公廿一年）為下限，詳細推步〈月令〉（亦即呂紀）所載各月月初的日躔，除仲秋之月「日在角」應改為「日在軫」，季秋之月「日在房」應改為「日在氐」之外，其餘均無不合，因而斷定〈月令〉所記日躔與昏旦中星之中心時代大約均為西元前620年（魯文公七年）。（見表三。）當然，這個時候較呂書早了將近四百年，不能不令人覺得迷惑。不過，我們要曉得，在不知歲差的古代，載籍沿襲往昔的天文紀錄實在是很平常的事，如朱文鑫所云：「顓頊曆立春在營室五度，太初曆冬至在牽牛初度，同為春秋戰國間所測定，《淮南子》、《史記》、《漢書》皆沿襲相承，未經改定者也。」（《天文考古錄・中國曆法源流》）就是一個有名的例子。況且呂書之天文記載本來只是用以熒惑諸侯，（見王師夢鷗〈月令探源〉。）當然不會仔細與當時實際星象比對，偶有舛誤，更是在所難免了。職是之故，能田忠亮十分稱許清朝徐發所云；「殆春秋間曆家所作，呂氏取之。」（《天元曆理・考古之二》）並以之作為推步根據，如此處理方式，的確不是沒有道理的。

表三　月令日躔表

十二月節	太陽赤經	太陽在宿度			距星	距星の赤經		觀測年代	
		下限	上限	宿名		下限	上限	下限	上限
孟春節	315°	0°.00	2°.65	室	α Peg	315°.00	312°.35	−524	−738
仲春節	345	5.36	8.01	奎	ζ And	339.64	336.99	−552	−768
季春節	15	7.76	10.41	胃	35 Ari	7.24	4.59	−460	−668
孟夏節	45	13.11	15.76	畢	ε Tan	31.89	29.24	−535	−737
仲夏節	75	16.51	19.16	井	μ Gem	58.49	55.84	−504	−630
季夏節	105	10.04	12.69	柳	δ Hya	94.93	92.31	−550	−743
孟秋節	135	0.62	3.27	翼	α Crt	134.38	131.73	−540	−761
仲秋節	165	12.87	15.52	軫	γ Crv	152.13	149.48	−544	−757
季秋節	195	5.42	8.02	氐	α Lib	189.29	186.93	−517	−728
孟冬節	225	10.78	13.43	尾	μ Sco	214.22	211.58	−455	−640
仲冬節	255	12.20	14.85	斗	φ Sgr	242.80	240.15	−499	−672
季冬節	285	8.14	11.09	女	ε Aqr	276.46	273.91	−514	−731
								−518	−719
								−619	

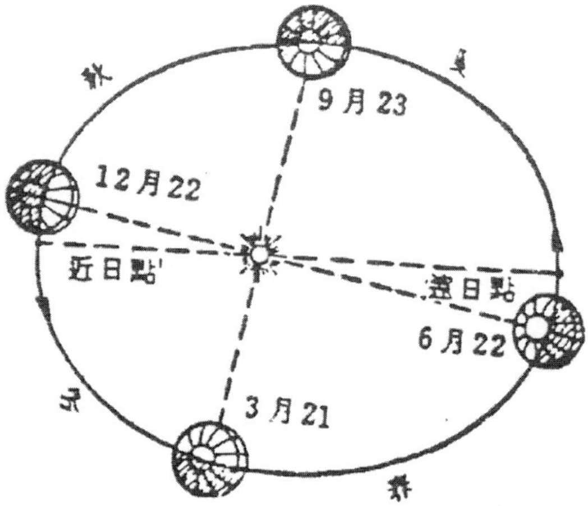

圖十二　近日點與遠日點圖

（二）日道遠近

〈有始篇〉:「冬至日行漸遠，周行四極，命曰玄明。夏至曰行近道，乃參於上，當樞之下無晝夜。」陳奇猷云:「冬至，日行於南回歸線（South tropics），以北半球視之，是為遠道……冬至時，日光斜射北半球，其光稍暗，故曰玄明。……夏至，日行於北回歸線（North tropics），以北半球視之，是為近道。此時日值北半球之上，故曰乃參於上。南北兩極以半年為晝，半年為夜，不以十二時辰為晝夜，故曰當樞之下無晝夜。」（《呂氏春秋校釋》卷十三）呂氏所言，純屬古人置身大地的肉眼觀察，如果我們以為冬至、夏至的變化端視距日遠近而定，那就大錯特錯了。殊不知地球繞日的軌道是偏心率僅六十分之一的橢圓形，陽曆一月一日左右，北半球距日最近，約為九千一百五十萬哩；七月二日左右，北半球距日最遠，約為九千四百五十萬哩。近日點在冬至後11日，遠日點在夏至後11日。（見圖十二，採自巴克「天文學」。）與呂書「冬至日行遠道」「夏至日行近道」剛好相反，足見地球季節變化與距日遠近無關，而是另有其他因素，日人松山基範云:「蓋地球距日，由北半球觀之，冬至時，太陽遙偏南方，距地面之角度甚小，通過之氣層甚厚，日光在途中被吸收者多，且於地面之面積擴大，故溫度極低。又加以晝短夜長，夜間所失之熱，尤超過晝間所得之熱，故氣溫遙低於夏季。……至於夏至時則與此相反。」（《地球》第三章第四節）所以「日行遠道」「日行近道」，其實就是日光射角的大小造成的。

（三）日之異象

〈明理篇〉云:「其日有鬬蝕，有倍僪，有暈珥，有不及光，有不及景，有眾日竝出，有晝盲，有霄見。」這些日之異象與異星一樣，在古代也是用來占卜吉凶禍福的。其中的倍僪、暈珥、眾日竝出指日暈而言，不及光、不及景、晝盲是空中有濃霧或雲層過厚所致，皆屬氣象學的範圍，暫時不論。其真正與天文學有關的只有鬬蝕和霄見。

1. 鬬蝕：《呂氏春秋．高誘注》：「兩日共鬬而相食。」《史記．天官書集解》：「星相擊曰鬬。」《漢書天文志》：「相陵曰鬬。」說皆非是。鬬蝕之鬬與鬬星之鬬相同，都應依《說文》本義，作「相遇」解釋，才是正確的。當月朔時，若太陽、月亮、地球剛好排在一直線上，就會發生日蝕。因觀測點的不同，而有全蝕、偏蝕、環蝕之分。中國早在殷商甲骨文中就有日蝕的紀錄，而春秋242年裡，載有日蝕37次，除四次外，都翔實可靠，更為後世所重視。不過，日蝕之變化頗為繁複，在漢朝劉歆《三統曆》以前始終不敢納入周期，而視之為天異。因此，《史記．天官書》云：「其食，食所不利。復生，生所利。……月蝕常也，日蝕為不臧也。……日蝕，國君，月蝕，將相當之。」又云：「諸呂作亂，日蝕晝晦。」此外，內行星在接近會合點時，我們由地球上看過去，如通過太陽表面，也會產生一個小黑點的鬬蝕，謂之凌曰。水星凌日在五月八日前後三日及十一月十日前後三日內發生，一世紀大約僅有十三次。金星凌日在六月七日和十二月九日的前後兩天發生，每二百四十三年才有四次，無論就時間或大小而言，凌日均難得一見，古人若能見之，亦必視為禨祥。

2. 霄見：陳奇猷云：「疑『見』為『光』形近之訛，故高訓為明也。霄即『雲霄』之霄。霄光，疑即今所謂極光。」（《呂氏春秋校釋》卷六）極光是太陽黑子活動旺盛時，自太陽上輻射出來的質子和電子流為地球南北兩極磁場所捕捉，與大氣層中的分子、原子互相碰撞，所產生出來的亮光。其顏色有黃綠色、白色、紅色、藍色、灰紫色等，光怪陸離，變化無端。多發生於高緯度地區，中低緯度地區較為罕覯，所以古人視之為祥異。中國自西漢以後，對極光的形狀、大小、動靜、變化、顏色等，往往有十分詳細的記載，但在先秦時，《左傳》、《莊子》、《楚辭》以及《呂氏春秋》中，對一些光異和色散的現象都語焉不詳，無法斷定是否確為極光。

五　太陰紀事

（一）月行

〈貴因篇〉云：「夫審天者，察列星而知四時，因也；推曆者視月行而知晦朔，因也。」月球為地球的小衛星，其直徑只有太陽的四百分之一，與地球的距離亦只有日地距離的四百分之一，看起來與太陽大小相若。藉著陽光的反射，經常在夜晚發出美麗的光輝，因而成為人們欣賞歌詠的對象。月球循著白道環繞地球，每27. 32日一周期，謂之恆星月。因太陽、地球、月球三者位置變化的關係，會使月球表面發生陰晴圓缺，而有朔、上弦月、望、下弦月等月齡的區別。由朔至朔，或由望至望，周期為29.53日，謂之朔望月。其所以與恆星月有二日左右的差距，那是由於太陽在天球上的位置也在移動的緣故。中國古代的曆法屬於陰陽合曆，以月亮的圓缺作為記月的單位，《呂氏春秋》云：「推曆者視月行而知晦朔」，就是這個意思。漢朝時，《淮南子・天文篇》謂月行十三又十九分之七度，已經知道恆星月與朔望月的區別，劉洪乾象曆為了推算日月食發生的時刻和位置，更能計算月行的快慢，與呂書之籠統說法相較，都大有進步。

〈圜道篇〉云：「月躔二十八宿，軫與角屬，圜道也。」陳奇猷云：「『月』疑『日』之誤，本書每一月紀皆有日在某宿之文，如孟春云：『日在營室』，仲春云『日在奎』等等。日周躔二十八宿即為一年，亦即日行一周，故曰圜道。若作『月』，月行並非每月皆躔經二十八宿，不得謂之圜也。」(《呂氏春秋校釋》卷三）以後世觀之，二十八宿的確如陳氏所說，是用來記日躔的。但白晝陽光強烈，幾乎看不到星辰，夜晚星辰出現，太陽卻隱藏了，所以古人除了利用日沒、日出前之星辰而外，還須參酌月亮來定太陽的位置，錢寶琮云：「月與日對望，望月所在星與日所在星常相對衝。望月在南陸，則日在北陸可見矣！望月在翼，則日在營室可知矣！此法自比以某星朝覿為日之所在更為周密。」(〈論二十八宿來歷〉）足見月躔（即月離）與二十八宿是有密切關係的。至於近代月躔，固然亦如陳氏所說並非每月皆經二十八宿，而是在與黃道成5° 9' 交角的白道上，亦即在赤道南北穿梭。但二十八宿在先秦卻很可能是沿赤道劃分，而非沿黃道劃分的。十九世紀法國的貝窩（I. B. Biot）、馬德勒（I. H. Madler）及近代的竺可楨、李約瑟、陳遵嬀等都如是主張。如竺可楨即云：「我國二十八宿大體言之，可謂為在赤道平面上之宮宿，故最初測定之度數，如《淮南子．天文訓》與《前漢書．律曆志》所記者，均為赤道度數，至《後漢書》始並註黃道度數。二十八宿之成立，雖其來有漸，且時或有變更，……以大致而論，則二十八宿之位置與五千年前之赤道最為接近。」(〈二十八宿起源之時代與地點〉）然則，呂書所云「月躔二十八宿」正是古說之遺，彌足珍貴，若改為日躔二十八宿，則不啻買櫝還珠了。

（二）月之異象

〈明理篇〉云：「其月有薄蝕，有暉珥，有偏盲，有四月竝出，有二月竝見，有小月承大月，有大月承小月，有月蝕星，有出而無光。」這些月之異象在古代也是用來占卜的。除薄蝕、月蝕星與天文學有直接關係外，其餘都是月暈或雲霧掩蔽所致，屬於氣象學的範疇，容後為文續論。1. 薄蝕：沈祖緜云：「《漢書．天文志》：『日月薄蝕。』孟康注:『日月無光曰薄』,《京房易傳》:『日月赤黄為薄』,《說文》:『普,日無色也。』薄與普音通。」(陳奇猷《呂氏春秋校釋》卷六引)故薄蝕在此指月蝕而言。當滿月時,太陽、地球、月亮若剛好在一直線上,就會發生月蝕。月蝕只有全蝕、偏蝕,而無環蝕,而且只要月亮還在地平線上,則地球上任何地區在同一時刻都可以看到,這是月蝕與日蝕最大的不同。由於月蝕平均每年有一至二次,不足為奇,所以既不必像日蝕那樣:「天子不舉,伐鼓於社;諸侯用幣於社,伐鼓於朝。」(《左傳・昭公十七年》)來加以拯救,古書記載也比較少。不過,星占家還是不肯放棄儆戒大臣的機會,故《史記・天官書》云:「日蝕,國君;月蝕,將相當之。」又云:「日月薄蝕,皆以為占。」

2. 月蝕星:月球的視直徑相當大,常有遮蔽恆星或行星的現象,謂之「月蝕星」或「月掩星」。星在月球東邊隱藏,在西邊出現,時間可以長達一小時,仔細加以觀察研究,可藉以測定月之準確位置、月球運動的軌道根數、太陽視差、恆星角直徑、各地經度與緯度,為用甚大。(詳見鍾士《普通天文學》一三一節。)不過,古人也只是拿來占吉凶而已,《史記・天官書》所云:「月蝕歲星,其宿地饑若亡。熒惑也,亂。填星也,下犯上。太白也,彊國以戰敗。辰星也,女亂。食大角,主命者惡之。心,則為內賊亂也。列星,其宿地憂。」即為最佳之例證。

六　結論

綜上所述,有幾點值得在此特別提醒讀者們注意:

(一)《呂氏春秋》所涉及的天文材料十分豐富,先秦諸子甚至先秦典籍皆罕有出其右者。

（二）在宇宙觀方面，呂書擷取道家與陰陽家的說法，巧加融會，推陳出新，有十分完整的體系，在先秦諸子中也是罕見的，就研究《呂氏春秋》的天人思想、政治學說等而言，這些都是不可忽略的基礎。

（三）在星象紀錄、太陽紀事、太陰紀事方面，呂書常有劃時代的創舉，如：首先完整地紀錄二十八宿全名，首先完整地記載各月的日躔及昏旦中星，首先提及六、七種彗星的異名，……在中國天文學史上，這些都是值得大書特書的。

（四）限於時代因素，呂書也有些幼稚可笑的地方，如談及宇宙的形態、宇宙的大小。還不乏有荒誕迷信的色彩，如列舉日月星辰的妖祥之徵，冀人主有所警戒。但只要我們設身處地想想，在科學並不發達、天文與星占尚未分家的古代，這毋寧是很正常的現象，實在沒有加以苛責的必要。

——原載於《淡江學報》第26期（1988年5月），頁9-33。

參考書目

一　專書

孔穎達　《周易正義》　臺北　藝文印書館

孔穎達　《禮記正義》　臺北　藝文印書館

孫希旦　《禮記集解》　臺北　文史哲出版社

能田忠亮　〈禮記月令天文考〉《東洋天文學史論叢》日本　恆星社

王聘珍　《大戴禮記解詁》　臺北　世界書局

莊雅州　《夏小正析論》　臺北　文史哲出版社

孔穎達　《春秋左傳正義》　臺北　藝文印書館

郝懿行　《爾雅義疏》　臺北　中華書局

雷學淇　《介菴經說》　臺北　新文豐出版公司　叢書新編

王應麟　《六經天文編》　臺北　商務印書館叢書集成新編

雷學淇　《古經天象考》　臺北　新文豐出版公司　叢書集成續編

高平子　《史記天官書今註》　臺北　中華叢書編審委員會

王先謙　《漢書補注》　臺北　藝文印書館

王先謙　《後漢書集解》　臺北　藝文印書館

吳士鑑　《晉書斠注》　臺北　藝文印書館

歐陽修　《新唐書》　臺北　藝文印書館

不　詳　《馬王堆漢墓》　臺北　弘文館出版社

吳　康　《老莊哲學》　臺北　商務印書館

李漢三　《先秦兩漢之陰陽五行學說》　臺北　維新書局

許維遹　《呂氏春秋集釋》　臺北　鼎文書局

陳奇猷　《呂氏春秋校釋》　臺北　華正書局

陳郁夫　《呂氏春秋撢微》　國立臺灣師範大學碩士論文
傅武光　《呂氏春秋與先秦諸子之關係》 國立臺灣師範大學博士論文
田鳳台　《呂氏春秋探微》　臺北　臺灣學生書局
劉文典　《淮南鴻烈集解》　臺北　商務印書館
《周髀算經》　《算經十書》　臺北　商務印書館
秦蕙田　〈觀象授時〉　《五禮通考》　臺北　新興書局
高平子　《學曆散論》　臺北　中央研究院數學研究所
瞿曇悉達　《唐開元占經》　臺北　商務印書館四庫全書珍本
朱天順　《中國古代宗教初探》　臺北　谷風出版社
陳曉中　《中國古代的科技》　臺北　明文書局
何丙郁、何冠彪　《中國科技史概論》　臺北　木鐸出版社
不　詳　《中國科學文明史》　臺北　木鐸出版社
李約瑟著，曹謨譯　《中國之科學與文明》第五冊　臺北　商務印書館
張　雲　《天文學講話》　臺北　中華文化出版事業委員會
Robert H. Baker著，厲保羅譯　《天文學》　臺南　復漢出版社
盧景貴　《高等天文學》　臺北　中華書局
H. Spencer Jones著，唐山譯　《普通天文學》　臺北　廣文書局
Simon Newcomb著，金克木譯　《通俗天文學》　臺北　商務印書館
夏堅白　《應用天文學》　臺北　商務印書館
曹　謨　《新天文學基礎》　臺北　幼獅書店
王石安　《天文知識叢書》　臺北　中華書局
沈君山　《天文漫談》　臺北　中華書局
沈君山　《天文新語》　臺北　中華書局
朱文鑫　《天文考古錄》　臺北　商務印書館
陳遵嬀　《中國天文學史》　臺北　明文書局
不　詳　《中國天文史話》　臺北　明文書局

曹　謨　《中華天文學史》　臺北　商務印書館

劉昭民　《中華天文學發展史》　臺北　商務印書館

新城新藏著，沈璿譯　《中國上古天文》　中華學藝社

陳遵嬀　《中國古代天文學簡史》　臺北　木鐸出版社

朱文鑫　《天文學小史》　臺北　商務印書館

G. de Vaucouleurs著，李曉風譯　《天文學簡史》　臺北　明文書局

呂金駮　《宇宙科學導論》　臺北　天工書局

山本一清著，陳遵嬀譯　《宇宙壯觀》　臺北　商務印書館

L loyd Motz著，陳志聰譯　《宇宙的奧秘》　臺北　成文出版社

　　　　《我們的宇宙》　臺北　新世紀出版社

Carl Sagan著，蘇義穠譯　《宇宙》　臺北　好時年出版社

　　　　《宇宙》　臺北　牛頓雜誌社

Paul W. Hodge著，唐山譯　《宇宙概念》　臺北　正中書局

Macpherson著，朱文鑫譯　《近世宇宙論》　臺北　商務印書館

吳心恆等　《星星月亮太陽》　臺北　牛頓雜誌社

馮鵬年　《奇妙的星星》　臺北　中國電視公司

Iain Niconlson著，劉治譯　《行星的探索》臺北　幼獅文化事業公司

松山基範著，王謨譯　《地球》　臺北　商務印書館

二　期刊

竺可楨　〈論以歲差定尚書堯典四仲中星之年代〉　《史學與地學》第2期

林金泉　〈詩緯星象分野考〉　《成功大學學報》第21期

王師夢鷗　〈月令探源〉《故宮圖書季刊》第1卷第4期、第2卷第1期

新城新藏撰，陳嘯仙譯　〈東漢以前中國天文學史大綱〉　《國立中山大學語言歷史學研究所週刊》第94至96期合刊

劉朝陽　〈飯島忠夫支那古代史論評述〉　《國立中山大學語言歷史學研究所週刊》第94至96期合刊

陳夢家　〈上古天文材料〉　《學原》第1卷第6期

竺可楨　〈二十八宿起源之時代與地點〉《思想與時代月刊》第34期

錢寶琮　〈論二十八宿之來歷〉　《思想與時代月刊》第43期

王健民等　〈曾侯乙墓出土二十八宿青龍白虎圖象〉　《文史集林》第7輯

莊萬壽　〈古代文化的發展與空間知識的擴張〉《國文學報》第9期

《爾雅·釋天》天文史料析論

一　前言

〈釋天〉星名一節是《爾雅》全書中記載天文史料最重要的文獻，其內容為：

> 壽星：角、亢也。天根，氐也。
> 天駟，房也。大辰：房、心、尾也。大火謂之大辰。
> 析木之津：箕、斗之間，漢津也。
> 星紀：斗、牽牛也。
> 玄枵：虛也；顓頊之虛，虛也；北陸，虛也。
> 營室謂之定。娵觜之口：營室，東壁也。
> 降婁：奎、婁也。
> 大梁：昴也。西陸，昴也。
> 濁謂之畢。
> 咮謂之柳。柳，鶉火也。
> 北極謂之北辰。
> 何鼓謂之牽牛。
> 明星謂之啟明。
> 彗星為欃槍。

奔星為彴約。[1]

雖僅短短123字，卻包含了十二次、二十八宿及四象，旁及其他重要恆星及行星、彗星，前此載籍，從未有將古代天文史料整理得如此精簡，如此具有條理者，在中國科技發展史上理應擁有一席之地。可惜從古以來，除了有不少依文解經的注釋外，幾乎未曾見到討論的專文，甚至在一般天文學史及專家的論文集中，也從未有較詳細而完整的介紹[2]，這不能不說是一個缺憾。因此，不揣淺陋，趁著正在進行「爾雅釋天今釋」研究計畫之便，將相關的天文史料部分重新以科學新知加以詮釋、補充，並進行檢討，庶幾溫故知新，對研讀古籍或許不無小補吧！

二　《爾雅・釋天》天文史料之內容

（一）二十八宿

對於星空的分區，西洋主要是由古希臘星座發展出來的88星座，中國則是三垣二十八宿。（見圖一：天官概略圖，採自高平子《史記天官書今註》，頁83。）「二十八星」一詞首見於《周禮・春官・馮相氏》及〈秋官・硩蔟氏〉，其完整的內容則首見於《呂氏春秋・有始篇》。但在《爾雅・釋天》中所載僅有17個星宿，即：

1　（清）郝懿行：《爾雅義疏》（臺北：中華書局，1966年《四部備要》本），卷中之四，頁9-15。下引《爾雅》本文、郭璞《爾雅注》及郝氏之說並同。

2　如近代天文學家薄樹人：〈經部文獻中的天文學史料〉之一、之二、之三，《薄樹人文集》（合肥：中國科學技術大學出版社，2003年），頁124-188，僅探討《易》、《尚書》、《詩經》、《周禮》、《禮記》之天文史料，未及《春秋三傳》及《爾雅》。

1 角

包含室女座α、ζ二星，《淮南子》距度為12°[3]。角宿上小下大，為東方蒼龍之角。郭璞注：「數起角亢，列宿之長。」蓋蒼龍為四象之首，角為蒼龍之第一宿，古人從北斗七星的斗杓三星順勢作30° 的曲線，則可經大角（牧夫α，0.2等）與角宿一（室女α，1.2等）兩顆亮星，是辨識二十八宿最簡便的方法，故角宿為列宿之長。

2 亢

包含室女χ、ι、ψ、λ四星，《淮南子》距度為9°。《說文》：「亢，人頸也。从大省，象頸脈形。」《爾雅·釋鳥》云：「亢，鳥嚨也。」四星彎曲似青龍喉嚨，故謂之亢。

3 氐

包括天秤α、ι、γ、β四星，《淮南子》距度為15°。郭璞注：「角、亢下繫於氐，若木之有根。」《史記·天官書》云：「氐為天根。」與《爾雅》意同。《說文》云：「氐，至也。从氏，下著一，一，地也。」潘鼐以為象龍的前足[4]，與蒼龍之形更為貼近。

4 房

包含天蠍π、ρ、δ、β四星，由南而北，依序為左驂、左服、右服、右驂。郭璞注：「龍為天馬，故房四星謂之天駟。」《詩·小雅·

3 所謂距度是各宿距星之間的度數。由於各宿度數不同，故選擇各宿西邊一星作為測量標誌，由此一距星起向東數至次一宿之距星，皆屬該宿之範圍。中國天文學首先提及二十八宿距度者為《淮南子·天文篇》。

4 潘鼐：〈二十八宿宿名的說釋〉，《中國恆星觀測史》（上海：學林出版社，1989年），頁44-47。下同。

吉日》:「既伯既禱。」《毛傳》:「伯，馬祖也。」《國語・周語》:「辰馬，農祥也。」韋昭注:「辰馬，謂房、心星也。駟，馬也，故曰辰馬。房星晨正，而農事起焉，故謂之農祥。」都顯示此一星宿在古代農業社會有特殊的重要性。潘鼐云:「房是胸房，心即龍心，《史記・天官書》:『房為府，天駟也。』古代『府』與『腑』通用。」也是就蒼龍立論。

5　心

包含天蠍σ、α、τ三星，《淮南子》距度為5°。中央α星為1.2等大星，色赤，故謂之大火，在中國為蒼龍之心，在西洋則為天蠍之心，是東方諸星中最明大者。相傳上古時代有火正之官，專司大火之觀測與祭祀，根據其出沒來訂定「火曆」，以指導農業生產[5]。所以大火星從古以來即為觀象授時的重要標準，與參伐、北極並稱為「三大辰」[6]。由於歲差的關係，唐、虞、夏皆五月昏火中，周、秦六月昏火中，今時則農曆七月才出現於正南方的夜空[7]。

6　尾

包含天蠍μ、ε、ζ^2、η、θ、ι^1、κ、λ、υ九星，《淮南子》距度為18°。形狀彎曲如鉤，在中國為蒼龍之尾，在西洋則為天蠍之尾。《左

5　《史記・曆書》云:「顓頊受之，乃命南正重司天以屬神，命火正黎司地以屬民，使復舊常，無相侵瀆。」《左傳・襄公九年》也說:「陶唐氏之火正閼伯，居商丘，祀大火而火紀時焉，相土因之，故商主大火。」

6　《公羊傳・昭公十七年》:「大辰者何？大火也。大火為大辰，伐為大辰，北辰亦為大辰。」

7　所謂「昏火中」，是黃昏時大火星出現在正南方，位置最高。由於正南方居東、西方之中，故曰「中」。《尚書・堯典》:「日永星火，以正仲夏。」《大戴禮記・夏小正》:「五月初昏大火中。」可見唐、虞、夏五月昏火中。《詩・豳風・七月》:「七月流火」，《呂氏春秋・季夏紀》:「季夏之月，昏火中。」可見周、秦六月昏火中。

傳・僖公五年》:「丙之晨,龍尾伏辰。」就是指尾宿而言。

7 箕

包含人馬γ、δ、ε、η四星,《淮南子》距度為11.25°。狀如簸箕,又有口舌之象,《詩・小雅・大東》:「維南有箕,不可以簸揚。」「維南有箕,載翕其舌。」都是以其形象入詩。郭璞注:「箕,龍尾。」將箕、尾合看為龍尾,於是龍尾遂由內捲轉為外揚,東方蒼龍也就由六宿變為七宿了[8]。

8 斗

包含人馬ψ、λ、μ、σ、τ、ζ六星,《淮南子》距度為26°。狀如舀酒漿之斗,與北斗相類,唯北斗有七星,此僅六星,且大小懸殊。東漢以後,多以斗宿作為天文計算的冬至點和曆元使用,只有在西漢以前和清代,人們才以牛宿和箕宿為冬至點[9]。銀河是由一千億以上恆星所組成的白雲色淡光帶,從東方尾宿和箕宿之間開始,呈不規則寬度橫亙著全天球,浩瀚無比,人們以地上的黃河、漢水為喻,稱之為河、漢。箕、斗之間,星雲密集,十分明亮,宛如渡口、碼頭,所以《爾雅》稱之為「漢津」。

9 牽牛

包含摩羯β、α^2、ξ、π、ο、ρ六星,《淮南子》距度為8°。是春秋、戰國時代冬至太陽所在[10]。《爾雅・釋天》下文又云:「何鼓謂之

8 薄樹人:《中國天文學史》(臺北:文津出版社,1996年),頁13-14。

9 陳久金:《星象解碼——引領進入神秘的星座世界》(北京:群言出版社,2004年),頁141。

10 《逸周書・周月篇》:「日月俱起於牽牛之初,右回而行。月周天進一次,而與日合宿,日行月一次而周天,歷舍於十有二辰,終則復始,是謂日月權輿。」

牽牛。」將兩者混而為一，高平子云：「最古當是以此（河鼓）為候時之標準，原亦有牽牛之稱（後世俗名牛郎），後因觀測稍精，知冬至太陽實近今之牛宿，故以牛宿代河鼓為牽牛。」[11]對混淆的源由爬梳得十分清楚。

二十八宿牽牛之後為婺女，《爾雅》未著錄。

10　虛

包含寶瓶β、小馬χ二星，《淮南子》距度為10°。二星均為3等星，較為暗淡，且位於玄枵三宿及北方玄武七宿的中央，故《爾雅》以之代表玄枵及北陸。又因古帝顓頊為水德，水位在北，故又以虛宿代表顓頊之舊墟。《尚書・堯典》：「宵中星虛」，《呂氏春秋・季秋紀》：「季秋之月，昏虛中。」足見虛宿昏中，在虞、夏為仲秋，在周、秦則為季秋，此乃歲差之故。

二十八宿虛宿之後為危，《爾雅》未著錄。

11　營室

包含飛馬α、β二星，《淮南子》距度為16°。《詩・鄘風・定之方中》：「定之方中，作于楚宮。」《毛傳》：「定，營室也。」謂先秦夏曆十月，營室星黃昏中天，可以開始營造宮室，故《爾雅》云：「營室謂之定。」郝懿行《義疏》云：「定本斪斸之名（見〈釋器〉），營室者所資。星名定者，營室形似鉏欘，離宮施其上，有鉏刃之象。凡諸星名起於古之田父，多取物象為名。」其說營室名定之故，較郭璞注：「定，正也。作宮室皆以營中為正。」具體可從。

---

11 高平子：《史記天官書今註》（臺北：中華叢書編審委員會），頁26。

12 東壁

包含飛馬γ、仙女α二星，《淮南子》距度為9°。二星與營室二星可連成一個大的四方形，宛如牆壁，故兩宿均以建築為名，西洋謂之「秋季四邊形」，由於四方似口，位於娵觜之次，故《爾雅》稱之為「娵觜之口」。

13 奎

包含仙女η、ζ、ε、δ、π、υ、μ、β，雙魚σ、τ、ι、χ等十六星，《淮南子》距度為16°。是二十八宿中緯度最北的一個星宿。《史記·天官書》:「奎曰封豕。」形容其狀如豬；《步天歌》:「腰細頭尖似破鞋。」則比喻為破鞋；郝懿行《義疏》云:「奎者十六星，旁殺而下垂，象兩髀。《說文》:『奎，兩髀之閒』是也。」對其形象又有不同的描述。

14 婁

包含白羊β、γ、α三星，《淮南子》距度為12°。高平子云:「在古代極近春分點，故西洋稱春分點為白羊γ，而以之為經度的起點。」[12] 郝懿行《義疏》云:「婁者，三星下勢連而上體舒。〈律書〉:『婁者，呼萬物且內之也。』〈天官書〉:『婁為聚眾。』(〈釋詁〉:『樓，聚也。』樓、婁同)。」陳久金則云:「婁宿之名，因魯地婁人而得。由於婁人生活在山東半島的沿海地帶，屬西方白虎的最東端，故置於白虎之首。」[13]其得名之故迄無定論。

二十八宿婁宿之後為胃，《爾雅》未著錄。

---

12 同前注，頁18。

13 同注9，頁196。

15　昴

包含金牛17、19、21、20、23、25、27七星，《淮南子》距度為11°。是最有名的疏散星團，高平子云：「肉眼明察者可見七星，故俗名『七姊妹會』。望遠鏡中小星無數，混有彌漫星氣。古人因其矇朧髣髴，稱為髦頭。」[14]大梁包含胃、昴、畢三宿，西方白虎包含奎、婁、胃、昴、畢、觜、參七宿，昴宿皆居其中央，故《爾雅》舉為大梁、西陸之代表。

16　畢

包含金牛ε、δ^1、δ^3、γ、α、θ^1、71、λ八星，《淮南子》距度為16°。其中畢大星（金牛α）為一等大星，色赤。郝懿行《義疏》云：「畢有二義，《詩》云：『畢之羅之』，是田網名畢也。〈特牲饋食禮〉云：『宗人執畢。』是祭器名畢也，鄭注：『畢狀如叉』，蓋為其似畢星取名焉。然則田網、祭器皆象畢星，義得兩通。」又云：「濁者，叚借字也。〈律書〉云：『濁者，觸也。言萬物皆觸死也。故曰濁。』是濁以觸為義，亦象星形。濁或作噣，又作躅，皆象形兼取聲也。」其說畢之得名至瞭，說畢又名濁，則無定論。

二十八宿畢宿之後為觜嶲、參、東井、輿鬼，《爾雅》俱未著錄。

17　柳

包含長蛇δ、σ、η、ρ、ε、ζ、ω、θ八星，《淮南子》距度為15°。八星為西圖長蛇座之頭，曲垂如柳，又似鳥嘴，故《爾雅》云：「咮謂之柳。」謂其似南方朱雀七宿的鳥嘴。南方三次為鶉首、鶉火、鶉尾，柳居鶉火之首，故舉為代表。

二十八宿柳宿之後為七星、張、翼、軫，《爾雅》俱未著錄。

14　同注11，頁18。

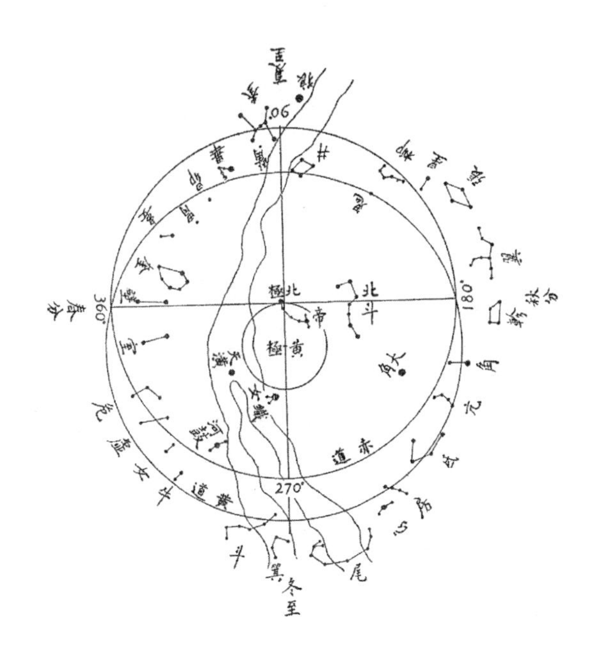

圖一　天官概略圖

(二) 四象

四象，又稱四陸、四宮、四獸、四維或四神。是將二十八宿依方位分成四組，分別聯繫起來，想像成四種動物形象，即：

東方蒼龍：角、亢、氐、房、心、尾、箕。
北方玄武：斗、牛、女、虛、危、室、壁。
西方白虎：奎、婁、胃、昴、畢、觜、參。
南方朱雀：井、鬼、柳、星、張、翼、軫。

此種聯想，對於星象的辨識與觀測大有裨益。不過在《爾雅・釋天》中僅提及北陸、西陸兩種而已：

1　北陸

《左傳．昭公四年》：「古者日在北陸而藏冰。」此為《爾雅》北陸一詞之所本。北陸即北方玄武七宿，《爾雅》提及斗、牛、虛、室、壁五宿，其中虛宿居七宿中央，故《爾雅》云：「北陸，虛也。」舉虛以為代表。《左傳》杜預注：「陸，道也。謂夏十二月，日在虛、危。」其時寒極冰厚，故取而藏之。

2　西陸

《左傳．昭公四年》又云：「西陸朝覿而出之。」此為《爾雅》西陸一詞之所本。西陸即西方白虎七宿，《爾雅》提及奎、婁、昴、畢四宿，其中昴宿居七宿中央，故《爾雅》云：「西陸，昴也。」《左傳正義》引《鄭志》答孫皓問云：「西陸朝覿，謂四月立夏之時。《周禮》『夏頒冰』是也。」朝覿，謂星在日前15°外，則清晨見於東方。先秦四月立夏，昴晨見於東方，其時天氣暖和，故取冰而用之。

（三）十二次

二十八宿形成之後，不啻使人們在茫茫星空中找到顯著的座標，無論用以觀測星辰，記錄異象，或劃分天區，編撰曆法，都有了堅實的基礎。不過，二十八宿寬窄不一，使用上難免有所不便。剛好歲星（木星）大約十二年一周天，於是就有人想到，如果將周天365.25°加以十二等分，每次30.4375°，不就既可紀錄歲星的行度，又可記錄日月及其他行星的運行嗎？（見圖二：五宮二十八宿十二次方位配合圖，採自高平子《史記天官書今註》，頁85。）這就是春秋、戰國時代「歲星紀年法」的起源。在《左傳》、《國語》、《鶡冠子》中，十二次都是零星散見的，到了《爾雅》，才將它們類聚在一起，但一共只有九次，也是不太完整：

1 壽星

《漢書・律曆志》起軫2°，終氐4°，主要為角、亢二宿，《爾雅》則以角、亢、氐當之。邵晉涵《正義》云：「《開元占經・分野略例》云：『於辰，在辰為壽星。』三月之時，萬物始達於地，春氣布養萬物，各盡其天性，不罹天夭，故曰壽星。」[15]新城新藏以為：「壽星之命名，為其當二十八宿之起首（角、亢）。」[16]鄭文光則以為：「壽星是傳說中的神名。」[17]其得名之故，迄無定論。

2 大火

《漢書・律曆志》起氐5°，終尾9°，主要為氐、房、心三宿，《爾雅》則以房、心、尾當之。其主星心宿二（天蠍α）為1.2等紅色巨星，在古代為指導「刀耕火種」的農業生產的標準，故即以「火」或「大火」名之，後來擴大為心宿乃至房、心、尾三宿的稱呼。以其為觀象授時的重要星辰，故又名「大辰」。

3 析木

《漢書・律曆志》起尾10°，終斗11°，主要為尾、箕二宿，《爾雅》以箕、斗當之。邵晉涵《正義》：「箕在東方，木位，斗在北方，水位，分析水木，以箕星為隔，隔河須津梁以渡，故謂此次為析木之津也。不言析水，而言析木者，此次自南而盡北，故依此次而名析木

---

15 （清）邵晉涵：《爾雅正義》（臺北：復興書局，1961年《皇清經解》本），卷512，頁16-25。下同。

16 新城新藏著，沈璿譯：《中國天文學史研究》（臺北：翔大圖書公司，1993年），頁407，下同。

17 鄭文光：《中國天文學源流》（臺北：萬卷樓圖書公司，2000年）頁122，下同。《漢書・郊祀志》杜亳有壽星祠，故云然。

也。」蓋箕、斗之間為漢津，故取析木為梁之義，析水、析木之說，未免深求。鄭文光以為「析木是地名，屬燕太子丹的傳說。」然析木之津見於《左傳・昭公八年》（西元前534年），燕太子丹傳說乃小說家言，且晚在戰國之末，恐不足信。陳久金則以為「木就是摩些人，析就是越析人。」[18]殆亦缺乏實證。

4　星紀

《漢書・律曆志》起斗12°，終婺女7°，主要為斗、牛二宿，《爾雅》以斗、牽牛當之。先秦冬至點在牽牛之初，是以星座為背景，計量天體的方位、距離和行度的起始點，也是十二次之首，故名「星紀」。

5　玄枵

《漢書・律曆志》起婺女8°，終危15°，主要為女、虛、危三宿，《爾雅》以中央的虛宿為代表。郭璞注：「虛在正北，北方黑色。枵之言耗，耗亦虛意。」新城新藏云：「玄枵之命名，為其含有虛之義。虛之名係由于其本來之星象類似廢墟之形，乃原有墟或丘之意，至後更加以堯時代之冬至點之思想，遂成空虛之意，而以含此次名為玄枵者歟？」二說可以相參。鄭文光云：「玄枵，是傳說時代黃帝的兒子玄囂的另一寫法。」陳久金說並同[19]。玄囂曾被封於青陽（山東聊城），其孫帝嚳曾佐顓頊，後亦登帝位。《漢書・地理志》：「齊地，虛、危之分野也。」玄枵又名顓頊之虛，玄枵、顓頊關係密切，故此說亦可聊備一格。

18　同注9，頁145。

19　同注9，頁170。

6 娵訾

《漢書・律曆志》起危16°，終奎4°，主要為室、壁二宿，《爾雅》亦以營室、東壁當之。郝懿行《義疏》云：「娵觜者，當作陬訾，〈月令〉注作諏訾，《爾雅》作娵觜，皆叚借也。」邵晉涵《正義》云：「諏訾，歎息也。十月之時，陰氣始盛，陽氣伏藏，萬物失養育之氣，故哀愁而歎息，嫌於無陽，故曰諏訾。」其說未免望文生訓。陳久金則云：「《史記・五帝本紀》載：『帝嚳取陳鋒氏女，生放勳。取娵訾氏女，生摯。帝嚳崩，而摯代立，帝摯立不善，而弟放勳立，是為帝堯。』那麼，根據司馬遷的意見，這個娵訾星次之名，即來源于帝摯之母部落的名號。——中國古代的天文學家將玄囂、顓頊、帝嚳、帝摯這個支系，都歸在北方玄武這個天區。考其來源，他們之間確有較近的姻親關係。故虛（頊）宿、玄枵（囂）、娵觜，都作為北方七宿星名有關的名稱。」[20]其說較具體，可取。鄭文光云：「這一次有時候又叫做豕韋，是採用殷代一個方國的名字。」未知其審。

7 降婁

《漢書・律曆志》起奎5°，終胃6°，主要為奎、婁二宿，《爾雅》亦以奎、婁當之。邵晉涵《正義》云：「於辰，在戌為降婁。降，下也，婁，曲也。陰生於午，與陽俱行，至八月，陽遂下，九月剝卦用事，陽將剝盡，萬物枯落卷縮而死，故曰降婁。」陳久金云：「故降婁星次名稱的來歷，也與婁宿之含義同出一源，是婁人的名稱做為星座之名。降婁的名義，當為降生婁人之義。」[21]二說難免膠著字面，失之穿鑿。而新城新藏云：「降婁原為星名，乃與奎婁同音。」因聲以求義，似較可取。

---

20 同注9，頁183-184。

21 同注9，頁196。

8　大梁

《漢書・律曆志》起胃7°，終畢11°，主要為胃、昴、畢三宿，《爾雅》以昴、畢當之。《史記・天官書》：「昴、畢之間為天街。」《索隱》引孫炎云：「昴、畢之間，日月五星出入要道，若津梁。」然則其取名之義與析木相近。新城新藏云：「大梁及實沈之名，係由來於分野之分配。」鄭文光亦云：「大梁一名恐怕要到魏國遷都大梁後才出現，那年是西元前362年。」然《左傳・昭公十一年》（西元前531年）已有「歲及大梁」之語，其說似可再酌。

十二次在大梁之後有實沈、鶉首，《爾雅》俱未著錄。

9　鶉火

《漢書・律曆志》起柳9°，終張17°，主要為柳、星、張三宿，《爾雅》以其首宿柳代表全次，並以之代表南方鶉首、鶉火、鶉尾三次。《左傳・襄公九年》：「古之火正，或食於心，或食於咮，以出內火，是故咮為鶉火，心為大火。」邵晉涵《正義》云：「於辰，在午為鶉火，南方為火。言五月之時，陽氣始隆，火星昏中，在朱鳥之處，故曰鶉火。」郝懿行《義疏》：「按《埤雅》八引師曠《禽經》曰：『赤鳳謂之鶉。』然則鶉為朱鳥，謂此矣！」其說至瞭，應無可疑。

十二次，在鶉火之後為鶉尾，《爾雅》未著錄。

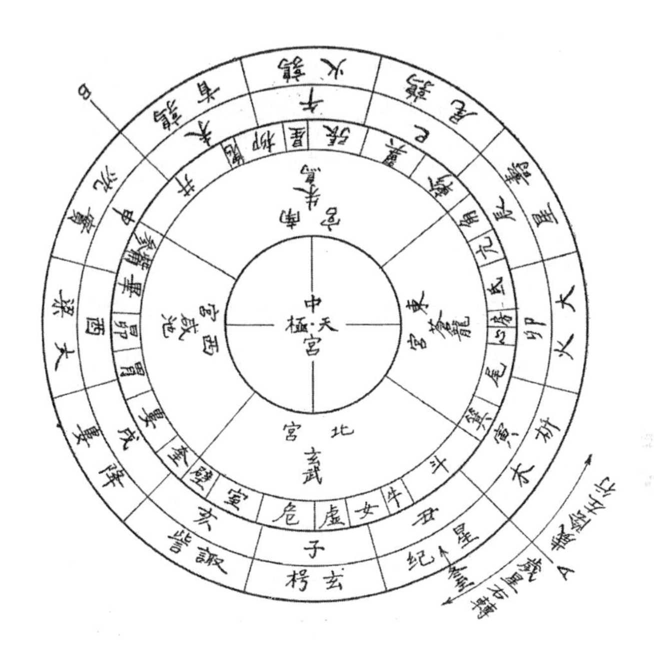

圖二　五宮二十八宿十二次方位配合圖

（四）其他恆星

全宇宙恆星不下100萬億億顆，目所能及的六等星以內也有6000顆左右，但《爾雅》所著錄的，除了二十八宿中的十七宿外，只有北極、何鼓二星，可謂十分簡略：

1　北極

《論語．為政》：「為政以德，譬如北辰，居其所，而眾星拱之。」北辰就是赤道北極，也就是地球自轉軸指向天球北極的一點，古人以為它是永恆不動的，而北極星正位於北極點上，所以北極星也是永恆不動，眾星都是環繞著它在運行的。《爾雅》云：「北極謂之北辰。」也就是這個意思。後來，天文學日益昌明，才發現由於歲差的緣故，赤道北極其實是不斷環繞著黃道北極在緩緩移動，每年春分點以反時針方向沿黃道向西退行50.2″，約25800餘年繞行一周。所以不同的時代，北極星就可能不同，如周初（西元前1100年左右）以帝星（小熊β）為北極星，唐宋以後改為天樞星（又名紐星，鹿豹座34²H），明清以後則為勾陳一（小熊α）（見圖三：赤道軌跡圖，採自陳奇猷《呂氏春秋校釋》，頁672。）所謂北極星，只是最接近赤道北極的星辰，它與北極點多少還是有距離的。《呂氏春秋．有始篇》云：「極星與天俱游，而天極不移。」似乎已知道這個道理。不過，西洋到了西元前125年希臘依巴谷（Hipparchus）才真正發現歲差，中國更是到了西元330年左右才由東晉虞喜發現。《爾雅》成書時，歲差之說還未出現，對於北極星自然無法做較精準的描述。

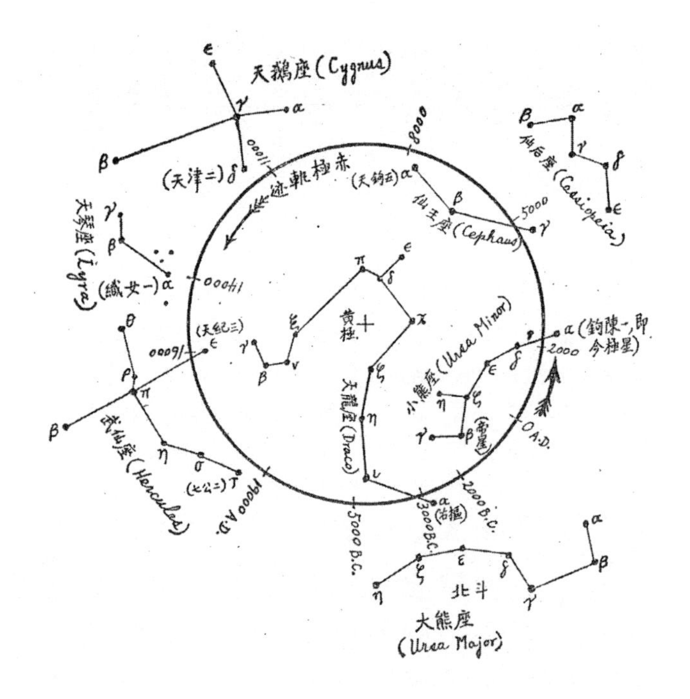

圖三　赤道軌跡圖

2 何鼓

河鼓大星，西圖為天鷹α，0.9等，是全天第十一亮的恆星，位於銀河之東，與銀河之西的織女星（天琴α，0.1等）遙相對望，十分醒目。《詩・小雅・大東》:「跂彼織女，終日七襄。……...睆彼牽牛，不以服箱。」所描述的就是這兩顆大星，而《爾雅》云:「何鼓謂之牽牛」，正是根據《詩經》而著錄的。只是上文提及的「星紀：斗、牽牛也。」應為二十八宿的牛宿，前後兩相對照，可就令人混淆不清了。事實很可能是：在上古設立二十八宿之初，本來就是取明亮的河鼓、織女為標準點，後來觀測日精，發現二星離黃道、赤道較遠，與二十八宿的其他星宿不類，經重新整理後，遂改用黃道、赤道附近較不顯著的牛宿（摩羯座）、女宿（寶瓶座）加以取代，並且稱之為牽牛、婺女，混淆於焉產生。新城新藏對此有詳細的考證[22]，應可信從。陳遵嬀云:「印度以織女代牛宿，河鼓代女宿，這雖然由於織女一和河鼓二都是一等星，實際可以說它是保留我國的古法。」[23]所謂「禮失求諸野」，此正可作為華夏古法的旁證，而《爾雅》的著錄，也可說是古法的孑遺了。

河鼓，《爾雅》作何鼓，郭璞注:「今荊楚人呼牽牛星為擔鼓，擔者，荷也。」郝懿行《義疏》:「何鼓，亦名黃姑，聲相轉耳。……今南方農語，猶呼此星為扁擔，蓋因何鼓三星中豐而兩頭銳，下有儋何之象，故因名焉。」唯唐開成石經本《爾雅》已作「河鼓」，一名天鼓，占星家多視之為銀河邊之軍鼓，用以占卜主將或軍事行動之類[24]。

---

22 同注16，頁267-268。

23 陳遵嬀：《中國天文學史・星象編》（臺北：明文書局，1985年），頁55。河鼓、織女與牛、女方位不相對應，詳見注9，頁159。

24 同注9，頁156-157。

（五）行星

太陽系至少有九大行星，除了地球之外，肉眼所能及者有水、金、火、木、土五星[25]，而《爾雅》所著錄的僅有「明星謂之啟明」，此出自《詩・陳風・東門之楊》：「昏以為期，明星煌煌。」及〈小雅・大東〉：「東有啟明，西有長庚。」所講的就是金星，中國古代稱之為太白，西洋則以愛神維納斯（Venus）視之。金星是太陽系第二顆內行星，距離地球最近，每224.7日繞日一周，視星等為-4.4，除太陽、月球外，天上的星體以它最亮。清晨出現於東方，黃昏出現於西方，古人以為它是兩顆不同的星星，《爾雅》只著錄啟明，而未提及長庚之名。

（六）彗星

彗星是太陽系裡的一種特殊星體，質量雖小，體積卻大得驚人，而且長相千奇百怪，所以從古以來就被視為災異，而用以占卜吉凶。殷商以後，史不絕書，如《春秋》之中，孛凡四見，《左傳》之中，彗凡二見[26]。《呂氏春秋・明理篇》提及的彗星有彗星、天棓、天欃、天竹、天莫、天干、賊星七種異名。[27]馬王堆漢墓出土的《天文氣象雜占》更有29幅彗星圖象。《史記・天官書》因彗星出現方位和彗星形態的不同，而有天棓、彗星、天欃、天槍、五殘星、賊星、司危

25 望遠鏡發明之後，陸續發現天王星、海王星、冥王星，2003年美國加州理工學院「帕羅馬天文觀測站」在冥王星之外發現2003UB313，可能是太陽系第十顆行星，目前仍在查證之中，見黃建育：〈UB313太陽系第十顆行星？〉，《中國時報》A14版，2006年2月5日。

26 莊雅州：〈左傳天文史料析論〉，《中正大學中文學術年刊》第3期（2000年9月），頁139。

27 莊雅州：〈呂氏春秋之天文〉，《淡江學報》第26期（1988年5月），頁23。

星、獄漢星、四鎮星、地維、咸光等各種異稱[28]。《爾雅》云：「彗星為欃槍。」蓋舉其較為常見者二種以為代表。完整的彗星分為彗核、彗髮、彗尾三部分，其形如竹彗，故俗稱「掃帚星」。欃，帛書作毚，檀木；槍，長槍。蓋彗星之形有似之者，因以為名。

（七）流星

流星本來只是太陽系內的天體碎片或宇宙塵，由於受到地球引力的吸引，以每秒數十公里的速度穿過大氣層，因而產生燃燒發光的現象。其小者直徑約為0.1厘米至10厘米，在進入大氣層時就全部塵化消失；其大者可超過數百噸，墜地即成為隕石，並可能留下隕石坑。有時，幾百公克的流星體衝到大氣低層時，會一面閃閃發光，一面沙沙作響，就稱之為火流星。《史記・天官書》：「天鼓，有音如雷非雷。音在地而下及地。……天狗，狀如大奔星，有聲。其下止地，類狗。所墮及（炎火）望之如火光炎炎衝天。」所描述的就是這種流星。而《爾雅》云：「奔星為彴約。」《開元占經》卷71引《爾雅》舊注：「流星大而疾曰奔。」郝懿行《義疏》：「彴約猶爆爍，並字之疊韻，蓋言奔星急疾之狀耳。」可能也是指火流星而言。

三　《爾雅・釋天》天文史料之檢討

（一）優點

1　取材廣泛

郭璞推崇《爾雅》為「總絕代之離詞，辨同實而殊號者也。誠九

28 莊雅州：〈科學與迷信之際——史記天官書今探〉，《中正大學中文學術年刊》第6期（2004年12月），頁135。

流之津涉，六藝之鈐鍵。」(《爾雅注．序》) 此固在說明《爾雅》的特點與功用，但也可藉以了解《爾雅》是博採載籍而成的。據殷孟倫統計，《十三經》使用的單字數計有6544個，其中約3500個見於《爾雅》[29]，至於其他古籍，如《楚辭》、《莊子》、《管子》、《穆天子傳》、《呂氏春秋》、《尸子》、《山海經》、《國語》等，也都是《爾雅》採摭的對象，《四庫全書總目》對此考述綦詳。即以〈釋天．星名〉而言，十二次之壽星見於《國語．晉語四》，大火見於《左傳．襄公九年》、《國語．晉語四》，析木見於《左傳．昭公八年》、《國語．周語下》，星紀、玄枵見於《左傳．襄公廿八年》，娵訾、降婁見於《左傳．襄公三十年》，大梁見於《左傳．昭公十一年》、《國語．晉語四》，鶉火見於《左傳．僖公五年》、《國語．周語下》，大火之異名大辰則見於《左傳》及《公羊傳．昭公十七年》，玄枵之異名顓頊之虛見於《左傳．昭公十年》，尤其「析木謂之津」、「顓頊之虛」、「娵訾之口」，其採擷之痕跡更是明顯。又如四象的北陸、西陸均出自《左傳．昭公四年》。又如二十八宿見於《尚書．堯典》的有火、虛、昴，見於《詩經》的有參、昴、定（營室）、火（心）、畢、斗、箕，見於〈夏小正〉的有參、昴、火（心），見於《左傳》與《國語》的有辰角（角）、火（心或大火）、尾（龍尾或辰尾）、味（柳）、虛、參、婺女、營室（或天廟）、本（氐）、房（農祥或天駟）、天根（亢、氐）[30]，這些大部分也都為《爾雅》所汲取。此外，漢見於《詩．小雅．大東》，及〈夏小正〉，北辰見於《論語．為政》，牽牛見於《詩．小雅．大東》，彗星見於《左傳．昭公十七年、二十六年》，可見《爾雅．釋天》星名一節，幾至無一字無來歷，其採擷之勤，誠令人歎為觀止。

---

29 殷孟倫：〈從爾雅看古漢語詞匯研究〉，《爾雅詁林敘錄》（武漢：湖北教育出版社，1996年），頁430-432。

30 同注4，頁3-8。

2 綱舉目張

「星名」僅是《爾雅·釋天》中的一節，其前有四時、祥、災、歲陽、歲陰、歲名、月陽、月名、風雨，其後有祭名、講武、旌旂，材料可謂十分龐雜，但《爾雅》的編撰者都能物以類聚，歸納得井井有條。邵晉涵《正義》嘗云：

> 寒暑相推而四時行焉，故〈釋天〉先及四時。……授時以民食為本，而雜占之休咎不與焉，故祥與災次之。……古者紀歲、紀月各有定名，所以驗天行之轉也，故歲陽、歲名、月陽、月名次之。〈洪範〉云：「月之從星則以風雨。」……是風雨依於月也，故風雨次之。……蓋以歷數難明而天驗易顯，各據一代所合，以為簡易之政也，故星名次之。祭祀必舉於四時，講武必順乎四時，欽若授時之政，所為有事也，故祭名與講武次之，因講武而有旌旂，故旌旂附於後。

可見各節先後次序之安排也煞費苦心，絕非隨意穿插。其以祭祀、講武、旌旂附錄於後，即所謂連類法，也是《爾雅·釋親》以下常用的義例[31]。再以「星名」一節各條觀之，先十二次、二十八宿，繼之以北極、牽牛等其他恆星，而以行星、彗星、流星終焉，也是層次井然、毫不紊亂。尤其是以二十八宿配十二次，二十八宿始於角，十二次始於壽星，雖與後世十二次始於星紀者次第有異，其安排卻是前此

31 駱鴻凱云：「〈釋親〉以下，皆釋制、事、物之名，其例有三：一曰綴系法，一曰歸納法，一曰連類法。綴系法者，即『某謂之某』之例，大抵就兩間物類而錫以一定之名。……歸納法者，即於每節之後各賅以公共之名，使人知援類以求也。……連類法者，即所謂因此以及彼也。」見《爾雅論略》，(長沙：嶽麓書社，1985年)，頁75-78。

載籍所未曾有，影響後代十分深遠。再看其各條內容，如「濁謂之畢，咮謂之柳。」「彗星為欃槍，奔星為彴約。」即所謂綴系法。「天根，氐也。」為單詞相訓，「玄枵，虛也；顓頊之虛，虛也；北陸，虛也。」為多詞同訓，「大辰：房心尾也。大火謂之大辰。」為補充說明，其對各詞之解釋可說十分簡要。

（二）局限

1　未臻完備

《爾雅．釋天》星名一節所列二十八宿、十二次、五星顯然都不夠完整，此一現象前賢早已言之，紀昀以為「《爾雅．釋天》略舉星名，至《史記．天官書》而大備。其傳蓋出於周秦之際。顧二千年來罕有人能知其底蘊者。」（《續通志．卷91．天文略一》）邵晉涵《正義》的看法則是：「《爾雅》於二十八星、十二次以及五星不盡釋者，約舉以該其餘也。」郝懿行《義疏》也說：

> 按經星二十有八，《爾雅》止記十七，其未及者，北方則須女也、危也，西方則胃也、觜觿也、參也，南方則東井也、輿鬼也、七星也、張也、翼也、軫也。十有二次止言其九，其未及者，則實沈也、鶉首也、鶉尾也。五星止言其一。其未及者，則歲星也、熒惑也、填星也、辰星也。蓋《爾雅》釋六藝之文，文有不備，可類推也。又如〈月令〉所載二十六星，益以建、弧而無箕、昴、鬼、張，《史記．曆書》備二十八星之號，有建、罰、狼、弧而無斗、觜、井、鬼，是則《爾雅》之不備，非缺脫也，鄭樵疑為簡編之失，非矣！

他們的解說都不無道理，而未免為賢者諱。二十八宿、十二次、五星散見群籍，群籍重在記事，隨文臚舉，固然不可能完備，但如參宿屢見於〈夏小正〉及《左傳．昭公元年》，婺女見於《左傳．昭公十年》，實沈見於《左傳．昭公元年》，鳥帑（鶉尾）見於《左傳．襄公二十八年》，歲星（木星）見於《左傳．襄公九年》，火星見於《左傳．昭公十七年》，而《爾雅》皆失收，此則不能不歸咎於蒐羅文獻時有所疏漏。尤有進者，《爾雅》除了是「釋六藝之文」的同義詞典外，其本身也具有百科全書性質[32]，成書時代大約是戰國末年[33]，其時十二次、二十八宿、五星早已明備[34]，無論站在古籍訓解或介紹完整知識體系的立場，都沒有理由任由這些天文基本常識殘缺不完。而最令人納悶的是：二十八宿西方缺三宿，南方缺六宿，管錫華的解釋是：

> 《爾雅》所不錄的星名，均屬秦、楚兩國分野的星宿，這可能是齊、魯儒生所為。因為戰國末年，齊、魯儒生對西方的虎狼之秦、南方的蠻夷之楚，深懷敵意，他們在「星名」中把這兩國的分野一筆抹掉，以表現一種文化抗敵心理[35]。

32 顧廷龍、王世偉：《爾雅導讀》（成都：巴蜀書社，1990年），頁60-64。

33 《爾雅》之撰人及時代，管錫華臚列十二說，上起周公，下迄漢人，而以為戰國末年成書之說較長，詳見《爾雅研究》（合肥：安徽大學出版社，1996年），頁8-23。

34 十二次在《左傳》中，除壽星、鶉首未見外，其餘十次均已粲然明備，顯示當時應該已有完整的十二次，否則如何用來紀年而無扞格呢？詳見注26，頁144-146。1978年湖北隨縣出土的戰國早期曾侯乙墓「二十八宿青龍白虎圖」已有完整的二十八宿，顯示其形成時代應比入葬時代早得多，詳見王健民等〈曾侯乙墓出土二十八宿青龍白虎圖象〉，《文史集林》第七輯（臺北：木鐸出版社，1983年），頁250-252。又《史記．天官書》云：「故甘、石歷五星法，惟獨熒惑有反逆行。逆行所守，及他星逆行，日月薄蝕，皆以為占。」可見戰國時代，甘德、石申夫對五星運動已認真從事觀測，當時人對五星應該已經十分熟悉。

35 同注33，頁21-22。

分野之說乃為占星之術而設，在天上星區與地上州國之對應方面，《呂氏春秋・有始篇》、《史記・天官書》、《淮南子・天文篇》、《漢書・地理志》所載儘管略有出入，大抵以井、鬼對應雍州，為秦之分野，以翼軫對應荊州，為楚之分野，皆屬南方朱鳥，然南方朱鳥尚有柳、星、張為周之分野，而西方七宿分別為魯、趙、魏之分野，皆與秦、楚無關[36]。而〈釋地〉云：「河西曰雝州、漢南曰荊州，……秦有楊陓……楚有雲夢。」對秦、楚之地理資料皆無所刪汰，何以獨刪掉其分野呢？可見管說不足深信。倒是陳美東云：

> 這些典籍（《尚書》、《詩經》、《左傳》、《國語》）雖然並沒有提到當時已有的全部二十八宿名，但它們至少反映了二十八宿之名在西周至春秋時期逐漸完備的趨勢，雖然其中北方七宿僅有柳宿，所缺最多，西方七宿也只有昴、畢、參三宿，可是，東方七宿已齊備，南方七宿僅缺危宿（斗宿代以建星）。我們傾向於認為，後二者的情況大約可以昭示西方七宿和北方七宿也應該在這時基本齊備了[37]。

將問題的癥結回歸到《爾雅》既取材於典籍又受限於典籍的本質，似乎較接近事實的真象。

2　詮釋簡略

對於天文史料的處理，《爾雅》往往只是羅列詞彙，交代十二次

36　同注23，頁177-184。

37　陳美東：《中國科學技術史・天文學卷》（北京：科學出版社，2003年），頁67。按陳氏之說北方七宿、南方七宿與傳統相反，乃是因為天球方位與地上略有不同，南宮諸宿多在赤道之北，北宮諸宿反多在赤道之南，詳見注11，頁9。

的某次包含二十八宿的哪些宿，如「壽星：角、亢也。」「大辰：房、心、尾也。」間有詮釋，或採取直訓，如「濁謂之畢，咮謂之柳。」或採取義界，如「析木之津：箕斗之間，漢津也。」但也十分簡略，難以介紹較充足的天文知識。後來字書如《說文解字》：「昴，白虎宿星。从日，卯聲。」「晨，房星，為民田時者。从晶，辰聲。」雖稍為詳細，可惜散見各部，為數不多，且非專為詮釋星名而作。辭書如：《廣雅・釋天》：

> 東方七宿七十五度，南方七宿百一十二度，西方七宿八十度，北方七宿九十八度四分度之一，四方凡三百六十五度四分度之一。

> 角、亢，鄭。氐、房、心，宋。尾、箕，燕。斗、牽牛、婺女，吳、越。虛、危，齊。營室、東壁，衛。奎、婁，魯。胃、昴、畢，趙。觜觿、參，魏。東井、輿鬼，秦。柳、七星、張，周。翼、軫，楚。

> 歲星謂之重華，或謂之應星。熒惑謂之罰星，或謂之執法。鎮星謂之地侯。太白謂之長庚，或謂之大囂。辰星謂之爨星，或謂之免星，或謂之鉤星[38]。

對宿度、分野、五星之介紹，可謂詳細而完整，可惜釋二十八宿則失之零亂，對十二次又全無交代，故亦不盡妥適。返觀《爾雅》，倘能

38 （清）王念孫：《爾雅疏證》（臺北：復興書局，1961年《皇清經解》本），卷六七五，頁1-22。

將十二次、二十八宿、五星悉數補足，加上各宿度數，對各星次之須詮釋者酌加補充說明，則其內容可望充實不少。

四　結論

《爾雅・釋天》星名一節包含十二次、二十八宿及四象，旁及其他重要恆星及行星、彗星，這是前賢博稽載籍，詳加歸納所得，內容精簡，條理分明，誠屬難能而可貴。雖然著眼於詮釋古籍，不求完整，解釋亦頗為簡略，但在古代，不失為了解天文知識的津梁。在中國天文發展史上，上承《尚書》、《詩經》、〈夏小正〉、《左傳》、《國語》之緒餘，下奠《呂氏春秋》、《逸周書》、《淮南子・天文篇》、《史記・天官書》、《漢書・天文志》之始基，尤具有承先啟後的重要性。其不凡的價值，固有表彰的必要，其精簡之內容，尤宜以今日的科學新知重新加以闡發，如此，我們對於古代的科技文化才可望有較深刻的了解。

——原載於《李爽秋教授八十壽慶祝壽論文集》（臺北：萬卷樓圖書公司，2006年4月），頁251-271。

科學與迷信之際
──《史記‧天官書》今探

一　前言

對於「史家之絕唱，無韻之〈離騷〉」──《史記》的作者司馬遷，如果推崇他是中國古代最偉大的史學家、文學家之一，絕大多數人不會有異議。但是如果聽說他是一個偉大的天文學家及占星學家，一般人可能就會覺得驚愕與迷惘了。因為即使是熟讀紀傳的《史記》專家，研究八書與十表的興趣通常不高，〈天官書〉究竟具有何種價值，通常不甚瞭然，對於偉大的天文學家又兼占星學家的矛盾身分，當然更會產生質疑。殊不知世界任何一個文明古國，在早期文化中，科學與迷信往往同出一源，融合難分。像火藥是道士煉丹時意外發現的，羅盤是術士用來勘輿的產物。天文學在古代，原本是為占星術服務，從先秦以至明代，偉大的天文學家往往身兼占星學家，著名的天文學著作往往也是占星學的要籍，司馬遷的〈天官書〉自然也不例外。我們只要稍加披閱，就曉得〈天官書〉可分為五個部分：第一部分論經星，其中有三分之一為占辭，第二部分論五緯，幾乎全為占辭，第三部分為日月占，第四部分為異星、雲氣、歲時雜占，亦全為占辭，第五部分為總論（太史公曰），論歷代天學的源流，企圖根據星象變化來歸納人事治亂的規律，也是天文與占星並論。可見〈天官書〉確實是科學與迷信雜揉的。近世〈天官書〉的研究價值逐漸受到學術界重視，如劉朝陽的〈史記天官書之研究〉、高平子的《史記天官書今註》、薄樹人的〈司馬遷——我國偉大的天文學家〉、〈試論司馬遷的天文思想〉、鄭慧生的《星學寶典——天官曆書與中國文化》、吳守賢的《司馬遷與中國天學》等，都有超軼前賢的成績。不過，大抵詳於科學，略於迷信，從文化學的觀點分析其特色並評論其優缺點者更是大有發揮的空間，此為本論文寫作的緣由。

二　《史記・天官書》的科學面

（一）恆星紀錄

1　星空分區

宇宙浩瀚無邊，目前已知的最遠星體距離地球140億光年，單是太陽系所在的本銀河就有1000億顆恆星，估計整個宇宙的恆星當不下100萬億億顆。其中我們由肉眼所能見的，也就是六等星以內的只有6000顆左右，這些星多屬於本銀河。1928年，國際天文協會所公布的88星座，是從古希臘的星座發展出來的。但在中國古代，至少在隋丹元子《步天歌》以後，乃是將星空分為三垣（紫微垣、太微垣、天市垣）二十八宿。而在《史記・天官書》中，我們看到的恆星體系則是五宮二十八宿（見圖一，五宮二十八宿十二次方位配合圖），其內容主要為：

（1）中宮：包括天極星及北斗七星等。大約是以秦漢時的北極星——「太一常居」的帝星（小熊β）為中心，而以半徑45°之小圈為界線。今之北極星——勾陳一（小熊α）亦在天極星之中，為帝星之正妃。

（2）東宮（蒼龍）：以心、房、角、亢、氐、尾、箕七宿為主，包括天市垣、大角（牧夫人α）、南門二（半人馬α）等。

（3）南宮（朱鳥）：以東井、輿鬼、柳、七星、張、翼、軫七宿為主，包括太微垣及軒轅十四（獅子α）等。

（4）西宮（咸池）：以奎、婁、胃、昴、畢、參、觜觿七宿為主，包括五車二（御夫α）、天狼（大犬α）、南極老人（船底α）等。

（5）北宮（玄武）：以危、虛、營室、壁、南斗、牽牛、婺女七宿為主，包括北落師門（南魚α）、天津四（天鵝α）、河鼓（天鷹α）、織女（天琴α）等。

與後世的星圖相較，《史記》的天市垣但名旗而不稱垣，且屬之東宮，太微垣亦歸屬南宮而不獨立，足見三垣體系尚未確立。四象之中，西宮咸池以日浴之處為名，本無不妥，唯1978年湖北隨縣曾侯乙墓出土的漆箱蓋上，已有青龍白虎二十八宿圖，自《淮南子・天文篇》以下，也多以白虎代表西宮，與蒼龍、朱鳥、玄武同樣取象於神物，合稱四象，所以《史記》咸池之名，不通行於後世。至於二十八宿則只紀錄了二十七宿，可能北宮營室係連室、壁二宿而言，也可能壁宿偶然脫簡。總之《史記・天官書》收錄的星官共86座，552顆恆星，分隸五宮二十八宿，體系井然。雖然與後世的三垣二十八宿不太一致，而且既不像《淮南子・天文篇》、《漢書・天文志》那樣載明二十八宿的距度，二十八宿的次序也未依次而序，但在中國恆星觀測史上，確實有其重要性。

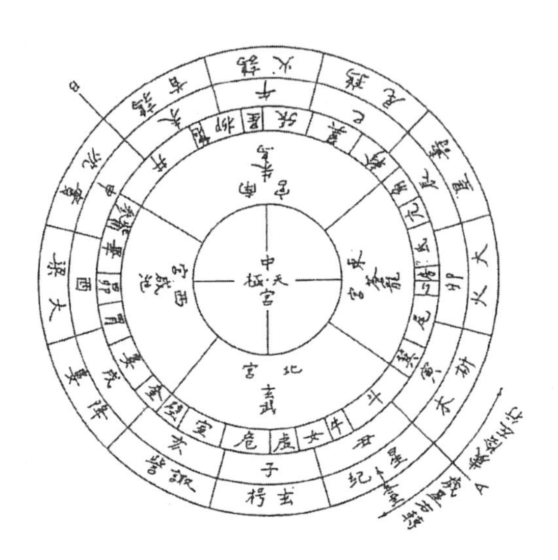

圖一　五宮二十八宿十二次方位配合圖

採自《史記天官書今註》，頁85。

2　恆星顏色

恆星在天空中展現的顏色往往不太相同，有藍的，有白的，有黃的，有紅的。恆星所以有不同的顏色，與恆星的年齡、表面溫度有關。年齡較輕的顏色多屬青藍色或白色，例如織女星。而金黃色的太陽則是中等年紀，約50萬萬歲。至於年齡老大，來日無多的大火星（天蠍 α ）則是紅色。這種現象在《史記・天官書》中已有所描述，如：

・太白白，比狼；赤，比心；黃，比肩；蒼，比參右肩；黑，比奎大星。

・輿鬼，鬼祠事，中白者為質。

第一則取五大恆星作為金星變色的標準，天狼星為白色，心宿二為紅色，參右肩（參宿五，獵戶γ）為藍白色，都與今日所見相同，唯參左肩（參宿四，獵戶α）現代為紅色，司馬遷卻記為黃色，近代美國天文學家布瑞徹（Bureche）研究，認為這顆恆星原本是紅色，2700年前曾經發生過爆炸，根據推算，它在漢初確實是黃色，後來又漸漸恢復原來的紅色，司馬遷剛好記錄了它的變色，資料十分可貴[1]。奎大星（奎宿九，仙女β）為暗紅色，司馬遷記載為黑色，正表示其為較暗的星。第二則的質是鬼宿（巨蟹座）M44星團，由億萬個星星組成，現代的顏色與司馬遷所記正同，這可能是人類第一次紀錄星團的顏色。

3　恆星亮度

恆星的亮度與自身輻射能量及距離遠近有關，古希臘的伊巴谷（Hipparchu）區分目所能見的星為六等，並以最亮的二十顆星為一等星，19世紀，學者依據光學方法算出每一星等相差2.512倍，一等星與六等星相差100倍，但同屬一等之星，亮度卻相去極遠，所以又有零等星、負等星之分。《史記・天官書》將恆星區分為五個等級：

（1）大星：共11顆，包含心宿二（天蠍α）、軒轅十四、天狼、南極老人、河鼓等，多為一等以上亮星。

（2）明者：一顆，即帝星，約2.5等。

（3）普通恆星：約500顆，不加稱謂，約3.5等。

（4）小星：共六顆，如長沙（烏鴉η）、附耳（金牛92）等，約4.5等。

（5）若見若不之星：共三顆，即陰德三星（天龍座10號星等），約5.5等。[2]

1　參見陳美東《中國科學技術史・天文學卷》，頁121。早在1978年，薄樹人即有〈論參宿四兩千年來的顏色變化〉討論此一問題，見《薄樹人文集》，頁253-256。

2　五個等級的星等根據吳守賢《司馬遷與中國天學》，頁96-101。薄樹人〈司馬遷──

這個亮度分類雖然彼此有所交叉，但與伊巴谷的星等倒也相當接近，在中國古代天文學史上，算得上是彌足珍貴的史料。

4　變光星

一般恆星的亮度總是長期穩定，但有些恆星亮度不固定，經常在變化，就稱之為變光星，或簡稱變星。《史記．天官書》中至少有三則記錄可能與此有關：

- 有句圜十五星屬杓，曰賤人之牢。其牢中星實則囚多，虛則開出。
- 旗中四星曰天帝。中六星曰市樓。市中星眾者實，其虛則耗。
- （五潢）中有三柱。柱不具，兵起。

第一則「賤人之牢」主要包括北冕座的半圓形部分，其中有R、S兩顆變星。R星亮度為5.8-6.5等，S星的亮度為5.3-12.3等，高於六等則可見，故以「實」字形容，低於6等則不可見，故以「虛」字形容。第二則「市中」指天市垣，變星數目極多，亮度在6-12等之間，故云：「星眾者實，其虛則耗」。第三則「三柱」指御夫座，其中西北一柱有兩顆變星，亮度在5.0-5.6之間，當亮度極小而氣候又不佳時就可能看不見，故云：「柱不具」。固然，變星的研究是從1596年發現鯨魚○星為變星才正式開始，而且古人觀察恆星亮度，純賴肉眼，氣候的好壞及觀察者主觀條件的限制，常會影響觀察的結果，我們無法肯定這幾則一定是人類最早的變星紀錄。但由於這幾個星座剛好都有變星存在，所以我們也不能排除其為變星紀錄的可能性。

我國偉大的天文學家〉則主張大星為1.5等以上，明星為2等左右，一般恆星為3-4等，小星為4.5等，若見若不者為5-6等，見《薄樹人文集》，頁508。

(二) 行星紀錄

1 行星的顏色與亮度

在太陽系的九大行星中，除了人類自身所居住的地球外，目力所能及的依次為水、金、火、木、土五大行星。在古代，五大行星異名極多，《史記・天官書》三家注及後代之書。曾加以羅列：

- 歲星一曰攝提，曰重華，曰應星，曰紀星。
- 填星，一名地候。
- 太白，其他名：殷星、太正、營星、觀星、宮星、明星、大衰、大澤、終星、大相、天浩、序星、月緯。
- 辰星，曰小正、辰星、天攙、安周星、細爽、能星、鉤星。

今日的通稱，與五大行星的顏色有關。行星並不像恆星那樣能自身發光，而是反射太陽光，而反射的光波波長與行星表面大氣成分有關。歲星青色，故稱木星；熒惑紅色，故稱火星；填星（鎮星）黃色，故稱土星；太白白色，故稱金星；辰星灰色，屬黑色系列，故稱水星。這樣的命名，剛好與五行所配的顏色相符。在司馬遷之前，占星家已以五行配五星，如馬王堆漢墓的帛書〈五星占〉云：

東方木，……其神上為歲星。
西方金，……其神上為太白。
南方火，……其神上為熒惑。
中央土，……其神上為填星。
北方水，……其神上為晨星。[3]

---

3 見陳久金《帛書古典天文史料注析與研究》，頁103-123。

而《史記・天官書》則更進一步在占辭中逕以木、火、土、金、水稱五大行星，如「木星與土合，為內亂。」可見五星顏色的觀察固然不始於司馬遷，但五星的定名則司馬遷應該是重要的關鍵。

除了五星的基本色外，《史記・天官書》又好言五星之變色，如：

- 太白白比狼，赤比心，黃比參左肩，蒼比參右肩，黑比奎大星。
- 辰星之色。春青黃，夏赤白，秋青白，而歲熟。冬黃而不明，即變其色，其時不昌。

這些變色有一小部分可能反映蒙氣現象，其餘多係為了因應占星術而設的想像之詞，不可深信。

五星的亮度大多超過一般恆星，如金星為-4.4等，火星為-2.8等，木星為-2.5等，水星為-1.9等，土星為-0.4等。其中尤以金星最為明亮，是僅次於太陽（-26.7等）、月亮（-12.6等）的最亮星體，《史記・天官書》云：「太白光見景，戰勝，晝見經天，是謂爭明。」是說金星光極明，照物有投影，平常東昇西沒，離日不遠，所以不見其中天，但當星光特強或氣層特殊時，就會有白日中天的現象。此外，各行星的軌道是偏心率不大的橢圓形，距離的遠近，自然導致亮度的變化。《史記・天官書》云：「五星無出而不反逆行。反逆行，嘗盛大而變色。」當內行星「下合」或外行星「衝」的時候，也就是反逆行之際，行星距離地球最近，所以顯得特別明亮[4]，司馬遷已經發現了

4 地球、內行星、太陽三者在一條直線上，行星被日光淹沒，不能看見，叫做「合」。如果行星和地球分別位於太陽兩側，也就是星在日上，稱為「上合」；如果行星與地球同時位於太陽的一側，也就是星在日下，稱為「下合」。外行星、地球、太陽三者聯成直線，而太陽與行星同樣位於地球一側時，也稱為「合」，但無

這種現象，只是以當時的科技水準，還無法說明其所以然而已。

2 行星的運行規律

恆星在天空的相對位置短時期內固定不變，古稱「經星」；行星則像日、月一樣，在黃道、赤道附近，也就是二十八宿之間穿梭不息，古稱「緯星」。職是之故，恆星的視運動極易掌握，行星的視運動則十分複雜。《史記．天官書》云：

> ．歲星出，東行十二度，百日而止。反逆行，逆行八度，百日復東行。歲行三十度十六分度之七率，日行十二分度之一，十二歲而週天。
>
> ．（熒惑）法，出東行十六舍而止。逆行二舍。六旬復東行。自所止數十舍，十月而入西方。伏行五月，出東方。
>
> ．（填星）歲行十二度百十二分度之五。日行二十八分度之一。二十八歲周天。……填星出百二十日，而逆西行。西行百二十日，反東行。見三十日而入。入三十日，復出東方。
>
> ．（太白）其出，行十八宿，二百四十日而入。入東方，伏行十一舍，百三十日。其入西方，伏行三舍，十六日而出。當出不出，當入不入，是謂失舍。
>
> ．（辰星）其出東方，行四舍。四十八日，其數二十，而反入于東方。其出西方，行四舍。四十八日，其數二十日，而反入于西方。
>
> ．蚤出者為贏，贏者為客。晚出者為縮，縮者為主人。必有天應見於杓。

上合、下合之分。當外行星運行到另外一側，即外行星與太陽在地球之兩側相背方向時，稱之為「衝」。見吳守賢《司馬遷與中國天學》，頁122-125。

行星出現星空為「出」(「現」),過分接近太陽(約15°以內),而不能見為「入」(「伏」、「沒」),由西向東為「順行」,由東向西為「逆行」,順逆之際,滯留原處為「止」(「留」),行度較預期超前一舍(周天二十八分之一或一宿之寬度)者為「贏」(「疾」),不及一舍者為「縮」(「遲」)。司馬遷對於這些行星視運動都用心觀察,具體紀錄其行度,比起帛書〈五星占〉只記五星之見、伏、周期,可說更為詳細。高平子《史記天官書今註》曾據以繪製五星視行概略圖(今舉歲星部分為例,見圖二,歲星視行概略圖),甚至還推算出五星之公轉周期及會合周期[5]。吳守賢《司馬遷與中國天學》亦曾加以推算,茲匯整吳氏之說,列表如下:

行星	觀測	公轉周期	會合周期
木星	〈天官書〉	12年	398日
	今測	11.9年	399日
火星	〈天官書〉	674日	797.5日
	今測	687日	780日
土星	〈天官書〉	28年	379日
	今測	29.5年	378日
金星	〈天官書〉	224.7日	584日
	今測	224.7日	582日
水星	〈天官書〉	—	—
	今測	87.7日	115日

由於原文頗有缺訛,且嫌粗疏,如紀錄歲星逆行8°,較今測少3.1°,熒惑的計量單位用「舍」而不用「度」,辰星連伏行、逆行數據都付

5　公轉周期是行星繞行太陽一周的時間,會合周期是由上合到上合,或由合到合的的時間。

之闕如，更是難以推算。所以推算時只能參考後代文獻，加進了不少假設，這樣的結果自然是「僅供參考」。但是五星步法的發展史上，還是有其重要性。

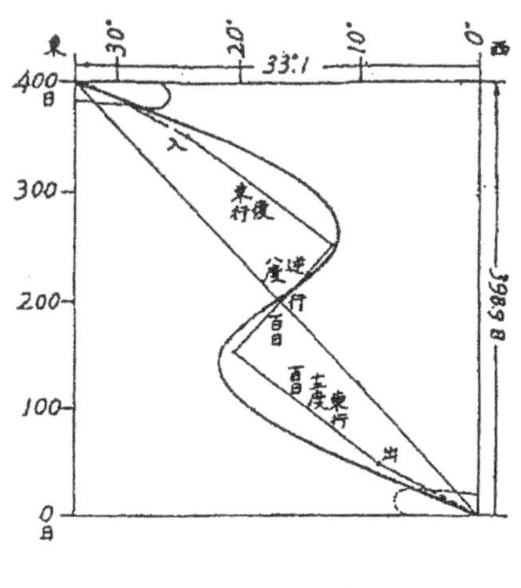

圖二　歲星視行概略圖

採自《史記天官書今註》，頁86。

在行星的視運動方面，最令古人困惑的是逆行現象。太陽系天體力學昌明的今天，我們了解，所謂逆行其實是行星運動與地球運動兩者的合成效應，純粹是人類在地球上所看到的一種錯覺而已（見圖三）。戰國時代，甘德、石申已注意到熒惑有逆行現象，司馬遷則進一步發現五星都有逆行現象，《史記．天官書》說：

> 故甘石曆五星法，唯獨熒惑有反逆行。逆行所守，及他星逆行，日月薄蝕，皆以為占。余觀史記，考行事。百年之中，五星無出而不反逆行。反逆行，嘗盛大而變色。

司馬遷認為順行、逆行、留都是行星的正常現象，並依照運行規律，試圖預測它們的位置。限於當時的科技水準，他的預測自然不夠準確，所以才會有所謂「贏」、「縮」、「當出不出」、「當入不入」之類的說法。但是無論如何，他的努力是很值得稱道的。

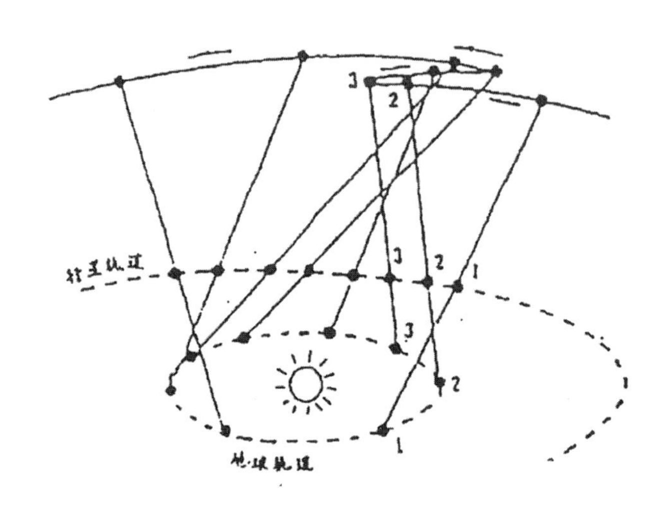

圖三　外行星定性示意圖

採自吳守賢《司馬遷與中國天學》，頁121。

3　五星同舍

《史記・天官書》說：「星同舍為合，相陵為鬥，七寸以內必之矣！」五大行星繞日均為周期運動，在短時間內，人們可能發現有兩個以上行星同時出現在一條直線上，就叫做「聚」、「合」、「鬬」、「犯」、「同舍」等[6]（見圖四，行星的相互位置關係）。這種現象不常見，占星家往往以之作為推測國家興衰、吉凶禍福的重要根據，尤其

6　現代天文學以兩星同在一條直線上為「合」，古占星家則採取較為寬泛的說法，只要「同舍」，也就是同一個星宿（少則2°，如觜觿，多則33°，如東井，平均為13°）就可以算是合。至於「凌」，現代天文學是指兩星相掩蔽，《史記・天官書》則指兩星相近，也就是在7寸（0.7°）以內就會產生「鬬」。

是「五星同舍」(又稱「五星連珠」),更是改朝換代的象徵。《史記・天官書》云:「漢之興,五星聚于東井。」〈張耳陳餘列傳〉也說:「漢王之入關,五星聚東井。東井者,秦分也,先至必霸。」《史記》並未載明五星聚東井的時間,《漢書・高祖本紀》卻進一步指明「元年冬十月,五星聚于東井,沛公至霸上。」〈天文志〉也說:「漢元年十月,五星聚于東井,以歷推之,從歲星也。此高皇帝受命之符也。」問題是後代天文學家用科學方法推算,卻發現五星聚東井應發生於漢高祖二年五月,而不是元年十月高祖入關時[7]。可見《漢書》為了迎合執政者而竄改星象紀錄,實不足取,還是《史記》所載,較為穩妥。

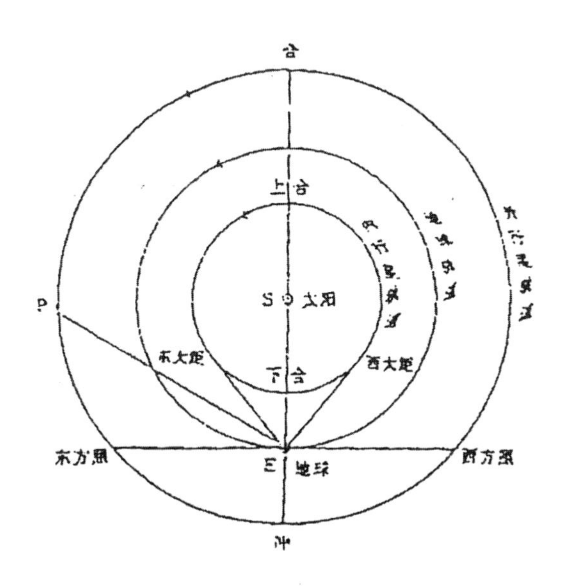

圖四　行星的相互位置關係

採自吳守賢《司馬遷與中國天學》,頁125。

7　詳見高平子《史記天官書今註》,頁79-80,江曉原《星占學與傳統文化》,頁112。

（三）日月紀錄

1　日食、月食

當月朔時，若太陽、月球、地球剛好排在一直線上，而且月球距離黃白交點15.3°以內就會發生日食；當月望時，若太陽、地球、月亮剛好排在一直線上，而且月球距離黃白交點15.3°以內就會發生月食[8]。由於地大月小，發生月食時，所有夜晚地區都可以看到，所以人們早就習以為常，並且較易掌握其規律；而日食則因為月小地大，只有部分地區可以看到，其變化較為複雜，加上發生日食時，驟然天昏地暗，極易引起人們的恐慌，而且太陽又是君王的象徵，所以十分受到人們的重視。《詩經・小雅・十月之交》云：「彼月而食，則維其常。此日而食，于何不臧？」就是這個道理。《史記・天官書》也引用《詩經》的文意，而更重要的是，它提出一個日月食都可通用的交食周期：

> 月食始日，五月者六，六月者五，五月復六，六月者一，而五月者（五），凡五百一十三月而復始。故月蝕常也，日蝕為不臧也。

依此推算，交食周期的朔望月數為5×6＋6×5＋5×6＋6×1＋5×5＝121，可是《史記》所載總數卻為513，兩者相校，頗為懸殊，可能是傳抄有誤，以致難以卒讀。在西洋，最古的日月食周期為巴比侖的「沙羅」（Saros）周期，223月有41次日食；在中國，《漢書・律曆志》引《三統曆》則為135月有23次日食。對於《史記・天官書》的

8　日月距離黃白交點15.3°（食限）以內一定發生日、月食，在18.5°以外一定不會發生日、月食，在15.3°-18.5°之間則可能食，可能不食。

文字，司馬貞、錢大昕、張文虎等都有所討論，高平子以為「五百一十三月」應為「一百三十五月」之誤，則《史記》之周期不啻為《三統曆》之所本[9]。當然，在更有力的地下文獻出現以前，這個問題仍然無法解決。不過，無論如何，《史記》所殘存的交食周期在天文學史上還是深具意義。

2 月掩星

月球的運行，除了會遮住太陽，引起日食外，也可能遮住行星或恆星，引起月掩星，《史記・天官書》云：

> 月蝕歲星，其宿地饑若亡。熒惑也，亂。填星也，下犯上。太白也，彊國以戰敗。辰星也，女亂。食大角，主命者惡之。心，則為內亂賊也。列星，其宿地憂。

「月食歲星」云云，就是月掩行星，「食大角」云云，就是月掩恆星。就地球而言，月近而行星、恆星俱遠，所以不會反過來產生行星或恆星掩月，月掩星對於地球自轉速度變化的研究頗有助益，在今日已不難推算，但在古代則神秘莫測，所以司馬遷記載它，完全是基於占星術的需要。

3 日暈

日月周圍出現一個內紅外紫的彩色光圈，包圍住太陽或月亮，就叫做「暈」。《史記・天官書》云：「兩軍相當，日暈，暈等，力鈞。」就是日暈的紀錄，而且司馬遷還詳細描述暈有厚、薄，重抱、

---

9 參見高平子《史記天官書今註》，頁60-62。

背、直、負、戴、白虹等異象[10]。這些都是陽光穿過二、三千公里的大氣層時，遇到卷雲層，所產生的水氣或冰針等折射的現象。它屬於氣象學的範疇，而不是天文學研究的對象。

（四）特殊天象紀錄

1 彗星

彗星是太陽系裡的一種特殊星體，質量有限，體積卻大得驚人，而且長相變化多端，所以除了日月食之外，最容易引起人們的重視。《史記・天官書》對於彗星的記載，為數不少，如：

- （歲星）其失次，舍以下，進而東北，三月生天棓，長四尺，末兌。進而東南，三月生彗星，長二丈，類彗。退而西北，三月生天欃，長四丈，末兌。退而西南，三月生天槍，長數丈，兩頭兌。
- 五殘星出正東，東方之野。其星狀類辰星，去地可六丈，大。
- 賊星出正南，南方之野。星去地可六丈。大而赤，數動有光。
- 司危星出正西，西方之野。星去地可六丈。大而白，類太白。
- 獄漢星出正北，北方之野，星去地可六丈。大赤，數動，察之中青。
- 四鎮星出四隅。去地可四丈。地維、咸光，亦出四隅，去地可三丈。

因彗星出現方位和彗尾型態的不同，而有天棓、彗星、天欃、天槍、

10 高平子云：「光氣向日彎者為抱，反日彎者為背，在下彎者為負，在上彎者為戴。光氣貫日為白虹。」（《史記天官書今註》，頁59）

五殘星、賊星、司危星、獄漢星、四鎮星、地維、咸光等各種異稱（見圖五，異星圖）。不僅名目繁多，而且對各種彗星多有文字描述，如：「長六丈」、「末銳」、「大而赤」等。這些資料，雖然不如馬王堆漢墓帛書〈天文氣象雜占〉彗星圖29幅那樣圖文並茂，形象具體，但可能大半為前人觀察紀錄的歸納，在彗星的研究史上還是有其價值。

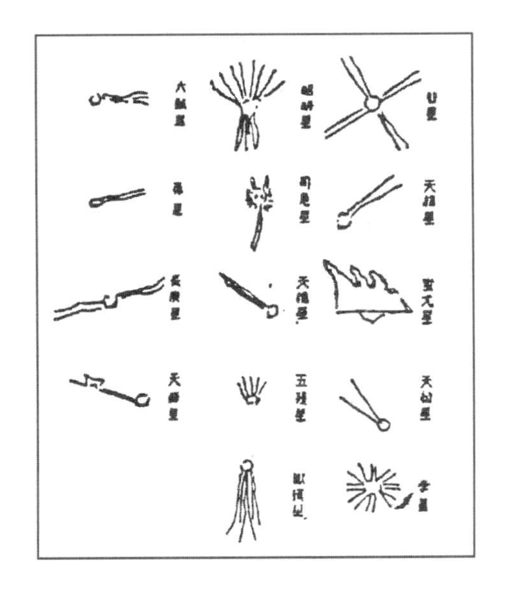

圖五　異星（屬於彗星類）

採自陳遵媯《中國天文學史・天象紀事編》，頁273。

2　客星

客星相當於現代天文學的新星或超新星，是一種爆發型的恆星，其亮度驟增幾千到幾百萬倍的稱新星，驟增幾千萬到幾億倍的稱超新星。後來亮度慢慢減弱，在幾年或十幾年後又恢復為微光的星，宛如在天空作客一般，所以《呂氏春秋・明理篇》稱之為「賓星」，《史記・天官書》稱之為「客星」：

・國皇星大而赤，狀類南極。

・燭星狀如太白，其出也不行，見則滅。

・三能三衡者，天廷也。客星出天廷，有奇令。

彗星與新星大小不侔，性質迥殊，但在古人眼中，都是突如其來的奇異星體，所以往往混為一談，分不清楚。陳遵嬀以為：「古代紀事中，指明有行度或尾巴的星，顯然是彗星而不是新星。如果沒有指明行度或尾巴，我們則把它認為新星，列到新星表裡去。」（《中國天文學史．天象紀事編》，頁345）準此，國皇星實難以判斷其性質，燭星則確為新星無疑。至於客星一詞，首見於《史記．天官書》，唯此段文字居全文之末，而且玄虛荒誕，可能為後人隨意抄掇占家雜說，未必是太史公原文。

3　流星

流星原本是太陽系內的天體碎片或宇宙塵，，受地心引力影響，以每秒數十公里速度穿入大氣層，發出巨大的光和熱，其小者全部消失，其大者則落地成為隕石。《史記．天官書》云：

> 天鼓，有音如雷非雷。音在地而下及地。……天狗，狀如大奔星，有聲。其下止地，類狗。所墮及（炎火）望之如火光炎炎衝天。其下圜如數頃田處。上兌者則有黃色。……蚩尤之旗，類彗而後曲，象旗。……旬始，生於北斗旁。狀如雄雞。其怒，青黑，象伏鱉。枉矢，類大流星，虵行而倉黑。望之如有毛羽然。長庚，如一匹布著天。此星見，兵起。星墜至地，石也。河濟之間，時有墜星。

所謂天狗、墜星，都是指隕石而言，這和《左傳・僖公十六年》：「春，隕石於宋五，隕星也。」一樣，已知隕石來自天上，比起歐洲直到1803年才認知隕石來自天上，實在高明許多。至於天鼓、蚩尤之旗、旬始、枉矢、長庚等，則可能指一般流星或火流星而言，也可能夾雜彗星在內，因為古人對彗星、客星、流星這些異星是不太容易分得清楚的。但若一見即滅，或有激烈聲光變化者，如天鼓、枉矢，則應為流星無疑。

4 黃道光

黃道光是黃道附近，行星星際塵埃反射陽光所形成的。通常出現於春季黃昏的西方地平線上，或秋季黎明的東方地平線上，是淡弱的三角形光錐。《史記・天官書》云：「格澤星者，如炎火之狀，黃白，起地而上，下大上兌。」可能就是指黃道光而言。不過，真正對黃道光進行觀測紀錄的，在中國始於元朝初期，在西洋則是1683年卡西尼（G.D.Cassini）首先進行系統的研究。

5 極光

極光是高緯度地區上空大氣中的彩色發光現象，乃是太陽輻射出來的帶電微粒，由於受到地球磁場的影響所形成的。形狀千變萬化，顏色鮮豔奪目，有的幾分鐘就消失，有的可以通宵達旦，十分壯觀。《史記・天官書》云：

- 若煙非煙，若雲非雲，郁郁紛紛，蕭索輪囷，是謂卿雲。
- 天雷、電、蝦、虹、辟歷、夜明者，陽氣之動者也。春夏則發，秋冬則藏，故候者無不司之。
- 天開縣物，地動坼絕。

卿雲、夜明、天開這幾種雲氣之占，可能都是在形容北極光。《二十五史》中有關極光的資料至少在一百條以上[11]，而《史記》已開其端。

三　《史記・天官書》的迷信面

（一）恆星占

占星家從天人感應的立場出發，相信天是有情感，有意志，有人格的，可以主宰人間的吉凶、禍福，因此將天上的恆星世界看成人間的縮影，許多恆星都有其特殊的取象，也有其專有的職掌，《史記・天官書》云：

> 柳為鳥注，主木草。七星、頸，為員官，主急事。張素為廚，主觴客。翼為羽翮，主遠客。

天上的恆星本來各自獨立，人類為了便於觀測與記憶，才運用想像力，將它們組合成星座或星官，不同的人可以有不同的聯想，不同的民族也可以有不同的星座或星官。中國人將黃道、赤道附近的恆星組合成二十八宿，又將二十八宿組合成四象。其中南宮七宿象朱鳥，而柳象鳥嘴，故主草木。七星象鳥頸，司馬貞《史記索隱》引宋均云：「員官，嚨喉也，物在嚨喉，終不久留，故主急事。」張象鳥嗉，因而聯想到庖廚與觴客。翼象鳥羽，因而主遠客。諸如此類，都未免想像力過分豐富，以致淪於牽強附會。

恆星既然可以主草木，主人之生活起居，當然也可以主人間的吉凶禍福，而這些吉凶禍福主要是由恆星的一些異象來加以揭示。《史

11 參見陳遵嬀《中國天文學史・天象紀事編》，頁506-515。

記・天官書》云：

> ・魁下大星兩兩相比者，名曰三能。三能色齊，君臣和；不齊為乖戾。輔星明近，輔臣親彊；斥小，疏弱。
> ・天一、槍、棓、矛、盾，動搖、角、大，兵起。
> ・老人見，治安。不見，兵起。常以秋分時候之于南郊。
> ・衡，太微，三光之廷。……其內五星，五帝經。……月、五星順入，軌道，司其出。所守，天子所誅也。其逆入，若不軌道，以所犯命之。中坐成行，皆群下從謀也。金火尤甚。

斗魁下六星指大熊座θ、φ、υ、h、τ、O六星，是大熊的三足，兩兩並排，名為三能（《晉書・天文志》以下稱三台）。三能顏色整齊，君臣關係就和順；顏色不整齊，君臣關係就乖戾。輔星為北斗七星第六星（開陽，大熊ζ）旁邊的Alcor，其光度明亮，距離接近，就顯示輔臣親近強大；距離較遠，黯淡無光，就顯示輔臣疏遠衰弱。中宮的天一（天龍10）、槍（牧夫μ等）、棓（天龍β等）、矛（牧夫γ）、盾（牧夫λ）等星，如果有閃爍動搖、光芒四射、光度盈大等變化，就是戰爭的徵兆。南極老人星位於天球南緯52°40 '，中原地區望之，在地平線上不過二、三度。春分至秋分之間伏而不見，其餘時間，除非天候極佳，亦不易望見，所以占星家以之占候吉凶。太微垣象徵帝廷，主星為五帝座（獅子β），月亮、五星如逆行而入，或行道異常，就宛如有人冒犯帝廷，自然屬於凶兆。金火兩星距離地球最近，較為明亮，占星家視為剛猛之物，其冒犯尤為嚴重。由此可見，恆星之占，主要是根據恆星的顏色、亮度、形狀、距離、見伏以及月亮、五星運行的方向、軌道的變化來決定。易言之，如星象正常，就是吉兆，或者不必占卜；如果異常就是凶兆，或者需要占卜。這就是占星術的基本原則一變則占，常則不占。問題是，恆星雖有自行運動，但因整個宇宙實在太大，在短短的千百年內實在不易察覺，更何況恆星自行在中國是唐代一行才發現的呢！另一方面，恆星雖偶有顏色或亮度的變化，但也是近世始能確指其變。因此，所謂異象，可能是古人觀測不精，或者氣象變化所造成的錯覺，甚至可能是古人主觀的想像。總之，認識不足是迷信的淵藪。

（二）行星占

由於恆星十分穩定，異象不多，所以《史記・天官書》中的恆星占辭為數較少；而行星不僅變化較多，而且較為複雜，有許多現象是古人所難以理解的，因而占候的機會就大為增加。《史記・天官書》云：

- 太白光見景，戰勝。晝見經天，是謂爭明。彊國弱，小國彊，女主昌。
- 五星色白圜，為喪、旱。赤圜，則中不平、為兵。青圜，為憂、水。黑圜，為疾、多死。黃圜，則吉。赤角，犯我城。黃角，地之爭。白角，哭泣之聲。青角，有兵、憂。黑角，則水。意行窮兵之所終。五星同色，天下偃兵，百姓寧昌。春風秋雨，冬寒夏暑。
- （歲星）其角動，乍小乍大，若色數變，人主有憂。

太白星光特明，晝見經天，可與太陽爭明，則小國轉強，女主興昌。五星顏色隨時轉變，可各有五種不同顏色，形狀有時圓而安定，有時閃動生角，也都各有其兆應。歲星閃動生角，時大時小，顏色屢變，表示人主有憂。可見占星家以為行星亮度、顏色、大小、形狀等的變化，都是異象，正如恆星的異象一般，應該進行占候。殊不知，行星本身的顏色、形狀相當穩定，行星的大小、亮度與距離的遠近有關，短期間都不至有太大變化，所以星光特明、顏色屢變、乍大乍小、閃動生角等都可能是蒙氣反應造成的錯覺，甚至是個人主觀的臆測，以之作為占候的理由，實屬無稽。

行星占與恆星占最大的不同，不在上述這些靜態的異象，而在於其運行位置的變化。這些動態異象又可分為行星自身運轉、行星與其他行星的關係、行星與恆星的關係三方面。首先，就行星自身運轉而言，《史記．天官書》云：

- （辰星）春不見，大風，秋則不實。夏不見，有六十日之旱，月蝕。秋不見，有兵，春則不生。冬不見，陰雨六十日，有流邑，夏則不長。
- （太白）出西方，昏而出陰，陰兵彊。暮食出，小弱。夜半出，中弱。雞鳴出，大弱。是謂陰陷於陽。其在東方，乘明而出陽，陽兵之彊。雞鳴出，小弱。夜半出，中弱。昏出，大弱。是謂陽陷於陰。……出蚤為月蝕，晚為天矢及彗星，將發其國。出東為德，舉事左之迎之，吉。出西為刑，舉事右之背之，吉。反之，皆凶。
- 歲星贏縮，以其舍命國，所在國不可伐，可以罰人。其趨舍而前曰贏，退舍曰縮。贏，其國有兵不復。縮，其國有憂，將亡，國傾敗。

辰星之公轉週期為88日，會合週期為115日，每季九十餘日必有數日可見，如有不見，必有兆應。太白不同時間出現於日落（出）點偏南或偏北，對南兵、北兵就有所影響，其早出、晚出甚至會產生月蝕或彗星。歲星運行太快或運行太慢，對相應的分野國家也都有所不利，諸如此類，都是就行星本身的見伏，出入或贏縮來占候。其實，辰星接近太陽，本來就不易觀測，自然難免有失見之時[12]。太白出現於西方，必為黃昏；出現於東方，必為清晨，哪有隨時出現的可能？早出會發生月蝕，晚出會產生彗星，更是毫無科學根據。至於歲星的贏縮失行，與其說是行度不合法則，不如說是推算不精的結果。可見行星自身運轉的異象都是肇因於對行星觀測不精，認識不清。

其次，談到行星與其他行星間的關係，《史記・天官書》云：

・歲星入月，其野有逐相。與太白鬬，其野有破軍。

・木星與土合，為內亂，饑。主勿用，戰敗。水，則變謀而更事。火，為旱。金，為白衣會，若水。金在南曰牝牡，年穀熟。金在北，歲偏無。火與水合為焠，與金合為爍，為喪，皆不可舉事，用兵大敗。土，為憂，主孽卿，大饑，戰敗，為北軍，軍困，舉事大敗。土與水合，穰而擁閼。有覆軍，其國不可舉事。出亡地，入得地。金為疾，為內兵，亡地。三星若合，其宿地國外內有兵與喪，改立公王。四星合，兵喪並起。君子憂，小人流。五星合，是為易行。有德受慶，改立大人，掩有四方，子孫蕃昌。無德，受殃若亡。五星皆大，其事亦大。皆小，事亦小。

五大行星在恆星背景上運行，在人們視覺中，彼此之間可能運行到同一條直線上，距離極近的為鬬，較遠的為合或同舍。司馬遷所記除兩

---

12 高平子云：「水星常以晨昏朦影中得以窺見。光既不大，又近地平。故遠非如金火土木四星之易見。因而雖在留心天象之人，亦有終身未見水星者。則古占家之稱『四時不見』，在實際觀測上亦非異事也。」（《史記天官書今註》，頁54）

星相鬬外，有兩星相合、三星相合、四星相合、五星相合，都各有兆應。大抵五星各有性格，如木星為德星，居者多吉，去者多凶；熒惑有剛氣，其占多不吉；填星為吉星，所居常吉，所離多凶；太白司兵，主刑殺；辰星為太陰之精，亦主刑罰。但兩星以上相鬬相合，則十之八九凶危不祥，唯五星同舍，是改朝換代的象徵，對有德而得天下者為大吉，對失天下者為大凶。兩星相鬬相合，依排列組合的原理，可以有木火、木土、木金、木水、火土、火金、火水、土金、土水、金水十種情況，除金水相合之外，其他九種情況，上引《史記》占辭都已提及，後來唐李淳風《乙巳占》、瞿縣悉達《開元占經》踵事增華，更為詳備，但《史記》大輅椎輪，還是有其重要性。

最後，在行星與恆星間的關係方面，《史記・天官書》云：

- 及五星犯北落，入軍，軍起。火金水尤甚。火，軍憂；水，（水）患；木土，軍吉。
- （熒惑）其入守犯太微、軒轅、營室，主命惡之。
- （太白）其與列星相犯，小戰。五星，大戰。其相犯，太白出其南，南國敗。出其北，北國敗。
- （歲星）以攝提格歲，歲陰左行在寅，歲星右轉居丑。正月與斗、牽牛，晨出東方，名曰監德，色蒼蒼有光。其失次，有應見柳。歲，早水，晚旱……單閼歲，歲陰在卯，星居子，以二月與婺女、虛、危晨出，曰降入，大有光。其失次，有應見張，名曰降入，其歲大水。……

所謂入，指行星不應進入某星宿的位置，卻進入了，或者行星與某星宿重疊，而使恆星失色。所謂守（留），指行星在某星宿中徘徊不去，或停留在20天以上。所謂犯，指月和行星經過某一星宿時，光芒侵犯這一星宿[13]。這些都是妖禍的徵兆。其說除了缺乏科學根據外，有時也不符天文事實，如北落師門（南魚α）離黃道將近20°，而五星運行軌道都在黃道10°以內，所謂五星犯北落，實無發生之可能。司馬遷在行星占中，最重木星，除了詳記歲星右行十二年一周天，每年經過哪些星次、有什麼專名，如果失次，有什麼災禍外，還虛擬了一個與歲星背道而馳的太歲（歲陰），而且不厭其詳地記載歲陰紀年的歲名、位置，及其與歲星的對應關係[14]，這對後世的占星術乃至擇日、堪輿、命相等其他術數影響都十分深遠。

將《史記・天官書》的占辭稍加比對，就可以發現，在行星占中，陰陽五行學說的滲入，分野理論的運用都遠甚於恆星占，這是值得特別注意的。至其得失，留待下文再議。

（三）日月占

太陽是天子、國君的象徵，月球是后妃、大臣的象徵，所以古代對日月占都相當重視，《史記・天官書》云：

- 其食，食所不利。復生，生所利。而食益盡，為主位。以其直及日所宿，加以日時，用命其國也。
- 甲乙，四海之外，日月不占。丙丁，江、淮、海、岱也。戊己，中州、河、濟也。庚辛，華山以西。壬癸，恆山以北。日蝕，國君。月蝕，將相當之。
- 兩軍相當，日暈，暈等，力鈞。厚長大，有勝。薄短小，無勝。……白虹屈短上下兌，有者，下大流血。日暈制勝，近期三十日，遠期六十日。

13 參見劉韶軍《神秘的星象》，頁82-88，占星術基本術語。

14 參見本文附圖一。

- 月行中道，安寧和平。陰間多水，陰事。北外三尺，陰星。北三尺，太陰，大水，兵。……犯四輔，輔臣誅。行南北河，以陰陽言，旱、水、兵、喪。
- 月蝕歲星，其宿地饑若亡。熒惑也，亂。填星也，下犯上。太白也，彊國以戰敗。辰星也，女亂。食大角，主命者惡之。心，則為內賊亂也。列星，其宿地憂。

以上占辭包含日月食、日暈、月行失道、月食星。其中尤以日食涉及國君，最為重要。在占候時，需考慮日食的初虧生光方位、日躔所在、日辰干支乃至分野。月食雖較常見且容易掌握，占星家也不忘加之於將相。日暈有厚薄、重抱、背、直、負、戴、白虹等不同，大多與軍事勝負有關。月行房宿四星（天蠍π、ρ、δ、β）中間則安寧和平，失道偏於北面的陰間、太陰，或偏於南面的陽間、太陽，則各有兆應。月亮經角宿二星（室女α、ζ）中間的天門，或南河三星（小犬α、β、ε）、北河三星（雙子α、β、ρ）之間，也可能帶來旱、水、兵、喪各種災禍。月食五星或食大角、心及其他列星，在占星學上也都各有其意義。這些占候，到了後代的占星家手中，更有變本加厲的發揮，如《晉書．天文志》的「月變」就多達55項，《開元占經》卷十一至十五也大談月占的各種名目。其實，這些名目都是自然現象，只是古人不能了解其真正原因，所以視之為變，施之於神道設教。

（四）特殊天象的占候

除了恆星占、行星占、日月占之外，其他特殊天象的占候，名目極多，《史記．天官書》提到，較為重要的有彗星占、流星占、雲氣占：

- 此四野星所出，出非其方，其下有兵，衝不利。四鎮星出四隅，去地可四丈，地維、咸光亦出四隅，去地可三丈，若月始出，所見下有亂。亂者亡，有德者昌。
- 天鼓……其所往者，兵發其下。天狗……千里破軍殺將。蚩尤之旗……見，則王者征伐四方。……長庚……此星見，兵起。
- 凡望雲氣，仰而望之，三四百里。平望在桑榆上，千餘里，二千里。登高而望之，下屬地者三千里。雲氣，有獸居上者勝，自華以南，氣下黑上赤。嵩高、三河之郊，氣正赤。……氣相遇者；卑勝高，兌勝方。……稍雲精白者；其將悍，其士怯。其大根而前絕遠者；當戰。……王朔所候，決於日旁，日旁雲氣，人主象。皆如其形，以占。故北夷之氣，如群畜穹閭。南夷之氣，類舟船幡旗。大水處，敗軍場，破國之虛，下有積錢，金寶之上，皆有氣，不可不察。海旁蜄氣象樓臺，廣野氣成宮闕然，雲氣各象其山川人民所聚積。……卿雲見，喜氣也。……天雷、電、蝦、虹、辟歷、夜明者，陽氣之動者也。春夏則發，秋冬則藏。故候者無不司之。

所謂四野星是指五殘星、賊星、司危星、獄漢星各種彗星，具有除舊布新的涵義，如果出現在不應出現的方位，就會帶來戰亂。天鼓、天狗、蚩尤之旗、長庚等各種流星，也都與軍事有關。古時對彗星與流星的性質不夠清楚，或眩於其奇形異狀，或惑於其來去無蹤，所以占候時常和兵喪凶兆聯結在一起，此為古代文化的普遍現象，不僅中國為然。《史記》中最令人迷惑的，在於雲氣之占，〈項羽本紀〉說：「吾令人望其氣，皆為龍虎，成五采，此天子氣也。」〈高祖本紀〉

也說：「秦始皇帝常曰：『東南有天子氣』，於是因東遊以厭之。」可見雲氣之占在秦漢之際是十分盛行的，王朔就是當時的大師。雲氣因地區、人物而異，其色澤、形象亦各有不同，因而所占也就有吉有凶。所謂雲氣，可能包含雲霞、北極光、海市蜃樓等，也可能包含一些神秘的概念。高平子說：「質而言之，則其所謂氣者；大約包含雲霞霧靄煙塵在內。其目的並非氣象之預測，更非統計，而主要作用卻在於軍事利害及社會動態之占。此當然非今日科學之所能解釋也。」（《史記天官書今註》，頁67）正如醫家及相士之言氣，望氣家所說的氣，誠非科學昌明的今日所能理解。

四　《史記・天官書》平議

（一）《史記・天官書》的特色

1　天文與人文合一

《周易・賁卦彖傳》說：「觀乎天象，以察時變；觀乎人文，以化成天下。」所謂天文是指從地面上算起，包含大氣層及外太空在內的一切自然現象；所謂人文，是指詩書禮樂等一切人為產物。觀察天道自然規律，可以察節氣、定曆法；考察人倫社會規律，可以教化成全天下。但天文與人文並不是截然對立的兩回事，而是天文為人文垂訓，人文社會根據此一範式去教化天下。因為天人合一是中國文化的主要特色之一，《周易・乾卦象辭》從「天行健」體會到「君子以自強不息」，老子以天道觀為基礎，發展出他的人生觀及知識論。甚至連政治、建築、文字、文學、書畫等各種人文，也都在天文上面找到它們祖述的原型。中國古代的天文學與占星術自然也不例外，天人合一是它們共同的基調。

《史記・天官書》總論部分云：

> ・仰則觀象於天，俯則觀法類於地。天則有日月，地則有陰陽。天有五星，地有五行。天則有列宿，地則有州域。三光者，陰陽之精，氣本在地，而聖人統理之。

天上和地上具有對應的關係，聖賢仰觀天象，俯察大地，去統理天人關係，這就是古代天文學及占星術的由來。我們可以發現，太史公在描述恆星世界時，往往以人事作為類比。星官常賦予人神尊卑官曹之名，與西方星座之取材於神話者大不相同[15]，而且各星往往各有職掌，彼此之間也常具有倫理關係，如「心為明堂，大星，天王。前後星，子屬，不欲直，直則天王失計。」是說心宿三星（天蠍α、τ、σ）分別代表天王、太子及庶子，屬於帝王宮室。太子身為儲君，可與天王在一條直線，庶子則不可與天子、太子在一條直線，否則嫡庶不分，便是天王失策。戰國以後，雖然人們開始以人事傅會天星，而有王良、傅說等星名，但把天上的星官比照人間社會組成一個嚴密的恆星世界，可能是以司馬遷為第一人。另一方面，集歷史學家、天文學家、占星家於一身的司馬遷，也努力從歷史紀錄中去查考天上星象與人間禍福的關係，也就是神秘的「天數」，並且希望為政者能修德修政，來回轉天心，化凶為吉，他說：

> ・秦始皇之時，十五年彗星四見，久者八十日，長或竟天。其

---

15 高平子云：「西方星名多自巴比倫、埃及、希臘、阿拉伯等國土傳來，其取材多出於神話，其後稍以學藝工具益之。中國則自甘氏、石氏以來，其取象以人神尊卑官曹為主要，輔以州國地名，雜以家人器用。多則合數十星為一名，少則一星一名。稱天官者，從其主要取象也。」（《史記天官書今註》，頁1）

後，秦遂以兵滅六王，并中國，外攘四夷，死人如亂麻。……項羽救鉅鹿，枉矢西流，山東遂合從諸侯，西坑秦人，誅屠咸陽。漢之興，五星聚於東井。平城之圍，月暈參畢七重。諸呂作亂，日蝕晝晦。……由是觀之，未有不先形見而應隨之者也。

・日變修德，月變省刑，星變結和。凡天變過度乃占。國君彊大有德者昌，弱小飾詐者亡。太上修德，其次修政，其次修救，其次修禳，正下無之。……為天數者，必通三五，終始古今，深觀時變，察其精粗，則天官備矣！

由此可見，太史公對占星術是深信不疑的，而支撐此一信仰的正是天人合一的理念。

2　歷史與星象並重

古代帝王號稱天子，祭祀上帝是天子的特權；象徵天下一統的正朔頒自朝廷；解讀天機的天文占星方面的圖書、儀器也為朝廷所壟斷。這些事務十分專業，在殷以前是由巫覡協助處理，他們掌管卜筮、祭祀、書史、星曆、教育，是中華民族第一代的文化人。在周以後則由太史負責，他記載軍國大事、編史、起草王室文書、策命卿大夫、管理天文、曆法、祭祀等，可說充分保留古代巫史不分的特色。《史記・太史公自敘》云：「太史公執遷而泣曰：『余先周之太史也，自上世嘗顯功名於虞夏，典天官事。』」司馬遷所以兼通天文、曆法、占星，一方面固然由於家學淵源，另一方面也是身為太史，職責所在的緣故，而其著作之兼顧歷史與星象，也就不難理解了。

司馬遷在〈報任安書〉中曾自述《史記》的著作宗旨：「凡百三十篇，亦欲以究天人之際，通古今之變，成一家之言。」所謂「究天人之際」，不僅要客觀研究大自然與人類關係，也要用心探討具有無上權威的上天與人類的關係。易言之，必須天文學、占星術雙管齊下，才能通達包含天變、時變、人變、事變的「古今之變」的歷史。也唯有把這些成果寫出來，才有可能建立自己獨立的學說體系，這就是司馬遷的歷史哲學。為了達成這個理想，他以紀傳體為中心，寫了本紀十二、世家三十、列傳七十，又用十表來繫時事，用八書來詳制度，不僅藉以補充人物傳記的不足，同時也呈顯古今大事的時間網絡，以及全體國人的文化成果。八書又可以分為四組，〈禮書〉、〈樂書〉所以正禮樂；〈律書〉、〈曆書〉所以協律曆，〈天官書〉、〈封禪書〉所以際天人，〈河渠書〉、〈平準書〉所以理官民[16]。可見〈天官書〉正是「究天人之際」的主要關鍵，同時也是理解《史記》歷史哲學的重要媒介。

3　科學與迷信雜揉

在今日，天文學屬於自然科學，旨在觀測、計算各種宇宙天體，以研究其運動變化的情況和規律；占星術則屬於神秘文化，旨在根據星象異變來預測人事的吉凶禍福，兩者性質截然不同。但在古代，無論中國或是外國，天文學與占星術卻是系出同源，混雜無別的，甚至可以說古代的天文學，其實就是現代的星占學；現代天文學的前身，其實就是古代的占星學。試看古代的天文——占星學的主要工作，一為觀測天象，二為測算其運行的規律，三為根據天象以預測吉凶禍福，四為在上位者進行禳救，前兩項屬於科學，後兩項則淪為迷信，

16 參見楊燕起《史記的學術成就》，頁116-135。楊氏云：「〈天官〉主要是從自然即客體方面來表現天人關係，而〈封禪〉則主要是從人事即主體方面，發表出司馬遷關於天人的認識。客體在前，主體在後，對人事進一步的觀察與認識，將司馬遷對天人關係思想的闡述更加深化了。」(頁124)

這不是在科學中有迷信，在迷信中有科學嗎？占星術的目的、觀念與方法固然會阻礙天文學的進步，但另一方面，占星家為了讓預測能較為準確，就不能不創造、改良各種天文儀器，以便認真地考察天象規律，而在上位者為了自身的吉凶禍福，也不能不投入大批人力、物力來從事天象觀測及曆數計算；就在不知不覺中，迷信帶動了科學的進步。所以在明清之際，西方天文學傳入之前，中國的天文學可以說是寄生在占星術中緩慢地發展著。

古代的天文學家往往遊走於科學與迷信之間，正如張衡、劉洪、祖沖之、劉焯、李淳風、僧一行一樣，司馬遷既是天文家，也是占星家。他的家世、他的工作，使他對天文、占星都有深刻的研究，當時迷信風氣的瀰漫，更助長他對占星、望氣、卜筮、擇日等方面的興趣。〈天官書〉全文7513言，至少有三分之二與占候有關，如上文所介紹有關恆星、行星、日月、特殊天象的紀錄，可以看出其科學的一面；但有關恆星占、行星占、日月占、特殊天象的占候，則充分反映其迷信的一面。可見它不僅是古代天文學方面的名作，也是占星術方面的要籍。司馬遷固然篤信占星術，但對其末流也多有指摘，〈天官書〉云：

- 幽、厲以往，尚矣！所見天變，皆國殊窟穴，家占物怪，以合時應，其文圖籍禨祥不法。
- 近世十二諸侯，七國相生，言從衡者繼踵。而皋、唐、甘、石，因時務論其書傳，故其占驗淩雜米鹽。

西周以前占星術的禨祥不法，戰國時代占星家的淩雜瑣碎，他都嗤之以鼻。據劉朝陽統計，《史記·天官書》中占候之事共18類309則，其中關於用兵者124則，年之豐歉者49則，凶或有憂者22則，其餘亦多與國計民生有關[17]，而且他特別強調修德、修政重於修救、修禳，都顯示他有意將占星術納入較為積極而正面的軌道。他這種做法，自然深具文化上的意義，不過如果純粹從科學的角度來看，其實也是以五十步笑百步而已。

（二）《史記・天官書》的貢獻

1　觀測勤奮

無論古代或現代，天文學家或占星術士，觀測都是相當重要的工作。現代的天文學家必須受過十分專精的訓練，使用極精密的儀器，才能進行觀測。古代的天文學家或占星術士也必須具備相當專業的天文素養，使用渾儀、渾象、晷表、刻漏等天文儀器，才能進行實測。只是古代科學不夠發達，對於許多天文規律無法掌握，對不少天文異象難以理解，而且一切只憑目測，天文儀器又不夠精密，長期進行實測，實非易事，個中艱辛，尤非局外人所能體會。而古代的天文學也就是依靠這些有志之士不斷的探索，才逐漸進步、發達起來。

司馬遷對天文—占星學有豐富的學養與經驗，本身也有過人的恆心與毅力。《史記・天官書》所呈現的成果，固然不乏前賢經驗的累積，但也有許多是司馬遷長期觀測的心血結晶。例如〈天官書〉說：「（熒惑）東行急，一日行一度半。」高平子即稱許為「觀察甚確」；其記太白行度，高平子也以為完全得自實際的觀測，至為可貴[18]。連黃道光和極光如此微弱或短暫的現象，他也不肯輕易放過，其觀測之勤奮，由此可見。而最為學術界所稱道的還是在於他發現五星都有反逆行的現象，並為五大行星的會合周期與公轉周期提供了寶貴的資

17　參見劉朝陽《劉朝陽中國天文學史論文選》，頁57-58。

18　參見高平子《史記天官書今註》，頁38、頁45-49。

料，還提出了中國現存最早的交食周期數據。這些成就使得行星運動的研究向前推動了一大步，也使得人類對太陽系的認識較為清楚。他證實了月食是一種常態，也使五星逆行不再成為必須占候的異象，對某些迷信的廓清也大有助益。如果不是長期細心觀測，任何人都不可能取得如此成績。

2 紀錄翔實

《史記》中的天文史料十分豐富，除了在各紀、傳、表中有許多天文記事外，〈天官書〉更是中國現存最早的、有體系的天文專著。其內容包含恆星、變光星、五大行星的運行、日食、月食、月掩星、彗星、客星、流星、黃道光、極光等，幾乎目所能及的天象都有所紀錄與描述。透過這些文字，我們才得以明白它究竟指什麼天象，同時也使我們對漢代的天文學有相當具體的了解。單就恆星錄而言，〈天官書〉所錄的恆星共86星官，552顆恆星，比起伊巴谷星表的1025顆恆星固然稍有遜色，但是後來《漢書・天文志》的118星官，783顆恆星，《晉書・天文志》的283星官，1464顆恆星，《隋書・天文志》的1565顆恆星，《明史・天文志》的1705顆恆星，《清儀象考成續編》的3339顆恆星，就是以〈天官書〉為基礎，陸續增補，才能日臻充實的。〈天官書〉的恆星錄基於占星學的需要，只描述彼此相關位置及粗略的分等，並未繪成星圖，更未以數字表示座標值，當然不如後世星表具體明確。但就恆星方位學而言，這樣的成果對後世星表的繪製已大有助益。此外，諸如恆星亮度變化、恆星的顏色以及新星、超新星乃至日月五星的運行紀錄等，雖在科技發達的今日，對天體物理的研究，還是有其價值的。

3　影響深遠

司馬遷在《史記・天官書》總論部分曾歷數漢初以前傳天數者17人：

> ・昔之傳天數者，高辛之前，重、黎。於唐、虞，羲、和。有夏，昆吾。殷商，巫咸。周室，史佚、長弘。於宋，子韋。鄭則裨竈。在齊，甘公。楚，唐昧。趙，尹臯。魏，石申。
>
> ・夫自漢之為天數者，星則唐都，氣則王朔，占歲則魏鮮。

這17人都是司馬遷以前著名的天文占星學家。其中巫咸、甘德、石申聲名尤為顯赫，相傳著有《巫咸氏星經》、《天文星占》、《天文》等書，惜皆已亾佚，僅能在《開元占經》看到一些真偽雜陳的資料。司馬遷的父親──司馬談曾從唐都學星官，司馬遷又因工作的關係，得盡睹金匱石室之書，他所以能寫出〈天官書〉這樣傑出的天文論著，應該是汲取了不少前賢的研究成果，使之條理化、系統化、簡明化，再加上自己勤奮觀測，翔實紀錄的緣故。他在〈天官書〉中歷述天學源流，正如孟子之以道統自任，應有深意存焉。

對於太史公的天文成就，薄樹人推崇備至，他說：

> 司馬遷是我國古代一位偉大的天文學家，他對中國天文學的發展是有巨大的功勛的，而且一直惠澤及今。……僅就上述九項成就而言，司馬遷就完全有資格躋身于古代世界大天文學家的行列。[19]

19 見〈試論司馬遷的天文思想〉，《薄樹人文集》，頁510-511。

司馬遷不僅本身成就極高，更重要的是他的〈天官書〉總結了先秦以來天文占星學的大成，如果沒有它，我們對漢初以前天文占星學的認識就會淺薄許多。〈天官書〉無論在內容、體例、思想、方法各方面都開創了史書列天文為專篇的體例，影響所及，後世的正史幾乎都有〈天文志〉之類，甚至衍生出了與〈天文志〉密切相關的〈五行志〉[20]。這些史志詳細紀錄了自漢至清有關天文占星的點點滴滴，是研究古代天文占星學最珍貴的資料庫，這是其他任何民族所無法望其項背的。儘管後世天文占星學往往青出於藍，內容更為充實，但《史記．天官書》篳路藍縷之功是永遠無法取代的。天文占星學對中國歷史文化的影響既深且廣，舉凡政治、學術、軍事、民眾心理均深受滲透，其間的利弊得失，一言難盡[21]。但如果不知天文占星學，就難以真正了解中國文化的蘊涵。就此而言，《史記．天官書》又具有非凡的價值。

(三)《史記．天官書》的局限

1 科學知能的不足

天文學的研究，大約是經歷了三個階段，首先是以幾何測量為主的階段，到了16世紀進入天體力學的階段，近代則為天體物理學的階段[22]。司馬遷生於兩千年前，當時沒有望遠鏡，遑論分光技術、照相

20 《漢書》改稱〈天文志〉，《後漢書》、《宋書》、《南齊書》、《魏書》、《隋書》、《晉書》、《唐書》、《新唐書》、《五代史》、《新五代史》、《宋史》、《遼史》、《金史》、《元史》、《明史》、《清史稿》、《新元史》均有類似篇章。唯《魏書》稱〈天象志〉，《新五代史》稱〈司天考〉，《遼史》稱〈歷象志〉。自《漢書》以降，有〈天文志〉的正史，除《新五代史》、《遼史》外，均有〈五行志〉，唯《魏書》稱〈靈徵志〉，《清史稿》稱〈災異志〉。見劉韶軍《神秘的星象》，頁64-65。

21 參見劉韶軍《神秘的星象》，頁175-188。

22 參見吳守賢《司馬遷與中國天學》，頁191。

技術、光度測量技術、射電技術、凝光技術、空間技術，甚至連日心說的太陽系觀念都沒有。他對天象的觀測全憑目測；對宇宙的認識十分粗淺。在今日看來，難免有不少幼稚可笑之處。

西漢時，對宇宙結構的說法，主要有蓋天說、渾天說兩派，從《史記．天官書》:「斗為帝車，運於中央，臨制四鄉。」看來，司馬遷應是贊成蓋天說，而未採取較為進步的渾天說。〈天官書〉又說：「星者，金之散氣，本曰火。」「漢者，亦金之散氣，其本曰水。」都是用陰陽五行來解釋恆星的本質，前者與今日的理解有所巧合，後者則純由河漢之名引發聯想，毫無道理可言。

對許多天文現象，司馬遷往往知其然而不知其所以然，如他首先發現五星都有逆行的現象，卻不知逆行是由於行星與地球的相對運動，人們在不同軌道上所產生的錯覺而已；又如他記錄了恆星有不同顏色，卻不知這是由於恆星擁有不同的光譜線，不同的顏色代表其表面溫度不同，年齡可能也大有差別。對於許多天文現象，司馬遷很少去尋求合理的解釋，這一方面固然是時代的局限，另一方面也是由於他沉迷於占星術而不自覺的緣故。

對天文觀測，司馬遷雖然頗見用心，但粗疏未密之處亦所在多有。他有時捨度數不用，而用「長四丈」、「逆行二舍」等較為寬泛的單位，怪不得他計算五星會合周期，不如帛書〈五星占〉精密；謂行星有「贏縮」、有「當出不出」、「當入不入」，也是測算不精，預測不準的表現；而「五星入軫中」、「附耳入畢中」、「五星犯北落」之類的說法，更是純出臆測，毫無實現的可能。

2　占星原則的商榷

占星術的基本觀念是「天垂象，見吉凶」(《周易．繫辭》)而其基本原則是「變則占，常則不占」,《史記．天官書》云：

> 日變修德，月變省刑，星變結和。凡天變過度乃占。……夫常星之變希見，而三光之占亟用。日月暈適雲風，此天之客氣，其發見亦有大運。然其與政事俯仰，最近大人之符。此五者，天之感動。為天數者；必通三五，終始古今，深觀時變，察其精粗，則天官備矣！

天變包含日變、月變、星變，變化超過一定限度就需要占候，只有懂得天數的占星家，才能精通三光五氣，判斷吉凶。在迷信瀰漫的古代，這種說法，無論王公大人或平民百姓都是深信不疑的，但在科學昌明的現代，此一基本原則實在大有商榷的餘地。〈天官書〉中蒐羅了大量占星辭，也列舉了許多歷史的證據。其實，這些資料立基的所謂異象，在今天看來，都是有道理可講，甚至有規律可循的正常現象。例如哈雷彗星、獅子座流星雨等特殊星象，都是大家耳熟能詳，毫不足奇。只是古人囿於見聞，才會大驚小怪，求神問卜。《荀子・天論》云：

> 夫日月之有蝕，風雨之不時，怪星之黨見，是無世而不常有之。上明而政平，則是雖並世起，無傷也；上闇而政險，則是雖無一至者，無益也。

實在是真知灼見，可以震聾發瞶。此外，〈天官書〉中還有部分資料，對其道理，古人雖略有所知，惟觀測不精，預測不準，所以才列為異象，例如日食、輔星明近、五大行星的贏縮、當出不出、當入不入，便是。而最荒唐的是，有些異象根本就是古人臆測、竄改甚至捏造的，如：月蝕、彗星是五星失行所生、漢高祖元年冬十月，五星聚於東井，皆是。薄樹人說：

> 按照星占術的觀念，凡是和已知天文學規律不合的天象就叫做「變」。凡是「變」，就是天的警告，就屬於占的範疇。在這種觀念支配下，人們就不可能認識舊的天文學規律的謬誤或粗疏，當然也就不可能去修正和發展陳舊的天文規律，更不可能去探討或尋求新的規律了。[23]

可見「變則占」這個基本原則，純粹是人類對天象無知與恐懼的產物，對天文學的發展妨礙甚鉅，很值得檢討。

3　占星基礎的批判

中國占星術擁有三個假說作為理論基礎，即天人感應說、陰陽五行說和分野說。這三個理論基礎奠定了占星術在古代的權威，也凸顯出中國占星術的特色，而《史記・天官書》就是在這些思想指導下完成的。但在今日看來，這些理論基礎其實是相當薄弱的：

（1）天人感應說

馮友蘭以為在中國的文字裡，天有五種不同涵義——物質之天、自然之天，主宰之天、運命之天、義理之天[24]。其中主宰之天在古代是一般人所信守不渝的。人們認為天至高無上，有思想、有情感、有意志、有人格，能賞善罰惡，主宰人間禍福，而天意就是透過各種自然現象來顯示，其兆應福澤的為祥瑞，兆應凶險的為災異。但是，反過來說，人們如果趨善避惡，修德攘救，也可以回轉天意，逢凶化吉，所以天人的關係是雙向而互為感通的。中國的占星術就是在先民這種原始思維、原始信仰中產生的。殷代至上神的信仰，周代敬天保

---

23 見〈試論司馬遷的天文思想〉，《薄樹人文集》，頁513。

24 參見馮友蘭《中國哲學史》，頁55。

民的天命觀，尤其是漢代董仲舒的天人災變學說，更促使占星術不斷成長茁壯。司馬遷久受這種思想的薰陶，又是董仲舒的弟子，所以〈天官書〉云：

> 越之亡，熒惑守斗。朝鮮之拔，星茀于河戒。兵征大宛，星茀招搖。此其犖犖大者，至若委曲小變，不可勝道。由是觀之，未有不先形見而應隨之者也。

就是充滿天人感應色彩的說法。在科學昌明的今日看來，大自然的地震、氣候異常等會嚴重影響人類的生活，而人類的濫墾濫伐、空氣污染也會造成大自然的反撲，這種天人關係應該受到重視，但占星家的天人感應，不過是人類從自身經驗出發，把人類最美好、最具權威的思想賦予上天。而所謂占星術，不過是天文現象與社會現象的密切聯繫，也就是占星家為自然景觀的日月星辰灑上濃厚的人文色彩而已。因為天是否具有人格，在今日是信者恆信，不信者恆不信，而「天垂象，見吉凶」、「變則占」則是毫無科學根據，所以天人感應之說並不足取。

（2）陰陽五行說

陰陽五行是中國古代源遠流長的思想學說之一。陰陽本指日照所及或不及，引申有寒暖之義。後來用以代表任何相對性質的事物，甚至代表形成宇宙創生的大原則。五行原指構成萬物的五種元素，後來指各種事物相生相剋、變化成毀的關係。陰陽與五行原非一物，到了戰國時代，鄒衍才將兩者糅合為一。漢代董仲舒《春秋繁露》更為陰陽五行完成一個宗教神學體系，用來說明天人感應的思想。在《史記．天官書》中，受到傳統的影響，陰陽五行的思想散見全篇，俯拾皆是，如：

- 天則有日月，地則有陰陽。天有五星，地有五行。天則有列宿，地則有州城。三光者，陰陽之精，氣本在地，而聖人統理之。
- 察日月之行以揆歲星順逆。曰東方木，主春，日甲乙。義失者罰出歲星。……營室為清廟，歲星廟也。
- 斗為帝星，運于中央，臨制四鄉。分陰陽，建四時，均五行，移節度，定諸紀，皆懸於斗。

司馬遷認為日月星辰是由於地上的陰陽五行之氣升到天上形成的，這與今日恆星生行星，行星生衛星的觀念剛好背道而馳。在〈天官書〉中，不僅日月分別代表陰陽，連日夜、東方西方、中國狐貉、五大行星，甚至月行之道也都各分陰陽。殊不知太陽、月亮看來大小相當，其實體積相差達6,000萬倍，只是遠近懸殊，才會產生「日月疊璧」的錯覺。其餘如五大行星之分陰陽，也未必能完全反映事物一分為二的關係，徒然增加神秘的色彩，偏離科學的軌道而已。五星的命名，與五行有密切關係，在〈天官書〉中，五星可配方位、五行、季節、天干、五常，各有其性格，亦各有其廟。甚至連天上恆星也歸納為五宮，天上的神明也分為五色帝，北斗七星也利用陰陽五行來增加其重要性，幾乎自然界的一切無不受到陰陽五行的支配，無不機械地、生硬地套在一個模式裡，這豈是無限豐富、生動的自然現象的本來面目？不過是便於迷信職業者的利用而已。

（3）分野說

所謂分野，是將天上的星宿與地上的區域互相對應，用來占候吉凶的一種制度。占星家認為天上星空遼闊，地上州國眾多，如果不將兩者加以對應，那麼天上某一個地方發現異象，究竟會對地上哪些州國產生影響，就無從指實了。所以分野說可以說是基於占星術的需要，為天人感應說編製的一套人為規定。其由來甚久，早在上古時代，先民以地上的黃河、漢水比擬天上的銀河，稱之為「天漢」或「河漢」，就已肇其端。而其漸趨成熟，則可能是春秋戰國時代的事。像《國語》、《左傳》、《周禮》就曾屢次言及分野，到了漢代，其說更盛，《史記・天官書》云：

- 杓攜龍角，衡殷南斗，魁枕參首。用昏建者杓。杓，自華以西南。夜半建者衡。衡，殷中洲、河濟之間。平旦建者魁。魁，海岱以東北也。
- 角、亢、氐，兗州。房、心，豫州。尾、箕，幽州。斗，江湖。牽牛、婺女，揚州。虛、危，青州。營室至東壁，并州。奎、婁、胃，徐州。昴、畢，冀州。觜觿、參，益州。東井、輿鬼，雍州。柳、七星、張，三河。翼、軫，荊州。
- 二十八舍主十二州，斗秉兼之，所從來久矣！秦之疆也，候在太白，占於狼、弧。吳、楚之疆，候在熒惑，占於鳥、衡。燕、齊之疆，候在辰星，占於虛、危。宋、鄭之疆，候在歲星，占於房、心。晉之疆，亦候在辰星，占於參、罰。

司馬遷以北斗七星配中原地帶，以二十八宿配十二州，以五星配列國，所言至少有三種不同的分野之法。至如《呂氏春秋・有始篇》以九野配九州，《淮南子・天文篇》以二十八宿配十三國，《漢書・地理志》以十二次二十八宿配列國，《春秋緯》以北斗配九州……，所言尤為紛紜。即使以性質接近者相較，亦往往有所出入[25]，然則究應以何者為準，實在令人無所適從。此外，分野之說只以華夏州國為主，四方少數民族往往摒棄不言，對此，顏之推曾加以批評道：

> ．天地初開，便有星宿。九州未劃，列國未分，翦疆區野，若為躔次？封建以來，誰所制割？國有增減，星無進退，災祥禍福，就中不差。乾象之大，列星之夥，何為分野，止繫中國？昴為旄頭，匈奴之次。西胡東越，彫題交阯，獨棄之乎？[26]

可見分野之說充滿民族沙文主義的色彩，其分配不能兼顧古代的蠻夷、華夏，與今日地球七大洲、數百個國家的實況更是不相符合。不過是占星家為了熒惑世人所造出來的一種工具，無法以科學來加以解釋或證明的。

4　占星方法的檢驗

對占星術的方法和內容，劉韶軍曾分為五個步驟，詳加析論：

1. 識星——占星的前提。
2. 知象——占星的基礎。
3. 實測——占星的保證。

---

25 劉朝陽云：「如〈天文訓〉之以角、亢為鄭，氐、房、心為宋，〈天官書〉則以角、亢、氐為兗州，而以房、心為豫州；〈天文訓〉以斗、牽牛為越，須女為吳，〈天官書〉則以斗為江湖，牽牛、婺女為揚州；又〈天文訓〉以奎、婁為魯，胃、昴、畢為魏，而〈天官書〉則以奎、婁、胃為徐州，昴、畢為冀州。」（〈史記天官書之研究〉，《劉朝陽中國天文學史論文選》，頁69）

26 見顏之推《顏氏家訓．歸心篇》。

4. 判斷——占星的關鍵。

5. 驗證——占星的結束。[27]

大抵識星、知象、實測偏於天文學，司馬遷著力甚深，得失參半，前文析論已瞭。至於判斷、驗證，則屬於占星學，迷信的成分居多，頗值得加以檢驗。

判斷是針對實測得來的星象變異情況進行分析，並判定其吉凶禍福。此一步驟主要根據前人的占星術文，如《巫咸氏星經》、《甘石星經》之類，這些術文頗為繁瑣，但語焉未詳或登錄疏漏之處也在所難免。而且同一種異象，往往要考察各種不同的條件，推測各種不同的原因。如日食，根據《史記・天官書》的記載，要考慮日食的初虧、生光方位、日躔所在、日辰、干支乃至分野。至於其原因，〈天官書〉只說：「蓋略以《春秋》二百四十二年之間，日蝕三十六，……天子微，諸侯力政，五伯代興，更為主命。」後來占星術士更進一步發揮，於是國君逆天暴物，后妃恣肆妄為，大臣威權害國，都可能發生日食[28]。殊不知日食真正的原因只是月球遮蔽了太陽，是一種自然現象，根本與任何人事無關。占星術士為了增加「億則屢中」的機會，除了翻檢術文之外，當然還得熟悉當時的政治、經濟、社會、文化各種情況，以及國內外的人事關係，用心加以選擇、對位，如此才有「不幸而言中」的可能。至於是否真能命中目標，那就有待事後的驗證了。

---

27 參見劉韶軍《神秘的星象》，頁99-136。

28 《春秋運斗樞》云：「人主自恣不循古，逆天暴物，禍起則日蝕。」《春秋感精符》云：「日食有三法，一曰：妃黨恣，邪臣在側，日黃無澤，則日以晦蝕，其發必于眩惑。二曰：偏任權并，大臣擅法，則日青黑，以二日蝕，其發必于酷毒。三曰：宗黨犯命，威權害國，則日赤鬱怏無色，則日以朝蝕，其發必于嫌隙。」《緯書集成》（上海：上海古籍出版社，1994年），頁1903、1254。

占星術本質上是一種預測，由於攸關在上位者的吉凶禍福，所以深受王公大人的重視。而預測是否準確，不僅決定占星家地位的高低，也可能會影響其本身的命運。因而占星家無不戰戰兢兢，全力以赴。我們在《國語》、《左傳》看到不少像梓慎、裨竈鐵口直斷的例子。《史記・天官書》更是列舉了不少占候實例，可說首開「史傳事驗」的先聲。如此說來，占星術似乎十分靈驗，歷歷不爽。其實，占星術的判斷並非建立在科學因果關係上，而是出自占星家主觀的臆測。就機遇率而言，臆測本來就有猜中的可能，更何況高明的占星家對當時的各方面情勢瞭如指掌，猜中的可能性當然較一般術士為高，於是這些靈驗的事例就被記入史冊，成為後世堅信不移的證據。至於那些無法應驗的占候，比起應驗者何止倍蓰，只因為沒有資格載入史冊，自然很快就被人們淡忘了。同時，史冊中靈驗的事例，除了確實猜中者外，事後比附，或經過史家竄改、潤色者也不在少數，這就是所謂「盡信書，不如無書」吧！

五　結論

綜觀上述析論，我們可以發現：

（一）天文學與占星學在古代原本同出一源，融合無別，可合稱「天文占星學」，或簡稱「天學」。先秦的天學專著，《巫咸氏星經》、《甘石星經》，今均亾佚。經籍子史如《尚書》、《詩經》、《國語》、《左傳》、《呂氏春秋》所錄，多數零星散見。馬王堆漢墓帛書《五星篇》晚出，且局限於行星紀事，《淮南子》雖有〈天文〉專篇，然不夠詳盡。因而，今存最古的天學著作不得不首推《史記・天官書》。

該篇文字雖間有後人羼雜，然大部分仍出自太史公手筆[29]。至其成篇，雖然參考了許多金匱石室之書，但也加入了不少司馬遷長期觀測、翔實紀錄的心血結晶。可以充分反映太史公的家學及其史官工作，也足以顯示先秦以迄漢初的天學水準。在中國天學的發展史上，誠具有承先啟後的重要地位。

（二）〈天官書〉的科學內容包含恆星、變光星、五大行星的運行、日食、月食、月掩星、彗星、客星、流星、黃道光、極光等，幾乎目所能及的天象都有所紀錄與描述。其中最值得稱道的是有關恆星的方位、顏色、亮度，五星的逆行與周期，日月食周期……等紀錄。單憑這些偉大的貢獻，司馬遷就可躋身世界偉大的天文學家之林而無愧色。雖然他不像希臘伊巴谷那樣發現歲差，其恆星錄也不如伊巴谷觀測的恆星那樣充實，但在許多方面，他的成績的確可與伊巴谷東西輝映。可惜在他強烈的史學與文學的光耀之下，這些成就顯得長期黯淡，直至近代，才逐漸受到人們的重視。

（三）〈天官書〉中有關迷信的內容幾占全篇的三分之二，司馬遷用天人感應說、陰陽五行說、分野說建構了他的占星學。無論恆星、行星、日月、其他天象，只要有異象，就需要求諸占候，以定吉凶。於是天上星官與人間的政治結構、行政區域，乃至戰爭勝負、農業豐歉、水旱災變、盜賊內亂，無不密切相關。這樣的占星原則其實只是無知與恐懼的產物，而所謂占星基礎、占星方法也都經不起科學的檢驗。

（四）我們不必因〈天官書〉科學與迷信雜糅，天才與無知並存，就覺得鄙夷或迷惘，因為這在古代是舉世同然的現象。我們只有站在文化學的立場，從知人論世的角度出發，才能客觀而全面的了解

29 詳見劉朝陽〈史記天官書大部分為司馬遷原作之考證〉，《劉朝陽中國天文學史論文選》，頁105-119。

〈天官書〉的優、缺點，了解司馬遷「究天人之際，通古今之變」的歷史哲學，也才能真正的了解《史記》。

——原載於《中正大學中文學術年刊》第6期（2004年12月），頁125-160。

參考書目

高平子　《史記天官書今註》　臺北　中華叢書編審委員會　1965年

瀧川龜太郎　《史記會註考證》　臺北　萬卷樓圖書公司　1993年

吳守賢　《司馬遷與中國天學》 西安　陝西人民教育出版社　2000年

鄭慧生　《星學寶典——天官曆書與中國文化》　開封　河南大學出版社　1998年

徐日輝　《史記八書與中國文化研究》　西安　陝西人民教育出版社　2000年

劉乃和　《司馬遷和史記》　北京　北京出版社

楊燕起　《史記的學術成就》　北京　北京師範大學出版社　1996年

王初慶等　《紀實與浪漫——史記國際學術研討會論文集》　臺北　洪葉文化公司　2002年

陳遵媯　《中國天文學史》　臺北　明文書局　1985年

李約瑟著　曹謨譯　《中國之科學與文明》第五冊・天文學　臺北　臺灣商務印書館　1975年

陳美東　《中國科學技術史　天文學卷》 北京　科學出版社　2003年

鄭文光　《中國天文學源流》　臺北　萬卷樓圖書公司　2000年

馮　時　《中國天文考古學》　北京　社會科學文獻出版社　2001年

陸思賢、李迪　《天文考古通論》　北京　紫禁城出版社　2000年

陳久金　《帛書及古典天文史料注析與研究》　臺北　萬卷樓圖書公司　2001年

周桂鈿　《中國古人論天》　北京　新華出版社　1991年

陳江風　《天文與社會》　開封　河南大學出版社　2002年

劉朝陽　《劉朝陽中國天文學史論文選》 鄭州　大象出版社　2000年

薄樹人　《薄樹人文集》　合肥　中國科學技術大學出版社　2003年
江曉原　《星占學與傳統文化》　上海　上海古籍出版社　1992年
劉韶軍　《神秘的星象》　南寧　廣西人民出版社　2004年
張家國　《神秘的占候》　南寧　廣西人民出版社　1994年
宋會群　《中國術數文化史》　開封　河南大學出版社　1999年

《說文解字》中的天文史料析論

一　前言

許慎的《說文解字》是中國第一本字典，不僅打破了《爾雅》、〈三倉〉傳統，首創部首歸類、以形索義的體例，使後人對每個文字的形、音、義能更清楚地了解；而且提供了豐富的歷史文化史料，使今人對漢代乃至先秦的社會有具體的認識。即單以科技文化而言，它在天文、農學、醫學、數學、物理、化學、地理學等方面都有所反映，王平即曾寫過《說文與中國古代科技》專書加以探討[1]，其他學者在相關著述中零星披露的亦復不少。不過，我們若參考更多的現代科技、古代史料，甚至地下出土的文物，還是有繼續鑽研的空間。今即以「科學之母」的天文為嚆矢，來一探《說文解字》中廣闊的天地。

二　漢代天文學鳥瞰

漢代承暴秦之後，建立了空前富強安定的大帝國，是中國歷史上的黃金時代。在科技方面，戰國時代只能算是「科學之春」，漢代才是確立體系，決定中國科技走向的時代[2]。天文曆法在古代是王權的

1　王平：《說文與中國古代科技》，南寧：廣西教育出版社，2001年。

2　汪建平、聞人軍：《中國科學技術史綱》（高雄：復文圖書出版社，1999年），第三、四章。

象徵，直接由朝廷派遣官員研究，在漢代，不再像《尚書・堯典》那樣，由羲、和分掌天地四時[3]，而是較像《周禮・春官》那樣，由太史督導馮相氏、保章氏等分掌天文、曆法等工作[4]，也就是由太史統一掌理天時星曆，兼及明堂、靈臺等宗教祭祀事宜，下轄37人，充分表現古代科學與迷信融於一爐的特色[5]。司馬遷、張衡都是太史令出身，所以成為著名的天文學家。此外，天文學家在西漢還有劉安、劉歆，在東漢還有賈逵。天文學名著則有《淮南子・天文篇》、《史記・天官書》、〈曆書〉、劉歆的《三統曆》、《三統曆譜》、張衡的《靈憲》、〈渾天儀注〉。而以天文、數學聞名的《周髀算經》至遲在西漢即已成書。綜觀漢代的天文學成就有下列數端：

（一）宇宙理論

早在戰國時代，《尸子》就說：「四方上下曰宇，往古來今曰宙。」[6]已認識到宇宙是由時間、空間結合的其大無外的「四度空間」。至於宇宙的起源，除了盤古開天闢地的神話傳說外，另有《老子》的生於道、《管子・內業》的肇於氣、《周易・繫辭》的起於太極等說法。到了漢代，《淮南子・天文篇》說：

> 天墜未形，馮馮翼翼，洞洞灟灟，故曰太昭。道始於虛霩，虛

3　（漢）孔安國傳，（唐）孔穎達疏：《尚書正義》（臺北：藝文印書館，2001年，影印十三經注疏本），頁21。

4　（漢）鄭玄注，（唐）賈公彥疏：《周禮注疏》（臺北：藝文印書館，2001年，影印十三經注疏本），頁401-407。

5　（宋）范曄撰，（唐）李賢注，（清）王先謙集解：《後漢書・百官志》（臺北：藝文印書館，1982年，影印二十五史本），頁1339。

6　（周）尸佼撰、（清）汪繼培輯：《尸子》（成都：四川人民出版社，1997年，諸子集成續編本），冊九，頁697。

> 霩生宇宙，宇宙生氣。氣有涯垠，清陽者薄靡而為天，重濁者凝滯而為地。[7]

《易緯・乾鑿度》也說：

> 夫有形生於無形，乾坤安從生？故曰有太易、有太初、有太始、有太素也。太易者，未見氣也；太初者，氣之始也；太始者，形之始也；太素者，質之始也。氣、形、質具而未離，故曰渾淪。[8]

顯然這些是結合了先秦的各種宇宙起源的說法，更細緻而深刻地描述了宇宙萬物由簡而繁、由隱而顯的生成與結構。這種氣化宇宙論深深影響到後代的天文學，成為中國最重要的宇宙起源學說。

在宇宙形態方面，先秦盛行蓋天說，認為天圓而地方，如《呂氏春秋・圜道篇》所說：「天道圜，地道方，聖王法之。」[9]即是。但《大戴禮記・曾子天員篇》早就懷疑：「如天員而地方，則是四角之不揜也。」[10]所以《周髀算經》將它修正為「天象蓋笠，地法覆盤」，也就是天地都是圓拱形狀，互相平行，相距八萬里，天總在地上[11]。到了漢代，這種說法仍然不能饜於人心，於是有渾天之說興起。此派

---

7 （漢）劉安撰，何寧集釋：《淮南子集釋》（北京：中華書局，1998年），頁165-166。

8 （漢）鄭玄注：《易緯・乾鑿度》（臺北：中新書局，1973年，古經解彙函本），冊一，頁481。

9 （秦）呂不韋撰、陳奇猷校釋：《呂氏春秋校釋》（臺北：華正書局，1988年），頁171。

10 （清）王聘珍：《大戴禮記解詁》（臺北：文史哲出版社，1986年），頁98。

11 劉金沂、趙澄秋：《中國古代天文學史略》（石家莊：河北科學技術出版社，1990年），頁111。

認為天像一個圓球包圍著大地，地在天中，天球一半在地上，一半在地下，所有天體在天球上運動，又隨天球旋轉。渾、蓋二家斷斷相爭，渾天家還製造了渾象和渾儀，廣泛運用於天文學研究，張衡為他所造的渾象寫了說明書，名為〈渾天儀注〉，就是其中的代表作[12]。西漢郄萌還提到一種宣夜說，認為天是沒有形體的無限空間，日月星辰自然浮生虛空之中，依賴氣的作用而運動或靜止，各有自己的規律[13]。這種說法十分先進，可惜超出人們的認識太遠，很少有人去研究它，更得不到大家的重視。到了近代，英國的李約瑟（J. Needham）對這種說法倒是相當推崇，認為比束縛歐洲人天文思想達一千年以上的亞里斯多德（Aristotle）、托勒米（Ptolemy）的同心水晶球的概念為進步[14]。六朝時，雖又有昕天、安天、穹天三家宇宙論，但其重要性遠不及漢代的三家[15]。

（二）觀測儀器

古人觀象授時，主要是根據圭表、渾儀、渾象和漏刻，這幾種儀器在漢代都已齊備並有所改進。圭表是測量日影長短的儀器，表是直立的柱子，圭是和表相連的座子，古人依靠它，就能測定一年的長度，也可以測定南北線的方向，甚至測定時刻，當作日晷使用[16]。1965年在江蘇儀徵東漢墓中出土的銅圭表是目前見到的最早實物，以隨葬品埋入墓中，足見當時圭表已很普及[17]。

---

12 同上注，頁113。

13 同上注，頁117。

14 李約瑟撰，陳立夫主譯：《中國之科學與文明》（臺北：台灣商務印書館，1975年），冊五，頁69。

15 陳遵媯：《中國古代天文學簡史》（臺北：木鐸出版社，1982年），頁175-176。

16 同注15，頁123-125。

17 中國國家博物館：《文物秦漢史》（北京：中華書局，2000年），頁200-201。

渾儀是古代用來測量天體座標和兩天體間角距離的主要儀器，包含窺管、讀數環、支承結構和轉動部件。這種儀器應該先秦就有，但最早見於文字記載的則為落下閎所製造的渾儀。賈逵曾在渾儀上加上黃道環，影響極大[18]。

渾象就是天球儀，張衡製作的渾天儀，用漏水來轉動，放於密室之中，看守的人看到某星的出沒、中天，便喊出來，能夠和室外觀天的人所看見的真正天象完全符合，製造非常巧妙，這是用來說明其渾天說的儀器，實際上是渾象，不是渾儀[19]。

漏刻的作用相當於古之日晷，今之鐘錶，在晨昏夜間或沒有日光的日子也可以使用。漏是漏水的壺，借助水的漏出以計量時間的流逝，是守時儀器。刻是帶有刻度的標尺，與漏壺配合使用，隨壺水的漏出，不斷反映不同的時刻，屬於報時儀器。漏刻起源甚早，但不夠精密，東漢時桓譚負責漏刻工作，他發現天氣的燥濕寒暑影響漏刻的準確，於是在黃昏、黎明、中午、半夜都要校準，真是精益求精[20]。近代在陝西興平、河北滿城、內蒙古伊克昭盟曾先後出土三件西漢銅漏壺[21]。正因為漢代的觀測儀器不斷精進，所以其時的天文學才有長足的進步。

（三）天文紀錄

1973年長沙馬王堆漢墓出土了帛書十多萬言，其中的《天文氣象雜占》和《五星占》是現存最早的天文書。前者列有雲、氣、星、彗星四大部分，其中29幅形狀各異的彗星圖顯示古人觀察之精細，最具

18 同注11，頁53-55。又，頁224。

19 同注11，頁224。

20 同注15，頁130-131。

21 同注17，頁201。

科學價值。後者對五大行星的運動有詳細的描述，對金星、土星的會合周期也定得相當準確，是研究古代行星問題的重要資料[22]。

《淮南子・天文篇》共分八章，四十六節，除講天體的起源外，還介紹了天的組成、九野、五星、八風、二十八宿等天文曆法以及樂律、術數等知識，影響了後來《史記》、《漢書》等正史的編撰，是研究古代天文學的一把鑰匙。其中講到二十四節氣、二十八宿的赤道廣度，在中國天文學史上都是首見[23]。

司馬遷不僅是古代最偉大的史學家、文學家，也是優異的天文學家和占星學家。他觀測勤奮，記錄翔實，其《史記・天官書》是中國現存最早的、有體系的天文專著，其內容包含恆星、變光星、五大行星的運行、日食、月食、月掩星、彗星、客星、流星、黃道光、極光等，幾乎目所能及的天象都有所紀錄與描述。透過這些文字，我們才得以明白它究竟指什麼天象，同時也使我們對漢代的天文學有相當具體的了解。最為學術界所稱道的是他發現五星都有反逆行的現象，並為五大行星的會合周期與公轉周期提供了寶貴的資料，還提出了中國現存最早的交食周期數據。這些成就使得行星運動的研究向前推動了一大步，也使得人類對太陽系的認識較為清楚[24]。

劉歆是一個偉大的文獻學家，也是著名的曆法學家。在天文學上，他從文獻上發現歲星（木星）有超辰的現象，而且認為每144年會超辰一次，雖然他的數據不甚精確，已屬難能可貴了[25]。

張衡是漢賦四大家之一，更是一位科技全才，他發明了水運渾

22 何介鈞：《馬王堆漢墓》（北京：文物出版社，2004年），頁182-196。

23 席澤宗：《古新星新表與科學史探索・淮南子天文訓述略》（西安：陝西師範大學出版社，2002年），頁80-84。

24 莊雅州：〈科學與迷信之際——史記天官書今探〉《中正大學中文學術年刊》第6期（2004年12月），頁24-25。

25 同注15，頁85。歲星應是每83年超辰一次。

象、候風地動儀、指南車，代表東漢科技的最高成就。在《靈憲》中，他總結了前人關於宇宙生成演化與天體形態的思想，還解釋了五星視運動或快或慢的現象，說明了月食是由於地之所蔽[26]。由於他親自做過大量的天文觀測，所以提及的星宿達2500顆，遠比《史記・天官書》所言500多顆、《漢書・天文志》所言783顆為多，就夜晚目所能見的六等星以上的星數2500-3000顆而言，張衡的統計，已近乎完備[27]。

（四）曆法推步

天文講空間，曆法講時間，空間與時間本即密不可分，觀象才能授時，曆法的內容除安排節氣、年、月、日及安插閏月外，也得預報日食、月食，推算五星的運行，反映了大量的天文現象，所以曆法就成為天文學中重要的一環，這個特色在中國天文學史上尤其顯著。

兩漢四百餘年，曆法沿革可分三大時期：從漢初到太初元年（西元前204-前104年）用顓頊曆；從太初元年到元和二年（西元前104-西元85年）用太初曆（即三統曆）；從元和二年到漢末（西元85-220年）用後漢四分曆[28]。

秦因自認在五德終始中以水德王，故自西元前366年施行的顓頊曆，與夏、商、周的歲首都不同，是以十月為每一年的第一個月，九月為最後一個月，歸餘於終的閏月叫後九月。1972年山東臨沂銀雀山二號墓出土了一批西漢竹簡，其中有一份漢武帝元光元年（西元前134年）的曆譜，是目前為止，中國最早、最完整的曆譜，正可證明漢承秦制[29]。

---

26 同注2，頁200-207。

27 同注15，頁96-100。

28 陳遵嬀：《中國天文學史》（臺北：明文書局，1988年），冊五，頁111。

29 喬衡平：《中華文明史》（石家莊：河北教育出版社，1992年），卷三，頁309。

顓頊曆在古六曆中誤差較小，然沿用下來，誤差累積，日見疏闊，天象預報也不準確。武帝下詔改元封七年為太初元年（西元前104年），議造漢曆。當時參與改曆的專家學者有二十餘人，共提出18家不同的曆法，最後鄧平的八十一分律脫穎而出，就是太初曆。它規定以夏曆寅月為歲首，引入二十四節氣，採取無中置閏，對行星會合周期數值較為準確，首次計算出交食周期，也就是135個月有23個食季，每個食季中可能發生一至三次日食或月食。這是一份相當優秀的曆法，影響後代極大，可惜司馬遷在《史記・曆書》只收入自己的〈曆術甲子篇〉，未收太初曆，所以太初曆的原貌已不可得而見[30]。

西漢末年，劉歆給太初曆以系統的敘述，同時補充了大量原來簡略的天文知識，還對《春秋》以及其他典籍做了許多考證工作，在這個基礎上，他把太初曆更名為三統曆，並撰成《三統曆譜》，後來被班固《漢書》做為曆法的藍本，收入〈律曆志〉，因而流傳下來。其主要內容包括制曆理論：節氣、朔、望、冬至、月食、五星、日、月所在星度、閏月、積年等項內容的推步法，二十八宿分度表，十二次、二十四節氣與二十八宿配合表，歲星超辰法，最後附有古代紀年考（即〈世經〉一篇），可說是世界上最早的天文年曆的雛型。所以謂之三統，是以19年為一章、81章為一統，合計1539年，每過一統，就要更換一個朝代，並為此創立了「積年」的算法，這顯然是為王莽篡位作輿論準備，實不足為訓。但影響極大，至元朝郭守敬的授時曆才予以廢棄[31]。

太初曆施行百餘年後，又漸發現與天象不能密合的「後天」現象。東漢章帝元和二年（西元85年），下詔廢止太初曆，改用賈逵、編訢、李梵等十人集體討論、修訂的四分曆，其章節成為後代制曆家

---

30 李東生：《中國古代天文曆法》（北京：北京科學技術出版社，1995年），頁119-121。

31 崔振華、李東生：《中國古代曆法》（北京：新華出版社，1993年），頁31-34。

的規範。此曆重視實際觀測，將冬至點由牽牛初度改為斗$2\frac{1}{4}$°，並用黃道度數計量日月的運行和位置，還列入二十四節氣的昏旦中星、晝夜漏刻，晷影長度等，都是值得稱道的[32]。

東漢末年，四分曆也逐漸呈現後天現象，靈帝光和年間（西元178-183年），劉洪提出乾象曆，修正了回歸年、朔望月的數據，引進月行遲疾的說法，算出近點月的日數，使得日月食推算的精確度明顯提高。可惜由於時局動盪，乾象曆始終未能施行，至吳黃武二年（西元223年）才正式頒布[33]。

三　《說文解字》中的天文史料

《說文解字》是語言文字學的經典，其體例是以五百四十部首統攝9353個文字，然後逐字解說字義、分析字形，間亦交代讀音或引用書證，說解僅13萬餘言，每個字頭平均只用14個字的解說，可說極其精簡。由於該書性質及字數的限制，自然不可能如《淮南子・天文篇》、《史記・天官書》那樣，對當時的天文理論與成就做系統的介紹，甚至也不可能如《爾雅・釋天》那樣，逐條解釋四時、歲名、風雨、星名等有關天文、曆法、氣象的名詞。而是在解釋個別的字頭時，把相關的天文知識融入其中，所以有意無意之間，也就反映了先秦兩漢的天文水準，我們將這些吉光片羽加以整理歸納，對於了解先秦兩漢的天文還是大有裨益：

（一）宇宙理論

《說文解字》五百四十部，始一終亥，一字與亥字的解釋是：

32 同注30，頁123-124。

33 同注31，頁37-38。

一：惟初太極，道生於一，造分天地，化成萬物。

亥：荄也。十月微昜起接盛侌，从二，二，古文上字也。一人男，一人女也。从乚象裒子咳咳之形也。……亥而生子，復從一起[34]。

許氏採取這樣抽象的解釋，而不用「數之始」或「地支名」之類的語言，是符應當時的學術潮流的。漢代的經學家或天文學家都接受《老子》的道或《易・繫辭傳》的太極作為宇宙的本體。無論是道或太極，其本體都是虛無的，虛無的本體如何成為宇宙最高、最大、最早的總原理？如何能化生無限複雜、無限龐大的萬事萬物？這在古代，只能當作哲學玄想，無法用語言文字去解說清楚的。但在科學昌明的今日，史蒂芬・霍金（S. Hawking）、哈特爾（J. Hartle）等科學家用最尖端的量子論和相對論證明宇宙原本是從無當中誕生的，由無產生宇宙卵，大約130億年前，大爆炸之後，不斷膨脹，產生無數的星球[35]。直至今日，宇宙仍在不斷膨脹之中，但270億年之後，膨脹將完全停止，許多星球將變成白矮星、中子星、黑洞或是星際空間飄遊的離子。此後400-670億年間，整個宇宙將徹底崩潰，收縮在不可見的大黑洞裡，也就是恢復無的本體。可能到某一個階段，宇宙又經過大霹靂，不斷膨脹而獲得重生，進行另一周期的大循環[36]。《說文》所言：

---

34 （漢）許慎撰，（清）段玉裁注：《說文解字注》（臺北：洪葉文化公司，2005年，增訂一版三刷），頁1、759。以下引用《說文》，皆依此本，隨文交代頁碼，不復逐字加注。

35 〈量子論和相對論描繪出的宇宙誕生狀況——為什麼宇宙是由「無」中誕生？〉，《牛頓雜誌》（1999年8月），頁36-70。

36 Lloyd Motz著，陳志聰譯：《宇宙的奧秘——從誕生到死亡》（臺北：成文出版社，1978年），頁223-248。

「道生於一」、「復從一起」，今天看來，都是有科學根據的。在溫故而知新之餘，不能不佩服古人智慧的高超。至於媧字的解釋：「古之神聖女，化萬物者也。」（頁623）就字書的立場交代了女媧造物的傳說，與一、亥的說解並不相妨。

宇宙形態方面，《說文解字》說：

> 圜：天體也。从口，睘聲。（頁279）

意謂天體渾圓，這正是漢代盛行的渾天說。《說文》另有「團，圜也。」（頁279）、「圓，圜全也」（頁279）、「丸，圜也。傾側而轉者。」（頁452）聲近義通，都是同源字。

《說文》還曾談到天地之分：

> 天：顛也。至高無上，从一大。（頁1）
>
> 地：元气初分，輕清昜為天，重濁侌為地，萬物所陳列也。从土，也聲。（頁688）

在中國文字裡，天有五義，即物質之天、自然之天、主宰之天、運命之天、義理之天[37]。許慎所釋，乃是最樸素的物質之天，其意是說在古人觀念裡，天乃是頭頂上無窮大的空間，但說「至高無上」，則又隱含其他較抽象的意義。他採用的是聲訓，顛是頭頂之意，與天古韻同屬真部，聲紐為端、透之別。在甲骨文中，天作，正象人的頭頂[38]，足見許書所釋，相當合理而精簡。至於談到天地是元氣所分，則是吸收了當時的氣化宇宙論，也是相當先進的。鄭文光說：

---

37 馮友蘭：《中國哲學史》（香港：三聯書店，1992年，頁43）

38 馬如森：《殷墟甲骨學》（上海：上海大學出版社，2007年，頁209）

「陽清為天，陰濁為地」成為我國一切天地開闢理論的基礎。現代關於恆星和星系是從星雲中經過凝聚、引力吸積而生的思想頗有與之相類似之處——當然，現代天體演化理論是科學的推論，而我國「陽清為天，陰濁為地」的思想純粹是思辨性的臆測。[39]

這種理論雖然純屬哲學玄思，但古人能有如此敏銳的思辨，已是極其難得了。

（二）觀測儀器

天文觀測儀器主要有圭表、渾儀、渾象和漏刻。《說文》格於字書體例，對渾儀、渾象都未曾涉及，但對圭表、漏刻則有蛛絲馬跡可尋：

晷：日景也。从日，咎聲。（頁308）

漏：以銅受水，刻節，晝夜百節。从水、屚，取屚下之義，屚亦聲。（頁571）

晷是從圭表發展而來，本義是太陽的影子，引申為利用日影轉動的角度來計量時刻的儀器，1987年出土於內蒙古托克托的泥質大理石日晷，是目前發現的惟一完整的，也是最早的日晷[40]。漏刻是利用水量多少來計量時間的儀器，漏指漏壺，刻指刻箭。是全天候儀器，能補日晷的局限。《說文》所言為百刻制，即將全日分為100刻，$4\frac{1}{6}$刻合現

39 鄭文光：《中國天文學源流》（臺北：萬卷樓圖書公司，2000年），頁39。

40 同注17，頁201。

在的一小時[41]。後來梁曾行96刻制、108刻制，但其他朝代仍多行百刻制，明末西學傳入96刻制，清初定為正式制度，廢百刻[42]。

（三）天文紀錄

太陽為地球光熱之源，也是一切生物生存之所賴，所以自古以來即深受人們的重視，也造了不少文字來加以描述，單是《說文》日部中所收即有70字，首先是部首日字：

> 日：實也，大昜之精不虧，从○一，象形。[illegible]，古文，象形。（頁305）

許慎以聲訓解釋太陽充實燦爛，不像月亮那樣有圓有缺，所以稱之為日。特別值得注意的是古文，段玉裁注：「蓋象中有烏。」此即《淮南子・精神篇》：「日中有踆烏。」[43]也就是今所謂的日斑或太陽黑子。這是太陽表面溫度較低的地區光芒較暗所形成的。陽光十分強烈，原本不可逼視，但日赤無光，烟幕蔽日之際，或太陽近於地平，蒙氣朦朧之中，仍可觀望紀錄，細心的古人就此發現了太陽黑子。從漢元帝永光元年（西元前43年）開始，直到明朝，史籍所載，不下百次，比起歐洲遲至807年才知道日斑，真是相去不可以道里計[44]。

先民對太陽觀測細緻入微，所製文字保存在《說文》中者為數不

---

41 陳久金、楊怡：《中國古代的天文與曆法》（臺北：臺灣商務印書館，1993年），頁38-44。

42 張聞玉：《古代天文曆法講座》（桂林：廣西師範大學出版社，2008年），頁62-63。

43 同注7，頁508。踆是蹲的意思。

44 陳曉中：〈中國古代的天象紀錄〉，《中國古代科技成就》（北京：中國青年出版社，1995年9月，北京三刷），頁11-14。

少，王平曾分成六類詳加臚列[45]，今撮舉其目並酌加補苴如下：

1. 日出前：早（頁305）、曶（頁305）、昧（頁305）、睹（頁305）、晢（頁306）、昕（頁306）。
2. 日出：朝（頁311）、旦（頁311）、杲（頁255）、曉（頁306）、晧（頁307）、暤（頁307）、旭（頁306）、暘（頁306）、倝（頁311）。
3. 日光：昭（頁306）、晤（頁306）、的（頁306）、晃（頁306）、曠（頁306）、晉（頁306）、曄（頁307）、暈（頁307）、暘（頁307）、昫（頁307）、晛（頁307）、暜（頁308）、曀（頁308）、暨（頁311）、普（頁311）。
4. 日影：景（頁307）、晷（頁308）。
5. 日行：暆（頁307）。
6. 日落：昃（頁308）、晚（頁308）、莫（頁48）、旰（頁307）、杳（頁255）、昏（頁308）、𣈶（頁308）、冥（頁315）、晻（頁308）、暗（頁308）。

許慎分析字形，以求本義，讓我們了解許多字義的由來，例如日在地平線為旦，日在木上為杲，日在木下為杳，日在草中為莫（暮），日側為昃，日低為昏，又如景是日影，所以風和日麗才有美好的風景；景印就是影印。這對我們閱讀古書是大有助益的。

月球是地球的衛星，由於距地較近，看起來與太陽大小相若，宛如雙璧，在夜晚瑩瑩發光，又有圓缺變化，所以引發人類無限的綺思。《說文》的解釋是：

45 同注1，頁14-16。

月：闕也，大侌之精，象形。（頁316）

以闕的聲訓推究月得名的原因，並且稱之為太陰之精，真是言簡意賅。《說文》又有夕字，解為「莫也，从月半見。」（頁318）與月字密切相關，在甲骨文中有時是二字，有時是一字之異體[46]。一月之中，月相的變化主要有三階段，《說文》都有所介紹：

朔：月一日始蘇也。从月，屰聲。（頁316）

朒：朔而月見東方謂之縮朒。从月，肉聲。（頁316）

朏：月未盛之明也，从月、出。（頁316）

霸：月始生魄然也，承大月二日，承小月三日。从月，䨣聲。〈周書〉曰：「哉生霸。」（頁316）。

朢：月滿也，與日相望，似朝君。从月，从臣，从壬，壬，朝廷也。（頁391）

晦：月盡也。从日，每聲。（頁308）

朓：晦而月見西方謂之朓。从月，兆聲。（頁316）

每月初一，月光始見為朔，朔而月見東方謂之縮朒，初二、初三月光不盛為朏，為霸，這是月現的階段。到了十五、六日，黃昏時，圓月與太陽東西相望為朢，這是月滿的階段。月底月光暗晦不見為晦，晦而月在西方為朓，這是月盡的階段。一月之中，最重要的是朔與望，所以推步朔望就成為曆算中最重要的工作。在金文及古典文獻中霸字屢見，王國維〈生霸死霸考〉將一月分為初吉、既生霸、既望、既死

46 同注38，頁358。

霸四期[47]，可以參閱。

在星空中，除了太陽、月亮外，最為人所注目的莫過於五大行星，與日月合稱為七曜，又稱七政。一則它們的亮度大多超過最亮的恆星天狼星，再則它們在星空運行的位置不易掌握，所以從古以來，天文學家就以二十八宿為座標，詳細觀測它們的位置、運行路線，計算會合周期，甚至當作占星的重要對象。在古代，它們由內而外，分別稱為辰星（水）、太白（金）、熒惑（火）、歲星（木）、鎮星（土），到了五行學說盛行之後，才逐漸改稱水、金、火、木、土五星，其轉變關鍵可能是《史記・天官書》[48]。在《說文》中唯一提及的只有木星：

> 歲：木星也，越歷二十八宿，宣徧陰陽，十二月一次，从步，戌聲。律曆書名五星為五步。（頁69）

木星所以稱為歲星，就是因為它可用以紀年，正如《爾雅・釋天》所云「夏曰歲，商曰祀，周曰年，唐虞曰載。」[49]《說文》單提歲星，倒不是它的亮度僅次於金星，而且在夜空中經常可以看到，而是因為在許慎眼中，五大行星只有歲星用的是本義，這就是字書的局限。

中國古代將星空劃分為三垣二十八宿，二十八宿又歸納為四象，這與西方劃分為88個星座迥然有別。二十八宿是古人長期觀察後，用來觀測日月五星，紀錄天象的座標。但格於字書體例，《說文》中所提到的只有：

---

47 王國維：〈觀堂集林〉，《海寧王靜安先生遺書》（臺北：臺灣商務印書館，1976年），冊一，頁7-14。

48 同注24，頁6。

49 （清）郝懿行：《爾雅義疏》（臺北：中華書局，1966年，四部備要本）卷中之四，頁5。

昴：白虎宿星。从日，卯聲。（頁308）

曑：商，星也。从晶，㐱聲。（頁316）

曟：房星，為民田時者，从晶，辰聲。晨，曟或省。（頁316）

昴是金牛七星，俗稱七姊妹，在四象中屬於西方白虎。曑是獵戶七星，也屬西方白虎。商即心宿天蠍三星，屬東方青龍。房是天蠍四星，也屬東方青龍。要特別注意的是參、商相去180°，在星空中永不相見，段玉裁注云：「此以篆文曑連商句絕，釋為星也。」（頁316）許意是說曑星、商星都是星宿，並非曑星就是商星。他還說房星「為民田時者」，這是因為房心尾三宿相連，都是天蠍座，古稱大辰或大火，是指導「刀耕火種」的農業生產的標準星宿。在字形上，曑、曟都从晶，《說文》釋晶為「精光也」（頁315），象眾星相聚，正是古星字，所以星字本作「曐」（頁315），重文始省作「星」。在二十八宿中，《說文》雖然僅釋此四宿，但其他星宿的得名，有時我們也可透過《說文》而有所認識，如：

角：獸角也。象形。（頁186）

亢：人頸也。从大省，象頸脈形。（頁501）

氐：至也，本也。从氏下箸一，一，地也。（頁634）

箕：所以簸者也。从竹，𠀠象形，丌其下也。（頁201）

奎：兩髀之間，从大，圭聲。（頁497）

畢：田网也，从田，華象形。（頁160）

角宿室女二星像青龍的角，亢宿室女四星像青龍的喉嚨，二宿下繫於氐宿天秤四星，如樹木之有根本。箕宿人馬四星像畚箕，奎宿仙女、雙魚十六星像兩腿下垂，畢象田獵的網。諸如此類，雖非以星宿為本義，但其解說確實有助於了解，同時也可看出中國古代星宿的命名往往資取於人事，與西方星宿之取名於希臘神話者大不相同，這也是中國天文學的一個特色。

（四）曆法反映

中國古代曆法涉及的範圍十分廣泛，不僅要推算和安排年、月、日，設置閏月、閏日，還要推算二十四節氣，預告日夜長短的變化，正午日影的長度，此外，還要計算日、月、五星的運動和位置，測定昏旦中星的時刻和日、月食等[50]。《說文》不是曆書，自然無法全面介紹這些內容，但零零星星也有不少反映。

對於年歲方面的解釋，《說文》說：

> 年：穀孰也。从禾，千聲。《春秋傳》曰：「大有年。」（頁329）
>
> 稘：復其時也。从禾，其聲。〈唐書〉曰：「稘三百有六旬。」（頁331）
>
> 歲：木星也，越歷二十八宿，宣徧陰陽，十二月一次。从步，戌聲。律曆書名五星為五步。（頁69）

在中原地帶，穀物一年一熟，故周人取為時間計量單位。《尚書·堯典》：「期三百有六旬有六日，以閏月定四時成歲。」[51]謂一年有366日，周而復始，《說文》所引，舉其成數而言。稘，今本《尚書》作「期」乃是叚借，《說文》用本字「稘」。年是從今年元旦到明年元旦，歲是從今年某節氣到明年同一節氣。先秦用王公在位紀年法，各

---

50 同注30，頁119。

51 同注3，頁21。

國難以相通，所以《左傳》、《國語》有歲星紀年法，將全天分為十二次，每年木星經過一次，即以之紀年。但木星實際上不是12年一周天，而是11.86年一周天，累積83年就會有超辰現象，所以施行不久即廢棄不用[52]，改採假設星體的太歲紀年法。唯歲陽、歲陰之名十分繁瑣，所以東漢四分曆以後，索性直接改用干支紀年，《說文》此處保存了歲星紀年的資料。

從甲骨文開始，干支用以紀日，這種紀日方式，在《說文》中亦有反映，例如：

> 驐：駿馬，以壬申日死，乘馬忌之，从馬，敖聲。（頁467）
>
> 臘：冬至後三戌，臘祭百神。从肉，巤聲。（頁174）

後來又以地支紀月，甚至以干支紀年，加上「萬物生於一，畢終於亥」的時代思潮，干支的重要性與日俱增，所以《說文》最後即以天干地支的22字為部首，結束全書。對於干支的解釋，例如：

> 甲：東風之孟，昜氣萌動。从木，戴孚甲之象。《大一經》曰：「人頭空為甲。」（頁747）
>
> 子：十一月昜气動，萬物滋，人以為偁。象形。（頁749）

可以看出，以十干與五方、四時、人體相配；以十二支代表十二月，運用聲訓解說其來源及各種物候的變化[53]。其解釋多依《史記・律書》為說，充滿陰陽五行色彩，茲不贅。

---

52 莊雅州：〈左傳天文史料析論〉《中正大學中文學術年刊》第3期（2000年9月），頁132-136。

53 黃宇鴻：《說文解字與民俗文化》（桂林：廣西師範大學出版社，2010年），頁198-205。

日子之計數除個別紀錄外，也可以用十日為單位，《說文》云：

> 旬：徧也，十日為旬，从勹、日。（頁437）

甲骨文旬字屢見，這個時間單位的形成，或許與先民最初以干支記日有關。但從根本上來說，它也還是人們對太陽視運動觀察的結果[54]。

月之計數，除個別紀錄外，也可以用季節為單位，分為四季，又稱四時，《說文》云：

> 春：推也。从日、艸、屯，屯亦聲。（頁48）
> 夏：中國之人也。从夊，从頁，从𦥑，𦥑，兩手，夊，兩足也。（頁235）
> 秋：禾穀孰也。从禾，𪏮省聲。𥤚，籀文不省。（頁330）
> 冬：四時盡也。从仌，从夂，夂，古文終字。（頁576）
> 時：四時也。从日，寺聲。旹，古文時，从日、之作。（頁305）

甲骨文中只出現春、秋兩時，雖有冬字，但作終解。後來才分出冬、夏二時，至遲在西周晚期至春秋時代，四時制就已形成[55]。四時之得名，除夏外，其餘都與物候、農業生產甚至天文密切相關。夏字本義雖不在講季節，但《說文通訓定聲》引崔靈恩《三禮義宗》云：「夏，大也，至此之時，物已長大，故以為名。」[56]顯然也與引申之義有關。

54 李玲璞、臧克和、劉志基：《古漢字與中國文化源》（貴陽：貴州人民出版社，1997年），頁127。

55 同注1，頁49。

56 （清）朱駿聲：《說文通訓定聲》（臺北：世界書局，1966年9月再版），豫部第九，頁391。

中國傳統曆法既不是陽曆，也不是陰曆，而是陰陽合曆，一歲的長度365.2422日，還有二十四節氣都屬於陽曆；每個朔望月29.53059日，大月30日，小月29日，一年為354日，則屬於陰曆。陽曆一歲與陰曆一年長度不同，不出幾年，就會造成曆法與季節時令的矛盾，為了解決這個癥結，古人規定了置閏的辦法[57]。《說文》云：

> 閏：餘分之月，五歲再閏也。告朔之禮，天子居宗廟，閏月居門中，从王在門中。《周禮》：閏月王居門中終月也。（頁9）

將陽曆比陰曆多餘出來的日數累計起來，隔幾年置一閏月，就叫餘分之月。開始是三年一閏，後改為五年再閏，春秋中葉以後，改採十九年七閏。漢代太初曆以後的曆法也都用十九年七閏，許氏還講「五年再閏」，是舉其約數而言[58]。《說文》舉《周禮》說閏字从王从門會意的道理，閏月王所以居門中，是因為古人以為閏月多災，天子居門中，以示警戒不安之意[59]。

四　《說文解字》天文史料評騭

許慎生當經術昌明，科學日益發達的漢代，不僅五經無雙，就連《說文解字》也是古今罕有其匹，這除了得力於其好學深思，博采通人外，也要特別歸功於師承賈逵。賈逵不僅是東漢古文大師，也是天文曆法名家，所以許慎在撰寫《說文解字》時，都能特別注意擷取科學材料，採用科學方法，故能撰成此一體系精密，見解獨到，影響後

57 陸宗達：《說文解字通論》（北京：北京出版社，1981年），頁178-179。

58 同注57，頁179-180。

59 同注1，頁48。

世既深且鉅的文字學經典著作[60]。不過，由於其時代及個人主客觀條件的限制，自然也有不少未能盡如人意之處[61]。單就其天文史料而言，也可作如是觀。

（一）優點

1　溫故知新，相輔相成

許慎博古通今，嫻熟載籍，凡所論述，多引經籍，群書為證[62]，但對當代新知，最新語料亦絕不忽略，兩相印證，相得益彰。例如：「閏：餘分之月，五歲再閏也。告朔之禮，天子居宗廟，閏月居門中，从王在門中。《周禮》：閏月王居門中終月也。」（頁69）不僅引《周禮》解析閏字从王从門之理，解說閏月王居門中之禮，而且將閏月的由來及古制作了精簡的介紹。又如：「一：惟初太極，道生於一，造分天地，化成萬物。」（頁1）表面上沒有引用任何典籍，事實上暗用了《易・繫辭傳》及《老子》的宇宙本體論，不僅在當時是最熱門的宇宙論，在今日看來也與最新的科學新知相通。

2　解說本義，有助了解

《說文》全書之重點在分析字形以求本義，本義明然後引申義有出發點，叚借義也有著落，從根本上解決古籍訓解的問題，這是許氏對語言文字學的一大貢獻。例如：「晷：日影也。从日，咎聲。」（頁

60 莊雅州：〈從科學的觀點探討說文解字〉，《慶祝周一田先生七秩誕辰論文集》（臺北：萬卷樓圖書公司，2001年），頁7-25。

61 莊雅州：〈論說文解字之疏失〉《中正大學中文學術年刊》第4期（2001年12月），頁143-178。

62 馬宗霍：《說文解字引經考》（臺北：學生書局，1973年）。又：《說文解字引群書考》，臺北：學生書局，1973年。

308）可見晷本義是太陽的影子，引申為日晷。又如：「景：日光也。从日，京聲。」（頁307）本義為陽光，引申為風景，後起字為影。又如：「霸：月始生魄然也，承大月二日，承小月三日。从月，䨣聲。〈周書〉曰：哉生霸。」（頁316）霸从月，故為新月，後代月霸作月魄，五伯作五霸，皆是依聲託義的叚借，至於二十八宿的角、亢、氐、箕、奎、畢等雖不以星宿為本義，但《說文》所釋，確實有助於了解各星宿取名的道理。唯如王平那樣，逕自將五行及二十八宿各字皆列入天文史料之內，則未免失之浮濫[63]。

3 廣搜史料，保存文獻

《說文》所收文字，以小篆為主，古文、籀文為輔。小篆是經過秦朝規範的字體，古籀更是戰國時代東土與西土文字，比起漢隸還是古意未漓，常能窺見造字的本意。例如日字古文作[illegible]（頁305），象日中有黑子，這是連甲、金文都看不到的珍貴史料[64]；又如時，古文作旹，从日、从之（頁305），與甲、金文結構正同[65]；又如春从日、艸、屯，屯亦聲（頁48）。甲、金文的結構也是如此，到了雲夢秦簡，「屯」字寫在「廾」形的上部，再進一步就訛成隸、楷的「春」形了[66]。至於晶字釋為精光，凡晶部之字如曐、曑、曟、疊皆與星有關（頁315–316），更可以從甲骨文中得到佐證[67]。諸如此類，皆可證明許書字體其來有自，並非向壁虛造。

---

63 同注1，頁20、24-26。

64 李旭昇：《說文新證》（臺北：藝文印書館，2002年），上冊，頁532。

65 同注38，頁352；陳初生：《金文常用字典》（高雄：復文圖書公司，1992年），頁674。

66 同注64，頁62-63。

67 同注38，頁357-358。

（二）缺點

1　材料所限，詮釋失當

許慎生當漢代，採擷之古文字僅止於孔壁古文經及《史籀篇》。當時郡國山川固然偶有鐘鼎彝器出土，但數量極少，流通困難，許氏可能連一件都不曾看過。金文大量出土是宋代以後的事，至於甲骨、楚簡、晉盟書等的重見天日，更是清末乃至近代的事。今日我們擁有絕佳的條件去對許書乃至傳統文獻進行印證、補充、訂正的工作，這就是王國維所提倡的二重證據法的運用。例如《說文》:「年：穀孰也。从禾，千聲。」（頁329）甲骨文年作、，古時禾一年一熟，象人負禾，意味穀熟，以表示一年的收成。金文亦从禾从人，人立于土則為，或加點為飾作，點演為短橫則為千，為《說文》从禾、千聲所本[68]。又如:「歲：木星。……从步、戌聲。」（頁69）歲，甲骨文作、、、，其形可分四類，第一類象斧鉞之形，第二類在斧鉞基礎上增飾兩短畫，第三類在斧鉞形基礎上增兩形，第四類在斧鉞形基礎上增。曶鼎、毛公鼎字由第三類演變而成，即為《說文》所本[69]。故《說文》釋為木星，乃後起之義。又如:「秋：年穀孰也。从禾，㷊省聲。」（頁330）甲骨文作，為蝨、蝗蟲、蟋蟀之類的象形，假借為秋[70]。諸如此類，為數不少，唯整體而言，仍屬大醇小疵。且此乃時代所限，不宜肆意抨擊，更不可廢棄不觀，因為《說文》乃通古文字學之津梁，如無許書，想要通讀地下文獻絕非易事。

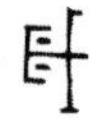

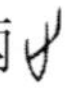

68 同注65，頁718。

69 同注65，頁149。

70 同注64，頁577。

2 零星散見，缺乏體系

天文學乃科學之母，文化之祖，隨著時代的進步，其材料越來越豐富，體系越來越周密，所以在漢代就產生像《淮南子・天文篇》、《史記・天官書》這樣洋洋灑灑的鉅作。但《說文》是語言文字學的著作，限於體例，只能將天文學知識在釋形析義時零星介紹，無法呈現完整的體系。例如在宇宙形態理論方面，漢代有蓋天、渾天、宣夜三家之說，但《說文》僅能在圜字說：「天體也。」（頁279）稍微透露渾天之說。又如在觀測儀器方面，主要有圭表、渾儀、渾象和漏刻，但《說文》僅在晷字（頁308）、漏字（頁571）對圭表、漏刻留下蛛絲馬跡，對渾儀、渾象則全未涉及。又如曆法方面，漢代的太初曆、三統曆、四分曆在當時都是相當精密的曆法，但許書僅能在歲字（頁69）保存歲星紀年的資料，在閏字（頁9）交代置閏的道理，其它年、月、日的知識都是支離破碎，不成片段。

3 間雜玄想，穿鑿附會

由於受到《易》理、黃老思想及陰陽五行學說的影響，漢代學術有玄理化的傾向。許慎在說解文字時，偶爾也會拋開字源的考證、本義的探求，而借題發揮，大談玄理，以示其博雅，而企圖達到「知化窮冥」的境界[71]。如：「一：惟初太極，道立於一，造分天地，化成萬物。」（頁1）即透過《易・繫辭傳》的太極、《老子》的道來建立其宇宙哲學，雖則與今日尖端的天文學不謀而合，在當日其實只是「道可道非常道」的玄想而已。整本《說文》「畢終於亥」所呈現的宇宙圖式更是充滿陰陽五行的色彩。陰陽講萬事萬物的相反相成，五行講

71 同注61，頁168-169。

構成萬物基本元素的性能、作用、序列和效果，原本都有其深刻的道理，但當二者密切結合，機械而武斷地說明萬事萬物之間的關係與變化，那就易淪於穿鑿附會。漢代的陰陽五行就是如此滲透到政治、社會、學術、宗教，甚至科技各個層面。即以天文之學觀之，無論星宿方位、星官職掌、星辰占驗，莫不本諸陰陽五行之法則，而《漢書・藝文志》所列天文家的著作，亦大多言陰陽，道五行[72]。那麼許氏之論干支，純以陰陽五行為說，也就不足為奇了。但無論如何，這樣玄虛的說法，終究是不足以為訓的。

五　結論

綜觀上述析論，我們可以特別注意：

（一）漢代的天文學是確立體系，決定中國科技走向的時代，無論宇宙理論、觀測儀器、天文紀錄、曆法推步都突破先秦，有輝煌的成就。我們必須對這些背景有所認識，才能了解《說文解字》的天文史料。

（二）《說文解字》是分析字形，探求本義的字書，並非專門討論天文理論的專著，但在文字的解說之中，有意無意往往流露了不少天文學知識。這些知識不僅可與漢代天文學相互印證，而且可以互相補充、訂正，彼此之間關係十分密切。

（三）由於時代及個人主、客觀條件的影響，《說文解字》中的天文史料固然有溫故知新，相輔相成，解說本義，有助了解，廣搜史料，保存文獻等優點，但也有材料所限，詮釋失當，零星散見，缺乏體系，間雜玄想，穿鑿附會等缺失。我們必須知人論世，予以同情的

72 李漢三：《先秦兩漢之陰陽五行學說》（臺北：維新書局，1968年），頁348-363。

了解，才能給予適當的定位。

——原載於中國文字學會主辦，靜宜大學承辦，第二十三屆中國文字學國際學術研討會論文（2012年6月），頁509-527。

參考文獻

一　傳統文獻

（周）尸佼撰，（清）汪繼培輯　《尸子》　成都　四川人民出版社　《諸子集成續編》本　1997年
（秦）呂不韋撰，陳奇猷校釋　《呂氏春秋校釋》　臺北　華正書局　1988年
（漢）劉安撰，何寧集釋　《淮南子集釋》　北京　中華書局　1998年
（漢）孔安國傳，（唐）孔穎達疏　《尚書正義》　臺北　藝文印書館　影印十三經注疏本　2001年
（漢）許慎撰，（清）段玉裁注　《說文解字注》　臺北　洪葉文化公司　增訂一版三刷　2005年
（漢）鄭玄注，（唐）賈公彥疏　《周禮注疏》　臺北　藝文印書館　影印十三經注疏本　2001年
（漢）鄭玄注　《易緯・乾鑿度》　臺北　中新書局　《古經解彙函》本　1973年
（宋）范曄撰，（唐）李賢注，（清）王先謙集解　《後漢書》　臺北　藝文印書館　影印二十五史本　1982年
（清）郝懿行　《爾雅義疏》　臺北　中華書局　《四部備要》本　1966年
（清）朱駿聲　《說文通訓定聲》　臺北　世界書局　再版　1966年
（清）王聘珍　《大戴禮記解詁》　臺北　文史哲出版社　1986年

二　近人論著

王　平　《說文與中國古代科技》　南寧　廣西教育出版社　2001年

王國維　《海寧王靜安先生遺書》　臺北　臺灣商務印書館　1976年
中國國家博物館　《文物秦漢史》　北京　中華書局　2000年
李東生　《中國古代天文曆法》 北京　北京科學技術出版社　1995年
李玲璞、臧克和、劉志基　《古漢字與中國文化源》　貴陽　貴州人民出版社　1997年
李約瑟撰，陳立夫主譯　《中國之科學與文明》　臺北　臺灣商務印書館　1975年
李漢三　《先秦兩漢之陰陽五行學說》　臺北　維新書局　1968年
何介鈞　《馬王堆漢墓》　北京　文物出版社　2004年
汪建平、聞人軍　《中國科學技術史綱》　高雄　復文圖書出版社 1999年
季旭昇　《說文新證》　臺北　藝文印書館　2002年
席澤宗　《古新星新表與科學史探索》　西安　陝西師範大學出版社 2002年
馬如森　《殷墟甲骨學》　上海　上海大學出版社　2007年
馬宗霍　《說文解字引經考》　臺北　學生書局　1973年
馬宗霍　《說文解字引群書考》　臺北　學生書局　1973年
張聞玉　《古代天文曆法講座》 桂林　廣西師範大學出版社　2008年
崔振華、李東生　《中國古代曆法》　北京　新華出版社　1993年
陳久金、楊怡　《中國古代的天文與曆法》　臺北　臺灣商務印書館 1993年
陳初生　《金文常用字典》　高雄　復文圖書公司　1992年
陳遵嬀　《中國古代天文學簡史》　臺北　木鐸出版社　1982年
陳遵嬀　《中國天文學史》　臺北　明文書局　1988年
陸宗達　《說文解字通論》　北京　北京出版社　1981年
馮友蘭　《中國哲學史》　香港　三聯書店　1992年

喬衡平　《中華文明史》　石家莊　河北教育出版社　1992年
鄭文光　《中國天文學源流》　臺北　萬卷樓圖書公司　2000年
黃宇鴻　《說文解字與民俗文化》　桂林　廣西師範大學出版社　2010年
劉金沂、趙澄秋　《中國古代天文學史略》　石家莊　河北科學技術出版社　1990年
莊雅州　〈從科學的觀點探討說文解字〉　《慶祝周一田先生七秩誕辰論文集》　臺北　萬卷樓圖書公司　2001年
Lloyd Motz著，陳志聰譯　《宇宙的奧秘——從誕生到死亡》　臺北　成文出版社　1978年

三　期刊論文

〈量子論和相對論描繪出的宇宙誕生狀況——為什麼宇宙是由「無」中誕生？〉，《牛頓雜誌》（1999年8月）
莊雅州　〈左傳天文史料析論〉《中正大學中文學術年刊》第3期（2000年9月）
莊雅州　〈論說文解字之疏失〉《中正大學中文學術年刊》第4期（2001年12月）
莊雅州　〈科學與迷信之際——史記天官書今探〉《中正大學中文學術年刊》第6期（2004年12月）

古書中的北斗七星

一　緒言

宇宙浩瀚無涯，天上的星星遠超過恆河沙數，即以目力所能及的數千顆而言，也足夠令人為之眼花撩亂。在這麼多的星星之中，最易辨識，給人印象最深刻的應屬北斗七星了。早在殷商時代，甲骨文就有「庚午卜，夕，辛未比斗。」（《殷虛文字乙編》174）「己亥卜、夕，庚北斗，祉雨。」（《殷虛文字綴合》362）之類的紀錄，此後載籍中提到北斗七星的更是屢見不鮮，可惜迄未有人詳加整理。因此，我在此不揣淺陋，選出十餘條較具有代表性的文獻資料，來探討北斗七星的奧秘。希望能吸引一般讀者的興趣，更希望能引起專家學者的注意，讓大家共同來發掘中國古代天文的寶藏。

二　北斗之位置

蘇頌《新儀象法要・卷中》云：「右紫微垣星圖一，凡三十七名，一百八十三星。布列渾象之北，上規所以正天地之南北也，北斗七星在垣內，所以正四時也。」西方天文學家將星空分為88個星座，北斗七星是大熊座的一部分，（見圖一，採自王石安《天文知識叢書》第三章。）在星圖上的位置大約是赤經10時58分到13時44分，赤緯北50度到62度之間，中國傳統上則分星空為三垣二十八宿。（見丹元子《步天歌》）所謂三垣，即紫微垣、太微垣、天市垣，是環繞著北極和比較靠近頭頂天空的星象。而紫微垣（見圖二，採自《新儀象法要》）是三垣中的中垣，居北天中央位置，故稱中宮，大約相當於現代所謂的恆顯圈。在這圈內的星星環繞著北極星運轉，整年都可以見到，不會沒入地平線下，又稱拱極星。北斗就是位於恆顯圈內，形狀又特殊，所以相當醒目。當然，這是就北緯40°左右的地帶而言。如果在北極觀測時，整個空中的星球都是拱極星；反之，若從赤道上觀測，則根本沒有拱極星。在臺灣地區，則每年九月到十二月的上半夜無法看到北斗七星，其餘只要是晴天，每晚都可看到。

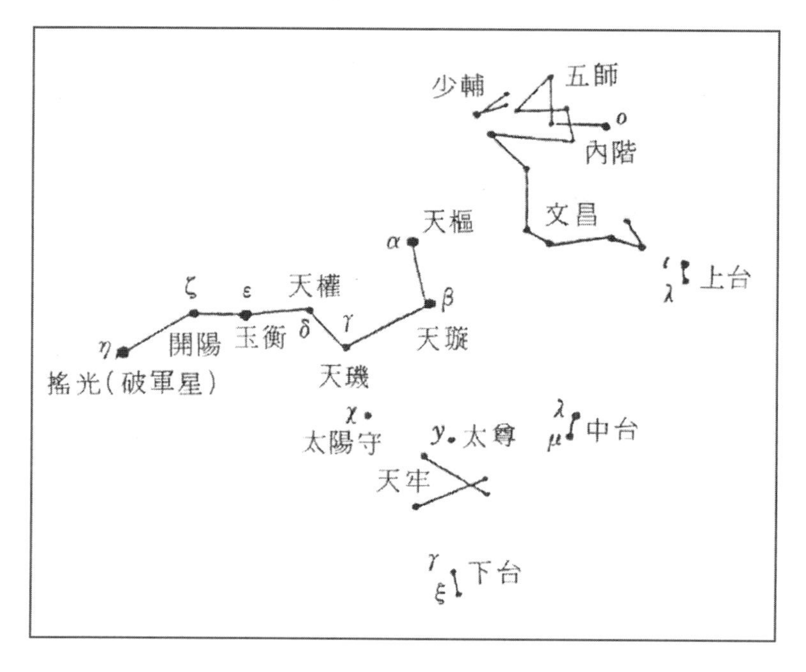

圖一　大熊座

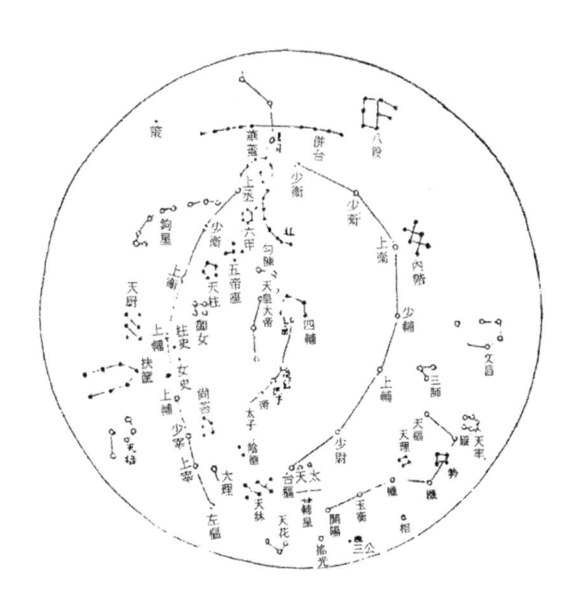

圖二　紫微垣

無論是大熊座或紫微垣，都是站在地球上看天空時所劃分的星區。感覺上星星好像是鑲嵌在平面上，事實上每一顆星和我們的距離都不相同，像北斗七星中的天璇距離是47光年，搖光則為800光年，離我們地球都相當遙遠。不過，這七顆星都還在本銀河之內，所謂本銀河就是太陽系所在的銀河，直徑長約10萬光年，厚度約2萬光年，包含1000億顆恆星。而本銀河在遼闊無際的宇宙中，只是滄海一粟而已。如此說來，那麼北斗七星也可以算得上是我們太陽系的近鄰了。

三　北斗之組成

《春秋緯・運斗樞》云：「斗第一天樞，第二旋，第三璣，第四權，第五衡，第六開陽，第七搖光。第一至第四為魁，第五至第七為杓，合而為斗。」（司馬貞《史記索隱》引）這是中國現存文獻中首度出現北斗七星的完整名單。當然，在其他文獻乃至西洋、印度，它們又有不同的名稱。現在參考群籍，將北斗七星的基本資料表列於下：

中名	天樞	天璇	天璣	天權	天衡	開陽	搖光
又名	北斗一	北斗二	北斗三	北斗四	北斗五	北斗六	北斗七
星經名稱	正星	法星	令星	伐星	殺星	危星	部星（應星）
西名	Dubhe	Merak	Phecda	Megrez	Alioth	Mizar	Alcaid
貝耶爾符號	大熊座α	大熊座β	大熊座γ	大熊座δ	大熊座ε	大熊座ζ	大熊座η
佛經名稱	貪狼星	巨門星	祿存星	文曲星	廉貞星	武曲星	破軍星
星等	2.0等	2.4等	2.5等	3.4等	1.7等	2.4等	1.9等
距離	110光年	47光年	82光年	60光年	66光年	66光年	800光年
去極度	23.5度	29度	31度	29度	28度	30度	35度
入宿度	張10度	張10度	翼11度	軫初度	軫11度	角2.5度	角9度
赤經	146°.32	146°.32	164°.30	171°.90	182°.74	191°.42	197°.83

貝耶爾符號以希臘字母命名，在同一星座內，通常都是從最亮星順次而下，稱為α、β、γ、δ、ε、ζ、η……等，但也有例外，像大熊座的北斗七星就是按照左右次序而命名的。其中最亮的玉衡是1.7等星，為全天第24亮恆星。其次，搖光為第34亮恆星，天樞為第36亮恆星，比現在的北極星（小熊座α，2.1等，第52亮恆星。）都要明亮。連最黯的天權也有3.4等，所以在整個星空，目力所能及的4498個星球（即6等星以上）中，北斗七星算是相當璀璨耀眼的。

上文已提及這七顆星離我們地球都十分遙遠，當然它們彼此間的距離也遠得難以道里計。徐整《長曆》云：「北斗七星間相去九千里。」(《說郛》卷六十引）他的說法在今天看來自然不值得識者一笑，因為北斗七星間的距離也是須以光年為計算單位，而一光年約合58656億9600萬哩呢！不過，我們要曉得古代科技並不發達，《周髀算經》認為「天離地八萬里。」《詩緯・含神霧》也認為「天地東西二億三萬三千里，南北二億一千五百里，天地相去一億五萬里。」(《山海經・海外東經注》引）古人觀念中的宇宙比實際小得太多了。北斗七星在人們的眼中都靠得那麼近，三國時代的徐整能認為它們每星相去九千里，已經與井底觀天者不可同日而語，實在不應該受到苛責才對。

至於北斗的大小，《關尹內傳》云：「北斗一星，面百里，相去九千里。」當然也失之太遠。因為星的視星等與本身的大小，亮度、距地球的遠近都有關係，亮的星星不一定比暗的星大。要評定每一顆星球的實際光度，就要把所有的星球放在同一距離去做比較才行。天文學家稱距地球32.5光年處的星等為絕對星等。如太陽距地球只有8.25光分，視星等為負27，絕對星等卻只有4.85等；太陽以外，天上最亮的恆星——天狼星距地球8.6光年，視星等為負1.6等，絕對星等卻只有1.3等；北極星距地球680光年，視星等只有2.1等，絕對星等卻達負2等以上。也就是北極星的實際光度比天狼星要強十幾倍，(每一星等亮度相差2.52倍。）比太陽更強過六百多倍。以此衡量，則北斗七星實際上也都比太陽亮得多，大得多。

所謂北斗七星，是就七顆主星而言。事實上，在這個星區內的星星不止七顆。像白色的開陽星旁邊就有一顆淡綠色的五等 g 星，中國古時叫它為輔星，西名Alcor，阿拉伯人則稱之為貓星。相傳古代阿拉伯人接受徵兵檢查時，肉眼能看見這顆星的，視力才算合格。如果我們用望遠鏡或分光儀觀測，那就可以發現更多的星星或渦漩星雲。像開陽星本身就是第一顆被天文學家認出的分光雙星，它們在20日的周期中互繞一周，平均距離約比天王星到太陽稍遠些。1989年底，美國天文學家施密特以一具直徑500公分的海爾望遠鏡在北斗七星附近發現了一個距離地球140億光年的半星球體，這是目前所知離我們最遠的星星，在天文學界當然也是一件大事。

徐整《長曆》又云：「（北斗七星）其二陰星不見者相去八千里也。」中國古代道士也相傳北斗原有九顆星，其中七顆為常人所見，另外兩顆只有在特殊情況下才能看到。李約瑟認為招搖（大概是牧夫座γ）可能是其中一顆「失去」的星，約在西元前1500年前後，由於歲差的關係，離開恆顯圈沉落地平線下。所以古代的天文學家辨認出北斗有九星，而我們只見到七顆。（見《中國之科學與文明》第五冊 e（2）。）他的推論倒是相當合理。

四　北斗之形狀

《詩・小雅・大東》：「維北有斗，不可以挹酒漿。」《楚辭・九歌・東君》：「援北斗兮酌桂漿。」斗，甲骨文作，鐘鼎文作，都像挹注酒漿之器。我們的老祖宗看到北斗七星的一至四像斗身，（即魁，一四大邊為口，二三小邊為底。）五六七像斗柄（即杓），所以稱之為斗。為了有別於南斗六星（人馬座ψ、λ、μ、δ、τ、ζ），所以稱之為北斗。這樣的命名，因物取義，象形絕似，實在是非常恰當的。

當然，天空的星辰本來就散漫而複雜，任何人都可以隨意加以組合與聯想。北斗七星在天空裡如車子般繞著北極旋轉，魁部四星像車身，杓部三星像車轅，所以《史記・天官書》云：「斗為帝車，運于中央，臨制四野。」漢代武梁祠石室壁上也有北斗星君乘坐帝車的雕刻，（見圖三，採自《金石索・石索》卷三。）可見其說由來已久。

英文稱北斗七星為Dipper，義即斗；法文稱為Chariot，義為車，都與中國傳統說法類似，實在巧合。此外，西洋有人把它想像成犂、成斧、成燉鍋。當然，最為大家熟知的是古希臘人將它視為大熊的腰與背部，而納入大熊座之中。在星象圖上，往往繪畫一隻長尾熊作為

圖三　武梁祠石室拓片

大熊座的形象，（見圖四，採自蔡章獻、陳俊榕《全天恆星圖鑑》。）與我們目前所習見的短尾熊大異其趣，實在有點兒不倫不類。何況要把這七顆星和其他散開的星星連結在一起，想像成一隻熊，亦非易事。所以這樣的命名，似乎不如中國稱之為北斗來得簡明易識。

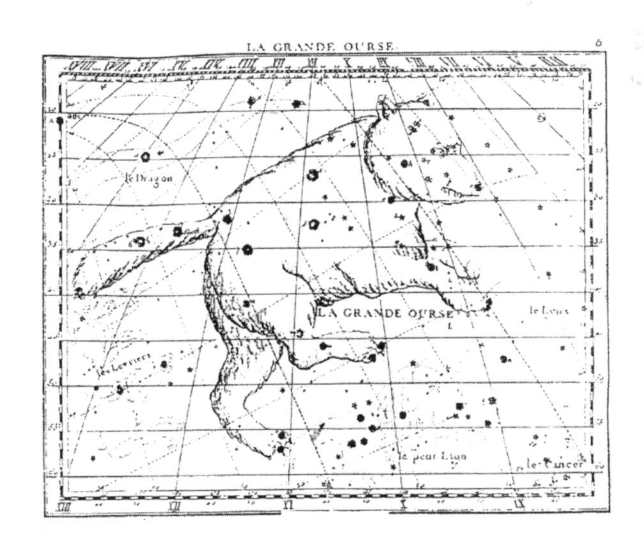

圖四　大熊座

無論將北斗七星看成酒枓、車輛或大熊，都是在地球上所見的星象。如果我們能進入太空深處，從側面或背面觀看，那北斗七星的形狀又不太一樣了。（見圖五，採自卡爾・沙根《宇宙・時空的旅遊》）。

一般人以為恆星是永恆不動的，其實不僅行星繞著恆星旋轉，就是恆星本身也是朝著不同的方向很快地在運行。這種恆星自行的現象，在短短的千百年中不易發現，而需要經過漫長歲月的觀察。像我們今天所看到的北斗七星，形狀與《詩經》、《楚辭》時代並無差別，但20萬年前它並不是這個樣子，20萬年後，又有不同的面貌。（見圖六，採自陳遵嬀《中國古代天文學簡史》第四章・十一。）這是由於北斗七星兩端的天樞、搖光二星與其他五星之自行方向完全不同的緣故。（見圖七、採自山本一清《宇宙壯觀》第四篇・第三章・第三節。）

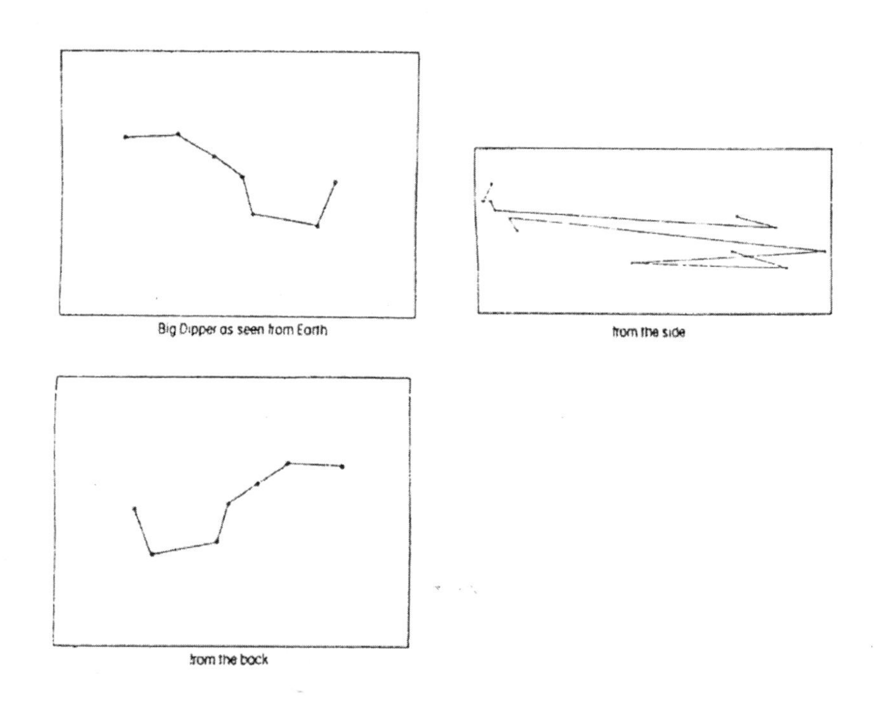

圖五　北斗七星之正面、側面、背面

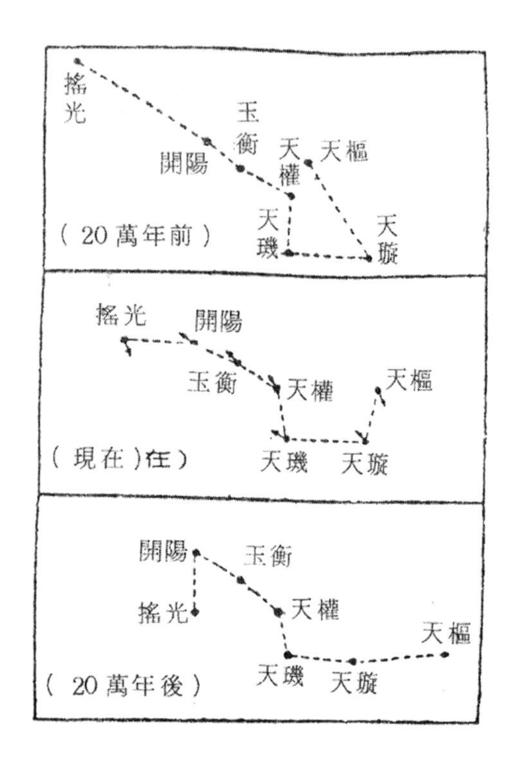

圖六　北斗七星之過去、現在、未來

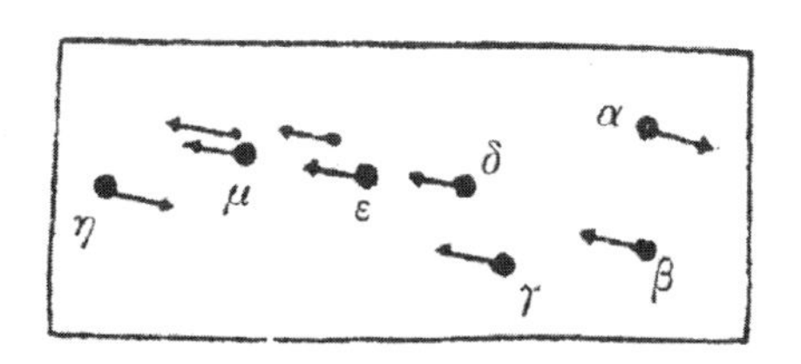

圖七　北斗七星之自行

五　北斗之功用

《史記．天官書》云：「斗為帝車，運於中央，臨制四鄉。分陰陽、建四時、均五行、移節度、定諸紀，皆繫於斗。」其說極力強調北斗地位之重要，惟深受陰陽五行學說影響，殊難深辨。現在根據各種古籍，重新將北斗的功用臚述如左：

（一）辨星宿

《史記・天官書》云：「杓攜龍角，衡殷南斗，魁枕參首。」龍角就是大角（牧夫座α），為0.2等星，是全天第六亮恆星。如果我們從斗杓三星順勢作30度的曲線，首先就可以找到它，進而可以找到角宿一（室女座α），（見圖八，採自何丙郁《中國科技史概論》第三篇・四。）後者為1.2等星，是全天第16亮恆星，也是二十八宿中最明亮的

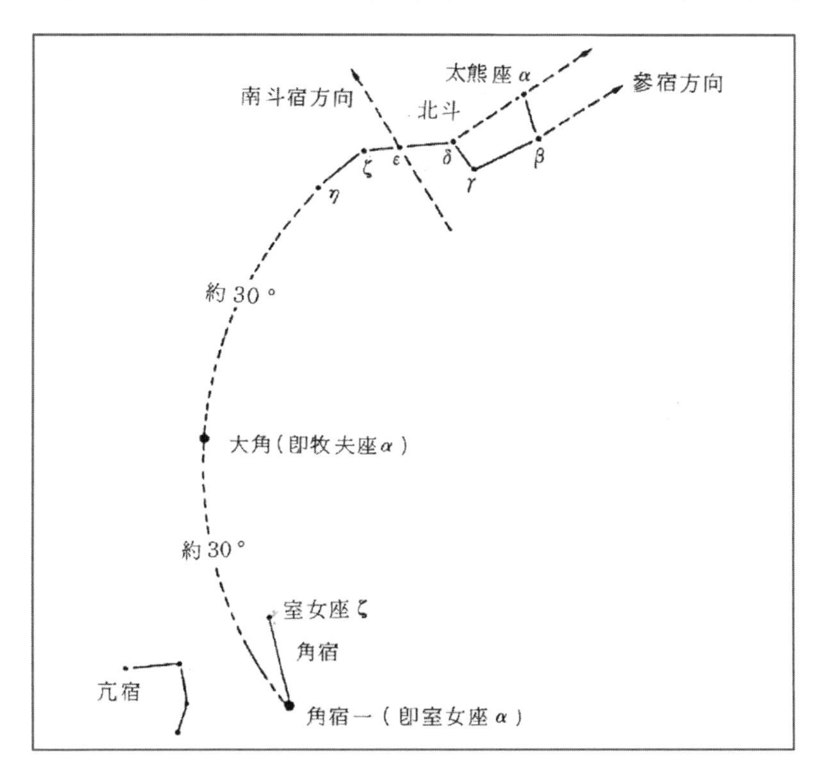

圖八　從北斗七星辨認其他星宿

距星，極易辨識。找到了角宿，其餘各宿也就不難按圖索驥。1978年，湖北隨縣出土的戰國曾侯乙墓二十八宿中心有個大斗字，（見圖九，採自王健民等〈曾侯乙墓出土二十八宿青龍白虎圖象〉。）當是此一用意。

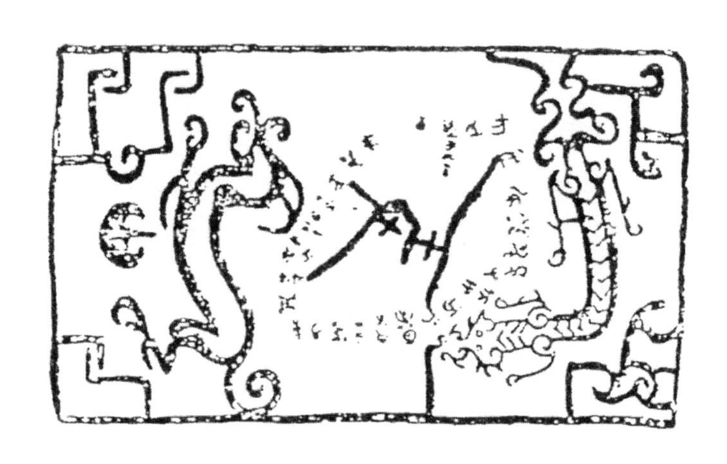

圖九　曾侯乙墓二十八宿青龍白虎圖象

「衡殷南斗」殊為難解。高平子云：「無論從現代北極，或從古代北極，或從帝星出線經北斗第五星衡，或依另一說經第四星衡，均絕對不能至二十八宿中之斗宿（西圖人馬座），而且相去遙遠，幾乎立於相反地位。」（《史記天官書今註》）此項疑義，猶有待專家學者繼續研究。

至於「魁枕參首」的參是獵戶座諸大星。如果我們把北斗七星的天樞和天權，天璇和天璣分別劃線接合起來，並且向外延長，便可找到十分壯觀的參宿。（見圖八）可見數千年前中國的天文學家就懂得利用北斗七星來辨認其他重要的星宿，作為進一步觀測研究的基礎。

最為今人所熟知的就是藉北斗七星去尋找北極星，其法是在天璇、天樞之間聯一直線，再延長五倍的距離，便可以找到目標了。這兩顆星因而又被稱為「指極星」。不過，我們要曉得：由於歲差的關係，不同的時代往往有不同的北極星，如周初為帝星（小熊座β）、唐宋為北極座天樞星（鹿豹座32^2H）、明清至今為勾陳一（小熊座α）。司馬遷所看到的北極星與我們有別，所以《史記》裡沒有提到利用北斗七星來尋找極星。

（二）定方向

《淮南子．齊俗篇》云：「夫乘舟而惑者不知東西，見斗、極則寤矣！」古人置身莽蕩的荒野或茫茫的大海中，如果不能辨別方向，是很麻煩而危險的，所以需要晝觀太陽，夜觀星月，來定方位。由於北斗七星明顯易識，只要能找到它，就不難找到附近的北極星，而北方在哪個方向也就可以確定了。在航海時，除了要確定航向外，還須隨時知道自己的位置。而北極星的高度恰巧與觀測地點的地理緯度相若。在北緯45度，北極星正居於天頂到地平線的中央，越向南行，北極星在北天就接近水平面，南天的星辰就越高。所以只要找到北斗七星與北極星，就不難知道自己的位置。舟山群島的舟子們有諺語云：「知南斗北斗，天下可走。」正說明北斗七星是航海時觀測星座的主要對象。

唐宋以後，羅盤已運用於航海，但只能指示方向，至於位置的確定仍須仰賴天文觀測的技術，也就是所謂「牽星術」。明末茅元儀《武備志》卷二四〇載有長達20頁的「鄭和航海圖」及四幅「過洋牽星圖」，（見圖十。）從圖上我們可以很清楚地看到北斗七星。另外，還有一本叫《順風相送》的書也提及：「北斗出在丑癸，入在壬亥。」之類的觀星法，從這兩種現存早期的航海天文觀測資料裡，我們更可以了解北斗七星的重要性。

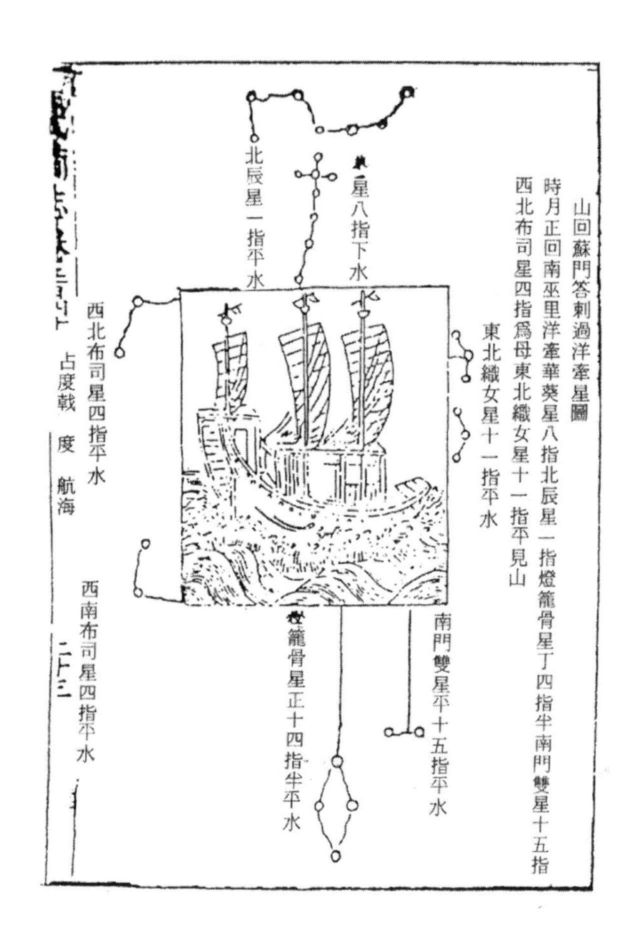

圖十　過洋牽星圖

(三) 紀時節

《大戴禮記・夏小正》:「正月……初昏,參中,蓋紀時也云。斗柄縣在下,言斗柄者,所以著參之中也。」正如其他星球一般,北斗七星由於地球自轉的關係,不斷變更它的位置,(所謂日周運動。)每日以反時針方向環繞北極一周,亦即每小時轉移15度,所以我們可以將它當作一個天然時鐘看待,以北極為中心,聯線至斗柄作為指針。倘使正月黃昏六時，斗柄指向北方地平線，（孔廣森《大戴禮記補注》：「斗柄以南為上，北為下。」）則午夜零時指向東方。清晨六時指向南方。中午十二時指向西方，此時因日光太強，不能看見。到了下午六時剛好一周天，又回到原來的位置。（見圖十一，採自《宇宙壯觀》第三篇第一章第一節。）在鐘錶尚未發明的古代，諳熟此種現象的人可以輕而易舉地知道時辰的變化，而無須仰賴銅壺滴漏之類。

《淮南子・天文篇》：「帝張四維，運之以斗。月徙一辰，復反其所。正月指寅，十二月指丑。一歲而帀，終而復始。」北斗七星不但可用以紀一日之時辰，還可以指明月份之變遷。這是由於地球除了自轉以外，還繞著太陽公轉。我們在地球上覺得每天太陽與諸星皆向西行，而諸星逐夜約提早四分鐘出現，也就是每天向西前進一度，積一個月就前進了30度。古人將天空劃分為12個方位，分別以十二地支表示，如正北為子，正東為卯，正南為午，正西為酉，正北偏東為丑，正東偏北為寅……，每個方位為30度。有了這個坐標，人們就可以看到十一月晚上某個時辰斗柄指向北方子位，十二月同一時辰指向東北方的丑位，正月指向寅位……，一年之後又周而復始，這就是所謂的「十二月建」或「斗建」。

《鶡冠子・環流篇》：「斗柄東指，天下皆春，斗柄南指，天下皆夏，斗柄西指，天下皆秋，斗柄北指，天下皆冬。」斗柄既然可以指示月份，累積三個月，當然也就可以定季節。（見圖十一。）像這樣，古人經過長期觀察，以斗轉星移來驗明時節、氣候的變化，作為農業生產乃至一切生活的依據，就叫做「觀象授時」。

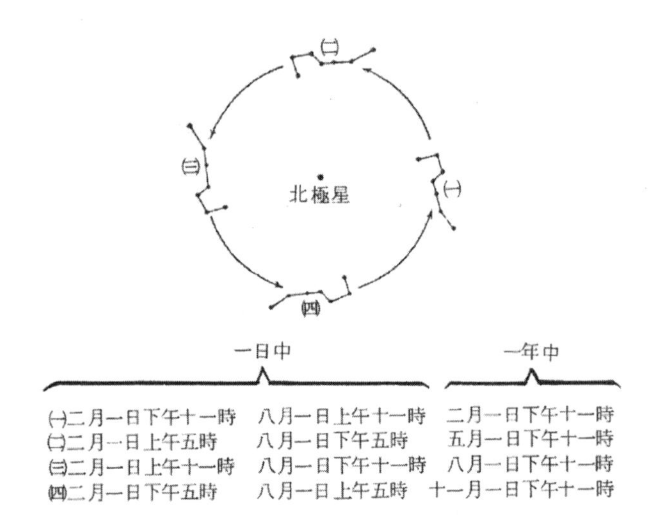

圖十一　北斗七星之運行

（四）配地理

《晉書．天文志》云：「北斗七星……一主秦，二主楚，三主梁，四主吳，五主燕，六主趙，七主齊。」將天上的星宿對應於地上的州國，這種分配法即是古人所謂的「分野」。分野之說由來甚久，自《左傳、周禮、呂氏春秋、淮南子、史記》以降，言者不絕如縷。或以二十八宿為分，（如《呂氏春秋．有始篇》。）或以五星為分，（如《史記．天官書》。）或以十二次為分，（如《周禮．春官．保章氏．鄭玄注》。）或以北斗為分。大抵都是以地之東西與星之方位約略相當者來加以分配，其目的無非是為了觀察禨祥，占卜吉凶。這種做法，站在現代科學立場實在是無法解釋，更難以苟同。不過，我們應該知道，科學與迷信本來就同出一源。在古時許多著名的天文學家都擅長此種占卜，許多史書的天文志也講述了大量的占星術，所以對於天文學的逐漸精密化、數量化，分野之說自然不無貢獻。陳遵嬀曾解釋此一矛盾現象說：「比方說，地上的州和國，都有一定的疆域，那末，和州或國相對應的天上星宿之間，也必須有一定的界線。否則占星術的按語，就無法明確運用，分野說的體系，就不能說是完備。因而分野可能會引導到天上星宿間分界的需要。更進一步，由於分界的需要，就會引導到度量周天的需要。……因而分野對於中國古代天文學的發展可以說起了一些促進的作用。」(《中國天文學史，星象篇，第十七章》) 他的說法頗有道理。

(五) 占吉凶

《春秋・文公十四年》:「秋七月，有星孛入于北斗。」《左傳》:「有星孛入于北斗，周內史叔服曰:『不出七年，宋、齊、晉之君皆將死亂。』」在古代，以星辰之異象來占卜吉凶，實在是司空見慣，不足為奇的。由於北斗七星位於紫微垣，非日月五星運行所經，所以異象遠較二十八宿為少，古書中有關的占卜自然也就較為罕見。《左傳》的這段記載應屬吉光片羽。尤其難得的是，近代有許多天文學家認為這是哈雷彗星的最早紀錄，如果所言不虛，那倒是彌足珍貴的。至於《左傳》所載叔服的預言，依杜預注:「後三年，宋弒昭公；五年，齊弒懿公；七年，晉弒靈公。」似乎十分靈驗。其實，那應該是後世巫祝依照史實捏造出來的，不足深辨。早在北齊時，顏之推就曾竭力駁斥分野占卜的說法，他說「天地初開，便有星宿。九州未劃，列國未分。翦疆區野，若為躔次。封建已來，誰所制割？國有增減，星無進退，災祥禍福，就中不差。乾象之大，列星之夥，何為分野，止繫中國？昴為旄頭，匈奴之次。西胡東越，彫題交阯，獨棄之乎？」(《顏氏家訓・歸心篇》) 在科學昌明的今日，我們若智不及此，那就難免見笑於方家了。

六　結論

綜觀古書中有關北斗七星的記載，我以為有幾點值得特別注意：

（一）比起世界其他文明古國，如埃及、印度、巴比倫等，無疑地，中國古代特別重視對北斗的觀測，記載的資料也格外豐富，充分顯示北斗在中國古代天文發展史上的重要地位。這可能是因為中國把北斗七星置於紫微垣，而紫微垣是天上帝星所在，由於對人間帝王的尊敬，自然也就特別重視帝星及其附近的星座。北斗七星形狀特殊，亮麗異常，在紫微垣中，當然會格外引人注目。

（二）北斗的形狀，我們的祖先將它聯想成酒枓或帝車，古希臘人則將它視為大熊座的一部分。其他星座的命名，中國也是側重於各種職官、人物或生產工具、生活用具，古希臘的星座則充滿神話色彩及幻想成份。這一方面表現出古代中外天文學之異趨，一方面也顯示民族性的不同。

（三）北斗七星的主星有七顆，古人對它們的了解十分有限，有時甚至會有幼稚可笑的說法出現。但隨著科學的進步，我們在這個星區裡已可發現更多的星球，對它們的認識也日趨深刻。相信這只是一個新起點而已，只要人類不斷努力，一定會有更豐碩的成果等待我們去擷取。

（四）古人將北斗七星拿來辨星宿、定方向、紀時節，都是相當實用，也相當科學的。但用以配地理、占吉凶，則完全是荒誕無稽的迷信。不過，我們應該曉得，天文與星占不分，是古代世界共通的現象，不獨中國為然。而且這種迷信對天文學的發展也歪打正著地起了一些促進作用，不宜一筆抹煞。

——原載於《淡江大學中文學報》創刊號（1992年3月），頁234-258。

參考文獻

一　專書

楊伯峻　《春秋左傳注》　臺北　源流出版社

莊雅州　《夏小正析論》　臺北　文史哲出版社

黃沛榮　《周書周月篇著成的時代及有關三正問題的研究》　臺大《文史叢刊》

雷學淇　《古經天象考》　臺北　藝文印書館《聚學軒叢書》

王令樾　《緯學探源》　臺北　幼獅文化事業公司

瀧川龜太郎　《史記會注考證》　臺北　洪氏出版社

高平子　《史記天官書今註》　臺北　中華叢書編審委員會

吳士鑑　《晉書斠注》　臺北　藝文印書館

馮雲鵬、馮雲鵷　《金石索》　臺北　商務印書館

張正明　《楚文化志》　武漢　湖北人民出版社

劉文典　《淮南鴻烈集解》　臺北　商務印書館

陸　佃　《鶡冠子注》　臺北　世界書局

趙曦明　《顏氏家訓注》　臺北　藝文印書館

朱天順　《中國古代宗教初探》　臺北　谷風出版社

何丙郁、何冠彪　《中國科技史概論》　臺北　木鐸出版社

李約瑟著，曹謨譯　《中國之科學與文明》第五冊　臺北　商務印書館

藪內清著，梁策、趙煒宏譯　《中國・科學・文明》　新北　淑馨出版社

曹　謨　《中山自然科學大辭典第三冊——天文學》　臺北　商務印書館

蘇　頌　《新儀象法要》　臺北　商務印書館

王石安　《天文知識叢書》　臺北　中華書局
陳遵嬀　《中國天文學史》　臺北　明文書局
陳遵嬀　《中國古代天文學簡史》　臺北　木鐸出版社
山本一清著．陳遵嬀譯　《宇宙壯觀》　臺北　商務印書館
卡爾．沙根著，蘇義穠譯　《宇宙》　臺北　好時年出版社
馮鵬年　《奇妙的星星》　臺北　中國電視公司
蔡章獻、陳俊榕　《全天恆星圖鑑》　作者印行
茅元儀　《武備志》　臺北　華世出版社
蘇雪林　《天問正簡》　臺北　廣東出版社

二　期刊

劉朝陽　〈史記天官書之研究〉中山大學《史語所週刊》第73、74期
王建民等　〈曾侯乙墓出土二十八宿青龍白虎圖象〉　《文史集林》第7輯
莊萬壽　〈古代文化的發展與空間知識的擴張〉《國文學報》第9期

中國古代天文學對木星與彗星研究的貢獻

1994年7月16日到22日一週間，珠串彗星（蘇梅克——李維彗星九號）的21塊殘片連續撞擊木星，成為舉世矚目的焦點。同時也掀起全球的天文熱。相形之下，中國古代天文學對木星與彗星研究的重要貢獻，反而被忽略，實在令人扼腕。

木星是太陽系九大行星中最大的一顆，體積為地球1309倍，視星等為負2.5等，相當明亮。而且在一年中可以看到的時間也特別長，所以很早就被人類認識而加以注意。在西洋稱之為邱比德，即是眾神之王的意思；中國古代則稱之為歲星，又名攝提、重華、應星或紀星。

甲骨文已有「歲星」記載

殷商的甲骨文已有祭祀歲星的記載。至遲在周代，先民就已測得它12年左右繞天一周，遂分星空為十二個等分，謂之十二次，而認為歲星一年行經一次，據以紀年，於是有「歲在星紀」、「歲在玄枵」之類的記載，稱為「歲星紀年法」，同時，也將木星和其他行星的運行用來占卜吉凶，例如歲星運行到某個星宿，就認於地上與之相配的州國會五穀豐收，不可去攻伐。就在這種科學與迷信夾雜不清的情況下，古人對於星象的觀測要求日漸嚴格，數據也日趨精密。

戰國時代，甘德和石申已測定了木星、水星、金星的會合周期，並將五大行星的亮度強弱分為喜、怒、芒、角四類，對行星運動的路線也有所描述。甘德還寫了一本《歲星經》，指出歲星的周期與農業的關係，可惜已經亡佚。1973年，長沙馬王堆漢墓出土的帛書《五星占》，列有秦始皇元年至漢文帝三年共70年間，木星、土星和金星的位置表，從這些寶貴的地下文獻中可以發現：那時已測出木星的會合周期為395.4日，這個數據和現在測得的精確值相去不遠。

漢代測候五星更為精密，如在木星的會合周期方面，《漢書・律曆志》修正為三398.70日，與今測的398.87日非常接近。在木星的繞日周期方面，《漢書・天文志》修正為11.92年，《後漢書・天文志》修正為11.87年，與今測的11.86年幾乎吻合。而對於會合周期內，行星運行之見、伏、遲、疾、行、留、順、逆等現象也有較精細的進步，對於五星聯珠、七曜同宮的研究也日趨熱絡。這些材料與氣、朔、閏、交、蝕、晷漏等構成中國古代曆法的主要內容，所以有人說中國古代天文學史，實際上可以說就是曆學史。

北齊張子信經過長期觀測，確定太陽和五星運動不均勻性的現象，在中國古代天文學史上，這是繼東晉虞喜發現歲差之後的一件劃時代大事，隋唐從而以定朔法取代平朔法，對曆法的改進產生深遠的影響。劉宋時祖沖之大明曆的五星會合周期的數值益趨精確：隋代張胄玄的大業曆，首創以等差級數提高行星動態表精密的方法，更使木星會合周期的誤差降0.002日，真是令人嘆為觀止。由此可見，中國古代在木星乃至其他行星的觀測上居於世界領先的地位，直至十七世紀，西洋開始對日月五星作精密研究之後，才逐漸落後。

春秋時代即記錄彗星資料

至於彗星，是太陽系裡的一種特殊星體，通常可分彗核、彗髮、彗尾三部分，質量不大，大的約需六百億個彗星才能等於一個地球，但因體積龐大，長相特殊，來歷又不明，所以不為世人所歡迎，而賦予掃帚星、妖星、孛星、蓬星、燭星、長星等各種不客氣的名稱。在沒有望遠鏡的古代，憑著肉眼，大約每百年才能發現20至30顆，而記錄最早、最多、最詳細的應數中國。早在魯文公十四年（西元前613年），《春秋》即有「星孛入於北斗」的紀錄，直至清末，彗星之見於史籍者不下五百次，其中有的還詳細紀載了彗星的運行路線，視行快慢及出現時間，尤其是最有名的哈雷彗星，從秦始皇七年起到清宣統二年止，共出現29次。每次中國都有詳細紀錄。這些資料都深為現代各國天文學家所珍視，成為研究彗星的重要根據。

在彗星的形態方面，長沙馬王堆漢墓中有一部《天文氣象雜占》帛書，繪有29幅形狀各異的彗星圖象，圖下有占卜文字，出現的彗星名稱多達18個，足以窺見古人對彗星觀測的精細。這些圖象比起世界上任何國家的彗星圖都要早得多，雖是占星資料，卻彌足珍貴。

戰國時代，石申和甘德已明確指出木星經過後不久，彗星就出現，這可說是發現木星族彗星的先聲。《晉書．天文志》記載：「彗星無光，傅日而為光。故夕見則東指，晨見則西指。在日南北皆隨日光而指，頓挫其芒，或長或短。」說明了彗星在光芒的由來，及彗尾與日光的關係，相當正確。而在歐洲，直至西元1532年才有類似的認識。《新唐書．天文志》還紀錄了彗星分裂的現象，而西方一直到1865年才有類似的記載。

天文曆法獲致輝煌成就

綜合上述的回顧，足以證明中國古代有關木星與彗星觀測與紀錄。雖然帶有占卜的迷信色彩，其貢獻卻是舉世無雙，有目共睹的。而這也正是中國古代天文曆法輝煌成就的一個例證。可惜，中國的天文學發展，只在原始天文學、球面天文學兩個階段居於領先地位，到了理論天文學、天體力學、望遠鏡與天文照相的發明、天文物理學幾個階段，就逐漸落後，乃致瞠乎西洋之後，這是值得們深切反省，並且亟待迎頭趕上的地方。

——原載於《中央日報・中山學術論壇》第47期（1994年8月19日）

輯三　其他科技之屬

〈夏小正〉之曆法

曆法是人類長時間的紀時系統，也就是對年月日時的一種安排方法。在農業社會，它尤其顯得特別重要。因為一年四季寒來暑往的規律，對於農作物的培養、生長和收穫，具有決定性的作用，而曆法正是告訴人們這種規律的。其實，何止農耕如此，人類其他活動，如漁牧、狩獵、航行、營建、修繕，又何嘗不需要納入一定週期之中，以便事先妥做預備呢？曆法的制訂，與天文的觀測是息息相關的，可以說曆法就是長期觀察天象的產物，而曆法的發達，反過來也可促使天文學日益進步。《尚書・堯典》云：「欽若昊天，曆象日月星辰，敬授人時。」將兩者的關係說得十分清楚，而觀象授時深受歷代帝王的重視，由此也可看出端倪。

今天，我們一方面使用格里曆，來配合全世界人類的活動，一方面仍根據「農民曆」來過傳統的中國式生活，兩者並行不悖，實在是很有意思的。從農民曆來說，我們可以看到十分詳備的曆法，其鼻祖應該就是〈夏小正〉，那麼，在〈夏小正〉裡，我們能發現些什麼？它在曆法發展史上又居於何種地位呢？這應該是很值得探討的問題。

一　紀月法

〈夏小正〉依月紀事，其月份由正月、二月、三月、……至十一月、十二月，除歲首外，概以數目為序，有條不紊。此種紀月法與甲文（如《殷契粹編》896片：「癸丑卜貞，今歲受年，弘吉，才八月，隹王八祀。」）金文（如〈師晨鼎〉：「隹三年三月初吉甲戌。」）《春秋》（如桓公六年：「春正月，寔來。」）相類。既不似《呂氏春秋・十二月紀》（如〈孟春紀〉：「孟春之月，日在營室。」）《淮南子・時則篇》（如「孟春之月，招搖指寅。」）之以孟仲季配四時，也不像《詩經》（如〈采薇〉：「歲亦陽止。」鄭玄箋：「十月為陽。」）《楚辭》（如〈離騷〉：「攝提貞於孟陬。」王逸注：「正月為陬。」）《國語》（如〈越語〉下：「至於玄月。」韋昭注：「《爾雅》曰：「九月為玄。」）之另有特定的名稱，更不像《逸周書・周月篇》（如「惟一月……斗柄建子。」）之含有「月建」的觀念，可說是最簡單不過的了，所以後代多採用這種紀月法，直至今日猶然。

歲首一月稱為正月，在甲骨文已有其例，如《殷虛書契前編》卷頁19、42、44、卷四頁4皆是，然據董作賓云：「所有的前期武丁時的卜辭，全是『一月』，沒有一個是『正月』或『在正月』；帝乙、帝辛時的卜辭，全是『在正月』，沒有一個是『一月』，這我敢擔保是沒有例外的。」（〈殷曆中幾個重要問題〉）誠如其說，則〈夏小正〉經文之寫定，當不早於殷末了。

甲骨文及金文都有十三月，甚至十四月之詞，如：

> 貞𠬝十三月雨？（《殷虛書契前編》卷一，頁45，6片）
> 戊午卜曲貞，王𡧊大戊戠亡咎？在十四月。（《甲骨續存》上1492片）
> 隹十又三月既生霸丁卯。（〈䢅尊〉。《三代吉金文存》卷十一，頁36）
> 隹十又四月既死霸壬午。（〈下蓋雝公諴鼎〉。《考古圖》卷二，頁9）

所謂十三月是閏月，十四月是年前失閏，在今年補閏。〈夏小正〉在這方面並無類似的記載，因而劉朝陽云：「現存之〈夏小正〉，對於區分大小月之原則以及加插閏月之方法，並未有所說明，令人無從捉摸。」(〈古書所見之殷前曆法〉)〈夏小正〉所載節候長年不爽，其有閏月加以調節自無疑義，唯其置閏，究係「歸餘於終」(《左傳・文公元年》)，抑或置閏於年中？是三年一閏，五年再閏，抑或十九年七閏？文獻不足，殊難考察。〈中國古代的曆法成就〉一文云：「在四分曆出現之前，為了在曆法中能反映出四季的變化，早已知道把昏旦一定星象的出沒和月份聯繫起來，〈夏小正〉、〈月令〉等書就有這樣的記載。一旦發現不符，就設置閏月來調整。昏旦中星的變化和北斗斗柄所指的方向成為置閏的標準。由於全憑肉眼觀察，判斷不容易準確，置閏也沒有一定的嚴格標準。只能隨時觀測，隨時置閏，這種方法從理論的角度來說，任何一個月都可置閏，但是由於觀測不精，大多在歲終置閏，這樣比較方便易行。」(明文版《中國古代的科技》)其言雖不中，也不致太遠。

二　紀日法

殷商時代可能已有大小月之區分，大月為30日，小月為29日（詳見董作賓〈卜辭中所見之殷曆〉)。〈夏小正〉是否也是如此？若然，大小月又如何分配？經傳都未曾明言。不過二月經云：「丁亥萬用入學。」傳云：「丁亥者，吉日也。」則其時以干支記日實彰然甚明。干支之使用，由來甚早，〈春秋命歷序〉謂天皇氏「作干支以定日月之度。」《呂氏春秋・勿躬篇》謂黃帝時「大撓作甲子」，固然都不足深信，起碼在殷商時已普遍使用應是毫無問題的。殷虛文字中只要是較完整的卜辭，幾乎都有干支，甚至還有三旬式和六旬式的干支表，簡直有一點像今日的月曆了。這種紀日法融合了十進位與十二進位兩種不同觀念的紀數方法，配合而成，可以說是一種相當進步的方法。陳遵嬀云：「有了系統的干支記日法，就會逐漸建立起系統的曆法；也就可累積逐日無間斷的日期記錄，而這是得出朔望月與回歸年日數的基礎，有了無間斷的日期記錄，就可知月相盈虧變化周期約為三十日，還可從而得出一個誤差小於一日的回歸年日數。根據這個日數，不難擬出一個簡單的曆法。」（《中國天文學史》第二編第五章第二節）其重要性由此可見一斑。甲骨文為殷商遺物，歷經專家學者考證，灼然至明，而飯島忠夫《支那古代史論》一書深信漢人訓詁，竟疑及殷契、《尚書》中干支文字，謂非西元前18世紀所當產生，未免失考，怪不得錢寶琮要責其「博學如飯島氏，何以愚妄至此！」（〈中國東漢以前時月日紀法之研究〉）

以丁亥為吉日，即《禮記・曲禮》：「內事以柔日，外事以剛日。」之意。在甲文中似無此種習慣，而金文中鑄器則的確喜用丁亥，據魯師實先統計，見於著錄的鐘、鎛、句鑃、鉦等，銘文有月日的共有廿三器，其中日次在丁亥者多達十七器，如：

> 〈虘鐘〉：「隹正月初吉丁亥，虘作寶鐘。」（《三代吉金文存》卷一，頁17）
> 〈其次句鑃〉：「隹正初吉丁亥，其次擇其吉金，鑄句鑃。」（《三代吉金文存》卷十八，頁1）
> 〈公孫班鎛〉：「隹王正月辰在丁亥，口公孫班擇其吉金為其龢鐘。」（《夢郼草堂吉金圖》上卷，頁3）

金榜《禮箋》亦云：「如郊用辛，社用甲，禘于太廟日用丁亥之等，皆大事。」足見周代習俗確以丁亥為吉日，此固足為〈小正〉佐證，然似亦可反證〈小正〉之成書，當不早於周初。

此外，五月經云：「匽之興，五日翕，望乃伏。」傳云：「其不言生而稱興，何也？不知其生之時，故曰『興』。以其興也，故言『之興五日翕』也。望也者，月之望也。而伏云者，不知其死也，故謂之伏。五日也者，十五日也。翕也者，合也。伏也者，入而不見也。」宋書升云：「經何以不言十五而言五日，古人紀日以旬也。《說文》冥云：『從日，從六，日數十，十六日而月始虧冥也。』彼用六，而不復用十，與此但稱五日，同皆誼之最古相為證明者也。」（《夏小正釋義》）誠如其說，則〈夏小正〉可能還有以旬為單位的紀日法，此在卜辭中其例屢見，如：

> 癸巳卜出貞，旬亡囚。（《殷契粹編》1430片）
>
> 二旬㞢一日。（《殷虛文字乙編》1968片）

可謂源遠流長。至於經文五日到底是指五日之後，抑或即十五日之省稱？傳文實在語焉不詳。如係十五日之省稱，當時是否有數字紀日法也是很有問題的，錢寶琮云：「此種紀法較三代紀日法為簡明，然不知其始於何時，參考未周，不敢臆測。」（〈中國東漢以前時月日紀法之研究〉）可見數字紀日法起源甚晚，當非〈夏小正〉所得用。

又，經文中提及望字，傳文以「月之望也」釋之，在甲骨文中似乎尚未有以朔望紀日之例，《尚書》、金文中則朢字除用作專名及叚作忘外，皆用作既朢字，如：

> 惟二月既望，越六日乙未。（《尚書・召誥》）
>
> 才五月既朢辛酉。（〈臣辰盉〉・《三代吉金文存》卷十四，頁12）

隹王元年六月既望乙亥。(〈曶鼎〉,《三代吉金文存》卷四，頁45)

其為月滿專字無疑，在西周這個字是常用來紀日的。以此觀之，〈夏小正〉經文的寫定，也不當早於西周。不過，本段所據論的經文長達九字，不若他節簡質，而且五月記事凡十五，有關蟬者多達三次，未免詞費，所以雷學淇以為此節80字為下文「唐蜩鳴」之傳文，《玉燭寶典》所引亦無此節，沈維鐘更云：「此三言與〈小正〉經文語氣不類，乃古人釋經之詞，其誤入經文，又在戴傳之先也。」(〈夏小正條考〉) 至於傳文糾繚難解，若說有傳鈔錯誤之處，似乎也不無可能。所以此節經傳雖有探討的價值，結果也許只能付諸存疑。

三　紀時法

一日十二時辰以內的各個時間階段，卜辭中有許多專名，如：明、大采、大食、中日、昃、小食、小采、各（落）日、昏……（詳見《殷虛卜辭綜述》第七章第三節)。《淮南子・天文篇》分一晝夜為15個時段，即：晨明、朏明、旦明、蚤食、晏食、隅中、正中、小還、餔時、大還、高舂、下舂、縣車、黃昏、定昏，尤為細密。在〈夏小正〉中，我們能看到的只有旦、初昏二詞，而且都用以記載星象，如：

正月：「初昏參中。」

四月：「初昏南門正。」

七月：「斗柄縣在下則旦。」

八月：「參中則旦。」

當然這不能代表當時沒有比較詳細的時段區分，只是無從考察而已。昏旦的時間，各家看法頗為參差，如蔡邕云：「日出前三刻為旦，日入後三刻為旦。」（《月令章句》）孔穎達云：「日出前三刻為旦，日沒後二刻半為昏。」（《禮記・月令正義》）雷學淇云：「日入為昏，日出為旦。」（《古經天象考》卷五）對〈夏小正〉星象的推步及其時代的估定，自來異說紛紜，追究其因素實不勝枚舉，而昏旦時刻不能確定，無疑也是一個重要的關鍵。

四　節氣

二十四節氣包含十二個節氣、十二個中氣，表示了一年中太陽在黃道上的位置。每個節氣、中氣相去約十五日左右，可以反映四季、氣溫、降雨、物候等方面的變化，是中國舊曆特有的重要組成部分。它的演變是經過相當長的一段時間，像在《周易》只提到「至日關閉。」（〈復卦〉）《尚書》始稱「日中」「日永」「宵中」「日短」（〈堯典〉）《左傳》始云：「分至啟閉。」（〈僖公五年〉）「二至二分。」（昭公二十一年）《呂氏春秋・十二月紀》中，「日夜分」「日長至」「日短至」「立春」「立夏」「立秋」「立冬」「雨水」「小暑」「白露」「霜降」……更是往往散見，直至《逸周書・時訓篇》及《淮南子・天文篇》始粲然大備。所以朱震云：「〈夏小正〉具十二月而無中氣，有候應而無日數，至於〈時訓〉，乃五日為候，三候為氣，六十日為節，二書詳略雖異，其大要則同，豈〈時訓〉因〈小正〉而加詳歟？」（《漢上易卦圖》卷中）陳遵嬀也說：「我國在春秋時代已經知道二分二至，其餘的節氣，到秦漢之間，才告完備。」（《中國古代天文學簡史》第二章第一節）

〈夏小正〉正月首云：「啟蟄。」這就是二十四節氣中的驚蟄，

《左傳》桓公五年也有「啟蟄而郊」的紀載，到了漢世，始易成今名。王應麟云：「改啟為驚，蓋避景帝諱。」(《困學紀聞》卷五）今考《逸周書・時訓篇》、〈周月篇〉都已作驚蟄，不作啟蟄，如果不是王氏一時失察，那就是《逸周書》為後人所追改了。此外，漢人又將驚蟄由正月中改為二月節，孔穎達以為始於劉歆《三統曆》(《禮記・月令正義》)，顧炎武則以為始於編訢《四分曆》(《日知錄》卷三十四)，以《漢書・律曆志》引述之《三統曆》核之，當以顧說為是。至於漢人改作節氣的緣故，金履祥云：「豈古陽氣特盛，啟蟄早歟？」(《夏小正注》）其實，《呂氏春秋・十二月紀》、《淮南子・時則篇》、《禮記・月令》都分記蟄蟲在孟春「始振」、仲春「咸動」，漢人也許是受其影響，就蟄蟲出穴之盛者著眼，所以才與〈夏小正〉有異吧？無論如何，我們只能說〈夏小正〉的啟蟄是在記物候，到了後世，才演變為節氣的專名，它只能算是節氣的濫觴而已。對於此點，黃以周說得很好：「〈夏小正〉首言正月啟蟄，莊保琛《說義》云……，如其說，啟蟄為正月節氣名，自夏已然。以周卻未敢信也。……必執後世七十二候之名一一求合於古，泥矣！必執後世二十四節氣之名一一求徵於古，更拙矣！然而不能謂古無候名也，亦不得謂古無氣名也。」(《儆季文鈔・答俞蔭甫先生書》)

在二十四節氣中最重要的應數夏至與冬至，〈夏小正〉五月經云：「時有養日。」黃叔琳曰：「此即〈月令〉所謂長日至。」(《夏小正註》）十月經云：「時有養夜。」黃叔琳曰：「此即〈月令〉所謂日短至也。」除了王聘珍《大戴禮記解詁》外，一般注家差不多都贊成這種說法。我們現在所看到的先秦典籍，幾乎找不到「夏至」、「冬至」之名。《周易・復卦》稱二至為「至」，《孟子・離婁下》、《禮記・雜記》稱為「日至」，《左傳》稱為「日南至」(單指冬至)，《呂氏春秋・十二月紀》稱為「日長至」「日短至」，《周禮・秋官》稱為

「夏日至」「冬日至」。〈夏小正〉「養日」「養夜」，若依傳文釋養為長，當作羕之叚借，則與日長至、日短至意義相類似，在道理上是講得通的，不妨視為二至名稱之較古者。卜辭中雖有「至」字，是否可當二至解，迄今尚未定論。新城新藏則以為春秋中期魯文公、宣公時始以土圭觀測日影以定冬至和夏至（〈東漢以前中國天文學史大綱〉）。如果其說確實可靠，而春秋時代以前又不知二至，〈夏小正〉此二節又確實是記夏至、冬至，那麼〈夏小正〉經文的寫定時代當不早於西元前七世紀。又，十一月「隕麋角」傳文曾提及「日冬至」一詞，似可視為古名過渡到今名的橋樑，不過，推測其時代可能要遲至戰國末年。

夏至太陽在黃經90度，冬至太陽在黃經270度，理應相距半年，而〈夏小正〉卻一在五月，一在十月，對於這個癥結，傳文的解釋是：「一則在本，一則在末。」洪震煊進而闡之云：「謂夏至或在五月初，或在五月終也。夏至者，日長之極也，然則冬至在十一月亦應如之，一則在本，一則在末。假令冬至在十一月末，則先冬至三日，夜之長，固在十月末也。」（《夏小正疏義》）宋書升也說：「古歷皆用恆氣，夏時最早距冬至前六十餘度，凡定氣冬至較恆氣冬至必早三日有餘。若值章首之歲，冬至在十一月朔，則夜極長之限乃在十月晦前，或二日，或三日也。〈小正〉之記時也，多取最初始著者書之，故養夜記以十月也。」（《夏小正釋義》）除非王筠「時有養夜」為十一月錯簡的說法（《夏小正正義》）能得到更有力的證明，否則只好暫時接受傳文及洪、宋二氏的解說了。

夏至、冬至晝夜的長度，漢唐學者看法頗不一致，程鴻詔云：「長日者，日見之漏五十五刻，於四時最長也（鄭君《尚書注》）。或云五十六刻（蔡邕《禮說》），或云六十刻（馬融《書注》），或云六十五刻（高誘《呂紀注》、孔穎達《書疏》、賈公彥〈挈壺氏疏〉），各不同者，自長至漸長，日增刻數各據一月上中下旬言也（孫星衍《尚書今古文注疏》）。」（《〈夏小正〉集說》）今日科學發達，我們曉得緯度的高下與晝夜的長短有密切之關係，赤道四季晝夜相等，而南北極則以六月為晝，六月為夜。單就中國而言，夏至、冬至晝夜的長短，也是因地而異的。如夏至那天，在廣東的汕頭，白天是13小時30分，在南京是14小時12分，在北平是15小時，而在黑龍江省的瑷琿，則長達16小時18分。冬至那天，在汕頭白天是10小時36分，南京是10小時，北平是9小時16分，而在瑷琿則只有8小時。由此可見，在夏季越是往北，白天越長，在冬季，越是往北，則白天越短。〈夏小正〉的觀測地點，到底是在夏都呢？在杞國呢？還是在淮海地區呢？如果不能確定，那麼，像漢唐學者那樣執著於漏刻的長短，也就毫無意義了。

二十四節氣在〈夏小正〉中可考者僅此三個而已，雖說〈夏小正〉並非完璧，但亦不致殘缺過甚，如果像《晉書・律曆志》所言：「伏羲始作八卦，作三畫以象二十四氣。」衡以〈夏小正〉特重觀象授時的性質，我們照理應可看到更多有關節氣的資料才對，足見二十四節氣的形成當在戰國末年以後。另一方面，〈夏小正〉所載節氣較《左傳》、《呂氏春秋》、《逸周書》等為少，名稱又頗古奧，似亦可證明其時代當不甚晚，飯島忠夫以為〈夏小正〉為西元前200年之作（〈支那古曆法餘論〉），其時代反置於《呂氏春秋・十二月紀》之後，未免失考。

五　季節

今傳〈夏小正〉主要有《大戴禮記》本及傅崧卿《夏小正戴氏傳》本兩個系統，傅本在正月、四月、七月、十月之前分別有春、夏、秋、冬四字，與《大戴禮記》本有別。傅氏自序云：「乃倣《左氏春秋》，列正文其前，而附以傳，月為一篇，凡十有二篇，釐為四卷。」傅氏顯然是受了《左傳》影響，又為析全篇為四卷，才在各卷之首加上季節之名。到了朱熹，將〈夏小正〉收入《儀禮經傳通解》，字句方面雖頗採傅本，而四季之名則刪去，可見朱熹當時依據的大戴《禮記》與我們今日所能看到最古的明嘉趣堂刻本一樣，都是沒有四季之名的。不特此也，我們在〈夏小正〉455個字的經文中，也看不到春夏秋冬諸字。近世，郭沫若〈金文所無考〉、陳夢家《殷虛卜辭綜述》都主張西周時尚無四時之分，胡厚宣〈卜辭中所見之殷代農業〉、董作賓〈卜辭中所見之殷曆〉則主張殷商時已有春夏秋冬，兩派齗齗相爭，不論其最後的結論如何，〈夏小正〉應該可以免於介入這個爭端。至於十一月「王狩」傳文有「冬獵為狩」，「隕麋角」傳文有「日冬至陽氣至」，那時起碼已是戰國以後，早已有四季之名，當然更與此無涉了。

〈夏小正〉雖不見春夏秋冬之名，但所載的物候、人事還是與四時相吻合的。如正月啟蟄，農率均田，二月往耰黍禪、榮芸、三月攝桑、妾子始蠶，不就是春生嗎？四月王萯秀，越有大旱，五月唐蜩鳴、煑梅，六月煑桃、鷹始摯，不就是夏長嗎？七月爽死、寒蟬鳴，八月剝瓜、栗零，九月陟玄鳥蟄、王始裘，不就是秋收嗎？十月豺祭獸、黑鳥浴，十一月陳筋革、隕麋角，十二月納卵蒜，虞人入梁，不就是冬藏嗎？這是因為北方四季分明，寒來暑往頗有規律，長期觀察與紀錄的結果，自然不致過分離譜。知其名與知其實本來就不一定非有必然關係不可，更何況誰也不能說〈夏小正〉時代一定沒有四季之名。

六　歲

歲字在〈夏小正〉中見於經文者一，見於傳文者三：

> 正月經云：「初歲祭耒，始用暢也。」傳云：「暢也者，終歲之用祭也。」
> 又，鞠則見，傳云：「鞠則見者，歲再見爾。」
> 四月初昏南門正。傳云：「歲再見。」

都是當年歲解，正與《爾雅・釋天》所云：「載，歲也。夏曰歲，商曰祀，周曰年，唐虞曰載。」相符。岑仲勉以為《爾雅》之說其來有自，信不誣也（〈中國上古的天文歷數知識多導源於伊蘭〉）。今日我們看到祀字在甲骨文中確實用以紀年，直至周初金文猶有沿用者。而歲字雖亦屢見於甲文，如：

> 癸丑卜貞，今歲受年，弘吉，才八月，隹王八祀。（《殷契粹編》896片）
> 貞其于十歲𠭰㞢正。（《金璋所藏甲骨卜辭》571片）

像胡厚宣那樣主張「殷人以歲星之名為年歲之稱。」（〈殷代年歲稱謂攷〉）者固然不乏其人，然如董作賓以為殷代無年歲之稱（〈卜辭中所見之殷曆〉）、陳夢家以為「以歲為一年，當是較晚之事，它最初當是季。」（《殷虛卜辭綜述》第七章第二節）、島邦男以為殷代時年歲尚未被使用以紀年（《殷墟卜辭研究》第二篇第七章）者猶繁有其徒。當然，殷代很可能尚無年歲之稱，或許如董作賓所云：「以歲紀年，相傳始於夏世，然商人已廢而不用，只以為祭祀之名。」（〈卜辭中所見之殷曆〉）也說不定。無論如何，金文中如：

> 昔饉歲。（〈曶鼎〉，《三代吉金文存》卷四，頁45）
> 萬歲用尚。（〈為甫人盨〉，《三代吉金文存》卷十，頁30）

則確已用為年歲字，而且此二器皆屬西周之物，然則〈夏小正〉中有歲字也就不足為奇。

《尚書・堯典》云：「期三百有六旬有六日。以閏月定四時成歲。」〈夏小正〉歲實若干？當時是否也像〈堯典〉那樣以閏月定四時成歲？經傳一概未曾明言。〈堯典〉過去一向相傳為唐虞時之實錄，近世學者則頗疑其出於戰國之世（詳見屈萬里《尚書釋義》），其寫定時代也許還在〈夏小正〉之後，所以我們也就無法依時順推了。

七　夏曆

《史記・夏本紀》曰：「孔子正夏時，學者多傳〈夏小正〉。」朱震也說：「〈夏小正〉者，夏后氏之書，孔子得之於杞者也。夏建寅，故其書始於正月。」（《漢上易卦圖卷中》）可以說〈夏小正〉所使用的是一種較早期的夏曆，夏曆最主要的特點就是以孟春之月為歲首，所謂寅正是也。這種曆法正如《逸周書・周月篇》所云：「萬物春生夏長，秋收冬藏，天地之正，四時之極，不易之道，夏數得天，百王所同。」它與四時寒暑配合最為妥適，人們耕作與生活都能作息有時。最適合農業社會的需要。宜乎對姬周文化特別嚮往的孔子仍不免要主張「行夏之時。」（《論語・衛靈公篇》）也怪不得從漢武帝元封七年（西元前104年）制訂《太初曆》，以建寅之月為歲首之後，直至清末，大約二千年間，除王莽和魏明帝時一度改用殷正，唐武后和肅宗時一度改用周正外，一般都是使用夏正。再反觀先秦文獻，除〈夏小正〉外，如《逸周書・時訓篇》、《周禮》、《楚辭》、《呂氏春秋・十二月紀》，乃至部分《詩經》（如〈豳風・七月〉、〈小雅・四月〉）也都採用夏曆。趙翼更從載籍裡歸納春秋時鄭、晉、齊、魯等國多用夏正，至戰國時更無有不用夏正者（見《清儒學案》卷八十一・春秋時列國多用夏正），由此可見夏曆勢力之大，影響之深，真是無與倫比。

《竹書紀年》紀載夏后氏禹元年「頒夏時於邦國。」夏曆為夏代之曆，在過去一般人都是深信不疑的。而近世疑古、考古之風日熾，夏王朝是否存在，曾引起廣泛的論戰（詳見《古史辨》第七冊），連帶地，「夏正建寅，殷正建丑，周正建子」的三正論也引起激烈的爭辯（詳見黃沛榮《周書周月篇著成的時代及有關三正問題的研究》）。若董作賓以十月之交的日食證周正、以十二月庚申月食證殷正、以中康日食證夏正，仍然肯定傳統三正論的存在（〈中國歷史上三正問題之科學證明〉），而新城新藏則以為三正循環之說，實為戰國中期方始發生（《東洋天文學史研究》），至今迄無定論。不過，三正論縱屬晚出，夏曆的使用為時甚早則無問題，連新城新藏也以為自夏商以迄春秋所行曆法近夏正，春秋前期之曆法始近所謂殷正（《東洋天文學史研究》）。起碼〈豳風・七月〉：「七月流火，九月授衣。」「七月鳴鵙，八月載績。」「四月秀葽，五月鳴蜩。八月其穫，十月隕擇。」……已是使用夏正，而〈七月〉之詩，其時代至少在西周中葉以前〈毛詩序〉以為周公作，方玉潤《詩經原始》以為周公以前之古詩，梁啟超《要籍解題》推定為夏代作品，屈萬里《詩經釋義》疑為隨周公東征的豳人懷念鄉土而作者，劉大杰《中國文學發展史》斷為西周中葉時代的社會詩。所以，《禮記・禮運》云：「孔子曰『我欲觀夏道，是故之杞，而不足徵也，吾得夏時焉。』」鄭玄注：「得夏四時之書也，其書存者有〈小正〉。」〈夏小正〉成書時代不晚於春秋，在道理上是可以講得通的。

曆法的演變是隨著時代而日趨精密的，《漢書・律曆志》所傳古六曆今俱亡佚，〈夏小正〉所能窺見的曆法又屬吉光片羽，職是之故，〈夏小正〉的曆法與古六曆中的夏曆，乃至於漢之《太初曆》有何異同，我們還是無從考知。可以說，早期夏曆的真相在今日仍屬霧裡看花，劉朝陽云：「漢《太初曆》雖仿夏歷，以孟春為一年之第一月，然就其內容而言，實為完全嶄新之一種歷法，與當時所謂夏歷迥不相同，蓋若不然，正自不必耗費如許氣力，經過如許曲折矣。漢《太初曆》既與夏歷有所不同，則由漢《太初曆》以溯夏歷之捷徑，即不復能走通。」(〈古書所見之殷前歷法〉) 這實在是無可奈何的事。

——原載於《孔孟月刊》第22卷第11期（1984年7月），頁25-31。

《呂氏春秋》之曆法

一　前言

浮沈於時間的長河裡，在與時間的拔河裡，人類與曆法的關係實在太密切了。從簡單的結繩記日到精密的閏秒計算，一部曆法的演進史，可說就是人類文明的進步史。在這個演進的過程中，《呂氏春秋》的曆法資料應該是居於關鍵性的地位，它上承〈夏小正〉、《管子》的緒餘，下開《逸周書》、《淮南子》以及無數曆書的法門。有精緻的、科學的一面，也有粗糙的、迷信的一面。頗有研究的價值，可惜很少引起人們的注意，因此，我在此先作一番僅見隅隙的摸索，希望將來能看到專家學者們耀眼的炬光。

二　觀象授時

曆法是人類判別節候、記載時日、規定計算時間之標準，以年、月、日為基本要素。這些要素都來自對天象運轉的觀察，而天象的運轉是永無休止，且極具規律性的，所以《呂氏春秋・觀表篇》云：

> 天為高矣！而日月星辰雲氣雨露未嘗休矣！

〈博志篇〉云：

冬與夏不能兩刑。

〈貴信篇〉云：

天行不信，不能成歲。

遠古時代，人們日出而作，日入而息，不斷注意晨昏變化的規律性，自然就產生了「日」的概念。經常留意月亮圓缺的規律性，於是有了「月」的概念。長期觀察寒來暑往以及星辰出沒的規律性，終於具備了「年」的概念。這就是曆法的起源，也就是〈貴因篇〉所說的：

夫審天者，察列星而知四時，因也。推歷者，視月行而知晦朔，因也。

〈察今篇〉所說的：

堂下之陰，而知日月之行，陰陽之變。

可見曆法與天文是息息相關，密不可分的。曆學本來就屬於理論天文學的一部分，而中國古代的天文學由於特別注重實用，可以說就是以曆法為中心的[1]。

曆法究竟起自何時？是難以稽考的事。〈勿躬篇〉云：

大橈作甲子，黔如作虜首，容成作厤，羲和作占日，尚儀作占月，后益作占歲。

1 陳遵嬀：《中國古代天文學簡史》，頁19。

這些紀錄又散見於《山海經》、《世本》、《淮南子》等書[2]，除占日、占月、占歲屬於占星術，可以置之不論外，其餘皆與曆法之起源有關。甲子干支由來甚古，在殷代甲骨文中已以干支紀日，以十干名人，甚至《史記》〈夏本紀〉中，夏代諸后亦有以十干為名者。唯大橈其人，《呂氏春秋·尊師篇》以為黃帝之師，宋衷《世本注》以為黃帝之史，而黃帝之時代緜渺難知，是否已有干支之發明，實無以驗證。虜首，畢沅《呂氏春秋校正》以為即蔀首，乃古人置閏之法則[3]，唯黔如其人，他書未見，時代難詳，亦不足為據。調曆之事，乃綜合各種曆術後的工作，較為精細，其時代當不甚早。而容成其人，《莊子·胠篋篇》以為古之帝王，《世本》以為黃帝之臣，身分游離。《尸子》則以為「造曆者羲和之子也。」（《太平御覽》十六引）楊泉《物理論》亦以為神農造曆，可見眾說紛紜，莫衷一是。總之，曆法的起源當是經過長期的自然演變，逐漸形成的，很難指明時代，無法確切歸之於某個人物。《呂氏春秋》乃至其他古書的記載，都只能算是一種傳說而已。

眾所周知，早期的曆法十分簡陋，隨著天文學的進步，對曆法的要求自然也就日趨嚴格，〈孟春紀〉云：

> 迺命太史，守典奉法，司天日月星辰之行，宿離不忒，無失經紀，以初為常。

〈季冬紀〉云：

> 日窮於次，月窮於紀，星迴於天，數將幾終，歲將更始。

2 齊思和：〈黃帝制器的故事〉，《中國史探研》。

3 畢沅：《呂氏春秋校正》卷十七，陳奇猷：《呂氏春秋校釋》，頁1082。

太史相當於《尚書・堯典》的羲氏、和氏,《周禮》〈春官〉的保章、馮相。他率同僚屬,運用各種儀器與方法,必須推算到日躔月離都沒有差誤,日月星辰運行的軌道在次年同一時間都能回到原來的位置,才算合格。例如古曆立春,日在營室五度,(屬於娵訾次)冬至,日在牽牛初度,(屬於星紀次)[4]那麼,次年同一時間也必須如此才行。當然,在科學不甚發達的古代,這只是一種理想而已。短期之內,容或可以「無失經紀」,但長期觀測下來,必然會發現日月星辰之行度都欠準確,日蝕、月蝕的預測也有差誤。於是測了又測,改了又改,從《黃帝曆》起,到太平天國的《天曆》止,竟然創造出一百零二種曆法[5],而晉朝的虞喜終於發現了歲差,唐朝的一行也發現了恆星自行[6]。天文曆法就在這種不斷的修正中,有了長足的進步。這些自然都非生當戰國末年的呂氏門客所及見。

三　紀年法

(一)王公在位年數紀年法

在殷商和西周時期,大概都是依君王在位的年數來紀年的,此在《尚書》及鐘鼎文中歷歷可指。平王東遷以後,周室衰微,諸侯崛起,各國也就紛紛以本國國君在位年數來紀年,此由《春秋》、《國語》、《史記》等亦可得到印證。《呂氏春秋》成書於戰國末年,自然亦不例外。如〈順民篇〉云:

4　朱文鑫:《天文考古錄》,頁40。

5　朱文鑫:《曆法通志》,頁1-10。

6　陳遵嬀:《中國古代文學簡史》,頁109。

> 昔者湯克夏而正天下，天大旱，五年不收。

〈貴直篇〉云：

> 昔吾先君獻公即位五年，兼國十九，用此士也。惠公即位二年，淫色暴慢，身好玉女，秦人襲我，遜去絳七十，用此士也。文公即位二年，底之以勇，故三年而士盡果敢，城濮之戰，五敗荊人，圍衛取曹，拔石社，定天子之位，成尊名於天下，用此士也。

或多或少都可看到這種紀年法的影子。在專制時代，凡事皆以君王為中心，這種現象毋寧是順理成章的。

（二）太歲紀年法

〈序意篇〉云：

> 維秦八年，歲在涒灘，秋，甲子朔，朔之日，良人請問〈十二紀〉。

這是中國古籍中使用太歲紀年法的最早紀錄，在曆法的發展史上實具有重大的意義。所謂太歲紀年法，與《左傳》、《國語》所載的歲星紀年法關係十分密切，但二者迥然不同。歲星紀年法是以實際的星體——木星每年行經一個星次（星紀、玄枵、諏訾……）來紀年的；太歲紀年法則是以虛構的星體——太歲每年行經一個辰（相當於子、丑、寅、卯……的困敦、赤奮若、攝提格、單閼……）來紀年的。兩者雖然大致都是十二年一周天，但歲星由西向東，與人們所熟悉的十二辰剛好相反，運行的速度也不均勻，有時還有逆行的現象[7]，以之紀年，實有不便。太歲則由東向西，與人們熟悉的十二辰的順序完全符合，運行的速度十分均勻，完全沒有逆行的現象，所以可以彌補歲星紀年法的缺陷。這兩種紀年法如果交叉使用，則可以大致保持著一定的對應關係。例如某年歲星在星紀，太歲便在寅；次年歲星運行到玄枵，太歲便在卯，其詳如下圖[8]：

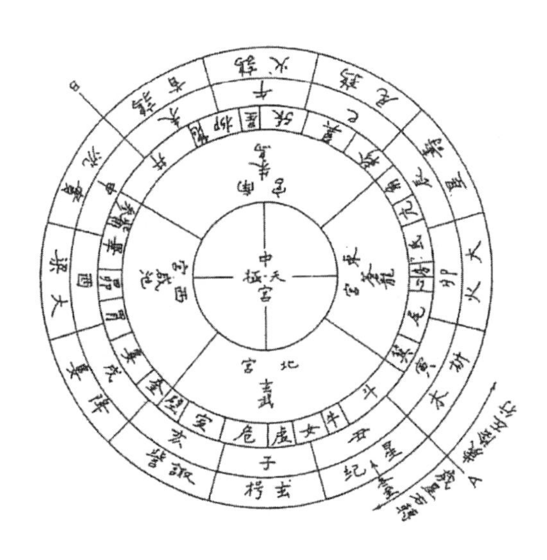

圖一　五宮二十八宿十二次方位配合圖

事實上，木星的恆星周期為11.86年，因此，十二年之後就超過了一周天，大約84.7年就會整整超過一個星次。這時人們便會發現歲星紀年和木星實際位置所在的年名相差一年，此之謂歲星超辰，當然這種說法是後世才有的。

7　木星運行的速度不均勻是因為它繞行太陽的軌道是橢圓形而非正圓形。有時有逆行的現象，是因為地球也繞著太陽在運轉，二者軌道並不相同，當地球轉彎時，木星仍向前運轉，這時從地球上回頭看，便彷彿覺得木星在倒退。

8　高平子：《史記天官書今註》，頁85。

《呂氏春秋》有關太歲紀年的紀錄雖然十分珍貴，但也留給後人一團迷霧，那就是「維秦八年，歲在涒灘。」到底指的是哪一年？對於此項疑問，從古以來有四個不同的解答：

1 秦王政八年說

高誘《呂氏春秋》〈序意篇〉注云：

> 八年，秦始皇即位八年也。歲在申名涒灘。

呂祖謙、周中孚等皆從之[9]。然誠如其說，則當云秦王政八年，不當云秦八年，且秦王政八年（西元前239年）為壬戌年，並非申年，依太歲年名則當云閹茂，而不當云涒灘。錢塘雖以超辰之說辨之，然超辰之說起於漢朝劉歆，豈可強先秦以就其法[10]。所以秦王政八年之說實不足為據。

2 秦王政六年說

孫星衍《問字堂集》卷一云：

> 考莊襄王滅周之後二年，癸丑歲，至始皇六年，共八年，適得庚申歲，申為涒灘，呂不韋指謂是年。

他認為所謂秦八年應為秦代周而有天下之第八年，亦即秦王政即位之

9 呂祖謙之說見許維遹《呂氏春秋集釋》，頁1197引。周中孚之說見《鄭堂讀書記》卷五二。

10 姚文田：《邃雅堂集》卷三、張文虎《舒藝室隨筆》，見陳奇猷：《呂氏春秋校釋》，頁650引。

六年庚申（西元前241年）。這種說法一方面正符合歲在涒灘之說，一方面也與呂氏「以五行遞嬗為朝代興亡」之基本思想十分吻合，所以陳奇猷《呂氏春秋校釋》深許之。然覈以下文的「秋甲子朔」，則無論是閻若璩、顧觀光或汪曰楨所推秦王政六年秋皆無甲子朔[11]，所以此說猶不足以為定論。

3　秦王政七年說

姚文田《邃雅堂集》卷三云：

> 始皇元年，實為甲寅。……莊襄之滅東周，乃二年事，並非元年，紀、表皆誤矣！……其明年癸丑，天下始易周而為秦。……自癸丑以後乃可書秦，而《呂覽》之文，實統莊襄言之矣！

他和孫星衍一樣，也是認為秦八年應統莊襄王言之。所異者，姚氏以為太史公所紀，中間尚少一年，所以秦王政元年應為甲寅而非乙卯，庚申年應為秦王政七年而非六年。這種說法牽涉到《淮南子》、《史記》、《漢書》紀年出入的問題，益滋糾繚，而且也同樣無法解決「秋甲子朔」的問題，因此雖然錢穆《先秦諸子繫年》推為「甚辨而覈」，還是有商榷的餘地。

4　秦王政四年說

嚴可均《鐵橋漫稿》云：

> 〈呂不韋傳〉「秦王年少」云云，「乃使其客人人著所聞」，然

11 張文虎：《舒藝室隨筆》，見陳奇猷：《呂氏春秋校釋》，頁650引。

> 後云「始皇帝益壯」，然後云「七年」、「九年」，知不韋著書，在始皇初即位之時。「八」蓋「[illegible]」之誤，始皇四年，歲在戊午，太陰在申，則太歲在午，此其證也。

他以歲星與太歲的對應關係為說，頗具新解，但戰國末年是否已有此種說法實乏確證。而認為八蓋四之誤，亦純屬猜測，並無版本學上的根據，是其說亦不可信。

綜觀以上諸家，可見「維秦八年，歲在涒灘」究竟指哪一年，迄今尚無圓滿的答案，而以孫星衍秦王政六年之說較為可取。惜其說與下文「秋甲子朔」不能吻合，因秦王政六年秋並無甲子朔，八年秋七月才有甲子朔。也許〈序意篇〉本作「秋丙午朔」之類，由於後人誤解「維秦八年」指秦王政八年，遂改丙午為甲子，以致年、日枘鑿不入。當然，這純粹是一種臆測，除非將來另有強有力的文獻出現，否則可能無法論定了。

四　歲首

春秋戰國時代，諸侯齮齕相爭，曆法亦十分混亂。如《春秋》、《孟子》所紀為周正，《竹書紀年》、《楚辭》所載為夏正，部分《詩經》、《周禮》則夏周雜用。那麼，《呂氏春秋》，特別是〈十二月紀〉，到底是採用哪種曆法，以何月為歲首呢？自古以來，這也是一個斷斷相爭的問題，主要有兩派不同的說法：

（一）採用顓頊曆，以十月為歲首說

此派的理由主要有三點：

1.〈季秋紀〉「合諸侯，制百縣，為來歲受朔日。」高誘注云：

> 來歲，明年也。秦以十月為正，故於是月受明年曆日也，由此言之，〈月令〉為秦制也。

鄭玄《禮記》〈月令〉注所說亦相近。他們都認為〈月令〉記載諸侯百縣在九月受朔日，顯然是以十月為歲首。

2.〈月令〉孟冬之月「命太史釁龜筴占兆，審卦吉凶。」鄭玄注云：

> 《周禮》上春釁龜，謂建寅之月也。秦以其歲首使太史釁龜筴，與周異矣！

其意謂〈月令〉用十月為歲首，孟冬相當於《周禮》之上春，同為一歲之始，故釁龜之時雖異，而以歲首釁龜之意則同。

3.《禮記・月令》篇題下孔穎達疏云：

> 秦為水位，其來久矣！秦文公獲黑龍，以為水瑞，何怪未平天下前不以十月為歲首乎？

他認為秦之以十月為歲首由來已久，〈月令〉既然是從成書於秦王政時代的《呂氏春秋・十二月紀》紀首抄合而成，當然也是使用秦制。

以上三點理由其實都是不能成立的，因為：

1. 盧文弨云：

> 若以十月為來歲，則九月始受朔日，則就百縣言為可，若遠方諸侯則不能逮者矣[12]！

12 畢沅：《呂氏春秋校正》卷九引。

受朔雖為歲暮之事，但其確切時間古書並無記載。古時交通不便，如果在新年前一月才受朔，委實過分匆促。反之，若以正月為歲首，有三個月的時間可以從容準備，顯然就合理多了。更何況〈孟冬紀〉云：「祈來年於天宗。」〈季冬紀〉云：「與大夫共飭國典，論時令，以待來歲之宜。」都反證歲首一定不是十月。否則，新年伊始，就在「祈來年」、「待來歲之宜」，豈不是難以解釋嗎？

2. 釁龜之時間，〈月令〉為十月，《周禮》為正月，黃以周《禮說》以為是由於取龜之有先後，楊寬〈月令考〉以為由於《周禮》用周正，而〈月令〉用夏正[13]。總之，他們都不贊成非歲首釁龜不可。所以釁龜之記載，並不足以證明〈月令〉以十月為歲首。

3. 秦以十月為歲首的時間，除秦文公時代之說外，或謂起於秦昭襄王四十二年，或謂秦昭襄王四十八年，或謂昭襄以後，莊襄以前，或謂昭襄王十九年至四十八年。楊寬〈月令考〉逐一駁之，以為皆不能成立[14]。陳久金〈顓頊曆和太初曆製定年代攷略〉一文雖然贊成秦昭王和秦文王時曾以十月為歲首，但他又以為秦王政元年至統一六國前這段時間是以正月為歲首，而這件事肯定與呂不韋有關。直至秦始皇二十六年統一天下後，才又恢復以十月為歲首[15]。陳氏係根據《史記》、《雲夢秦簡編年記》、馬王堆漢墓五星資料等交互攷證，論據相當充分。所以《史記·秦始皇本紀》所云：

> 始皇推終始五德之傳，以為周得火德，秦代周德，從所不勝，方今水德之始，改年始，朝賀皆自十月朔。

---

13 楊寬：〈月令考〉，頁16、19。

14 楊寬：〈月令考〉，頁17-19。

15 陳久金：〈顓頊曆和太初曆製定年代考略〉，見《中國科技史文集》，頁110-132。

可以斷定是完全正確的。既然從秦王政元年至統一六國前不是採行顓頊曆，那麼，成書於秦王政六、七年左右的《呂氏春秋》當然也就不可能以十月為歲首了。

（二）採用夏曆，以正月為歲首說

此派的理由主要有四點：

1.《呂氏春秋》〈十二月紀〉紀首始孟春終季冬，四立皆在四季之首，二至二分皆在四季之仲，諸如此類，與夏曆之安排完全吻合，故〈孟春紀〉「某日立春，盛德在木。」陳奇猷《校釋》云：

> 夏曆以正月立春，可知《呂氏・十二紀》係用夏正。

楊寬〈月令考〉也說：

> 〈月令〉起孟春正月，明為夏正。

2.〈季冬紀〉云：

> 是月也，日窮於次，月窮於紀，星迴於天，數將幾終，歲將更始。專於農民，無有所使。天子乃與卿大夫飭國典，論時令，以待來歲之宜。

十二月數將幾終，歲將更始，則以正月為歲首無疑。固然，其他月份也有類似歲終的記載，以致引發一些不同的意見，〈季秋紀〉的「為來歲受朔日。」固無論矣！其他如〈孟冬紀〉云：

> 是月也，大飲蒸，天子乃祈來年於天宗。大割，祠于公社及門閭，饗（〈月令〉作臘）先祖五祀，勞農夫以休息之。

王夫之《禮記章句》卷六以為：

> 祈年、臘皆歲終之事，而行之此月者，用周正也。大抵〈月令〉——篇雜三代及秦禮而錯記之，非一正之典，讀者勿泥焉。

無庸諱言，〈十二月紀〉的確是雜掇當日流傳之各國五時令而成文，有理想，也有事實。然謂之非一代之典則可，謂之非一正之典則不可，因為任何一本曆書都不可能有兩個歲首的。所以這些禮俗雜糅的記載並無礙於其以正月為歲首。

3.《逸周書．周月篇》云：

> 萬物春生夏長，秋收冬藏，天地之正，四時之極，不易之道。夏數得天，百王所同。

由於夏曆與四時寒暑配合最為妥當，最適合農業社會的需要，所以孔子主張要「行夏之時」，（《論語．衛靈公篇》）陳奇猷《呂氏春秋校釋》卷一也說：

> 周代官行周正，而言農事者皆以夏正為準。

《呂氏春秋》〈上農〉、〈任地〉、〈辨土〉、〈審時〉四篇，純為農家之言。〈十二月紀〉天子躬耕帝藉，后妃親自提倡蠶桑，亦在在充滿重農思想。其採用夏曆，以建寅之月為正，實在是不足為奇的。

4.《呂氏春秋》編纂的動機，〈序意篇〉云：

> 嘗得學黃帝之所以誨顓頊矣！爰有大圜在上，大矩在下，汝能法之，為民父母。

其為秦統一天下後規劃一政治藍圖之意實昭然若揭。厥時東周已滅，六國猶存，為了表示將來非改正朔不可，自然不能再使用周正。至於秦以前使用過的顓頊曆，由於《呂氏春秋》強烈反對秦之嚴刑峻罰，急功近利，亟思糾正秦政之偏失[16]，加上顓頊曆也不是十分理想的曆法，自然也不在考慮之列。呂不韋本陽翟大賈，其門客亦多晉人[17]，而晉本夏墟，據古本《竹書紀年》及《左傳》所載，一向使用夏正[18]。戰國時代，甚至連其他群雄也大多使用這種最適合農業生產的夏曆[19]，然則呂氏門客選擇夏曆作為〈十二月紀〉的根據，實在是最自然不過的事。

綜上所述，《呂氏春秋》以夏曆建寅之月而非以顓頊曆建亥之月為歲首，應無疑義。王引之《經義述聞》卷十四云：

> 秦以十月為歲首，則當以孟冬之月為始。今〈月令〉始孟春者，蓋孟冬為當時歲首所起，而孟春則曆元所起，曆家最重建元，故託始於孟春之月，此顓頊曆也。

雖竭力調和二者之異，導而歸之於顓頊曆，然實未得其情。

---

16 陳郁夫：〈呂氏春秋撢微〉第二章，《幼獅學報》第11卷第3期，頁13。

17 《史記・秦始皇本紀》：「十二年，文信侯不韋死，竊葬。其舍人臨者，晉人也，逐出之。」

18 楊寬：〈月令考〉，頁11

19 《清儒學案》卷八一，〈戰國列國多用夏正〉。

五　季節

《呂氏春秋・十二月紀》區分一年為春夏秋冬四季，每季再區分為孟仲季三月。四季各有其特色，即春生、夏長、秋收、冬藏。不僅各月的行政措施都要配合這個特色，否則即有咎徵，就連各紀所繫之文，亦依此項特色加以安排。陳奇猷《呂氏春秋校釋》卷一云：

> 春紀各篇皆是言生。孟夏後四篇言學，學所以長智，仲夏後四篇、季夏後四篇言樂，樂者樂也，樂則體適而增長，故夏季十二篇係配合夏長之義。秋紀十二篇言兵，兵者肅殺，而秋季之天氣亦肅殺，萬物收斂，故秋紀十二篇係配合秋收之義。冬紀十二篇言恐，言葬，言安死，言死之得當，言死而有價值，明是配合冬藏之義。

其重要性不言可喻。四季在《呂氏春秋》中一概稱之為四時，如〈大樂篇〉云：

> 四時代興，或暑或寒，或短或長，或柔或剛。

但亦有五時之稱，〈任地篇〉云：

> 五時見生而樹生，見死而穫死。天下時，地生財，不與民謀。

所謂五時，即四時之外，於季夏之末別出中央土一節，以便與金木水火土五行相配合。此種配合在《管子》〈幼官篇〉、〈五行篇〉中已有之。唯《管子》每時為七十二日，〈十二月紀〉則四時各為九十日，中央土不過是虛有其位，全無日躔、中星、物候、人事等記載，站在曆法的觀點，當然是不足取的。

六　紀月法

〈十二月紀〉顧名思義即知其以十二月為紀事之基本單位。至其所謂十二月，係以孟、仲、季配四時，依序為孟春、仲春、季春、孟夏、仲夏、季夏、孟秋、仲秋、季秋、孟冬、仲冬、季冬。此種紀月法與甲文、金文、〈夏小正〉、《春秋》之以數目為序者不同，與《逸周書・周月篇》之以斗建為次者亦有別。春秋末期以後之金文雖然已有此種紀月法，但率皆零星散見[20]，《周禮》所紀亦不完整[21]，其最完整者厥為《呂氏春秋・十二月紀》。當然這並不表示這種紀月法到戰國末年才趨於完備，因為早在《尚書・堯典》中已提及仲春、仲夏、仲秋、仲冬，既有這些四仲月，顯然其他孟月、季月應該也都齊備了。而〈堯典〉之成篇時代，大約是在孔子之後，孟子之前[22]，配合金文的情況觀之，以孟、仲、季配四時的紀月法至遲在春秋時代就有了。

在《呂氏春秋》中另外還有一套很特殊的月名，即〈音律篇〉之以十二律名月，其與〈十二月紀〉的月名之關係可對照如下：

黃鐘之月——仲冬之月
大呂之月——季冬之月

---

20 陳夢家：〈上古天文材料〉，頁91。

21 《周禮》有孟春、中春、季春、中夏、仲夏、中秋、季秋、孟冬、仲冬、中冬、季冬。

22 屈萬里：《尚書釋義》，頁2。

> 大簇之月——孟春之月
> 夾鐘之月——仲春之月
> 姑洗之月——季春之月
> 仲呂之月——孟夏之月
> 蕤賓之月——仲夏之月
> 林鐘之月——季夏之月
> 夷則之月——孟秋之月
> 南呂之月——仲秋之月
> 無射之月——季秋之月
> 應鐘之月——孟冬之月

這是〈十二月紀〉紀首以十二律配十二月的進一步發展。所有的月名都是樂律旳專有名詞，記憶、使用都不方便，所以後世就絕無嗣響了。由於十二律以黃鐘為首，而「日至則月鐘其風，以生十二律。」（〈音律篇〉）故以含有冬至的仲冬之月為首，有點兒像周正。

此外，在《呂氏春秋》中還有兩個月份的專名，一個是〈仲冬紀〉所云：

> 命有司曰：「土事無作，無發蓋藏，無起大眾，以固而閉。」發蓋藏，起大眾，地氣且泄，是謂發天地之房。諸蟄則死，民多疾疫，又隨以喪，命之曰暢月。

暢月之暢，高誘訓為民人空閑，鄭玄釋為充，蔡邕解為達，皆與上文之義不符。陳奇猷《校釋》以為當依《淮南・時則》作暘，《說文》云：「暘，不生也。」其說最為妥適[23]。另外一個是〈任地篇〉所云：

23 陳奇猷：《呂氏春秋校釋》，頁571。

草端大月，冬至後五旬七日，菖始生。

所謂大月，高誘訓為孟冬月，至於何以稱孟冬為大月，梁玉繩云：

孟冬稱大月者，六陰俱升，大陰之月也。

蔡雲云：

陽大陰小，詳《易》〈泰卦〉孟冬大，猶《爾雅》十月為陽，純陰用事，嫌於無陽而名之。

說皆可通[24]。暢月、大月這兩個專名，其他典籍罕見，而且只是片爪隻鱗，與《爾雅．釋天》之每月皆有專名者又有不同。

〈十二月紀〉紀首的內容，依王師夢鷗之說可分為五部分：1. 定星曆，建立五行，2. 節候的應驗，3. 王居明堂之禮，4. 按月的行政措施，5. 禨祥制度或庶徵休咎的記述[25]。其中的「定星曆」即記載日躔及昏旦中星，「節候的應驗」即記載物候。前者為《呂氏春秋》的創舉，後者為後世七十二候之所從出，在曆法史上，影響皆極深遠。詳見拙作〈呂氏春秋之天文〉(《淡江學報》第26期)、〈呂氏春秋之氣候〉(《國立中正大學學報》第1期)，茲不贅。

在〈季春〉、〈孟夏〉、〈孟秋〉、〈仲秋〉四紀紀首中皆有「三旬」之語；〈季夏〉、〈季冬〉二紀紀首中更有「三旬二日」之語。誠如其說，則每月有三十日，有三十二日者，全年歲實為三百六十四日。不

24 陳奇猷：《呂氏春秋校釋》，頁1744。

25 王師夢鷗：《鄒衍遺說考》，頁79。

僅與任何古曆皆不合，而且完全違反曆法之基本常識，疏闊若此，豈呂氏門客所宜有？怪不得《禮記・月令》要將之完全刪除。何以會發生此種怪現象，委實令人納悶。舊注或指晦朔，或指雨露，或指公旬[26]，說皆牽強難通，王師夢鷗〈禮記月令斠理〉云：

> 〈十二月紀〉之設計，蓋不擬設置閏月。或因閏月與明堂十二室及其隨方面為服之規定有妨害，抑且閏月之政令如何配合陰陽五行十二律，亦殊難訂，故寧以「餘分」加於季夏、季冬，遂使此兩月各獨得三旬二日矣！[27]

這或許是一種較為合理的解釋。但無論如何，呂氏門客的設計的確是十分不妥的。

七　節氣

二十四節氣是中國傳統曆書的重要組成部分。它包含十二個節氣，十二個中氣，也就是每個月約有一個節氣，一個中氣。可以表示一年中太陽在黃道上的位置，更可以反映四季、氣溫、降雨、物候等方面的變化。其全名始見於《逸周書・時訓篇》及《淮南子・天文篇》，而其淵源則由來甚久，如《周易・復卦》、《尚書・堯典》、《左傳》僖公五年、昭公二十一年、〈夏小正〉、《管子》〈輕重已篇〉、〈幼官篇〉等都有了部分節氣的名稱。而《呂氏春秋》在其演變的過程中更居於重要的關鍵地位。

---

26 陳奇猷：《呂氏春秋校釋》，頁134。

27 王師夢鷗：《禮記校證》，頁493。

首先是最重要的二至、二分及四立在〈十二月紀〉中都有記載，即〈孟春紀〉的「立春」，〈仲春紀〉的「日夜分」，〈孟夏紀〉的「立夏」，〈仲夏紀〉的「日長至」，〈孟秋紀〉的「立秋」，〈仲秋紀〉的「日夜分」，〈孟冬紀〉的「立冬」，〈仲冬紀〉的「日短至」。較特殊的是以日影的長短稱夏至、冬至為「日長至」、「日短至」；以晝夜的等長稱春分、秋分為「日夜分」。我們在現存的先秦典籍中，幾乎找不到夏至、冬至之名，如《周易・復卦》稱二至為「至」，〈夏小正〉稱為「養日」、「養夜」，《孟子・離婁》下稱為「日至」，《左傳》稱為「日南至」(單指冬至)，《周禮・秋官》稱為「夏日至」、「冬日至」，唯一的例外，是《呂氏春秋》，如〈有始篇〉云：

> 冬至日行遠道，周行四極，命曰玄明。夏至日行近道，乃參於上，當樞之下無晝夜。

這在二至的定名上是很值得一提的。此外，在〈音律篇〉、〈任地篇〉又有「日至」之稱。幾種異名同實的名詞出現在同一本書中，正為其雜出眾手的證據。

除了二至、二分及四立外，〈十二月紀〉中尚有一些與節氣十分接近的紀錄，如〈孟春紀〉的「蟄蟲始振」、〈仲春紀〉的「雨水」、〈仲夏紀〉的「小暑」、〈孟秋紀〉的「白露」、〈季秋紀〉的「霜降」。其中「蟄蟲始振」相當於二十四節氣的驚蟄，可能只是在記物候，到了後世才演變為節氣的專名。漢人又將驚蟄由正月中改為二月節，雨水由二月節改為正月中，時節遂與《呂氏春秋》有異，至於小暑，後世為六月節，與《呂氏春秋》之在仲夏者亦有別。然而，無論如何，它們對二十四節氣的成立，的確起了相當大的催化作用。

八　紀日法

〈圜道篇〉云：

> 日夜一周，圜道也。

日是最容易認識的時間單位。中國從《春秋》記載魯隱公三年（西元前722年）「二月己巳，日有食之。」起，即用干支連續紀日，直至清宣統三年（西元1911年）底止，從未間斷。《呂氏春秋》以干支紀日之例亦屢見不鮮，如〈貴因篇〉云：

> 武王果以甲子至殷郊，殷已先陳矣！至殷，因戰，大克之。

〈察傳篇〉云：

> 子夏之晉，過衛，有讀史記者曰：「晉師三豕涉河。」子夏曰：「非也，是己亥也。夫『己』與『三』相近，『豕』與『亥』相似。」至於晉而問之，則曰：「晉師己亥涉河」也。

前者為改變歷史的大日子，可與《尚書・牧誓》相印證。後者則成為校勘學史上著名的例子。而在全書中所載年代最早的，當數〈古樂篇〉所云：

> 黃帝又命伶倫與榮將鑄十二鐘，以和五音，以施英韶。以仲春之月，乙卯之日，日在奎，始奏之，命之曰「咸池」。

此固與〈勿躬篇〉所云：「大橈作甲子。」互為桴鼓之應，然在黃帝之時是否已有干支，實在只能付諸闕疑。詳見前文觀象授時一節，茲不贅。

在《呂氏春秋》中，干支除了用以紀事外，還拿來配合陰陽五行，〈十二月紀〉以「其日甲乙」配春，「其日丙丁」配夏，「其日戊己」配中央土，「其日庚辛」配秋，「其日壬癸」配冬。由於十干可分為五組，固可配五行，而以之配四時，則難免扞格，所以在季夏之末才會有中央土的安排，此與四時之配合五行，雖有一減一增之別，而其削足適履之用心實無以異，這種配合誠如王師夢鷗〈月令之五行數與十干日解〉所云：

> 五行家之安排干支五行，實與曆術無關，僅為一種迂怪之安排。但此迂怪之說，迭經傳述，遂尊若神明，所謂「其日甲乙」、「其日丙丁」……竟為天子擇日發號施令之典據。〈月令〉所記，猶其緒餘。[28]

站在曆法的立場，自無深論之價值。

《呂氏春秋》中另有以旬配日的方法，如〈季春紀〉云：

> 行之是令，而甘雨至三旬。

旬為十日，與十干恰可配合，所以〈仲春紀〉云：

> 上丁，命樂正入舞舍采，天子乃率三公九卿諸侯親往視之。中丁，又命樂正，入學習樂。

28 王師夢鷗：《禮記校證》，頁593。

所謂上丁即上旬丁日，所謂中丁即中旬丁日，這種配合可能由來已久，陳遵嬀云：

> 最初十干似乎是專用以附屬於旬的，小月二十九日，則以壬為最後一天，翌日仍由甲開始，是不連續的。後來人們連續地用它，它和旬的原意就沒有什麼關係了。[29]

旬和干支所以不能密切配合，是因為中國古代採取陰陽合曆，每月或三十日或二十九日，並非都是整數的緣故。

陰曆或陰陽合曆對月相的變化都特別注意，《呂氏春秋》在這方面所提到的，如〈貴因篇〉云：

> 推曆者，視月行而知晦朔。

〈精通篇〉云：

> 月望則蚌蛤實，群陰盈；月晦則蚌蛤虛，群陰虧。

所謂朔是月球和太陽的黃經相等的時候，月球在地球與太陽之間，其背光面向著地球，人們完全看不見月光，即陰曆初一。所謂晦，是朔的前一日，即陰曆的二十九日或三十日，也看不見月光。所謂望是月球和太陽的黃經相差180°的時候，地球在太陽與月球之間，月球之受光面完全向著地球，月光盈滿，與太陽東西相望，即陰曆十五或十六日。至於其他經傳所提及的朏、恆、既望……，金文所提及的哉生

29 陳遵嬀：《中國古代天文學簡史》，頁81。

霸、既死霸……，《呂氏春秋》並未一一道及。但只要將晦朔與干支配合使用，也就可以運用自如了。〈序意篇〉云：

> 維秦八年，歲在涒灘，秋，甲子朔。

就是一個例子，可惜在紀年月的部分不夠清楚，才引起許多爭論。

九　紀時法

一日之內的各個時段，中國早就有詳細的區分，如甲骨文中有許多專名，周代亦有十二時段的名稱[30]。但在《呂氏春秋》中僅提到最重要的三個。如〈孟春紀〉云：

> 昏，參中；旦，尾中。

〈慎大篇〉云：

> 江河之大也，不過三日；飄風暴雨，日中不須臾。

日中即正午，日正當中，其時刻較易確定。昏、旦則每隨季節而變化，而且昏旦的標準是什麼？各家說法也十分紛歧，如蔡邕《月令章句》云：

> 日出前三刻為旦，日入後三刻為昏。

30 鄭天杰：《曆法叢談》，頁149。

孔穎達《禮記・月令》正義云：

> 日出前三刻為旦，日入後二刻半為昏。

雷學淇《古經天象考》卷五云：

> 日入為昏，日出為旦。

這些標準無法確立，則不但星象的推步及其時代的估定難有定論，即連晝夜之長短也會異說紛紜，如孫希旦《禮記集解》卷十五云：

> 日夜分，謂晝夜漏刻。馬融云：「晝有五十刻，夜有五十刻。」據日出入為限。蔡邕以為星見為夜，日入後三刻、日出前三刻皆為夜，晝有五十六刻，夜有四十四刻。鄭註《尚書》「日中星鳥」謂日見之漏五十五刻，不見之漏四十五刻，與蔡校一刻也。

其實晝夜的長短與緯度的高下關係更為密切，如果不確切指出紀錄的地區，這些爭執就顯得毫無意義了。

十　結論

（一）《呂氏春秋》的曆法資料主要集中於〈十二月紀〉紀首。與《史記・曆書》、《漢書・律曆志》等相較之下，嚴格地說，它不算是曆書，只能說是熔天文曆、氣候曆、天子行事曆於一爐的混合物。但它的涵蓋面相當廣闊，舉凡曆法的制訂、年月日時的紀法都有所涉及，對後世曆書具有深遠的影響，如日躔、昏旦中星、物候、節氣的記載都成為傳統曆書的重要成分，在曆法發展史上具有相當的貢獻。

（二）《呂氏春秋・十二月紀》之曆法以夏曆為根據，以建寅之月為歲首，本無疑義，徒以其書雜糅禮俗，遂引發學者的斷斷相爭。其他的資料，如〈序意篇〉之以太歲紀年，也是極其寶貴的，可惜語焉不詳，也引起後世諸多紛爭，難以論定。至如〈季夏〉、〈季冬〉二紀之記「三旬二日」，尤為自鄶以下，無庸深論。

（三）由於深受陰陽消息、五行終始觀念的左右，《呂氏春秋》強析四季為五時，在季夏之末別出中央土，成為一種有位無時的安排，並以十干、五帝、五神、五蟲、五音、十二律……等與五時十二月相配，就曆法觀點而言，這些措施殊不足取。但從另一個角度來看，陰陽五行乃〈十二月紀〉思想的骨幹，而陰陽家曆象日月星辰、敬授民時，對於天文曆法的發展，亦有不可磨滅的貢獻。其間之利弊得失，實值得吾人深思。

——原載於《國立中正大學學報》（人文分冊）第2卷第1期（1991年10月），頁1-21。

參考文獻

一 專書

王引之 《經義述聞》 臺北 廣文書局 1963年
雷學淇 《古經天象考》 臺北 新文豐出版公司《叢書集成新編》本 1985年
孔穎達 《禮記正義》 臺北 藝文印書館 1965年
王夫之 《禮記章句》 臺北 廣文書局 1967年
孫希旦 《禮記集解》 臺北 文史哲出版社 1976年
王夢鷗 《禮記校證》 臺北 藝文印書館 1967年
《鄒衍遺說考》 臺北 商務印書館 1966年
莊雅州 《夏小正析論》 臺北 文史哲出版社 1985年
黃沛榮 《周書周月篇著成的時代及有關三正問題的研究》 臺灣大學 1972年
司馬遷 《史記》 臺北 藝文印書館 1982年
高平子 《史記天官書今註》 臺北 中華叢書編審委員會 1965年
《學曆散論》 臺北 中央研究院數學研究所 1969年
齊思和 《中國史探研》 臺北 弘文館出版社 1985年
不 詳 《中國科學文明史》 臺北 木鐸出版社 1983年
不 詳 《中國科技史文集》 臺北 蒲公英出版社 1986年
陳遵嬀 《中國古代天文學簡史》 臺北 木鐸出版社 1982年
《中國天文學史》第五冊 臺北 明文書局 1988年
徐世昌 《清儒學案》 臺北 燕京文化事業公司 1976年
許維遹 《呂氏春秋集釋》 臺北 鼎文書局 1977年

陳奇猷　《呂氏春秋校釋》　臺北　華正書局　1985年
畢　沅　《呂氏春秋校正》　臺北　新文豐出版公司《叢書集成新編》本　1985年
朱文鑫　《曆法通志》　商務印書館　1934年
　　　　《天文考古錄》　臺北　商務印書館　1966年
鄭天杰　《曆法叢談》　臺北　華岡出版公司　1977年
孫星衍　《孫淵如先生全集》　臺北　商務印書館《國學基本叢書》1968年
周中孚　《鄭堂讀書記》　商務印書館《國學基本叢書》　1968年

二　期刊論文

楊　寬　〈月令考〉　《齊魯學報》1941年第2期。
王夢鷗　〈月令探源〉　《故宮圖書季刊》第1卷第4期、第2卷1期（1971年）
陳郁夫　〈呂氏春秋撢微〉　《幼獅學誌》第11卷第314期、第12卷第1期（1973-1974年）。
陳夢家　〈上古天文材料〉　《學原》第1卷第6期（1947年）
莫非斯　〈春秋周殷曆法考〉　《燕京學報》第20期（1936年）

〈夏小正〉之氣候

氣候之變遷深深影響人類及所有動植物的生存環境，風調雨順則國泰民安，萬物得所；水旱交侵則民不聊生，徧地餓殍。甚至會導致內亂頻仍，外族入侵，扭轉了整個歷史發展的軌道。從甲骨文時代開始，有關陰晴、風雨、寒燠……等的紀錄就屢見不鮮，可以汗牛，可以充棟，這正是人們關注氣候的具體表現。〈夏小正〉在這方面的資料也十分豐富，茲分物候、氣象兩方面加以介紹：

一　物候

物候是動、植物受季節氣候變化影響所產生的周期現象，如草木的春生秋枯，昆蟲的冬蟄春發，候鳥之隨氣候而來往等。若斯之比，各有其序，而且隨著季節周而復始，循環不已，極易引起人們的注意。人類經過長期的觀察，自然而然就產生了物候知識，這種知識可以幫助人們對季節氣候的了解、預測與運用，是氣候學中重要的一環。中國歷史悠久，農業發達，因而物候之學起源甚早，著作也特別豐富，單就先秦兩漢而言，即有〈夏小正〉、《呂氏春秋・十二月紀》、《淮南子・時則篇》、《禮記・月令》、《易緯・通卦驗》、《逸周書・時訓篇》等幾篇文獻流傳下來。而零星紀候的如《詩・豳風・七月》、《管子・四時篇》、〈五行篇〉，亡佚的如《明堂月令》、《逸周書・月令篇》、《今月令》等也不在少數。至於後世的物候著作更是多得不可勝數。在所有的時令資料之中，〈夏小正〉為時最早，很自然地就成為大家仿效損益的根源，因而楊慎云：「古者紀候之書，《逸周書》有〈時訓〉，《呂覽》有〈月紀〉，《易緯》有〈通卦驗〉，管敬仲有〈時令〉，鴻烈有〈時則訓〉，同異互出，大抵宗〈小正〉而詳。還觀〈小正〉，規劃遠矣！其昏旦伏見中正當鄉候在星，寒暑夙日冰雪雨旱候在氣，稊秀榮華候在草木，蟄粥伏遰陟降離隕鳴呴候在禽獸，王政達焉，民事法焉，故曰：規劃遠矣！」（《夏小正解・自序》）其推崇可謂備至。茲為了了解其規劃深遠的內涵，並顯示其對同類著作的影響，特將全篇物候依次臚列，而以〈十二月紀〉、〈時則〉、〈月令〉、〈通卦驗〉、〈時訓〉物候之相同或相近者分繫其下，作成對照表，如下：

篇名／物候／月份	〈夏小正〉	《呂氏春秋・十二月紀》	《淮南子・時則》	《禮記・月令》	《易緯・通卦驗》	《逸周書・時訓》
正月	啟蟄	蟄蟲始振蘇	蟄蟲始振蘇	蟄蟲始振		蟄蟲始振
	雁北鄉	候雁北	候雁北	鴻雁來	（二月）候雁北	鴻雁來
		（十二月）雁北鄉	（十二月）雁北鄉	（十二月）雁北鄉		（十二月）雁北向
	雉震呴	（十二月）乳雉雊	（十二月）雉雊	（十二月）雉雊	雉雊	（十二月）雉始雊
	魚陟負冰	魚上冰	魚上負冰	魚上冰	（十一月）魚負冰	魚上冰
	囿有見韭					
	田鼠出					
	獺獸祭魚	獺祭魚	獺祭魚	獺祭魚	獺祭魚	獺祭魚

篇名／物候／月份	〈夏小正〉	《呂氏春秋・十二月紀》	《淮南子・時則》	《禮記・月令》	《易緯・通卦驗》	《逸周書・時訓》
	鷹則為鳩	（二月）鷹化為鳩	（二月）鷹化為鳩	（二月）鷹化為鳩		鷹化為鳩
	采芸					
	柳稊				楊柳樟	
	梅杏杝桃則華	（二月）桃李華	（二月）桃李始華	（二月）桃始華	（二月）桃李華	桃始華
	緹縞					
	雞桴粥		（十二月）雞呼卵	（十二月）雞乳	雞乳	（十二月）雞始乳
二月	往耰黍禪					
	初俊羔助厥母粥					
	祭鮪	（三月）薦鮪于寢廟	（三月）薦鮪于寢廟	（三月）薦鮪于寢廟		
	榮堇					
	采蘩					
	昆小蟲抵蚳	蟄蟲咸動	蟄蟲咸動蘇	蟄蟲咸動		
	來降燕乃睇	玄鳥至		玄鳥至	（三月）玄鳥來	玄鳥至
	剝鱓	（六月）取鼉	（六月）取鼉	（六月）取鼉		
	有鳴倉庚	倉庚鳴	倉庚鳴	倉庚鳴	（正月）鶬鶊鳴	倉庚鳴

篇名 物候 月份	〈夏小正〉	《呂氏春秋・十二月紀》	《淮南子・時則》	《禮記・月令》	《易緯・通卦驗》	《逸周書・時訓》
	榮芸					
	時有見稊始收					
三月	攝桑					
	委楊					
	羭羊					
	螜則鳴	（四月）螻蟈鳴	（四月）螻蟈鳴	（四月）螻蟈鳴	（四月）螻蛄鳴	（四月）螻蟈鳴
	采識					
	妾子始蠶	省婦使以勸蠶事	省婦使勸蠶事	省婦使以勸蠶事		
	祈麥實	乃為麥祈實	乃為麥祈實	乃為麥祈實		
	田鼠化為鴽	田鼠化為鴽	田鼠化為鴽	田鼠化為鴽	田鼠化為鴽	田鼠化為鴽
	拂桐芭	桐始華	桐始華	桐始華		桐始華
四月	鳴鳩	鳴鳩拂其羽	鳴鳩奮其羽	鳴鳩拂其羽		鳴鳩拂其羽
	鳴札					
	囿有見杏					
	鳴蜮	（螻蟈鳴）	（螻蟈鳴）	（螻蟈鳴）		（螻蟈鳴）
	王萯莠	王蓓生	王瓜生	王瓜生		王瓜生
	取荼					
	莠幽					

篇名 物候 月份	〈夏小正〉	《呂氏春秋・十二月紀》	《淮南子・時則》	《禮記・月令》	《易緯・通卦驗》	《逸周書・時訓》
	執陟攻駒	（五月）縶騰駒	（五月）縶騰駒	（五月）縶騰駒		
五月	浮游有殷					
	鴂則鳴	鵙始鳴	鵙始鳴	鵙始鳴	（六月）伯勞鳴	鵙始鳴
	乃瓜					
	良蜩鳴	蟬始鳴	蟬始鳴	蟬始鳴	蟬鳴	蜩始鳴
	匽之興五日翕望乃伏					
	啟灌藍蓼	（五月）令民無刈藍以染	（五月）禁民無刈藍以染	（五月）令民毋艾藍以染		
	鳩為鷹					
	唐蜩鳴	（蟬始鳴）	（蟬始鳴）	（蟬始鳴）	（蟬鳴）	（蜩始鳴）
	煮梅					
	蓄蘭					
	菽糜					
	頒馬	班馬政	班馬政	班馬政		
六月	煮桃					
	鷹始摯	鷹乃學習	鷹乃學習	鷹乃學習		鷹乃學習
七月	秀雚葦					
	狸子肇肆					

篇名／物候／月份	〈夏小正〉	《呂氏春秋・十二月紀》	《淮南子・時則》	《禮記・月令》	《易緯・通卦驗》	《逸周書・時訓》
	湟潦生苹	（三月）萍始生	（三月）萍始生	（三月）萍始生		（三月）萍始生
	爽死					
	苹秀					
	寒蟬鳴	寒蟬鳴	寒蟬鳴	寒蟬鳴	寒蟬鳴	寒蟬鳴
	灌荼					
八月	剝瓜					
	剝棗					
	栗零					
	丹鳥羞白鳥	群鳥養羞	群鳥翔	群鳥養羞		群鳥養羞
	鹿人從					
	鴽為鼠					
九月	遰鴻雁	（八月）候雁來 候雁來賓	（八月）候雁來 候雁來賓	（八月）候雁來 鴻雁來賓	候雁南向	（八月）鴻雁來 鴻雁來賓
	陟玄鳥蟄	（八月）玄鳥歸	（八月）玄鳥歸	（八月）玄鳥歸	（八月）燕子去室 （八月）玄鳥歸	（八月）玄鳥歸
	熊羆貊貉鼬鼪則穴	（八月）蟄蟲俯戶 蟄蟲咸俯在穴	（八月）蟄蟲培戶 蟄蟲咸俛	（八月）蟄蟲坏戶 蟄蟲咸俯在內	（十月）熊羆入穴	（八月）蟄蟲培戶 蟄蟲咸俯

篇名 物候 月份	〈夏小正〉	《呂氏春秋·十二月紀》	《淮南子·時則》	《禮記·月令》	《易緯·通卦驗》	《逸周書·時訓》
	榮鞠	鞠有黃華	菊有黃華	鞠有黃華		菊有黃華
	雀入于海為蛤	爵入大水為蛤	爵入大水為蛤	爵入大水為蛤	（十月）賓爵入水為蛤	爵入大水為蛤
十月	豺祭獸	（九月）豺則祭獸戮禽	（九月）豺乃祭獸戮禽	（九月）豺乃祭獸戮禽	（九月）豺祭獸	（九月）豺乃祭獸
	黑鳥浴					
	雉入于淮為蜃	雉入大水為蜃	雉入大水為蜃	雉入大水為蜃	雉入水為蜃	雉入大水為蜃
十一月	隕麋角	麋角解	麋角解	麋角解	麋角解	麋角解
十二月	鳴弋					
	玄駒賁					
	納卵蒜					
	隕麋角					

註1：物候以動植物之自然變化者（如啟蟄、鴈北鄉）為主，以人事活動之涉及生物者（如采芸、往耰黍禪）為輔，至於寒燠風雨等氣象變化則詳見下文，概不闌入。

註2：物候次序以〈夏小正〉為準，〈十二月紀〉等時間相同者不復注明，時間不同者括弧加注，並一概換算成一、二、三……月，以便對照。

綜觀這些物候資料，不難發現它們之間因革損益的痕跡十分明顯，要而言之，其途徑不外七種：

1. 沿襲：〈夏小正〉之物候數逾八十，〈十二月紀〉等與之相同或相近者將近一半，其中甚至有文字完全相同的，如三月田鼠化為鴽、七月寒蟬鳴是。

2. 改寫：有些物候，〈十二月紀〉等與〈夏小正〉文字雖異，內容無殊，只是略加修改而已，如正月柳稊，〈通卦驗〉作楊柳稊；二月祭鮪，〈十二月紀〉、〈時則〉、〈月令〉作薦鮪于寢廟；五月鴂則鳴，〈十二月紀〉、〈時則〉、〈月令〉、〈時訓〉作鶪始鳴，〈通卦驗〉作伯勞鳴。

3. 移易：候徵的出現，時間不盡相同，前後次序因而有所移動，如七月湟潦生苹，〈十二月紀〉、〈時則〉、〈月令〉、〈時訓〉萍始生都在三月，這是提前的；如正月鷹則為鳩，〈十二月紀〉、〈時則〉、〈月令〉、〈時訓〉鷹化為鳩都在二月，這是延後的。

4. 合併：將〈夏小正〉二候併為一候，如三月螜則鳴、四月鳴蜮，〈十二月紀〉、〈時則〉、〈月令〉、〈時訓〉都併成四月螻蟈鳴；五月良蜩鳴、唐蜩鳴，〈十二月紀〉、〈時則〉、〈月令〉都併成蟬始鳴，〈通卦驗〉併成蟬鳴，〈時訓〉併成蜩始鳴。

5. 分析：將〈夏小正〉一候析為二候，如正月鴈北鄉，〈十二月紀〉、〈時則〉、〈月令〉、〈時訓〉雁北鄉見十二月，候雁北（鴻雁來）見正月；九月遰鴻雁，〈十二月紀〉、〈時則〉、〈月令〉、〈時訓〉候（鴻）雁來見八月，候（鴻）雁來賓見九月。

6. 刪除：如正月囿有見韭、田鼠出，二月榮堇、采蘩，三月攝桑、委楊，〈十二月紀〉以降都加以刪汰。

7. 增添：如〈十二月紀〉、〈時則〉、〈月令〉、〈時訓〉正月增添草木繁（萌）動，三月增添戴任（鵀、勝）降于桑，四月增添蚯蚓（螾）出；〈通卦驗〉四月增加雀子飛，十月增加薺麥生，十二月增加蛇垂首。

〈十二月紀〉以降諸篇透過這七種途徑，對過去的文獻有所吸收，也有所損益，踵事增華，變本加厲，顯現出來的面貌也就各有不同。但萬變不離其宗，隱隱約約之中還是可以看到〈夏小正〉的影子。

〈夏小正〉既然為時令類文獻的濫觴，內容又如此充實，在物候上其地位自然是十分崇高的。底下且就幾個重點來探討〈夏小正〉的物候：

（一）取材觀點

邢昺云：「〈夏小正〉者，以蟲魚草木正十二月之節候，起於夏后氏，故曰〈夏小正〉。」（《爾雅疏》）洪震煊也說：「小者，謂動植之物，以動植之物著名於經，此〈小正〉之通例。」（《夏小正疏義》）他們對〈夏小正〉書名的解釋不無偏頗，因為這本小書所記不僅限於物，還有天象、民事也都不是軍國大事。不過，物候在〈夏小正〉中所占的份量高達三分之二，顯得十分突出，則是事實，難怪邢昺、洪震煊要以偏概全了。〈夏小正〉所以記這麼多物候，無非是為了驗時，換一句話說，就是拿這些物候來表徵時節的先後、氣候的寒暖。我們只要看看傳文中「時」字俯拾皆是，如正月田鼠出云：「田鼠者，嗛鼠也。記時也。」鷹則為鳩云：「鷹也者，其殺之時也；鳩也者，非其殺之時也。」就可以思過半了。

自然界的動植物林林總總，何啻萬千，而且紛紛紜紜，活動不已，〈夏小正〉的作者如何取捨才足以驗時呢？首先，他所記的都是顯著而容易引起人們注意的，如鴻雁及燕子秋去春來，大家耳熟能詳，於是〈夏小正〉記了正月「雁北鄉」、二月「來降燕乃睇」、九月「遰鴻雁」「陟玄鳥蟄」。其次，就是選擇動植物剛開始活動或變化時加以紀錄，如芸草一年開花八個月，冬眠動物一年蟄伏三、四個月，〈夏小正〉僅記載二月「榮芸」、九月「熊羆貊貉鼶鼬則穴」，節候的變化自然就顯現出來了。

固然，天文氣象也可以顯示時節的轉移、寒燠的變化，但或較為抽象，或變幻莫測，終不若物候那樣具體、簡明而容易掌握。掌握了物候的變化之後，其目的又安在呢？安吉云：「〈小正〉紀物候皆關事神保民，一華一鳥，一事一物，可以知時，可以觀禮，可以觀政。」（《夏時考》）蓋溫度的升降，與人類的日常生活或生物的發育、活動都是息息相關的。人們只要把握了物候，就可以預知季節的變換，在食衣住行方面未雨綢繆，在生產方面有所遵循。而由於農漁畜牧的對象是動植物，紀候若透過動植物，對生產當然是格外有裨益的。所以黃叔琳云：「《埤雅》云：『蒼庚知分，鳴鳩知至。』故陽氣分而倉庚鳴，可蠶之候也；陰氣至而鵙鳴，可績之候也。《詩》曰：『七月鵙鳴，八月載績。』是促人績者為衣也。」（《夏小正注》）古代許多著名的農書，如漢《氾勝之書》、崔寔《四民月令》、北魏賈思勰《齊民要術》、元《農桑輯要》、王禎《農書》、明徐光啟《農政全書》等，在講到耕地和播種等的適宜時期，往往以自然界的物候為準。《齊民要術．論種穀》云：「二月上旬及麻菩楊生種者為上時，三月上旬及清明時節桃始花為中時，四月上旬及棗葉生、桑花落為下時。」就是一個例子。中國若干處於原始狀態的邊疆民族，至今猶根據物候來安排農業活動。如雲南省的拉祜族以蒿子花開作為翻地時間的標誌。可見物候在農業社會是極其重要的，而〈夏小正〉是我們現知最早的物候專書，則其在先民生活史及農業發展史上具有何種地位，也就不難想見了。王毓瑚云：「從農學的角度來說，本書（〈夏小正〉）可視為先秦時期的一種農家曆，書的內容特別突出的，是關於『物候』的記載。這是反映我國古代農民的智慧的主要標誌之一，非常值得重視。」（《中農學書錄》）他的評論是十分中肯的。

〈夏小正〉紀物候的動機十分單純，態度十分客觀，它只是供民眾作為生活及生產的參考，而不是供天子作為施政的藍圖。而且由於時代較早，完全沒有受到陰陽五行學說的影響，其內容自然也就不像〈十二月紀〉、〈時則〉、〈月令〉、〈時訓〉那樣駁雜了。它既沒有將天干、帝號、神名、音樂、數目……等組合進去，也沒有休徵、咎徵的迷信色彩，像「孟春行夏令，則雨水不時，草木蚤落，國時有恐；行秋令則其民大疫，猋風暴雨總至，藜莠蓬蒿並興；行冬令則水潦為敗，雪霜大摯，首種不入。」(〈十二月紀〉) 這類的文字，在〈夏小正〉中是完全找不到的，我們可以說〈夏小正〉是純粹紀候之書，物候在書中占有極高的比重，其淪為附庸，聊資點綴是後世才有的現象。

(二) 紀候方法

〈夏小正〉分一年為十二月，上無季節，下無日數，亦未明言歲首。所有的物候都按月排比，多則十餘候（如正月、二月），少者僅一、二候（如六月、十一月），材料十分參差。每月之中的物候，有的可能是以時間先後為次，如正月「啟蟄……魚陟負冰」，在〈時訓〉中「蟄蟲始振」、「魚上冰」相隔五日；有的可能是以性質異同為類，如正月「田鼠出，獺獸祭魚，鷹則為鳩」，都是記動物，「柳稊，梅杏杝桃則華，緹縞」，都是記植物；有的可能只是隨文臚舉，如三月「田鼠化為鴽，拂桐芭」，在〈時訓〉中「桐始華」是比「田鼠化為鴽」晚五日的。如果我們將相關物候貫通觀之，尚屬有條不紊，如正月「梅杏杝桃則華」，四月「囿有見杏」，五月「煮梅」，六月「煮桃」，先是開花，繼而成熟，終則煮為豆實；又如正月「鷹則為鳩」。五月「鳩為鷹」，六月「鷹始摯」，寫鷹隨著氣溫的升高而漸趨凶鷙，也可以看出先後之序。在〈夏小正〉中除了物候之外，所記日月星辰的見伏，寒燠雨旱的變化，也可用以徵驗時節，可說集天文曆、氣候曆、物候曆於一身。只可惜在天文方面既未明言日躔，在物候方面也多混列無別，其紀候方法可說還是不夠精密的。

《呂氏春秋・十二月紀》以立春為歲首，分一年為春夏秋冬四季，每季三月，以孟仲季區別之，每月以三十日起算，已有十二個類似節氣的名稱。所載物候也較為整齊，每月少則四、五，多則七、八，仍多混列，不甚區別節氣。《淮南・時則》、《禮記・月令》都根據《呂紀》略加更易，基本上並無不同。《易緯・通卦驗》始採取《淮南子・天文篇》之二十四節氣來紀錄物候，唯各個節氣所列物候，多至六條，少僅一條，分配頗欠均勻。直至《逸周書・時訓》，一方面承襲二十四節氣法，一方面將〈月令〉物候整理成七十二候（請參圖一「月令總圖」，採自李調元《月令氣候圖說》），每五日一候，每月六候，分配整齊，安排精密，可說集節氣物候之大成，在物候學上是一大進步。北魏《正光曆》、《甲子元曆》稍加修改，頒為時令，欲民遵行，此後，唐之《麟德曆》、《開元大衍曆》，以至清之《時憲書》，今之農民曆，大抵歷代相沿，出入不大，其影響真是十分深遠（詳見俞樾〈七十二候考〉、曹仁虎〈七十二候考〉）。如果我們拿〈夏小正〉與之相較，二十四節氣在〈夏小正〉中可考者僅有啟蟄（驚蟄）、時有養日（夏至）、時有養夜（冬至）三個，而且它們只能算是對天時物候的描述，還不能算是節氣的專名；至於七十二候，俞樾曾剌取其與〈夏小正〉相近者，得29條（見〈七十二候考〉），可見兩者之間已如大輅之與椎輪，大有不同。

近代科學發達，物候之學日新月異，舉凡禽鳥物候學、昆蟲物候學、動物物候學、熱帶物候學、區域物候學、農業物候學都可自成學科、專門研究。許多專家學者紛紛設立觀測網，運用嶄新的儀器，輔以精密的天文氣象資料，觀測對象日漸增多，觀測項目日趨精細，如對土生植物的始華、盛華、再華、落華日期與舒葉、葉變色及落葉日期，對禽鳥的初見、初聞、終見、終聞都有縝密的紀錄。他們還編製物候曆，對各種觀測的的動植物都作了極其翔實的圖表，甚至還發明

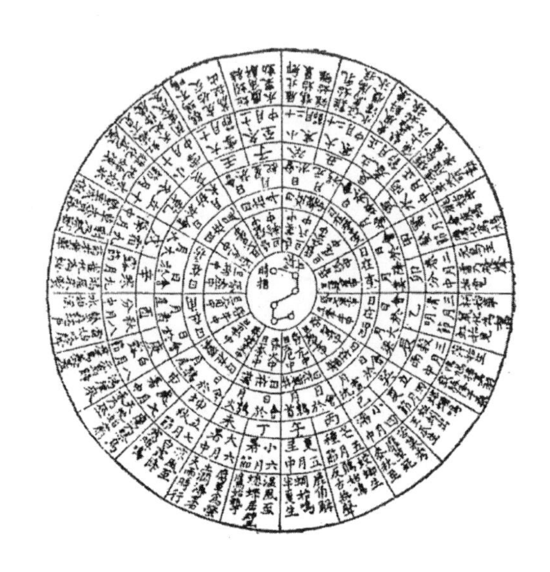

圖一　月令總圖

電碼與符號，隨時將最新資料填入，加以分析，作成預告，以供農業生產的參考（詳見鄭子政《農業氣象學》）。如此精細的紀候方法自非〈夏小正〉或《逸周書》所能望其項背。不過，我們要曉得任何學問總是前修未密，後出轉精，物候學在泰西成為現代科學也不過二百多年的歷史，而我們的祖先在二、三千年前即寫下如此珍貴的物候文獻，不是很值得驕傲的事嗎？

（三）物候不齊

巢居知風，穴居知雨，動物的感覺是相當靈敏的，桃華春發，楓葉秋紅，植物的榮凋也有一定的節序，它們可以用來紀候，就是基於這個道理。只是風雨寒燠難免有不規則的變化，歲時早晚偶然也會受置閏的影響，物候的表現能否像七十二候那麼整齊而固定，實在是大有問題的。這個現象由〈夏小正〉十一、十二月兩記「隕麋角」就可看出蛛絲馬跡，對此一令人迷惑的記載，孔穎達的解釋是：「若節早則麋角十一月解，故〈夏小正〉云：『十一月麋角隕墜』是也；若節氣晚，則十二月麋角解，故〈夏小正〉云：『十二月隕麋角。』」(《禮記・月令正義》) 在〈十二月紀〉、〈時則〉、〈月令〉、〈時訓〉裡也可發現相類似的記載，那就是十二月已記雁北鄉，正月又記候雁北，八月已記候雁來，九月又記候雁來賓，有許多學者也都是以歲時有早晚來作為解釋。

如果我們將不同的文獻排比並觀，那物候不齊的現象就更明顯了。從上文的對照表可以發現：〈夏小正〉雁北鄉、雉震呴都在正月，〈十二月紀〉、〈時則〉、〈月令〉、〈時訓〉之雁北鄉、乳雉雊則在十二月；〈夏小正〉來降燕乃睇、有鳴倉庚都在二月，〈通卦驗〉則玄鳥來在三月，鶡鴠鳴在正月。《魏書》以下也是如此，故竺可楨云：「考《魏書》所載……較〈夏小正〉、〈月令〉、《逸周書》遲一候或數候。以桃始華而論，《周書》以為驚蟄初候，《魏書》以為驚蟄次候，而〈夏小正〉則在孟春之月。又《魏書》以電始見、蟄蟲咸動、蟄蟲啟戶為清明之三候，而〈月令〉則在仲春之月。」(〈論新月令〉) 胡厚宣亦云：「今日之黃河流域以視《魏書》七十二候，又不同也。今日黃河流域以北，東風解凍約在三月初，桃始花約在四月初，雷始發聲約在四月中旬以後，較《魏書》所載氣候約差一月之久，較之〈月令〉、〈時訓〉，至少亦差一月半乃至兩月之久也。」(〈氣候變遷與殷代氣候之檢討〉) 物候不僅有古今之殊，即同在今日，也因南北不同而有差異，我們只要看看下列四幅物候的同時線分布圖（採自劉昭民《中國歷史上氣候之變遷》，其月份係採用國曆），就可一目瞭然。可見節候之變動不居，是十分複雜的。

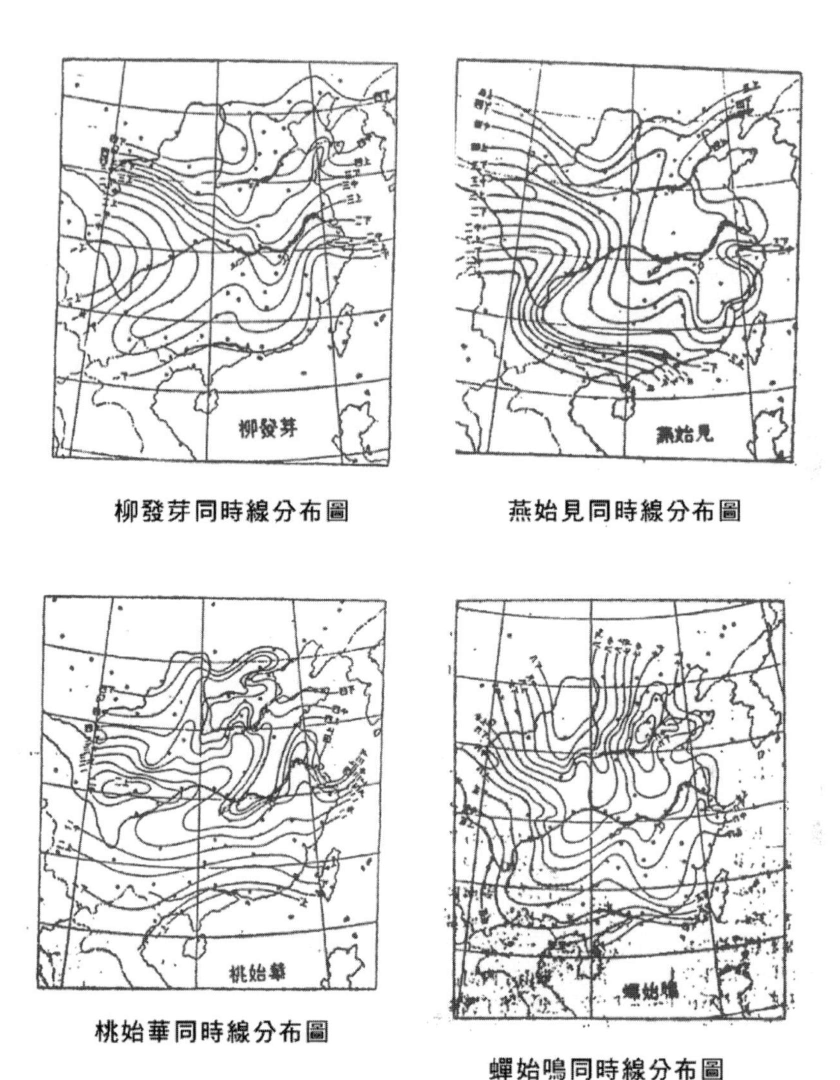

柳發芽同時線分布圖

燕始見同時線分布圖

桃始華同時線分布圖

蟬始鳴同時線分布圖

物候為何會有如此參差不齊的表現呢？八、九百年前沈括曾詳加解釋：「緣土氣有早晚，天時有愆伏。如平地三月花者，深山中則四月花。白樂天〈遊大林寺詩〉云：『人間四月芳菲盡，山寺桃花始盛開。』蓋常理也，此地勢高下之不同也。如筀竹筍有二月生者，有三、四月生者，有五月方生者，謂之晚筀。稻有七月熟者，有八、九月熟者，有十月熟者，謂之晚稻。一物同一畦之間，自有早晚，此物性之不同也。嶺嶠微草，凌冬不凋，并汾喬木，望秋先隕，諸越則桃李冬實，朔漠則桃李夏榮，此地氣之不同也。一畝之稼，則糞漑者先牙，一丘之禾，則後種者晚實，此人力之不同也，豈可一切拘以定月哉？」（《夢溪筆談》卷廿六）換一句話，高度、緯度、生物品種、栽培技術不同，物候也就隨著有所差異，這樣的見解在今日看來還是相當正確而閎通的。物候既然隨時隨地而變化，我們自然也當因時因地作精密的觀測與紀錄，運用起來才不致有所扞格。如果以為〈夏小正〉的物候或後世的七十二候可以俟諸古今而不惑，放諸四海而皆準，那就難免見笑於大方了。

二　氣象

氣象是大氣所表現的現象，諸如溫度、溼度、雨量、氣壓、風力、風向……，皆在今日氣象學家研究的範圍之內。古人對風雲的變幻、寒燠的移易、雨旱的更迭一向十分注意，只是他們的觀測與紀錄遠不如今日精密而已。在〈夏小正〉中，除了透過動植物來間接表示氣候之外，對氣象的變化也有一些直接的紀錄：

（一）氣溫

地球表面大氣層的溫度隨著晝夜、陰晴、高度、緯度而升降，四季的遞嬗也就由此產生。中國北方位居溫帶，冬寒夏熱，春秋暖和，四季顯得特別分明。此一基本特質，從古到今，並無二致。〈夏小正〉裡，正月寫「啟蟄」、「魚陟負冰」、「寒日滌凍塗」、「農及雪澤」，表示大地春回，積雪漸融，冬蟄的各種動物即將恢復活動，農夫們也急急忙忙下田耕作。到了三月，記「頒冰」，表示天氣已相當暖和，需要使用貯藏的冰塊。九月記「王始裘」，表示秋深天涼，需要準備寒衣。十二月記「於時月也，萬物不通」(傅崧卿等以此為經，有些學者則認為是傳)，表示天寒地凍，雨雪霏霏。像這些，不是與今日的情況都相當接近嗎？

〈夏小正〉時代實際的氣溫與今日相較，高下若何，我們無法確實知道。不過，胡厚宣主張先秦時代黃河流域的氣候較今日為暖，他有七個證據，一曰川流之特多，二曰湖泊之普遍，三曰地勢之卑洳，四曰古人之居丘，五曰蠶桑之業，六曰稻之生產，七曰竹之生產。他進而認為甲骨文時代也較今日為熱，其證有八：一曰雨雪之記載，二曰聯雨之刻辭，三曰農產之栽培與收穫，四曰稻之生產，五曰水牛之普遍，六曰兕象之生長，七曰殷墟發掘所得之哺乳類動物群，八曰殷代之森林與草原(詳見〈氣候變遷與殷代氣候之檢討〉)。在〈夏小正〉中，有些資料似乎可以和他的說法作為桴鼓之應：

1. 二月「往耰黍禪」：金履祥云：「二月漸暖，耰黍者可單衣也。」(《夏小正注》)今日北方二月不宜種黍，更不宜穿著單衣，但殷人種黍恆在一、二月(見胡厚宣〈卜辭中所見之殷代農業〉)，《管子・輕重篇》也說：「日至百日，黍秫之始也。」可見先秦天氣較暖和，可以種早黍，下田力作時，甚至可以只穿單衣。

2. 三月「攝桑」、「妾子始蠶」、「執養宮事」：當時北方蠶桑之業十分發達，由此可以覘見。但蠶之生育，以高溫、濕潤多雨之氣候為最宜，而桑亦須栽植於土壤肥沃、灌溉便利、氣候較暖之區域。今日中國蠶絲主要產地已轉至長江、粵江流域，而不在黃河流域，即氣候已有變遷之故。

3. 九月「熊羆貊貉鼶鼬則穴」：貊就是貘，與兕、象等一樣，是屬於南方熱帶之哺乳類動物，今日北方並未出產，〈夏小正〉中提到貊，當時氣溫應該較高。

4. 正月「柳稊」、「梅杏杝桃則華」、二月「來降燕乃睇」、五月「良蜩鳴」、「唐蜩鳴」：今日黃河流域柳發芽為三月，桃樹開花為二月下旬或三月，燕子始見為三月，蟬開始鳴叫為六月，都比〈夏小正〉的記載晚一至二月，依此推算，當時之年平均溫約比現在高攝氏二度。

當然，〈夏小正〉紀錄的地區若為淮海一帶，其溫度自應較黃河流域為高，但上述的這些現象還是無法完全依靠地理因素加以解釋，古今溫差的可能性依然是無法排除的。

（二）風向

在甲骨文中，四方之風都有專名，即東風曰劦，南風曰[illegible]，西風曰夷，北風曰陖，與《山海經》、《尚書・堯典》可以相互參證（詳見胡厚宣〈早骨文四方風名考證〉）。風力的大小，也可分為小風、大風、大掫風、大[illegible]數級，俱見殷商時代對風已有相當深入的認識。而令人遺憾的是〈夏小正〉中有關風的紀錄僅有正月「時有俊風」一節，而且俊風是何方之風，學者們還爭論不休呢！傳文云：「俊者，大也。大風，南風也。何大於南風也？曰：合冰必於南風，解冰必於南風；生必於南風，收必於南風，故大之也。」這種解釋有許多學者不表贊成，如孔廣森云：「此傳似失其義。《山海經》曰：『東方曰折，來風曰俊。』然則俊風者，東風也，〈月令〉所謂『東風解凍』。」（《大戴禮記補注》）他的主張，贊成的人極多。此外，李調元《夏小正箋》認為俊風是東南風，安吉《夏時考》認為是西南、東南風，徐世溥《夏小正解》認為是和風，諸錦《夏小正詁》認為是東北條風，眾說蠭起，一時南風舊說宛若失所依據。其實，經文言「時有」就是偶然有的意思。春季，中國北方固多東風，但天候萬變，風向豈有固定不移之理，此時偶有南風是不足為奇的，正中版《中國氣候總論》第八節云：「昔人論季風多僅以風向之更迭為依據，而不深究其稟性，流風所被，遂至以為凡偏北風盡冬季風，凡偏南風皆夏季風。實則一地瞬間之風向，僅因當時氣壓之分布而定。」〈小正〉的南風是言其變，〈月令〉的東風是言其常，兩者並不相妨。楊慎云：「今老農占驗歲首數日有南風，以為大熟，其相傳也久矣！」（《升庵外集》卷三十五〈經說〉）邵自昌也說：「冰非南風不結，今時猶然。」（洪震煊《夏小正疏義》引）可見傳文的解釋還是有相當道理的。後世《左傳·隱公五年》、《國語·周語》、《呂氏春秋·有始覽》有八風之說，唐李淳風〈乙巳占〉有廿四風向之說，對風向的觀測，當然比〈夏小正〉完密多了。

（三）雨旱

中國氣候屬大陸性季風型，雨澤之取源，以東南海洋為主。北部地區季風特著，雨量多寡，幾乎全視夏季季風強弱及蒞止時間為依歸。因而變率極大，常有水災旱災的問題，《中國氣候總論》第二十九節云：「不論平均雨量之多寡，變率大至25%以上，農事即將受害。若達40%，不以人力補救，則將無收穫之可言。」在〈夏小正〉中，三月記「越有小旱」，四月記「越有大旱」，七月記「湟潦生苹」「時有霖雨」，可見當時雨量也是集中在盛暑初秋，而暮春初夏則有乾旱現象。水則遍地澤國，旱則荒地千里的情況，想必是與後世相近的，只是雨量多寡不可知而已。據竺可楨之統計，自西曆紀元至19世紀，全國大旱凡984次，洪水凡658次，旱災以華北為烈。今後防治之道，應該重視氣象之研究、水利之興修，否則，像古人那樣一味求神拜佛，燒香禁屠，於事何補？

——原載於《夏小正析論》，臺北：文史哲出版社，1985年。

《呂氏春秋》之氣候

一　前言

風雲霜雪的出現，冷熱陰晴的變化，小則影響個人起居，大則支配社會國家安危，所以早就引起人們注意，古籍中有關氣候的紀錄也就因而屢見不鮮。如甲骨文已記載了四方風及十餘種天氣現象[1]；《詩經》對一些天氣現象加以合理解釋，並有了初步的天氣預測[2]；〈夏小正〉登錄了數十條氣象與物後的變化[3]。《呂氏春秋》在這方面也蘊藏極其豐富的資料，可惜迄未有人詳加整理探討。我不揣淺陋，在此試就現代氣象學的觀點，來一窺其究竟，但願能收到拋磚引玉的效果。

二　氣候之要素

（一）溫度

大氣溫度因時因地而異，兩極全年冰天雪地，赤道終歲草木不凋，唯有溫帶四季分明，自然景觀亦多變化。《呂氏春秋》所載，以中原地區為主，屬於華北類氣候，正是典型的溫帶氣候。雖則其時未有精

1　郭沫若：《卜辭通纂》，頁365-400。

2　劉昭民：《中華氣象學史》，頁20-24。

3　拙著：《夏小正析論》，頁107-130。

密詳細的溫度記錄，但是全年的溫度變化還是可以從〈十二月紀〉中略窺梗概。〈十二月紀〉是將春夏秋冬四季各依孟、仲、季月劃分而成，對後世二十四節氣中的八位（二至、二分、四立）也有明確的記載，加上仲春的始雨水、孟秋的白露降、季秋的霜始降，二十四節氣在呂紀中可考者已有十一個。此外，呂紀所記載的自然現象如：

> 孟春東風解凍；仲春雷乃發聲、始電；季春虹始見；仲夏小暑至；季夏涼風始至、土潤溽暑、大雨時行；孟秋涼風至、天氣始肅；仲秋涼風生、雷乃始收聲、水始涸；孟冬水始冰、地始凍、虹藏不見、天地不通，閉而成冬；仲冬冰益壯、地始坼……

生物活動及生態如：

> 孟春蟄蟲始振、魚上冰、候鴈北、草木繁動；仲春桃李華、蒼庚鳴、玄鳥至；季春桐始華、萍始生……

民生如：

> 孟夏天子始絺；孟冬天子始裘……

將這些材料排比並觀，也都可以看出氣溫是如何隨著季節而升降。大體上，春暖夏熱秋涼冬寒的現象與今日的華北地區並無二致。

（二）風

〈有始篇〉云：

> 何謂八風？東北曰炎風，東方曰滔風，東南曰熏風，南方曰巨風，西南曰淒風，西方曰飂風，西北曰厲風，北方曰寒風。

呂書所紀風向有八，較諸甲骨文、《尚書．堯典》、《山海經》、《爾雅》之四方風更為細密；較諸《左傳》、《國語》八風之有通名而無專名也更具體[4]。

高誘注云：

> 炎風，艮氣所生；滔風，震氣所生；熏風，巽氣所生……

以八卦釋八風，雖屬無稽，然可能有其特殊的時代背景，是以王師夢鷗云：

> 蓋八風雖不適合於五行、二十四氣，然而對於分至啟閉之八節可以相當，尤其便利者，則與八卦之數甚契合，因疑其出自談《易》者之擘劃，故與五行家異轍乎？[5]

其後《淮南子》〈天文篇〉、〈墬形篇〉亦有八風之名，而與呂書頗有異同，可見秦漢之際，八風名稱尚未固定。到了唐代李淳風《觀象玩占》一書進而將風向區分為二十四個方位[6]，今日更區分為360°，可謂精密之至，但站在現代氣象學的觀點，分成16個風向也就足敷應用了[7]。在漢代，測量風向的器具有俔、銅鳳凰和相風銅鳥[8]，先秦應當

4 胡厚宣：《甲骨學商史論叢初集》，頁369-381。

5 王夢鷗：《月令探源》，頁3。

6 劉昭民：《中華氣象學史》，頁91-93。

7 薛繼壎：《氣象學講話》，頁31。

也有風向器才能測量八風，可惜文獻不足徵。至於測量風向的目的，《漢書・天文志》云：

> 魏鮮集臘明，正月旦，決八風。風從南，大旱；西南，小旱；西方，有兵；西北，戎菽為。

呂書雖然對此絕口不提，但可能也是基於實際的應用，而又參雜些許迷信的色彩吧？

〈貴信篇〉云：

> 春之德風，風不信，其華不盛，華不盛，則果實不生。

謂春季應吹暖和的東風和東南季風，否則，植物就無法開花結果，以其每年都依時由海洋吹來，故有信風或花信風之稱。〈孟秋紀〉云：「涼風至。」〈仲秋紀〉云：「涼風生。」謂秋季漠北轉寒，西北季風挾高緯內陸之低溫以俱至，天氣頓轉涼爽。這些是中國歷史上對季風的最早紀錄。東晉宗懍之《荊楚歲時紀》進而將初春至初夏的四個月中，劃分為二十四番花信風，始梅花，終楝花，每候五日，都有一花之風以應之[9]，較諸《呂書》所言，更加縝密。

（三）雲氣

〈應同篇〉云：

---

8 陳曉中：《中國古代的科技》，頁243。

9 劉昭民：《中華氣象學史》，頁78。

> 山雲草莽，水雲角鱗。旱雲煙火，雨雲水波。無不皆類其所生以示人。

將常見的雲狀分為四類：（一）山雲指山區積雲（Cu）及積雨雲（Cb），屬於直展雲族。前者底部平坦，頂部隆起如花菜狀；後者底部黝黑，頂部隆起如山，所以呂書以草莽譬之。（二）水雲指卷積雲（Cc），屬於高雲族。是由卷雲（Ci）、卷積雲（Cs）演變而來。卷積雲出現，表示有暖鋒接近，將要和較冷的流動空氣衝突，再變為層積雲（Sc）、雨積雲（Ns），則天氣轉為陰雨，故稱之為水雲。雲塊很小，常呈白色魚鱗狀，所以呂書以角鱗（魚鱗）譬之。（三）旱雲指卷雲（Ci），亦屬高雲族。雲底高度在六千公尺以上，若持久出現，乃晴天之徵兆，故稱之為旱雲。其狀細長，具有纖維組織，色白無影，且有光澤，彷彿烟紋，所以呂書以煙火譬之。（四）雨雲指碎層雲（Fs）和層積雲（Sc），屬於低雲族，雲底高度不足2500公尺，能夠帶來細雨，若進而演變為雨層雲（Ns）則可持續降雨，故稱之為雨雲。碎層雲為支離破碎之層雲小片；層積雲大多成群、成行、成波狀，沿一個或兩個方向整齊排列，所以呂書以水波譬之。這樣的雲狀分類雖然純出目測，毫無低氣壓理論作為基礎，不似現代氣象學之分四族十屬那樣精密[10]，但所分相當合理，並充分說明了雲狀和天氣之間的密切關係，可說是世界上最早的雲狀分類法，彌足珍貴。

〈明理篇〉云：

> 其雲狀：有若犬、若馬、若白鵠、若眾車；有其狀若人，蒼衣赤首，不動，其名曰天衡；有其狀若懸釜而赤，其名曰雲旍；

---

10 戚啓勳：《雲與天氣》，頁15-28。

> 有其狀若眾馬以鬥，其名曰滑馬；有其狀若眾植華以長，黃上白下，其名蚩尤之旗。……其氣有上不屬天，下不屬地，有豐上殺下，有若水之波，有若山之楫，春則黃，夏則黑，秋則蒼，冬則赤。

描繪各種奇形怪狀的雲氣，藉以說明衰亂之世的妖祥之徵，蓋屬占候家之所為。所謂「蚩尤之旗」，可能指旗狀雲；所謂「若水之波」，可能指波狀雲。其餘白雲蒼狗，變幻莫測，任意加以聯想譬況，自然令人難以究詰。後來《史記》〈天官書〉、《漢書》、《晉書》、《隋書》〈天文志〉也都有類似的材料，高平子云：

> 古人有望氣之術，似乎略涉氣象學範圍。然而其性質實完全不同。……質而言之，則其所謂氣者，大約包含雲霞霧靄烟塵在內。其目的並非氣象之預測，更非統計，而主要作用卻在於軍事利害及社會動態之占。此當然非今日科學之所能解釋也。[11]

可見望氣之說實不足深辨。

（四）雨水

〈十二月紀〉所記雨候凡三：〈仲春紀〉云：「始雨水。」表示農曆二月天氣暖和，開始下雨。〈季夏紀〉云：「土潤溽暑，大雨時行。」表示六月悶熱潮濕，夏季風莅止，雨量豐沛。〈仲秋紀〉云：「水始涸。」表示八月東南季風南下，雨季告終，河水開始乾涸。此種雨水分布曲線與今日中原地帶完全吻合。只是雨量多少，呂書並無

11 高平子：《史記・天官書今註》，頁67。

記載。近年西安的年雨量平均為585.9公釐，開封為606.5公釐[12]。《呂氏春秋》時代理應相去不遠。

（五）霜露

〈孟秋紀〉云：「白露降。」謂七月份夏季結束，氣溫下降，空氣中水汽在地面物體上面凝結成晶瑩的露珠，對農作物有滋潤之功，故〈貴公篇〉云：「甘露時雨，不私一物。」

〈季秋紀〉云：「霜始降。」謂九月份秋高氣爽，晚間在低窪地區冷空氣大量聚集，當氣溫降至攝氏零度以下時，水汽開始凍結為薄薄的冰晶，附著在地物上。中原地區霜期長達五、六個月[13]，對農事之發展頗有妨礙。

（六）冰雪

〈孟冬紀〉云：「水始冰。」〈仲冬紀〉云：「冰益壯。」〈季冬紀〉云：「冰方盛。」〈孟春紀〉云：「魚上冰。」〈仲春紀〉云：「天子乃獻羔開冰。」是說十月氣溫更低，降至攝氏零度以下，開始下雪，連水也結冰了。十一月大雪，故冰更堅實。十二月氣溫最低，故冰層正厚。到了正月份，氣溫回升，河面冰層慢慢融化變薄，水中的魚上升至冰間。二月份冰雪已完全融化，故獻羔祭祀，打開凌室，取出去冬收藏的冰塊，以供使用。呂書所載冰期長達四個月，正是北國特色。

（七）雹霰

〈仲夏紀〉云：

12 國防部交通部大陸地區交通研究組氣象小組編譯：《中國之氣候》，頁288。

13 盧鋈：《中國氣候總論》，頁149。

仲夏行冬令，則雹霰傷穀，道路不通。

中緯度地區，至春夏之際，積雨雲中氣溫驟然下降，水汽結成大小雹塊，隨著雷雨紛紛降落。雹塊大者直徑超過50公釐，小者亦有2至5公釐，會傷害穀物，阻絕交通，故須小心防範。至於霰是出現於下雪前或下雪時的白色小冰粒，由上層暖空氣中的雨滴經地面冷空氣凍結而成。其直徑約2至5公釐，與小雹相類。古人往往將雨雪雜下的天氣現象視作霰，觀念不像我們今天這麼分明，故呂書雹霰連言。其實二者出現的季節並不相同，不宜混為一談。

（八）霧霾

〈仲冬紀〉云：

仲冬行夏令，則其國乃旱，氣（《淮南》、〈月令〉皆作氛。）霧冥冥。

霧之結構與雲相同，是肉眼不能分辨之小水滴，聚集而懸浮於近地面之空氣中，使能見度降至一公里以內。濱海地區春夏常有，內陸較為罕見，如有之，則見於秋冬，故呂書列為仲冬的咎徵，而以「冥冥」來形容晦暗不明。

〈音初篇〉云：

夏后氏孔甲田于東陽萯山，天大風，晦盲。

當是指沙霾而言。黃河中上游一帶接近蒙古沙漠，地面乾燥，土壤疏鬆。每當大風颳起，則黃塵萬丈，八表同昏，故呂書以「晦盲」形容其能見度之差。中原地區全年霾日不下三十日，可謂頻繁。[14]

〈明理篇〉云：

> 其日……有不光，有不及（舊校云：及，一作反。）景，有晝盲……。其月……有出而無光。

陳奇猷的解釋是：

> 空中有濃霧，光在霧中漫射，故視日如一白盤，即所謂不光。因光漫射，故物體不能成影，即所謂不反景。至於下文所謂「晝盲」，盲叚為冥，晝冥乃因雲層或火山灰過厚所致。……月出而無光，由於雲霧或火山灰掩蔽而然。[15]

其說良有見地，唯謂晝盲及月出無光為雲霧或火山灰過厚所致，則有待商榷。蓋中原地帶離日本、南洋之火山均甚遙遠，火山灰遮蔽日月可能數十百年難得一見，似乎以雲霧及沙霾造成的可能性居多。

（九）虹霓

〈季春紀〉云：「虹始見。」〈孟冬紀〉云：「虹藏不見。」虹霓是大氣中鮮豔的七彩圓弧，乃日光以一定角度照射在水滴上，發生折射、分光、內反射、再折射等所造成的。（見圖一）[16]多見於雨後或日出、日沒之際。三月多雨，陽光漸強，故虹始見；十月寒冷無雨，故虹藏不見。

---

14 盧鋈：《中國氣候總論》，頁184。

15 陳奇猷：《呂氏春秋校釋》，頁365。

16 陳奇猷：《呂氏春秋校釋》，頁365。

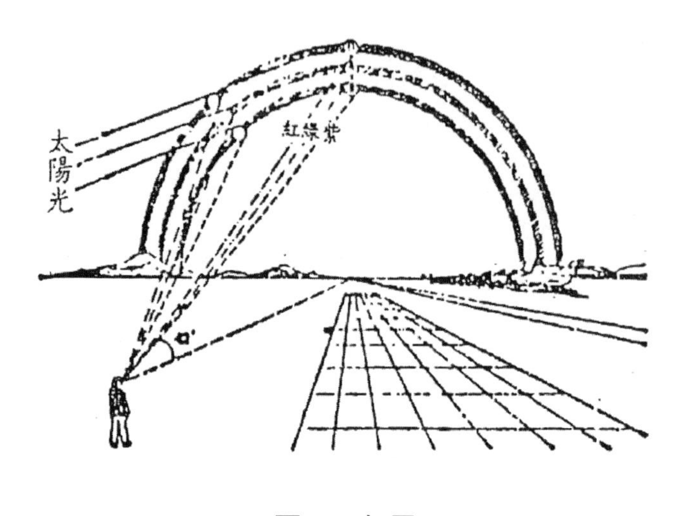

圖一　虹霓

（十）日暈、月暈

〈明理篇〉云：

> 其日……有倍僪，有暈珥……，有眾日並出……。其月……有暉珥……，有四月並出，有二月並見，有小月承大月，有大月承小月。

這些異象都指日暈、月暈而言。暈是日、月光線通過卷層雲時，受冰晶的折射或反射造成的彩色光圈。最常見的暈，半徑視角為22度，即稱二十二度暈。（又名內暈。）此外，有時還能見到四十六度暈、（又名外暈。）反日、幻日、幻日環等。壯觀不遜彩虹，而複雜則過之。（見圖二）[17]唯暈以日或月為中心，虹則與日反向，二者不宜相混。

17 戚啓勳：《雲與天氣》，頁130。

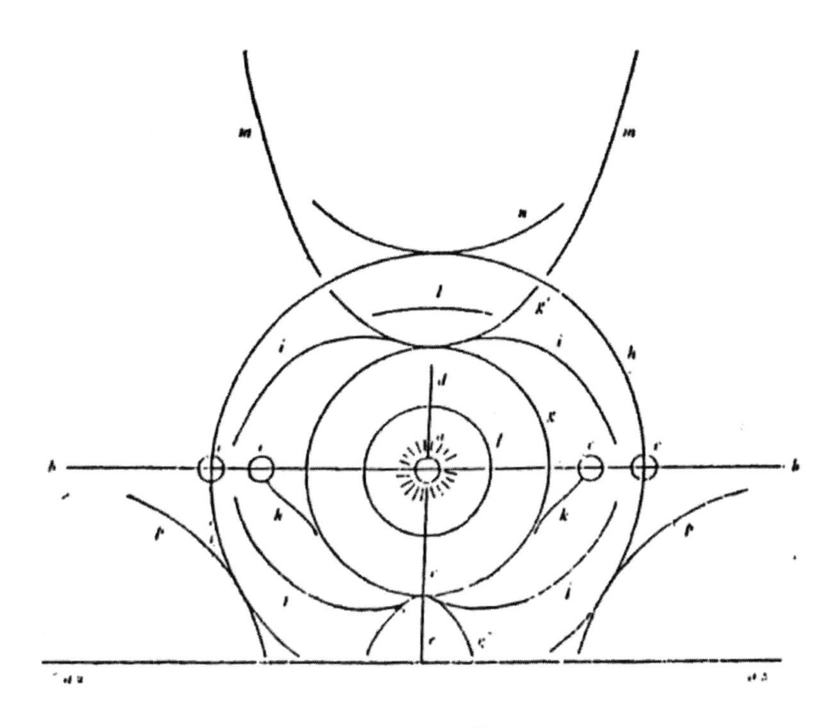

圖二　日暈

倍又作背，乃二十二度暈之上切弧，在日上。僪又作鐍、璚，即霍爾暈，在日四方，言其小若拇指環。暈是指暈之完整者。珥是四十六度暈部分的側弧，在日左右，言其如耳環。眾日並出，指有反日、幻日者。月暈與此相類。呂書所記日暈、月暈，雖僅有部分名稱，且無解說，不似《周禮·春官》眡祲之分析日暈結構為十種、《晉書·天文志》之分析為二十六種那樣清楚、詳盡[18]，但在氣象學史上也可算是十分珍貴的資料。歐洲直至17世紀始對日暈詳加觀測、分析，比中國遲了約二千年。

《周禮·春官》保章氏云：

18 劉昭民：《中華氣象學史》，頁48、87。

> 眡祲掌十煇之法，以觀妖祥，辨吉凶。

呂書記載日暈、月暈之目的亦不外乎此。諺云：「月暈主風，日暈主雨。」[19]蓋日暈、月暈出現時，必有卷層雲，而卷層雲通常為低氣壓之前驅，實為天氣轉劣之朕兆，故古人視之為妖祥。

（十一）雷電

〈仲春紀〉云：「雷乃發聲，始電。」〈仲秋紀〉云：「雷乃始收聲。」閃電是大氣中突發性的放電現象，雷聲是閃電通過處空氣迅速膨脹所產生的爆裂聲。雷電與降雨有密切關係，二月始雨水，故有雷電；八月水始涸，故雷也收聲了。

〈仲冬紀〉云：

> 仲冬行夏令，則其國乃旱，氣霧冥冥，雷乃發聲。

中原地區十一月天寒地凍，是下雪的季節，竟然出現雷聲，似乎是不可思議之事。殊不知1970年3月12日，下雪的長江中、下游地區就曾發生冬雷的現象。當時上海有一位外國記者分析其原因說：

> 當近低空二、三千米的氣溫在0°C以下，濕度達到飽和，同時近地面地氣溫在3°C以下，就容易下雪。雷雨呢？它是暖濕空氣中氣層不穩定時常見的天氣現象，如暖而濕空氣有強烈的上升運動，升到相當高的高空，雲中出現冰晶帶電，這樣就會產生雷電。只要這兩個條件都具備，就會同時出現下雪和打雷。[20]

---

19 婁元禮：《田家五行》卷上。

20 陳奇猷：《呂氏春秋校釋》，頁576引。

可見冬雷固然罕聞，倒是有科學根據的。呂書僅知其然，不知其所以然，故歸之於咎徵。

（十二）水文循環

〈圜道篇〉云：

> 雲氣西行，云云然，冬夏不輟。水泉東流，日夜不休。上不竭，下不滿，小為大，重為輕，圜道也。

謂雲氣氤氳，終年漂浮於天地之間，雖然經常隨著風向西推進，但化而為雨，滙成江河，又往東流，日夜不止。天上的雲永不衰竭，地上的水永不盈滿。因為不斷地有濕而重的水蒸發成輕盈的雲，再凝結下降為雨。雨點雖微，水泉雖小，卻可以匯聚成浩蕩的江海。雲、雨水、水汽三者之間如是周而復始，循環不已，保持地表水量的平衡，這就是圜道。呂書所言，與今日氣象學所謂「水文循環」若合符節。（見圖三）[21]其說較《管子．度地篇》的「天氣下，地氣上。」更為鮮明。後來，《淮南子．天文篇》、〈墬形篇〉、《論衡．說日篇》、朗瑛《七修類稿．水氣天地篇》所論雖更精詳[22]，但都不出呂書籠罩之下。中國早在二千多年前就有如此符合科學的觀念，實在值得驕傲。不過，〈應同篇〉云：「以龍致雨，以形逐影。」則又囿於傳統迷信，蓋呂書之編撰非出自一手，故有如此矛盾之現象。

---

21 戚啓勳：《雲與天氣》，頁2。

22 劉昭民：《中華氣象學史》，頁28、41、59、183。

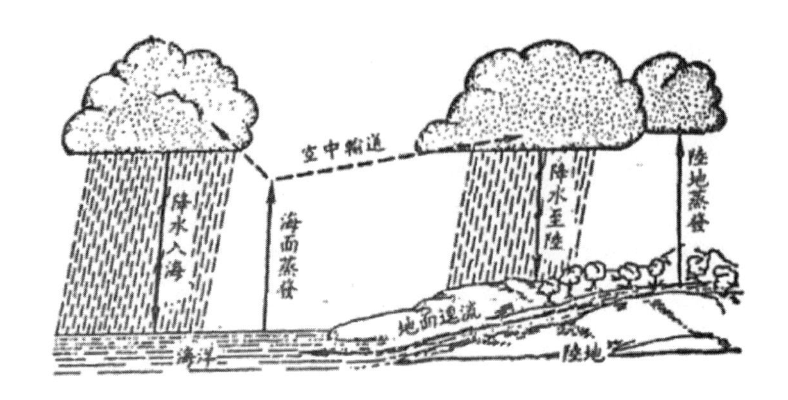

圖三　水文循環

三　物候

（一）內容

物候是動、植物受季節變化影響所產生的周期現象，如雁燕之來往，蛙蛇之蟄伏，菊謝楓紅，麥熟堇榮皆是。〈十二月紀〉紀首中有關這方面的材料不下八、九十條：

> 孟春之月：東風解凍，蟄蟲始振，魚上冰、獺祭魚、鴻鴈北。……是月也，以立春。……天氣下降，地氣上騰，天地和同，草木繁動。
>
> 仲春之月：始雨水，桃李華，蒼庚鳴。鷹化為鳩。……玄鳥至。……是月也，日夜分，雷乃發聲，始電。蟄蟲咸動，開戶始出。
>
> 季春之月：桐始華，田鼠化為鴽，虹始見，萍始生。……薦鮪于寢廟，乃為麥祈實。……鳴鳩拂其羽，戴任降于桑。

孟夏之月：螻蟈鳴，丘蚓出，王菩生，苦菜秀。……是月也，以立夏。……農乃收麥。……聚蓄百藥，靡草死，麥秋至。

仲夏之月：小暑至，螳蜋生，鶪始鳴，反舌無聲。……農乃登黍。……羞以含桃。……游牝別其群，則縶騰駒，班馬政。……是月也，日長至。……鹿角解，蟬始鳴，半夏生，木堇榮。

季夏之月：涼風始至，蟋蟀居宇。鷹乃學習。腐草化為蚈。……令漁師伐蛟取鼉，升龜取黿。……樹木方盛。……土潤溽暑，大雨時行。

孟秋之月：涼風至，白露降，寒蟬鳴，鷹乃祭鳥。……是月也，以立秋。……天地始肅。……農乃升穀。

仲秋之月：涼風生，候鴈來，玄鳥歸。群鳥養羞。……是月也，日夜分，雷乃始收聲，蟄蟲俯戶，殺氣浸盛，陽氣日衰，水始涸。

季秋之月：候鴈來賓，爵入大水為蛤，菊有黃華，豺乃祭獸戮禽。……霜始降。……草木發落。……蟄蟲咸俯在穴，皆墐其戶。

孟冬之月：水始冰，地始凍，雉入大水為蜃，虹藏不見。……是月也，以立冬。……天氣上騰，地氣下降，天地不通，閉而成冬。

仲冬之月：冰益壯，地始坼，鶡鴠不鳴，虎始交。……是月也，日短至。……芸始生，荔挺出，蚯蚓結，麋角解，水泉動。

季冬之月：鴈北鄉，鵲始巢，乳雉雊。……征鳥厲疾。……冰方盛，水澤復堅。

上述這些紀錄，主要是一年十二個月中各種動、植物的活動與生態。對於草本和木本植物的開花落葉等都作了觀察，對於鳥獸蟲魚的出沒鳴叫等也擇要敘述。此外，還有一些天象的變化，如東風解凍、雷乃發聲，可影響物候的發展；部分的人事活動，如薦鮪于寢廟、農乃升穀，可間接看出物候的變化，所以也連類而及。

（二）源流

中國歷史悠久，農業發達，物候之學起源甚早。在《詩・豳風七月》、《尚書・堯典》、《管子》〈四時篇〉、〈五行篇〉中都有零星的紀錄[23]。而〈夏小正〉所載，多達八十餘條，與《呂氏春秋・十二月紀》關係更是密切，例如：

> 〈夏小正〉：正月，啟蟄，鴈北鄉，魚陟負冰，寒日滌凍塗，……獺獸祭魚，鷹則為鳩。
>
> 〈十二月紀〉：孟春之月：東風解凍，蟄蟲始振，魚上冰、獺祭魚、鴻鴈北。

若斯之比，數逾四十，因革損益之跡十分明顯。[24]所不同者，物候在〈夏小正〉中具有極高的比重；而在〈十二月紀〉中，則與星躔、天干、帝號、神名、音樂、數目……等組合在一起，成為其陰陽五行體系的一環，幾乎淪為附庸了[25]。厥後《淮南子・時則篇》、《禮記・月令》皆承襲呂紀，唯文字小有異同而已。《逸周書・時訓篇》始改以二十四節氣為標準，分全年為七十二候，每月六候，每候五日，其內容為：

---

23 拙著：《夏小正析論》，頁108。

24 拙著：《夏小正析論》，頁109-118。

25 拙著：《夏小正析論》，頁120、169。

立春：東風解凍，蟄蟲始振，魚上冰。

驚蟄：獺祭魚，鴻鴈來，草木萌動。

雨水：桃始華，倉庚鳴，鷹化為鳩。

春分：玄鳥至，雷乃發聲，始電。

穀雨：桐始華，田鼠化為鴽，虹始見。

清明：萍始生，鳴鳩拂其羽，戴勝降于桑。

立夏：螻蟈鳴，蚯蚓出，王瓜生。

小滿：苦菜秀，靡草死，小暑至。

芒種：螳螂生，鵙始鳴，反舌無聲。

夏至：鹿角解，蜩始鳴，半夏生。

小暑：溫風至，蟋蟀居壁，鷹乃學習。

大暑：腐草為蠲，土潤溽暑，大雨時行。

立秋：涼風至，白露降，寒蟬鳴。

處暑：鷹乃祭鳥，天地始肅，禾乃登。

白露：鴻鴈來，玄鳥歸，群鳥養羞。

秋分：雷始收聲，蟄蟲培戶，水始涸。

寒露：鴻鴈來賓，爵入大水為蛤，菊有黃華。

霜降：豺乃祭獸，草木黃落，蟄蟲咸俯。

立冬：水始冰，地始凍，雉入大水為蜃。

小雪：虹藏不見，天氣上騰，地氣下降，閉塞而成冬。

大雪：鶡旦不鳴，虎始交，荔挺動。

冬至：蚯蚓結，麋角解，水泉動。

小寒：鴈北鄉，鵲始巢，雉始雊。

大寒：雞始乳，鷙鳥厲疾，水澤腹堅。[26]

26 節自朱右曾：《逸周書集訓校釋》，頁87-92。

與呂紀相較，除文字略有修改，並將「乳雉雊」析為「雉始雊」「雞始乳」二候外，(《淮南・時則》、《禮記・月令》已析之。）其餘材料並無不同。唯呂紀每月物候之多寡並無一定，較為錯雜；〈時訓〉則依節氣排列，十分整齊，物候之應能否如此機械，殊為可疑。且有非候而強取為候者，(如天地始肅。）有是候而以數溢而遺者。(如木堇榮、芸始生。）而以七十二候之應驗於生物與否為一切咎徵發生之理由，與呂紀所記政令不合其時，乃有逆令之咎徵者亦大異其趣。到了北魏，始將七十二候列入《正光曆》及《甲子元曆》，此後如隋之《皇極曆》、唐之《麟德曆》、開元《大衍曆》，以至清之《時憲書》，大抵歷代相沿，只是文字略有異動，節候略有調整或取廢而已。如草木萌動、鳴鳩拂其羽、麥秋至、小暑至……等，北魏、隋都不取為候；木堇榮，北魏、隋取為小暑末候，唐以後則不取為候。其詳見於曹仁虎〈七十二候考〉、俞樾〈七十二候考〉、葉德輝〈古今夏時表〉，茲不贅。

(三) 得失

1 價值

(1) 指導農業生產：〈十二月紀〉將天子躬耕籍田之禮，田畯審端徑術之事列為時令，足見對農業之重視。而物候知識在傳統農業生產中一直具有指導作用，古代農書中講到耕地和播種等的適宜時期，往往以物候為準，就是最好的例證[27]。〈十二月紀〉之物候為七十二候所從出，在農業史上自然有其特殊地位。

(2) 輔佐天文曆法：星象觀測可明季節之變化，節氣遞嬗可知歲時之轉移，但終不若物候之具體明顯，便於使用。所以〈十二月

27 拙著：《夏小正析論》，頁120。

紀〉按月紀錄了物候，本身就不啻是一種自然曆法，可以補天文曆法的不足。

（3）探討氣候變化：物候不僅因緯度、高度等而異，同時，也常隨時代而有所不同。宋之沈括、元之金履祥、清之劉獻廷皆已注意到這個事實[28]。如果拿呂紀之物候與後世之物候互相比較，則對研究歷史上之氣候變遷當大有裨益。

（4）研究古代生物：〈十二月紀〉中紀錄了數十種動、植物，這與《詩經》、〈夏小正〉、《爾雅》所著錄的草木鳥獸蟲魚，同為研究古代生物的最好材料，如能詳細探求其品種及活動、生態，相信會有不少收穫。

2　缺失

（1）神秘籠統：由於呂紀充滿陰陽五行思想，有些材料不免具有神秘籠統的色彩，如「天氣下降，地氣上騰，天地和同，草木繁動。」「殺氣浸盛，陽氣日衰，水始涸。」「天氣上騰，地氣下降，天地不通，閉而成冬。」都十分抽象。七十二候取而為候，更失之不倫。

（2）審物未諦：「鷹化為鳩」「田鼠化為駕」「腐草化為蚈」「爵入大水為蛤」「雉入大水為蜃」這些紀錄都是古人觀察物候不夠精細所產生的錯覺，當然是不合科學與實際的[29]。若逕予採信，實難免見笑於方家。

---

28 洪世年、陳文言：《中國氣象史》，頁34、108，劉昭民：《中華氣象學史》，頁206。
29 拙著：《夏小正析論》，頁80、81、84、86。

四 氣候之變遷

（一）季節變化

〈大樂篇〉云：

> 四時代興，或暑或寒，或短或長，或柔或剛。

〈貴信篇〉云：

> 春之德風，風不信，其華不盛，華不盛則果實不生。夏之德暑，暑不信，其土不肥，土不肥則長遂不精。秋之德雨，雨不信，其穀不堅，穀不堅則五種不成；冬之德寒，寒不信，其地不剛，地不剛則凍閉不開。

〈博志篇〉云：

> 冬與夏不能兩刑，草與稼不能兩成。

皆就正常氣候立言，正因為季節有春夏秋冬之不同，天氣有寒暑、陰晴、風雨等的變化，因而才能適合人類的生活、草木鳥獸的生長。當然，這是就四季分明的中原地區而言，倘在兩極、赤道與終年積雪的高山，則根本無冬夏之變化，而且北半球的夏季，正值南半球的冬季，站在整個地球的觀點來看，正是冬夏兩刑（行）呢！

（二）氣候異常

〈明理篇〉云：

> 眾邪之所積，其禍無不逮也。其風雨則不適，其甘雨則不降，其霜雪則不時，寒暑則不當，陰陽失次，四時易節，人民淫爍不固，禽獸胎消不殖，草木庳小不滋，五穀萎敗不成。

是說異常的氣候，例如季節錯亂，當冬而如夏，或寒暑陰晴風雨太過與不及，（如〈順民篇〉記商湯時大旱，五年不收。）會影響人體的健康、草木鳥獸的繁殖，也就是《尚書・洪範》所謂的咎徵了。

在〈十二月紀〉中，對異常的氣候有更詳細的描述，如〈孟春紀〉云：

> 孟春行夏令，則風雨不時，草木早槁，國乃有恐。行秋令則民大疫，疾風暴雨數至，藜莠蓬蒿並興。行冬令則水潦為敗，霜雪大摯，首種不入。

〈孟秋紀〉云：

> 行之是令，而涼風至三旬。孟秋行冬令，則陰氣大勝，介蟲敗穀，戎兵乃來。行春令則其國乃旱，陽氣後還，五穀不實。行夏令則多火災，寒熱不節，民多瘧疾。

劉昭民以為：

> 上述種種情形乃當時中國先民對每一季節旱潦之預測方法。「孟春行夏令」和「季春行夏令」表示早春和晚春時，太平洋副熱帶高壓勢力強盛，南風盛行，乃將鋒面推至北方，故中原

> 及江、淮、華南區域時雨不降。[30]

張家誠、林之光也說：

> (〈孟秋紀〉) 這一段分析是系統而深刻的。首先記載了這個月的主要氣候特點是「涼風至」。接著就談到三種反常氣候：一種是「行冬令」，即冷得過早，穀物無法結實，可能產生動亂；另一種是「行夏令」，即維持夏季炎熱多雨的氣候，就會蚊蠅孳生，瘧疾蔓延；「行春令」即出現準北平原春季乾旱多風，天氣或冷而復熱，五穀也會受到損害。其它各月也有相對應的規律性。令人驚嘆的是：遠在兩千多年前，就已經把氣候及其異常十分系統的進行歸納，至今仍有很大啟發。[31]

他們就氣象學觀點舉例分析旱潦之原因及氣候異常之道理，所論皆極有見地，唯恐非《呂書》之本意。〈十二月紀〉後的〈序意篇〉云：「嘗得學黃帝之所以誨顓頊矣！」暗示我們〈十二月紀〉是準備在秦統一天下之後，供秦皇當施政藍圖的。這個藍圖出自陰陽五行家的設計，其內容主要分五部分，即：1. 定星曆，建立五行。2. 節候的應驗。3. 王居明堂之禮。4. 按月的行政措施。5. 應變之事，亦即禨祥制度或庶徵休咎的記述。[32]這些材料再加以歸納，可大別為自然現象與行政綱領兩大端，前者屬「天」，後者屬「人」，「承天治人」乃其基本觀念[33]。每月的施政綱領都要配合春生、夏長、秋收、冬藏的精神，

---

30 劉昭民：《中華氣象學史》，頁45。

31 張家誠、林之光：《中國氣候》，頁5。

32 王夢鷗：《鄒衍遺說考》，頁79。

33 王夢鷗：《月令探源》，頁4。

才能收到天人感通之效，亦即法天、順天則來休徵，反之則有咎徵。故「孟春行夏令」「行之是令」……之令，乃指天子當月發布之政令，而非謂氣候之變化，實灼然至明。雖然如此，但是由於陰陽五行家本來就是深觀天文氣候之變，精通金木水火土各種基本元素的生剋之理的，是以所言休咎之徵，固然難免「大祥而眾忌諱，使人拘而多所畏。」（司馬談〈論六家要旨〉）卻也往往有與氣候之學暗合之處，所以還是有其不可抹殺的價值，還是值得氣象學家進一步來研究的。

此外，值得順便一提的是，呂書中純粹屬於氣候預測的只有〈情欲篇〉所云：

> 秋早寒則冬必煗，春多風則夏必旱。

當然，其可靠性如何還有待查證。在《周禮・春官・保章氏》中已有眡祲掌天文氣象之觀測及預報。歷代載籍也有許多占風候雨的資料，如漢京房《易飛候》、崔實《四民月令》、唐黃子發《相雨書》、元朱思本《廣輿圖》、明婁元禮《田家五行》、清張爾岐《風角書》皆是[34]。其中有些是先民經過長期觀測、統計的寶貴經驗；有些則只是占候家信口開河，跡近迷信。這些也都是值得氣象學家進一步去釐清、去探討的。

（三）古今氣候異同

〈古樂篇〉云：

> 昔古朱襄氏之治天下也，多風而陽氣畜積，萬物散解，果實不成，故士達作為五弦瑟以采陰氣，以定群生。……昔陶唐氏之

34 劉昭民：《中華氣象學史》，頁47、48、68、99、154、172、195。

> 始，陰多滯伏而湛積，水道壅塞，不行其原，民氣鬱閼而滯著，筋骨瑟縮不達，故作為舞以宣導之。

其說旨在闡揚樂舞之重要，純屬傳聞之辭。然而氣候不僅有南北之異，而且有古今之不同，則屬無可疑者。據中外氣象、歷史和考古學家的研究，中國五千年歷史中，可分五個暖期和四個冷期。每一個冷期和暖期的大週期時間約四百年到八百年。大週期中又可分出五十到一百年的小循環週期。像最初的兩千年大部分屬於暖期，周代中葉為一個小冰河期，春秋戰國時代又屬於暖期，秦代略寒，西漢則大部分又屬暖期……。[35]〈古樂篇〉又云：

> 商人服象，為虐於東夷。周公遂以師逐之，至于江南，乃為三象以嘉其德。

象在今日乃南方熱帶森林區域之動物，而在商朝卻大量使用，足見當時黃河流域較今日為熱。胡厚宣〈氣候變遷與殷代氣候之檢討〉[36]所言誠屬不虛。〈孟春紀〉的東風解凍、魚上冰、獺祭魚，〈仲春紀〉的桃李華、玄鳥至，〈季春紀〉的鳴鳩拂其羽，〈仲秋紀〉的玄鳥歸，〈孟冬紀〉的水始冰諸候，盧鋈經實際驗證，發現：

> 視今日春季物候多早一月，秋冬常晚一月，春光特早，嚴冬來遲，足證紀元前後黃河中流氣候較今溫暖。此一事實，元儒金履祥業已見及。[37]

35 《竺可楨文集》，頁475-498、劉昭民：《中國歷史上氣候之變遷》，頁22-25。

36 胡厚宣：《甲骨學商史論叢續集》，頁293-419。

37 盧鋈：《中國氣候總論》，頁257。

所以在研究古今氣候變遷方面，呂書也有不少可供採擷的材料。

五　氣候之影響

（一）衛生

〈仲春紀〉云：

> 先雷三日，奮鐸以令于兆民，曰：「雷且發聲，有不戒其容止者，生子不備，必有凶災。」

高誘注：

> 以雷電合房室者，生子必有瘖躄通精狂癡之疾。

謂雷電交加時，不可行房事，以免驚嚇，禍延子孫。〈功名篇〉云：

> 大寒既至，民煗是利；大熱在上，民清是走。

謂太寒則宜取暖，太熱則宜趨涼，以免受凍或中暑。〈盡數篇〉云：

> 天生陰陽寒暑燥濕，四時之化，萬物之變，莫不為利，莫不為害。聖人察陰陽之宜，辨萬物之利以便生，故精神安乎形而年壽得長焉。長也者，非短而續之也，畢其數也。畢數之務在乎去害。何謂去害？大甘、大酸、大苦、大辛、大鹹五者充形，則生害矣！大喜、大怒、大憂、大恐、大哀，五者接神，則生

> 害矣！大寒、大熱、大燥、大溼、大風、大霖、大霧，七者動精，則生害矣！故凡養生，莫若知本，知本則疾無由至矣！

對養生之道講求更為周全，除注意控制飲食及情緒外，也注意到要避免大寒、大熱、大燥、大濕、大風、大雨、大霧等異常氣候的侵害。中醫在談到病因時，有所謂「三因」，即：1. 外因：包含六淫、疫癘、伏氣，多屬於氣候方面的因素。2. 內因：即七情，是屬於情緒方面的因素。3. 不內外因：包含飲食、勞倦、創傷、蟲獸傷，是屬於生活起居方面的因素[38]。這些說法呂書已開其端。今日，醫療氣候學、生理氣候學等日益引起世人重視，可謂其來有自了。

（二）生物

〈季春紀〉云：

> 是月也，生氣方盛，陽氣發泄，生者畢出，萌者盡達，不可以內。

〈開春篇〉云：

> 開春始雷，則蟄蟲動矣！時雨降，則草木育矣！

〈首時篇〉云：

> 秋霜既下，眾林皆羸。

38 覃勤：《中醫學概論》，頁53。

〈義賞篇〉云：

> 春氣至則草木產，秋氣至則草木落。

動物之活動、植物之生長皆與氣候的變化息息相關，如候鳥之春去秋來，是受到溫度、日光、風信等的影響；天然植物的開花落葉也受到氣溫、陽光、雨雪、風力等的支配[39]。不知不覺中，形成其生命的規律。〈十二月紀〉所記的各種物候變化，正是最具體的例證。

（三）農業

〈首時篇〉云：

> 故聖人之所貴，唯時也。水凍方固，后稷不種；后稷之種，必待春。

〈長攻篇〉云：

> 良農辯土地之宜，謹耕耨之事，未必收也。然而收者必此人也。始在於遇時雨。遇時雨，天地也，非良農所能為也。

農作物的生長一如天然植物，亦受到氣候因子的限制。由於他們並非自生自滅，而是人類基於實際生活需要，有計畫地加以栽培，所以氣候的條件就顯得格外重要。在科技發達的今日，人們還可以藉機械、溫室、肥料、農藥、水庫、人造雨、品種改良等來改善氣候條件的不

39 鄭子政：《農業氣象學》，頁152、蔣丙然：《氣候學》，頁195。

足，但是，還是要儘量配合天候，來加以耕作，才可望豐收。在靠天吃飯的古代，幾乎無法制天、用天，那當然只有順天、應天了，所以后稷必待春，良農須遇時雨，實在是理所當然。

〈任地篇〉云：

> 草諯大月。冬至後五旬七日，菖始生。菖者，百草之先生者也，於是始耕。孟夏之昔，殺三葉而穫大麥。日至，苦菜死而資生，而樹麻與菽，此告民地寶盡死，凡草生藏。日中，出狶首生而麥無葉，而從事於蓄藏，此告民究也。

全面耕作之道，是要天時、地利、人和相互配合，而尤以掌握天時最為重要。因為每一種農作物的生長時節及條件並不一致，一定要詳加考察，選擇最適當的時機去耕地、播種、中耕除草、灌溉、施肥、採收，才能達到農業生產的理想。〈審時篇〉正以禾、黍、稻、麻、菽、麥為例，從莖、根、葉、粒、色、味各方面比較農作物的得時和失時的優劣，最後得出：「凡農之道，厚（候之叚）之為寶。」的結論。這些是中國現存最早有關農業氣象的文獻。後來漢《氾勝之書》、後魏賈思勰《齊民要術》、元《農桑輯要》、王禎《農書》、明徐光啟《農政全書》等無不踵事增華，各有發明[40]，直到現在，仍有一定的指導作用。當然，現在的農業氣象學，無論在觀測儀器、紀錄方法、預告方式、防害技術各方面，都有長足的進步[41]，已使傳統農學瞠乎其後了。

（四）政治

〈音律篇〉云：

---

40 洪世年、陳文言：《中國氣象史》，頁38、39、41、42、109。

41 鄭子政：《農業氣象學》第六章、第九章、第十章。

> 大聖至理之世，天地之氣，合而生風……。黃鐘之月（十一月），土事無作，慎無發蓋，以固天閉地，陽氣且泄。大呂之月（十二月），數將幾終，歲且更起，而農民無有所使。太蔟之月（正月），陽氣始生，草木繁動，令農發土，無或失時。……

在陰陽家的觀念裡，陰陽二氣為統攝萬物，調和宇宙人生的重要元素，春夏秋冬、風雨晦明都是其具體的表現。所以政治措施也要配合陰陽的消長，亦即要配合春生、夏長、秋收、冬藏的精神。如是則有休徵，否則必遭咎徵[42]。以陰陽五行與災異吉凶相結合，蓋始於《管子．四時》、〈五行〉、〈幼官〉諸篇，至《呂氏春秋．十二月紀》則變本加厲，時令設計更趨細密，違令咎徵更趨嚴苛[43]。使氣候與政治密切結合，以達到「與元同氣」的效果。這種作法，大概是為了鼓勵人君行仁政，遠暴政。察其動機，未嘗不善。然核以實際，容有偶合之時，絕無必然之道。否則，以帝堯之聖，怎會洪水滔天？以商湯之仁，怎會有五年之旱？決定氣候的因素是緯度、高度、土質、地形與海陸關係，至於人事的影響實屬有限。尤以地廣人稀、科技落後的古代為然。我們與其說政治會影響氣候，倒不如說氣候會影響政治來得適當些。劉昭民云：

> 由中國歷史上氣候變遷的研究，可見中國歷史上的政治動亂大多數與長期性乾寒氣候和連帶出現的嚴重饑荒有關，例如西周的衰亡，西漢和新朝的覆沒，東漢末年的黃巾賊之亂，三國的分立，晉代的五胡亂華，宋代契丹、女真的寇邊，元人的滅金和宋，元室之覆亡，明代白蓮教之亂，明末張獻忠、李自成之

42 徐復觀：《兩漢思想史》第二卷，頁31-40。

43 曾錦華：《呂氏春秋十二紀紀首淮南子時則訓及禮記月令之比較研究》，頁70-172。

> 亂和明室的傾覆，滿人的入關以及清初的三藩之亂，清末的太平天國和捻匪之亂等等都是最好的證明。而中國歷史上各朝代的政治、軍事、經濟、社會、文化和物質文明之演進和發展也必定和當時氣候的寒旱或暖濕有某種程度上的相關，所以吾人不應忽視中國歷史上氣候變遷問題之研究。[44]

其說考諸史乘，多有實證，應屬可信。

六　結論

（一）竺可楨云：「一般的來說，從西漢以來，我們的氣象知識從三方面發展著：1. 觀測範圍的推廣和深入。2. 氣象儀器的創造和應用。3. 天氣中各項現象的理論解釋。在這三方面，我們的祖先都有了偉大成就，直到明初，即公元十五世紀時代，我們在氣象學的認識，許多地方都是超越西洋各國的。」[45]以此衡量，《呂氏春秋》觀測範圍之廣泛，先秦諸子殆無有出其右者；在氣象理論的解釋方面，則僅有水文循環等一鱗半爪可尋；而在氣象儀器的創造方面，則完全付諸闕如。

（二）《呂氏春秋》備古今天下之事，在氣候的實際應用方面，已注意到氣候與衛生、生物、農業、政治的關係，並非徒託空言者可比。尤其〈十二月紀〉所載物候，為後世七十二候所從出，成為傳統曆書的重要成分，對農業、曆法的發展都有深遠的影響。

（三）《呂氏春秋》深受陰陽五行學說之影響，書中如提及雲氣、暈珥、物候等往往染上災異迷信的色彩。讀者宜去偽存真，才不

---

44 劉昭民：《中國歷史上氣候之變遷》，頁146-147。

45 《竺可楨文集》，頁267。

致誤入迷途。此外，書中也有不少幼稚可笑之處，如「鷹化為鳩」、「爵入大水為蛤」之類，都是觀物未審的紀錄。不過，這種現象在二千年前實在是很難避免的。歐洲直到18世紀，瑞典著名植物學家，亦即近代物候學的創始人林內（Karl von Linne）還相信燕子秋天沉入江河，在水下過冬呢！[46]

（四）現代氣象學突飛猛進，在儀器方面，已能使用飛機、雷達、人造衛星來測候；在理論方面，對大氣環流、渦動、輻射等都有深入的探討；在應用方面，可以提供相當準確的天氣分析圖及天氣預告，甚至還能種雲、造雨、破霧、去雹[47]。這些偉大成就都絕非古人所能想見。不過，椎輪為大輅之始，古代的氣候研究還是值得我們重視的。薛繼壎云：

> 時代愈進步，文化愈發達，氣象知識也愈加深入生活。人類不但需要加深認識大氣中的自然現象，還要根據過去和現在的氣象認識，預報未來的氣象情況；利用已有的氣象研究，作適應、改造或開發氣象環境的嘗試，來充實我們的生活，來創造我們的歷史。[48]

這是相當閎通的見解。

——原載於《國立中正大學學報》（人文分冊）第1卷第1期（1990年9月），頁1-25。

46 《竺可楨文集》，頁503。

47 薛繼壎：《氣象學講話》，頁318。

48 薛繼壎：《氣象學講話》，頁2。

參考文獻

一　專書

鄭玄注，賈公彥疏　《周禮注疏》　臺北　藝文印書館　1965年

孫希旦　《禮記集解》　臺北　蘭臺書局　1971年

王夢鷗　《禮記校證》　臺北　藝文印書館　1976年

《鄒衍遺說考》　臺北　商務印書館　1966年

吳　澄　《月令七十二候集解》　臺北　商務印書館《叢書集成》本　1965年

曹仁虎　《七十二候考》　臺北　藝文印書館《歲時習俗資料彙編》本　1971年

俞　樾　《七十二候考》　北京　中國文獻出版社《春在堂全書》本　1968年

李調元　《月令氣候圖說》　臺北　商務印書館《叢書集成》本　1965年

秦嘉謨　《月令粹編》　臺北　廣文書局　1970年

王聘珍　《大戴禮記解詁》　臺北　世界書局　1962年

莊雅州　《夏小正析論》　臺北　文史哲出版社　1985年

葉德輝　《古今夏時表》　臺北　新文豐出版公司《叢書集成續編》本　1989年

鄭玄注　《易緯通卦驗》　臺北　中新書局《古經解彙函》本　1973年

朱右曾　《逸周書集訓校釋》　臺北　商務印書館《國學基本叢書》本　1968年

郭沫若　《卜辭通纂》　臺北　大通書局　1976年

高平子　《史記天官書今註》　臺北　中華叢書編審委員會　1965年

王先謙　《漢書補註》　臺北　藝文印書館　1982年
吳士鑑　《晉書斠注》　臺北　藝文印書館　1982年
胡厚宣　《甲骨學商史論叢》　臺北　大通書局　1973年
李漢三　《先秦兩漢之陰陽五行學說》　臺北　維新書局　1968年
許維遹　《呂氏春秋集釋》　臺北　鼎文書局　1977年
陳奇猷　《呂氏春秋校釋》　臺北　華正書局　1985年
曾錦華　《呂氏春秋十二紀紀首淮南子時則訓及禮記月令之比較研究》　政治大學中文研究所碩士論文　1988年
劉文典　《淮南鴻烈集解》　臺北　商務印書館　1974年
徐復觀　《兩漢思想史》　臺北　臺灣學生書局　1976年
李約瑟著、陳立夫主譯　《中國之科學與文明》第六冊　商務印書館　1975年
陳曉中　《中國古代的科技》　臺北　明文書局　1981年
林朝棨編　《地球科學》　臺北　商務印書館《中山自然科學大辭典》第六冊　1973年
蔣丙然　《氣候學》　臺北　正中書局　1961年
戚啟勳　《普通氣象學》　臺北　正中書局　1966年
　　　　《雲與天氣》　臺北　季風出版社　1980年
薛繼壎　《氣象學講話》　臺北　中國文化大學出版部　1980年
Mather著、戚啟勳譯　《新氣候學》　臺北　開明書店　1977年
吳宗堯等　《氣象與氣象預報》　臺北　正中書局　1983年
鄭子政　《農業氣象學》　臺北　正中書局　1974年
盧　鋈　《中國氣候通論》　臺北　正中書局　1954年
國防部、交通部大陸地區交通研究組氣象小組　《中國之氣候》　臺北　交通部交通研究所、中央氣象局　1974年
不　詳　《中國科學文明史》　臺北　木鐸出版社　1983年
不　詳　《中國農業史話》　臺北　明文書局　1982年

陶詩言　《中國氣候析論》　臺北　明文書局　1986年
張家誠、林之光　《中國氣候》　臺北　明文書局　1987年
洪世年、陳文言　《中國氣象史》　臺北　明文書局　1985年
劉昭民　《中華氣象學史》　臺北　商務印書館　1980年
　　　　《中國歷史上氣候之變遷》　臺北　商務印書館　1982年
覃　勤　《中醫學概論》　臺北　正中書局　1987年
竺可楨　《竺可楨文集》　北京　科學出版社　1979年

二　期刊論文

王夢鷗　〈月令探源〉　《故宮圖書季刊》第1卷第4期、第2卷第1期（1971年）
黃沛榮　〈論周書時訓篇與禮記月令之關係〉　《孔孟月刊》第17卷第3期（1978年）
李周龍　〈逸周書時令考〉　《孔孟月刊》第20卷第1期（1981年）
張秉權　〈殷代的農業與氣象〉　《中央研究院歷史語言研究所集刊》第42第2分（1970年）

〈夏小正〉之生物

地球所以能成為最美麗的星球，除了有山川雲氣之外，最重要的是有無數的動物、植物遍布在每一個角落。這些芸芸眾生，與我們人類的關係，實在太密切了。它們是我們衣食住行之所需，怡情養性之所賴，可說不可須臾而離。因此，對動、植物的觀察、分析、採集、利用，是從邃古以來就為人們所重視的。〈夏小正〉一書中，紀錄了6、70種生物的活動，這個數目與科學昌明的今日，專家學者所發現的數以百萬計的品種相較，誠然不啻滄海一粟。但我們必須知道：古埃及人不過能分辨55種植物，《聖經》中僅僅記載60種草木，《詩經》富於比興，也不過提到植物142種、動物113種，《爾雅》蒐輯淵博，也僅著錄草木330種、鳥獸蟲魚340種。所以〈夏小正〉所紀錄的，為數雖少，以其為上古遺籍，從今日生物學觀點而言，還是彌足珍貴的。惟研究古代生物，誠如陳文濤《先秦自然學概論》所言，具有三難：(一）生物之品性無一定之標準也，(二）生物之名稱無一定之標準也，(三）生物之圖形無一定之標準也。〈夏小正〉文字古質，說者多歧，鑽研之困難更不言可喻。現在不自量力，一方面酌採昔賢先輩的說法，一方面根據現代生物學的知識，給〈夏小正〉中的每一種動、植物作一簡要的介紹並附以圖片，庶幾讓它們以更具體的面貌與世人相見。這樣的工作，也許不是毫無意義的吧？

一　植物

（一）草

1　韭

正月：「初歲祭耒，始用暢也——……或曰：祭韭也。」

正月：「囿有見韭。」

韭，百合科，或列入石蒜科。多年生草本。基部有鱗莖。葉細長而扁平柔輭，叢生，長尺餘，常平伏地面。夏秋之際，葉間抽花軸，軸頂開小花成叢，花被六片，色白，或微有紅暈，繖形花序，花莖高達一尺左右。蒴果圓錐形，先端尖，內有無數黑色細種子。全體有一種臭氣。根莖花葉俱供食用。與薤同為中國北方原產的重要葱屬植物，其他胡葱、大蒜、洋葱等則為漢、唐以後陸續由外地輸入的。《說文解字》云：「韭，韭菜也，一種而久生者也。」王禎《農書》也說：「一歲可割十次。」其供食用，可生、可熟、可菹、可久，割取無時，為利最溥。《詩・豳風・七月》云：「四之日其蚤，獻羔祭韭。」《禮記・王制》云：「庶人春薦韭。」〈夏小正〉也提到「祭韭」，足見在古時它是相當珍貴的蔬菜，怪不得李時珍《本草綱目》要將它列為五蔬之首。邵晉涵云：「春初百彙未昌，唯韭先見於囿，故薦時食者有取焉。」（《爾雅正義》）沈維鍾云：「韭非正月始有，言『有見韭』者，謂韭芽可食焉。」（〈夏小正條考〉）

2 芸

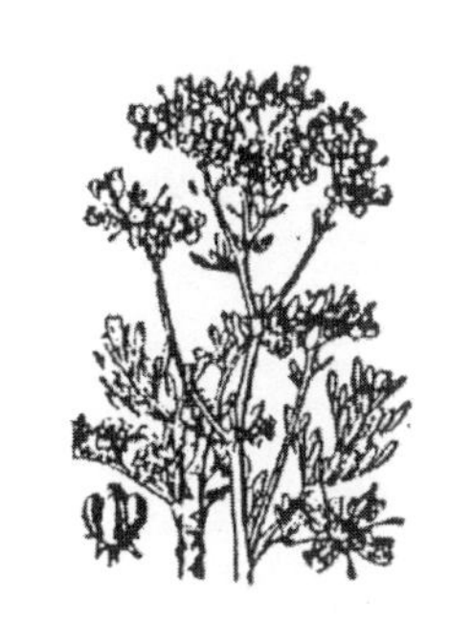

正月：「采芸。」

二月：「榮芸。」

芸，又名芸香、芸蒿、七里香。芸香科。多年生草本。莖高約三尺。葉為二至三回羽狀複葉，缺托葉，互生，有芳香，各小葉倒卵形，全緣。莖葉均含油腺，現出透明小點，仲春作黃花，季夏後作白花，至季秋始歇，花兩性，排成繖形花序。花瓣與萼皆四片或五片。蒴果呈小球形。全草可供觀賞、入藥、驅蟲或充作香味料。〈月令・仲冬〉：「芸始生」，〈夏小正〉正月「采芸」、二月「榮芸」，程瑤田曾蒔芸於盆盎，目驗經年，無不脗合，詳見〈釋草小記〉。該文對芸之性狀變化也有詳細的紀錄。《本草綱目》將芸混入山礬條內，王象晉《群芳譜》且冒以山礬之名。竟忘其為草本，都是錯誤的，觀程氏〈小記〉自可不為所惑。《呂氏春秋・本味篇》謂伊尹說湯，菜之美者有陽華之芸，王嘉云：「常以三蔬（芸之色紫者為上蔬，色黃者為中蔬，色青者為下蔬）充御膳，其葉可以藉飲食，以供宗廟祭祀，亦以止渴飢。」（《拾遺記》卷九）黃叔琳也說：「廟采當為祭祀時所采，能使常芬，且避蟲目。」（《夏小正註》）可見〈夏小正〉正月傳文所云：「為廟采也。」是不錯的，只是後世它正如荇、荼、苕、莪之類，已退出蔬菜的領域了。榮芸是說芸香開花，《爾雅・釋草》云：「木謂之華，草謂之榮。」又說：「權，黃華。」那也是芸的一種。

3　縞

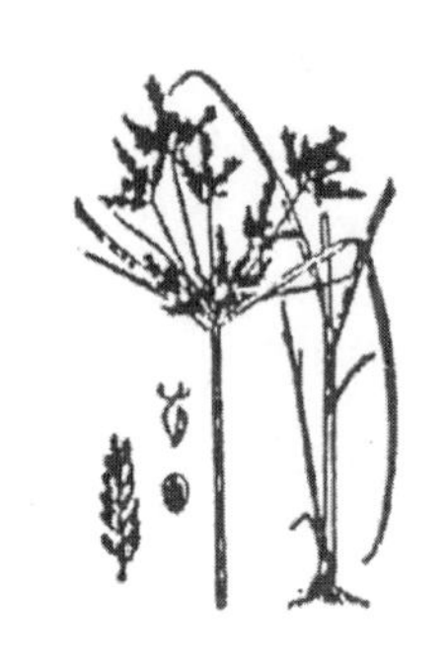

正月：「緹縞。」

縞，傳文云：「莎隨也」。即莎草，莎草科。生原野沙地，多年生草本。地下具細長之根莖，地上莖高尺餘。葉狹長，質硬，排成三縱列。夏日，莖梢分歧開小穗狀花，苞長，小穗有銳尖頭，花赤褐色。地下之塊根稱香附子，供藥用。《爾雅・釋草》：「薃，侯莎，其實媞。」即此，《說文解字》云：「莎，鎬侯也。」乃許慎誤讀《爾雅》，徐鍇《繫傳》已指明其訛。又《爾雅・釋草》所云：「臺，夫須。」也是莎草，陸璣因此云：「舊說夫須，莎草也，可以為蓑笠。」(《毛詩草木鳥獸蟲魚疏》)郝懿行也說：「莎有二種：一種細莖直上，一種麤而短，莖端復出數莖，葉俱如韭葉而細，莖有三稜，實在莖端，其色赤緹，故曰緹矣！」(《爾雅義疏》)

4　黍

二月：「往耰黍，禪。」

五月：「種黍菽糜。」

黍，禾本科。一年生草本，高四、五尺，葉螺旋狀著生，葉片呈狹披針形，有平形脈，尖端銳，葉身及葉鞘皆有粗毛，其舌狀片則生長輭毛。夏秋之際，於莖頂抽多數密簇而糙澀之圓錐花序，其小穗卵圓形，各具一花，有短梗。果實球形，淡黃色。于景讓云：「黍是中國很古老的農作物之一。最近發掘山西省萬泉縣荊村新石器時代的遺址，發見有很多燒焦的黍穗。甲骨文有黍字，作 ，象散穗的黍的形態。《書經・盤庚》有語曰：『不服田畝，越其罔有黍稷。』故中國植黍的歷史，當可推至殷代以前。《詩經》中黍字屢出，《周禮・職方》在九州中舉示有黍者共七州，可見其栽培甚為普遍。」(〈黍稷粟粱與高粱〉) 耿煊也說：「黍的生長期短促，故最適宜於行蹤不定的游牧民族所栽培。此外，該植物能耐旱，穀粒的營養價值高（除醣類而外，蛋白質可達10%，脂肪約4%），所以在《詩經》時代成為最主要的食糧，似非偶然的事。」(《詩經中的經濟植物》) 黍稷常並稱，李時珍以為「稷與黍一類二種也。黏者為黍，不黏者為稷。」(《本草綱目》) 程瑤田〈九穀考〉旁徵博引，力闢其非，主張應依據《說文》，以黍之不黏者曰穈，穈亦稱穄，其說可謂撥雲霧而見青天。「往耰黍，禪」，是說農夫到田裡覆種禾黍，因天氣暖和，又在勞動，只穿著單衣。或疑二月非種黍之時，孔廣森云：「此早黍也，二月種，五月熟，或謂之蟬鳴黍，《管子》曰：『日至百日，黍秫之始也。』」(《大戴禮記補注》) 胡厚宣也說：「由前引（前四，三〇，二）辭言『貞亩小𠂤令眾黍，一月。』（前四，五三，四）辭言『乙未卜，貞黍才（在）龍囿啬受㞢（有）年，二月。』知殷人種黍恆在一、二月。」(〈卜辭中所見殷代農業〉) 可見〈夏小正〉所言是有根據的。

5 堇

二月：「榮堇。」

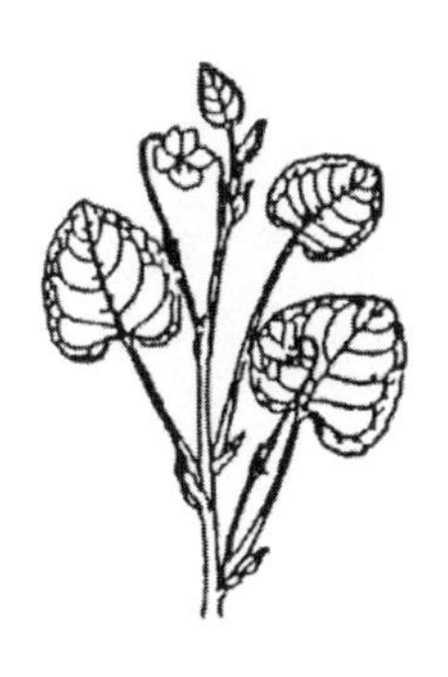

堇，又名堇菜或堇堇菜，堇菜科。多年生草本。莖纖弱，匍匐地上。葉圓心臟形，有鈍鋸齒，葉柄長，有托葉，不分裂。春末開花，花小，五瓣，色白，略帶青紫色，花瓣不整齊，其中一瓣生短距。

果實為蒴果，長橢圓形。〈夏小正〉所言的堇，與《詩經·大雅·緜篇》「堇荼如飴」的堇相同，即《爾雅·釋草》所謂的「䔰，苦堇」，而不是《說文》的「藋，堇艸也。」（藋即蒴藋。）或《國語·晉語》:「置堇於肉」的堇（《詩疏》引賈逵注:「堇，烏頭也。」），三物同名異實，不可不辨。堇味雖苦，瀹之則甘，古人以其黏汁做羹，使羹液滑美，其作用正如今日在湯菜中加澱粉一般，可以用來調和飲食。《儀禮·公食大夫禮》云:「鉶芼有滑。」鄭玄注:「堇荁之屬。」《禮記·內則》云:「堇荁枌榆免薧滫瀡以滑之。」鄭玄注:「冬用堇，夏用荁。」

6　蘩

二月:「采蘩。」

蘩，傳文以由胡、繁母、蔞勃三個異名釋之，即白蒿。菊科。多年生草本。莖高達七、八尺，通常單一。下部之葉具長葉柄，葉身為二回轉羽狀様之複葉，背生白毛。秋日，多數小頭狀花，排列成稀疏之長總狀花序。《本草綱目》謂白蒿有水陸二種，《爾雅》通謂之蘩。曰「蘩，皤蒿」者，即今陸生艾蒿也，辛薰不美；曰「蘩，由胡」者，即今水生蔞蒿也，辛香而美；曰「蘩之醜，秋為蒿」，兼指水陸二種；曰「蘋」曰「蕭」曰「萩」，皆老蒿之通名。可見蘩之種類極多，〈夏小正〉所言僅是其中一種。陸璣云:「春始生，及秋香美，可生食，又可蒸。」（《毛詩草木鳥獸蟲魚疏》）此物古時可以為菹，所以傳文以「豆實」釋之，今則淪為救荒植物，又入藥，可利膈開胃，葉可為艾之代用品。

7 識

三月：「采識。」

《爾雅・釋草》：「蘵，黃蒢。」顏之推云：「江南別有苦菜，葉似酸漿，其花或紫或白，子大如珠，熟時或赤或黑，此菜可以釋勞。案郭璞注《爾雅》：此乃『蘵，黃蒢』也，今河北謂之龍葵。」（《顏氏家訓・書證篇》）龍葵，又有苦葵、苦菜、天茄子等名。茄科，一年生草本。有毒，生原野，高二、三尺。葉卵形。夏季，梢葉中間抽出花莖，花小，白色，花冠合瓣五裂，繖形花序。花後結實，為漿果，形圓，色黑。根莖葉皆供藥用。另有苦蘵，似酸漿而較小，苗葉與龍葵一樣，《本草》蘇恭以為即龍葵，李時珍則以為：「龍葵、酸漿，一種二類；酸漿、苦蘵，一種二物。」苦蘵，亦屬茄科，一年生草本。高約一尺餘。葉卵形，邊緣有粗鋸齒，具長葉柄。初夏開花，花小，淡綠黃色，花冠合瓣，五裂，內有雄蕊五枚，葯帶紫色，著生於花冠上。果實為漿果，小而多，色綠黃，熟則變紅，包藏於有稜角之綠色宿存萼內。〈夏小正〉所言之識，究係龍葵抑或苦蘵，傳文僅云「草也」，過分簡略，不易確定。沈維鍾云：「郝氏懿行謂京師人以之充茗飲，此古人所以采之歟？」（《夏小正條考》）

8 麥

三月：「祈麥實。」

九月：「榮鞠樹麥。」

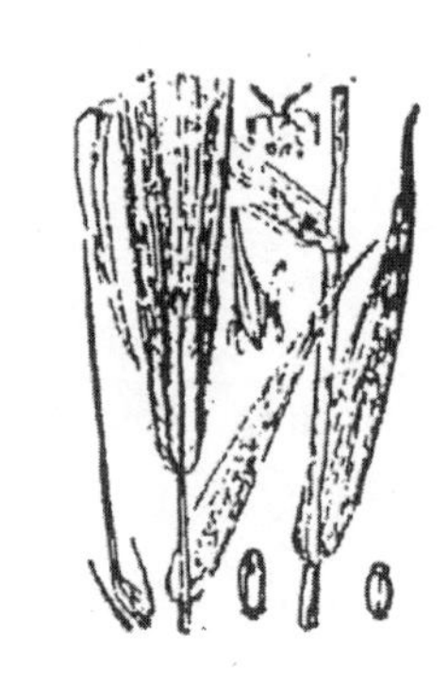

麥，禾本科。越年生或一年生草本。有小麥、大麥等種類，《詩・周頌・思文》:「貽我來牟。」朱熹等注家多沿襲《廣雅》之說，以為來指小麥，牟指大麥。于景讓《栽培植物考》則以為中國古籍中的麥字是指大麥而言，小麥係公元一世紀（或至早公元前三世紀左右）方由蒙古輸入。大麥，高約三、四尺。莖中空，有明顯之節。葉披針形，有平行脈，下部成鞘狀，包於莖上。初夏開花，穗狀花序，花有內外二殼，互相緊抱，通常尖端有長芒。穎果六列相並。種子可炊飯煮粥，麥芽為麥酒之原料，又可製飴糖，其莖俗稱麥莛，可作夏帽、玩具及充造紙原料，全草又為良好之飼料。甲骨文中屢言𢍏麥、告麥、食麥，然麥在先秦較為稀貴，並非一般人可以常食之物，其原因大概如何炳棣所說的:「若無灌溉設施，華北種小麥是不適宜的。……戰國期間典籍，每言民食，往往並舉粟菽，而不言稻麥。」(《黃土與中國農業的起源》) 稻麥成為中國民間的主要糧食，可能為時較晚。麥在五穀中最早成熟，三月怕有小旱，所以人們祈禱麥早日結實。麥通常是秋天播種厚埋，所以九月記載「樹麥」。

9　王萯

四月:「王萯秀。」

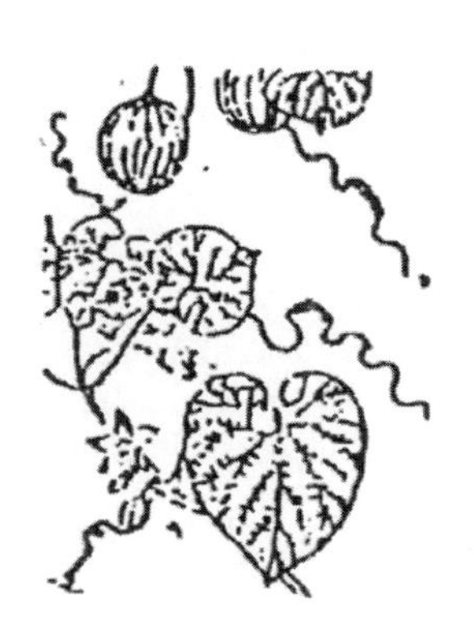

《呂氏春秋・孟夏紀》:「王菩生。」《禮記・月令》作「王瓜生。」有許多注家以為此與〈夏小正〉所言必有關係，如金履祥《夏小正注》說王萯就是王瓜，姚燮《夏小正求是》說就是王菩，黃以周《經說略》以為三者同為一物。王瓜，葫蘆科。多年生蔓草，以卷鬚攀緣他物上。葉互生，有柄，掌狀淺裂，多毛茸。夏月開花，色白，花冠下部為筒狀，上部五裂，其周緣細裂如絲，單性，雌雄異株。實橢圓，大如鴨卵，熟時色紅。根與嫩芽可為蔬，根又可入藥，取澱紛，果實亦可食。當然，他們的說法有些人（如蔡德晉、段玉裁、宋書升等）並不贊同。莊述祖《夏小正經傳考釋》更主張王萯秀即《詩經》的「四月秀葽」，王念孫《廣雅疏證》則以為即《爾雅》、《廣雅》的栝樓，顧鳳藻《夏小正經傳集解》以為即《管子・地員》的大萯，真可說是聚訟紛紜，自古難決。王萯秀是說王萯開花結實，姚燮云：「〈小正〉秀字之例有二：記云某草秀者，指榮而實者言之，如『王萯秀』、『荓秀』是也；記云秀某草者，指榮而不實者言之，如『秀幽』、『秀雚葦』是也。」（《夏小正求是》）

10　幽

四月：「秀幽。」

自張爾岐《夏小正傳注》以降，說者多以為秀幽即《詩・豳風・七月》：「四月秀葽」，幽葽因聲近而通用，唯葽之為物，說法不一。《爾雅・釋草》：「葽繞，棘蒬。」郭璞注：「今遠志也。」孔廣森《大戴禮記補注》以為幽即此物。遠志，一名小草。遠志科，常綠草本。高七、八寸。莖細，多倒伏地上。葉卵形或橢圓形，互生。夏日，梢上開紫色不整齊之蛾形花，花數稀少。根黃色，長一尺許，供藥用。然葽繞兩字為名，與葽是否同為一物，實在不無疑問。《說文解字》也有葽字，許慎的解釋只說「艸也」，徐鍇《繫傳》以為狗尾草，〈小正〉注家也頗有從之者（如姚燮、宋書升）。狗尾草，一名莠。禾本

科，一年生草本。高一、二尺，稈直立，分生小枝。葉細長，下部成鞘狀，包裹於莖。莖葉穗均似粟而小，有芒，綠色，結實形似稗，可食。穗形似狗尾，故名。莖葉可為牧草，莖古時可為眼病上施手術之用。夏緯瑛云：「在夏曆四月間確有開始抽穗而秀者，我在北京已有目驗。」（《夏小正經文校釋》）然程瑤田則云：「莠於夏至前後始作采，小暑、大暑之間乃其正秀之時，是秀於六月，非秀於四月也。」（《九穀考》）所以幽究係遠志或狗尾草，可說迄無定論。

11　瓜

五月：「乃瓜。」

八月：「剝瓜。」

瓜的種類不勝枚舉，如黃瓜、西瓜、南瓜、番瓜等，多係南北朝後始陸續從外地輸入的，中土原產者為數不多。李時珍云：「削瓜及瓜祭，皆指果瓜也。」（《本草綱目》）果瓜即甜瓜，又名香瓜。葫蘆科，一年生蔓生草本。全株散生刺毛。莖細長，具卷鬚，葉互生，有長葉柄，葉身圓卵形或近腎臟形，邊緣有波狀齒。花單性，腋生，雌雄同株，花冠五裂，黃色。果實為瓠果，形狀、色澤有種種，可食用。〈夏小正〉所言的瓜可能也是此種。五月開始食瓜，故云：「乃瓜」；八月將瓜完全採收淹漬，故云：「剝瓜。」

12 藍蓼

五月：「啟灌藍蓼。」

中國古代染色用的染料，大多是天然礦物或植物染料。青、赤、黃、白、黑五種「原色」各有不同的染料，其中青色主要是使用從藍草中提煉的靛藍（屬於還原氧化染料）染成的。《本草綱目》謂藍凡五種：（1）蓼藍、（2）菘藍、（3）馬藍、（4）吳藍、（5）木藍，都可做染料，蓼藍即〈夏小正〉的藍蓼。蓼科，一年生草本。莖高二、三尺。葉互生，葉柄基部成鞘狀，包圍於莖，葉身長圓形，或卵形，有毛緣。十月頃，抽花莖，開紅色五瓣小花，排列為穗狀花序。果實三稜形瘦果，赭褐色，有光澤。啟灌，注家多依傳文引申，如「灌謂叢生也，言開闢此叢生藍蓼，分移使之稀散。」（《禮記月令正義》引熊安生說）「先蒔曲於畦，五月分種之，至夏末乃成。」（宋書升《夏小正釋義》）唯沈瓞民依據目驗，以為「傳之說是望文生義。啟灌係二事：啟者，啟窖取藍而種之也；灌者，藍已製青，灌以水，取之以為染料也。」（〈讀呂紀隨筆〉）其說新穎，可備一說。

13 菽

五月：「種黍菽糜。」

五月：「菽糜。」

菽糜，宜從孔廣森《大戴禮記注》、洪震煊《夏小正疏義》，作「以菽為糜」解。糜，王聘珍《大戴禮記解詁》以為當作𪎭，朱駿聲《夏小正補傳》以為當

作麋，都是不對的。菽，說文作尗，即《爾雅》之「戎叔謂之荏菽」，今之大豆，俗稱黃豆。豆科，一年生含木質之草本。高二尺餘，莖直立，全株密布褐色粗毛。葉互生，具長葉柄，葉身為三小葉合成之羽狀複葉，小葉橢圓形，或廣卵形，葉緣全邊。夏日，由葉腋出數個白色或紫色小蝶形花。果實莢豆，具粗毛，長寸餘，熟則開裂。內有種子二至四枚，富於脂肪、醣及蛋白質，營養豐富，為豆類中之冠。可榨油，造醬及醬油等，又可作豆腐等食品。其苗葉嫩者供蔬用，老者充作飼料。能在不同之氣候與土壤中生長，亦有抗旱之能力。為中國原產，產量居世界第一位，從古即為最重要之糧食及蔬菜。

14 蘭

五月：「蓄蘭。」

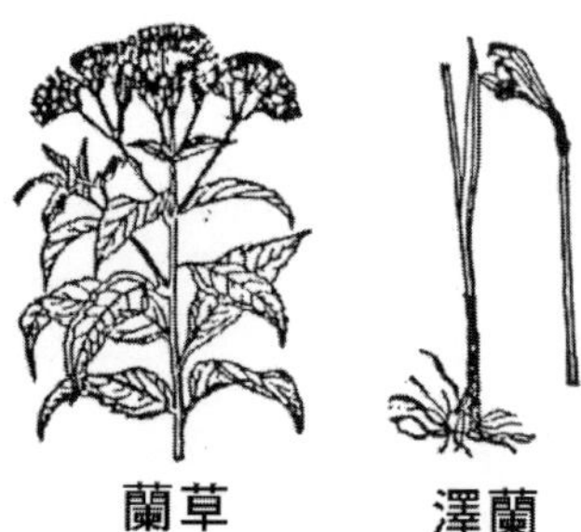
蘭草　澤蘭

蘭為有名之香草，種類極多。古時所謂蘭，大概多指蘭草或澤蘭。蘭草，即《詩經》之蕑，《說文》之蘐。菊科，多年生草本。莖高三、四尺。葉對生，葉面滑澤，葉身在莖上部者單一，廣披針形，或長橢圓形，下部者通常為三深裂，葉緣有粗鋸齒。莖葉皆帶紫紅色，且具有頗強之香氣。秋日，於莖頂密生頭狀花，排列為繖房花序。頭狀花之總苞成數列，小花全部為管狀花，淡紫色。澤蘭，蘭科，多年生草本。產山中濕地。地下有鱗莖，為小球狀。葉祇一片，披針形，基腳擁抱莖上。夏日，葉間抽花軸，高五、六寸，頂端綴一花，紅紫色，為比較的大形之不整齊花。《本草綱目》亦有澤蘭，與此蓋同名異實。蘭除觀賞外，可煮湯供浴，所以傳文云：「為沐浴也。」又可和油澤頭，祓除毒氣，及供藥用。

15 雚

七月：「秀雚葦。」

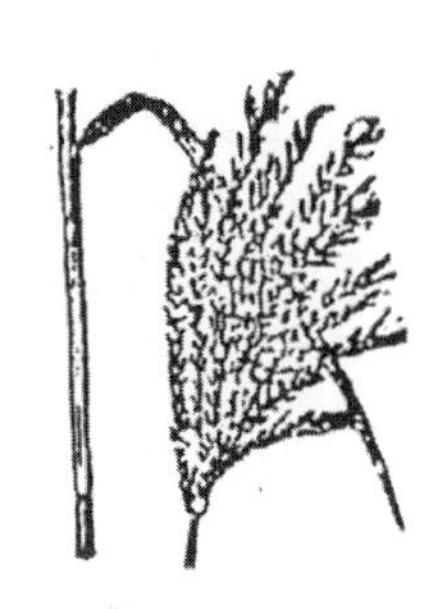

雚葦之類見於《爾雅》、《說文》者凡十餘名，世人多混淆不清，程瑤田〈釋草小記〉曾詳加區畫，可以參閱。雚，《說文》作萑，俗省作萑，即荻。初生時有菼、薍、蒹、蒹等名，堅成後別名為雚。故傳文云：「未秀則不為雚葦，秀然後為雚葦。」禾本科，多年生草本。生水邊及原野，由地下之匍匐莖按節抽莖，高可達六、七尺。葉細長。秋日，於莖頂出圓錐狀大花穗，直而鋪散，開多數小穎花。莖可編簾，又為治魚罧箔之用，又可為薪。其萌（荻芽）可食，又為飼料。

16 葦

七月：「秀雚葦。」

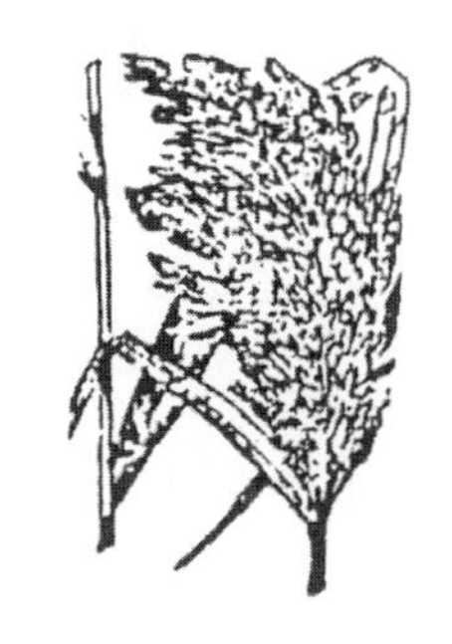

葦，一名葭，即蘆。禾本科，為多年生大草本。多生濕地或淺水中，根莖橫走地下，延伸甚遠。稈高可達丈許，質硬，中空，外面光滑而被白粉。葉之下部包裹于莖成葉鞘，上部葉身為頗長之披針形，邊緣粗糙而尖端尖銳。秋日，莖頂抽大花穗，開多數呈鼠色之穎花，有殼，排列為圓錐花序。花後結實，有白毛，以助其散布。莖供葺屋及製簾、織蓆、編簍、作罧之用，又為柴草、紮綵用料，萌芽似竹筍而小，可食，俗稱蘆筍。

〈夏小正〉四月：「取荼。」七月：「灌荼。」依傳文的解釋，荼是「雚葦之秀」，取荼、灌（聚）荼的目的是「以為君薦蓐（席）

也。」其作用正如今日之棉花。但徐世溥《夏小正解》、任兆麟《夏小正補注》以為荼是茶，金履祥《夏小正注》、范家相《夏小正輯注》以為是苦菜，張爾岐《夏小正傳注》、孔廣森《大戴禮記補注》以為是茅秀，可說迄無定論。

17　苹（萍）

七月:「湟潦生苹。」

《說文解字》:「苹，蓱也，無根浮水而生者。」苹即萍，一名水萍、浮萍。浮萍科，生水中，多年生小草本。浮水田、池沼等之水面。葉體扁平，倒卵形，上面綠色，下面帶紫赤色。根為無枝之纖維，叢生於葉狀體下面。夏日，開小白花。《爾雅・釋草》:「苹，萍，其大者蘋。」可見萍蘋有別。《爾雅》另有「苹，藾蕭。」即《詩經》「呦呦鹿鳴，食野之苹」的苹，與此同名異實。「湟潦生苹」是說七月多雨，潢池裡長浮萍。

18　苹

七月:「苹秀。」

鐵掃帚

蓬

此苹與上文之苹也是同名異實。傳文以「馬帚」解之，即《爾雅・釋草》:「荓，馬帚。」郝懿行《義疏》云:「此草叢生，葉小圓，莖紫赤，竦直而瘦勁。野人以為掃帚，極耐久。有高五、六尺者，故曰馬帚。」大概就是今之鐵掃帚，屬於豆科，多年生草本。生山野，高二、三尺。葉互生，掌狀複葉，小葉三片，狹倒卵形。夏日開花，花冠蝶形，白色，有紫線條，花梗短。果實為短莢。程瑤田〈釋草小記〉則以為苹就是蓬，北人呼為掃帚菜，宋書升、沈維鍾都認為程說為長。蓬，又名飛蓬。菊科，多年生草本。莖高三、四尺。下部之葉具葉柄，葉身倒披針形而兩端尖，葉緣微齒牙形。上部之葉無葉柄，葉身成線形而全緣，頗似柳葉。秋期，於莖頂出多數頭狀花，共排列為圓錐花序。花後結瘦果，具冠毛，赤褐色，有光澤。種子可濟荒。

19　鞠

九月：「榮鞠樹麥。」

鞠，《說文》作蘜，云：「日精也，以秋華。」或叚作鞠，今作菊。與《爾雅》之「蘜，治蘠」不同。菊科，多年生草本。莖下部稍帶木質，葉卵形，有缺刻及鋸齒，柄長，互生。秋末開花，頭狀花序，周圍之花，舌狀花冠，中部之花，筒狀花冠。苗可以為蔬，花可觀賞、入藥、釀飲。種類甚夥，如劉蒙《菊譜》、史正志《菊譜》、范成大《范村菊譜》所列都在二、三十種以上。宋書升云：「古之菊與今之洋菊不同，其形小，純作黃花。……今之金錢菊，即古之真菊矣。」(《夏小正釋義》)

20　卵蒜

十二月：「納卵蒜。」

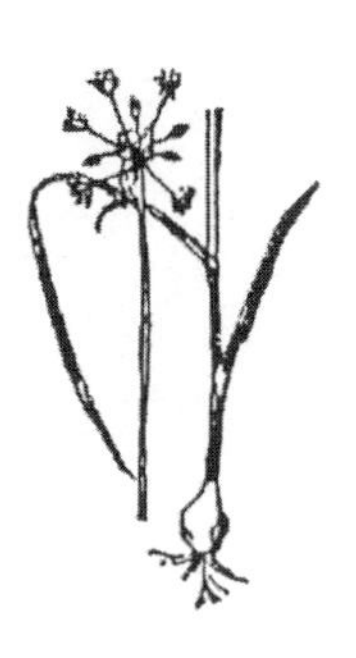

《說文》：「蒜，葷菜也。」蒜有大小之別，與薤，葱等同屬葷辛類的蔬菜，在中國古代蔬菜中自成一屬。大蒜是漢時才自西域引入的，又名葫，或胡蒜。洪震煊《夏小正疏義》主張此節所言為大蒜，實為失考。卵蒜即小蒜，其野生者就是《爾雅》的「蒚，山蒜。」百合科，多年生草本。高一、二尺。臭味似葱。地下有鱗莖，白色，大如棗。葉細長而尖，有平行脈，微有稜。夏日，葉間抽莖，莖頂生黑紫色之珠芽，並開小花，色白，或淡紫。花被六片，雄蕊六枚，花絲細長而突出，有長花梗，排列如繖形。莖及鱗莖皆供食用。「納卵蒜」傳文解為將卵蒜輸納給國君，其根如卵，所以叫卵蒜。由於其他古書並無類似紀錄，金履祥《夏小正注》以為內當作收藏解，黃叔琳《夏小正註》疑卵與蒜為二種，臧琳《經義雜記》疑當為納韭卵，莊述祖《夏小正傳考釋》改作納民祘（統計人民的數目向國君報告），異說不少。

（二）木

1　柳

正月：「柳稊。」

柳，楊柳科，落葉喬木，高達三、四丈，具特長而下垂之枝。葉互生，線狀披針形，先端尖，邊緣具細鋸齒。春日開花，呈暗紫色，花單性，雌雄異株。穗狀花序，雄花具二雄蕊，雌花具一雌蕊。果實為蒴果，種子甚小，具白色絨毛，謂之絮。柳插條即活，栽培徧於全國。多栽植庭園、水濱，供觀賞用，或為道路樹。其材可為器具、薪炭。嫩芽可揉作飲料，嫩枝可編筐筥。《爾雅・釋木》：「檉，河柳；旄，澤柳；楊，蒲柳。」可見柳之種類極多。柳稊，是說柳樹解皮萌芽。

2 梅

正月：「梅、杏、杝桃則華。」

五月：「煮梅。」

梅，本作某，或楳。薔薇科，落葉喬木，高達二、三丈。樹皮灰色或帶綠色，小枝細長，綠色。葉柄短，葉廣橢圓形，先端尖，葉緣有鋸齒。早春，先葉開花，萼紫絳色或綠色，花冠五瓣，色有白、紅、淡紅之別，香氣甚濃。花後結核果，初青色，成熟後黃色。自古為有名之觀賞植物，各部多可入藥。果實酸，可用以調味，或曬乾、糖漬供食用。木材色紅而堅密，可為櫛及算珠之用。《詩・召南》「摽有梅」的梅與此相同，〈秦風・終南〉「有條有梅」的梅則為楠樹，與此同名異實。華是樹木開花的意思。

3 杏

正月：「梅、杏、杝桃則華。」

四月：「囿有見杏。」

杏，為溫帶主要果樹之一。薔薇科，落葉喬木，幹高丈餘。葉廣橢圓形，或卵圓形，先端尖，有柄，邊緣有鋸齒。春月，次於梅而開花，五瓣，色白，帶紅，似梅花而稍大。果實為核果，圓形，熟則色黃，肉部易與核分離，味淡甘而微酸。種子名杏仁，形扁而尖，有一種特別之香味，可炒食，又供藥用。杏，或謂係中國原產，公元前一、二世紀方經絲路傳入西亞；或謂係西亞原產，約在公元前後輸入中國。《詩經》雖無杏字，然〈夏小正〉已提到此物，當以前說為是。梅與杏在分類學上十分接近，其顯著之差異在於：梅之果核上有凹點，而杏之果核表面平滑。

4　杝桃

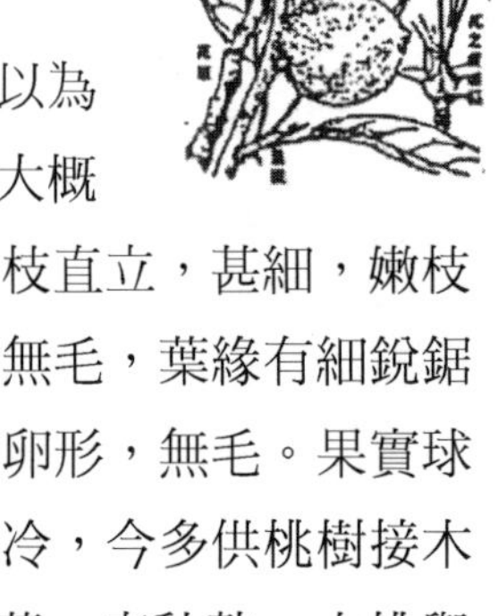

正月：「梅、杏、杝桃則華。」

六月：「煮桃。」

杝桃，傳文解為山桃。傅崧卿《夏小正戴氏傳》以為杝當作榹，《爾雅・釋木》云：「榹桃，山桃。」大概就是現在的山毛桃。薔薇科，喬木。高約三丈。枝直立，甚細，嫩枝無毛。葉狹長，卵狀披針形，綠色有光澤，平滑無毛，葉緣有細銳鋸齒，葉柄細長。花單生，粉紅色，有花梗，萼片卵形，無毛。果實球形，帶黃色，先端凹入，核小離核。性耐乾燥寒冷，今多供桃樹接木用。沈維鍾云：「山桃與園桃顯別，園桃三月始華，交秋熟，山桃與梅杏同華，五月即熟。熟時不解核，瓤與汁皆色赤如胭脂，今五月間遍滿吳市者是也。」(〈夏小正條考〉)

5　桑

三月：「攝桑。」

桑，桑科，落葉喬木。高可達四、五丈。以每歲採折，故莖幹矮小，多呈灌木狀。樹皮黃褐色。葉卵形，互生，有鋸齒，端尖，或分裂，或不分裂。表面平滑，背面側脈上常有短毛，葉柄甚長。春末開花，花小，色淡黃，穗狀花序，單性，雌雄異株，亦有同株者。果實長橢圓形，謂之桑葚，熟則紫黑色，味甘可食。木材可製什器，內皮纖維可造紙，根皮可入藥，葉又為蠶之飼料，故種植者甚多。攝桑之攝，王廷相《夏小正集解》、徐世溥《夏小正解》以動詞解之，然而三月並非採桑之時，其說非是。莊述祖云：「言桑葉始生未舒展貌，聶、攝古通。」（《夏小正經傳考釋》）以形容詞釋之，較為合理。今人鄒景衡進一步云：「攝通於鑷，攝桑謂桑葉初綻，形如鑷子。桑葉開展如鑷，為蠶種催青之適當時期，因時不我待，故傳曰『急桑』。鑷通於籋。《說文》稱燕口為『籋口』，故可反證桑展如鑷，應可謂為桑展如燕口。今日本猶以桑展如燕口之時，作為『始蠶』（催青）之日。」（〈夏小正攝桑考〉）其說後出轉精，堪為定論。

6　楊

三月：「委楊。」

《爾雅》、《說文》皆以楊為蒲柳，崔豹《古今注》：「水楊即蒲柳，亦曰蒲楊。」古人所言之楊多指水楊，楊柳科，為自生水邊之落葉喬木，但通常皆作灌木狀。葉為長橢圓形而稍厚，先端尖銳，緣邊有微細之淺鋸齒，葉身生毛，背面灰白色。早春先葉開花，花小，單性，雌雄異株。雄花穗之蕾，密生柔滑絹絲狀之白毛。楊與柳極相似，皆插枝即活，繁殖迅速，功用亦相近，蓋一類二種，故常並稱楊柳。《本草》云：「楊枝硬而揚起，故謂之楊；柳枝弱而垂流，故謂之柳。」分別最為簡要。委楊是說楊樹委隨，傳文云：「楊則苑而後記之。」苑字就是言其茂盛的樣子。

7　桐

三月：「拂桐芭。」

桐，玄參科，落葉喬木，高三丈許。葉大而對生，有長葉柄，葉身廣卵形，先端尖，基腳心臟形，葉緣全邊。春日，枝端開多數白色花，裡面具紫色斑點，排列為複總狀花序。花冠下部具長筒，上部為稍不整齊之五裂。花後結蒴果，具多數形小而扁薄之種子，有翅。木材可製琴瑟及各種樂器，又供箱篋几案等家具之用。梧與桐今人常混言，其實《爾雅》、《說文》都分開解釋，沈維鍾云：「蓋二木皆濃陰直幹，葉形亦無異，惟皮色不同。據《齊民要術》所載，則青皮而光滑者名曰梧，今人每植之庭院中。四月初開小黃花，花罷結莢，至秋莢裂如小瓢，瓢之兩緣各綴生子，即桐乳是也。其白皮者名曰桐，多生于山岡。其材可中樂器，花色紫黃，但有花而不結實，故名曰榮，此桐與梧之別也。」（《夏小正條考》）區分尤為明細。拂桐芭，是說桐花怒放拂動。

8　棗

八月：「剝棗。」

棗，鼠李科，落葉喬木，高二丈餘。枝上具刺。葉互生，長橢圓卵形，或披針卵形，葉面光澤，具三個弓形脈，邊緣有鈍鋸齒。初夏，於葉腋叢生小花，黃綠色，五瓣，微有香氣。果實核果，紅色，圓形或橢圓形，內有尖核一枚。棗為中國原產植物之一，繁殖甚易，栽培甚廣。木材可作器具，果實味美，可生食，或曬乾、蜜炙後貯藏。《周禮》以棗為饋食之籩實，〈曲禮〉又以為婦贄。棗之品種甚多，《爾雅・釋木》云：「棗，壺棗；邊，要棗；櫅，白棗；樲，酸棗；楊徹，齊棗；遵，羊棗；洗，大棗；煮，填棗；蹶洩，苦棗；皙，無實棗；還味，稔棗。」紀錄了11個品種，元柳貫《打棗譜》記錄72種，清吳其濬《植物名實圖考》紀錄了87種，今日園藝品種更在三、四百種以上。剝棗，是扑擊採取棗子。

9　栗

八月：「栗零。」

栗，殼斗科，或列入山毛櫸科，落葉喬木，高達五丈許。分枝甚多，小枝具粗長毛。葉互生，披針形，邊緣有尖銳鋸齒。夏期，開單性小花，黃白色，雌雄同株。小蕊花為長葇荑花序，大蕊花則三個集生，包以有針狀芒刺之總苞。果實堅果，有囊狀殼斗，全面生刺，如蝟毛，內含果實二、三枚，熟則殼斗裂開，種子供食用。木材供建築、器物之用，樹皮可充鞣皮及染料之需，葉可飼柞蠶。栽培區域甚廣，《戰國策・燕策》云：「北有棗、栗之利，民雖不由田作，棗、栗之實，足食於民。」其重要性可知。栗零謂栗子已經成熟，甚至有自落地上的，可以採收了。

二　動物

（一）鳥

1　鴈

正月：「鴈北鄉。」

九月：「遰鴻鴈。」

《說文》：「鴈，鵝也。」又：「雁，鳥也。」二字本有區別，然後世多混用。雁，〈禹貢〉謂之陽鳥，《法言》謂之朱鳥。脊椎動物鳥綱雁鴨目。體形似鵝，茶褐色，腹部白。嘴扁平，色蒼黃，邊緣有鋸齒。頸翼俱長，腳短，黃色。群飛時成人字形，謂之雁行。群雁索食或就眠時，必置警卒以伺外敵，所謂雁奴是也。秋季南來，春則北去，為了食物與繁殖，隨著季節作長距離旅行，是有名的候鳥。〈夏小正〉此二節正是寫其遷徙的情況。《禮記・曲禮》云：「凡贄，卿羔，大夫鴈。」雁，古人所以作為禮幣，是取其信，取其和。雁又因體肥肉美，自古為狩獵的對象。《方言》：「鴈自關而東謂之鴚鵝，南楚之外謂之鵝，或謂之倉鴚。」李巡云：「野曰鴈，家曰鵝。」鴈鵝雖同類，其實還是有區別的，參閱下文「鴻」條。正月鴈北鄉，是說雁飛向北方的故居；九月遰鴻鴈，是說鴻雁飛往南方。

2　雉

正月：「雉震呴。」

十月：「雉入于淮為蜃。」

雉，漢世為避呂后諱，改名為野雞。鳥綱鶉雞目。形似雞。雄羽甚美，面部紅色，頭頸黑紺色，有綠光，背之上部銅赤色，有白斑，彩色複雜，尾羽長約二尺。雌羽淡黃褐色，胸腹部有大黑斑，尾羽較雄為短。平時棲平原草叢中，食穀物及蟲類。產卵時，雌避其雄，以免雄雉食卵，卵褐色。性好鬥，善走，翼短，不能久飛。尾羽甚美，可作裝飾品。雌雄摯而有別，其交不再，所以古代后、夫人的衣物或車蔽多畫雉形為飾。又因它體備文明，性秉耿介，士也以之為贄。《爾雅・釋鳥》云：「鷂雉、鷮雉、鳪雉、鷩雉、秩秩海雉、鸐山雉、雗雉、鵫雉。雉絕有力奮，伊洛而南，素質五采皆備成章曰翬，江淮而南，青質五采皆備成章曰鷂，南方曰𠷎、東方曰鶅、北方曰鵗、西方曰鷷。」種類多達14種。正月雉震呴，是說雉鼓翼而鳴。十月雉入于淮為蜃，是古人觀物未審的臆度之詞，沈維鍾云：「立冬本十月之節，江淮以北氣候較寒，其時雉必潛伏，故人遂有入淮為蜃之謠。」(〈夏小正條考〉)

3 鷹

正月：「鷹則為鳩。」
五月：「鳩為鷹。」
六月：「鷹始摯。」

鷹本作䧹、鷹。異名極多，《左傳》謂之爽鳩，《孟子》謂之鸇，《爾雅》謂之鶆，《說文》謂之鷐，今又稱蒼鷹。鳥綱鷙鷹目（即猛禽類）。頭扁。上嘴鉤曲。眼圓，視力強。體長約二尺，翼長約一尺許。體之上面暗褐色，下面白色。腳強壯，脛部被毛，四趾皆有銳爪。性兇暴狡猾，捕食小鳥、雞、兔、野鼠等。夏季棲於深山，至秋末為逐食而來遊平野。世人常將鷹隼並稱，沈維鍾云：「鷹與隼實為兩種：鉤咮棘足，目光如猴睛，毛色蒼，形猛可怖，力能搏貍兔者，鷹也。今獵戶蓄之，遊俠豢之臂上者是也。隼則較鷹為小。爪喙似鷹而貌稍馴，但能捕食小雀及野人家雛雞食之。其營巢常在古塔及殿閣承甌之上。飛則迴翔空際，止則獨踞高阜，鳴時作聿律律一聲。」(〈夏小正條考〉) 分別甚為明晰。〈夏小正〉記載「鷹則為鳩」、「鳩為鷹」，是古人觀察不夠精密所產生的誤會，夏緯瑛曰：「鷹是猛禽之類，鳩是鳩鴿之類，二者都是候鳥，在一定的時候來，又於一定的時候去。在夏曆正月中，鷹去鳩來，彼時人們就以為是鷹變化為鳩了。」(《夏小正經文校釋》) 六月「鷹始摯」，是說鷹開始凶鷙殺鳥。

4　鳩

正月：「鷹則為鳩。」

三月：「鳴鳩。」

五月：「鳩為鷹。」

布穀

斑鳩

鳩，種類非一，內田亨云：「鳩棲息於林野，自古為人所飼養，其品種變異之多實可駭異。達爾文氏證明生物進化時，謂生物之種類決非一定不變，更舉以因人力而漸次生鳩類之例。」(《動物分類》第十二章第五節)《左傳・昭公十七年》提到少皞氏以鳥名官，有五鳩，其中惟祝鳩、鶻鳩屬鳩鴿目，若鳲鳩即杜鵑目(即攀禽類)之布穀，爽鳩、瞿鳩則為鷙鷹目。《禮記・月令》：「鷹化為鳩。」鄭玄注：「鳩，搏穀也。」搏穀即布穀，一般注〈小正〉者多從之。布穀，形似杜鵑，但體稍大，胸腹部之黑色橫紋較細。每穀雨後始鳴，夏至後乃止，農家以為候鳥，以其聲似呼布穀，故名。亦云勃姑、步姑、卜姑，又名鵠鵴、郭公等，亦皆因其聲似而呼之。至於三月「鳴鳩」，一般注家多以為即斑鳩，鳥綱鳩鴿目。為鳩類之小形者。羽色背面灰褐，頭頸及體下面灰白色，微紅，頸後有黑色之半輪紋，陸璣云：「項有繡紋斑，故曰斑鳩。」（《毛詩草木鳥獸蟲魚疏》）斑鳩，昔人謂即鶻鵃，但今動物學則以為二種。

5 雞

正月：「雞桴粥。」

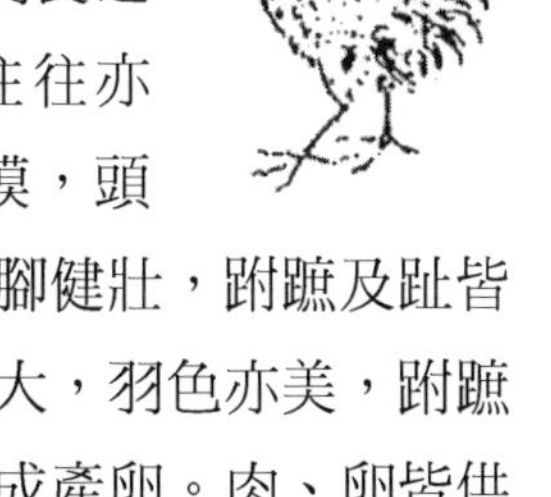

雞，又作雞。鳥綱鶉雞目。為最常見之家禽，飼養之歷史頗古，種類甚多，各方所產，大小形色往往亦異。嘴短，鼻孔被鱗狀瓣，成裂孔狀。眼具瞬膜，頭部有內冠及肉瓣，雄者特大。翼短，不能高飛。腳健壯，跗蹠及趾皆被鱗板，趾四，後趾高而短小。尾發達。雄體較大，羽色亦美，跗蹠部後方有距，至曉則啼。雌體越六、七個月而長成產卵。肉、卵皆供食用。雞桴粥，是說雞抱卵生育。

6 燕、玄鳥

二月：「來降燕乃睇。」

九月：「陟玄鳥蟄。」

燕，又作鷰、鷰、鳦。傳文以「乙也」釋之，與《說文》同。即《詩經》之燕燕、《莊子》之鷾鴯。玄鳥是燕的異稱，傳文云：「玄鳥者，燕也。」《爾雅》另有「燕，白脰烏。」與此同名異實。燕，鳥綱燕雀目（或稱鳴禽類）。體小頸短，似雀。嘴尖口闊，翼長而狹，突過於體。尾分歧。腳短爪銳。背部色黑，腹純白。春向北來，秋復返南。身體矯健，飛力甚強，速度每秒約二十四至三十五公尺，超越重洋而無墮海之虞，與雁同為有名的候鳥。銜泥巢於屋樑上，隔年復能辨認舊巢。捕食昆蟲。金絲燕之巢為有名之補品，即燕窩是也。金履祥云：「古人重玄鳥，當其至而祠之。故其來也書降，其去也書陟，皆貴之也。蟄者，玄鳥去則多蟄於島岸間土穴中，沈存中《筆談》嘗載其事。」(《夏小正注》)。

7　倉庚

三月：「有鳴倉庚。」

倉庚，傳文以商庚、長股釋之，即黃鶯，也就是《詩經・周南・葛覃》的黃鳥、《爾雅》的鶩黃、《說文》的離黃。鳥綱燕雀目。色黃而美，嘴淡紅，自眼端至頭後部之班紋，呈黑色。翼尾皆長，尾端帶圓。腳鉛黑色，跗蹠短，爪長而彎曲。鳴聲悅耳，好食果實。沈維鍾云：「春夏之交最多，二月則漸有鳴者，然並不成群飛逐，往往一枝獨宿，若院靜無人，則長鳴久轉，無有已時。」(〈夏小正條考〉)

8　鴽

三月：「田鼠化為鴽。」

八月：「鴽為鼠。」

鴽，傳文以「鵪也」釋之。《爾雅・釋鳥》：「鴽，鴾母。」郭璞注：「**鵪**也，青州呼鴾母。」《說文解字》：「**鵪**，鶉屬也。」**鵪**，《禮記》作鷃。鵪，鳥綱鶉雞目。體形與鶉相似，背面全呈胡桃色，腹面胸部淡青色，至下方亦漸呈胡桃色。也是一種候鳥。肉可食,《禮記・內則》有鴽釀。鵪鶉常並稱,形狀雖相似,實為二物,孔廣森云:「鵪,鶉之類也。無斑者為鵪,有斑者為鶉;鶉有後趾,鵪無後趾,恆以是別之。」(《大戴禮記補注》)郝懿行也說:「今鶉黃黑雜文,大如秋雞,無尾;鴽較長大,黃色無文,又長頸長觜。」(《爾雅義疏》)田鼠化為鴽,除見於〈夏小正〉、《呂氏春秋・季春紀》、《禮記・月令》、《逸周書・時訓》、《淮南子・時則》、《易緯・通卦驗》外,《列子・天瑞篇》亦云:「田鼠化為鶉。」莊萬壽以為:「田鼠,鼴鼠,與鶉鳥同寄生在野。或是田鼠與鶉鳥也是互為食物生態的平衡,春天鶉鳥多了,田鼠無以為生,就離開;秋天,田鼠多,鶉鳥就他遷,以致誤以鼠鶉互變。」(《新譯列子讀本》)可見這也是古人觀察未密所滋生的誤會。

9 鴂

五月:「鴂則鳴。」

鴂,《孟子》作鴃,《詩・豳風・七月》、《禮記・月令》、《爾雅・釋鳥》、《說文解字》均作鵙。傳文云:「百鷯也。」也就是《左傳・昭公十七年》的伯趙、《爾雅》、《說文》的伯勞、鄭玄、趙岐注的博勞。伯勞,鳥綱燕雀目。體長約六、七寸。上嘴鉤曲而銳,側緣有齒狀缺刻。背色灰褐,尾長。鳴時尾羽向上下運動,聲甚壯。性猛悍,捕食蟲、魚、小鳥等。秋日以所捕動物貫於小枝,儲作冬糧,為此鳥之特性。顏師古注《漢書》謂鴂為子規,王逸注《楚辭》謂鴂為巧婦,揚雄《方言》謂鵙為鶪鶪,郭璞注《爾雅》謂鵙似鶷鶡,陳正敏《遯齋閒覽》謂鵙為梟,李肇《國史補》謂鴂為布穀,楊慎《丹鉛錄》請鵙為駕犁,九種說法都不相同,李時珍《本草綱目》曾詳加考辨,以為當以郭說為準。

10　鴻

九月：「遰鴻鴈。」

鴻，鳥綱雁鴨目。翼長一尺八寸。頭頸及背面暗黃褐色，翼黑褐色，尾灰褐色，先端白，嘴尖黑，腳黃。為獵鳥中之重要種類。《詩・豳風・九罭》：「鴻飛遵渚」之鴻為黃鵠，與此不同。《毛詩傳》云：「大曰鴻，小曰雁。」鴻與雁，古人常並稱，嚴格而言，還是有區別的。晉張華云：「鴻雁有三同三異：秋來賓，一同也；鳴如家鵝，二同也；進有漸而飛有序，三同也。鴈色蒼而鴻色白，一異也；雁多群而鴻寡侶，二異也；雁飛不過高山，而鴻薄雲漢，三異也。」（《博物志》）薛蟄龍也說：「考諸現行之動物學書，則鴻與雁判為兩物，惟同屬諸水禽類耳。鴻之體大，背頸淡黑；雁之體小，額白而項頸背均呈褐色。……是謂鴻與雁相類則可，而謂鴻即雁之大者則不可。」（〈毛詩動植物今釋〉）

11　雀

九月：「雀入于海為蛤。」

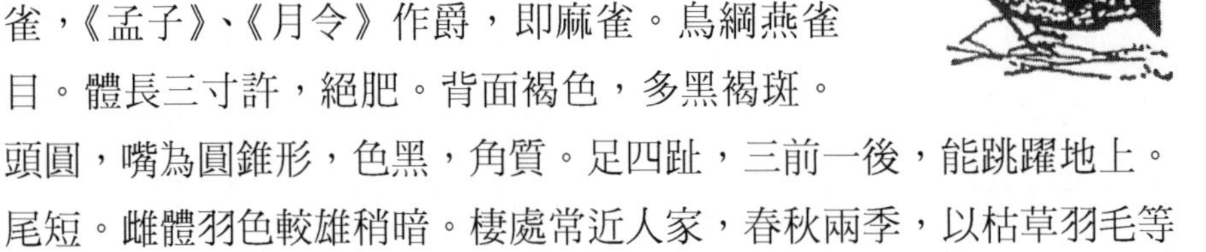

雀，《孟子》、《月令》作爵，即麻雀。鳥綱燕雀目。體長三寸許，絕肥。背面褐色，多黑褐斑。頭圓，嘴為圓錐形，色黑，角質。足四趾，三前一後，能跳躍地上。尾短。雌體羽色較雄稍暗。棲處常近人家，春秋兩季，以枯草羽毛等營巢於樹洞及屋隙瓦簷等處。每年產卵二至三次，繁殖頗速，分布亦廣。能雜食，盜穀物，捕蟲類，利害尚足相抵。可以炙食，唯性狡猾，不易捕獲。雀化為蛤，除見於〈小正〉外，又見《呂氏春秋・季秋紀》、《禮記・月令》、《逸周書・時訓》、《淮南子・時則》，與鷹化為鳩同為古人觀物未審的謠言。沈維鍾云：「夏時宅都安邑，人民集居河北，但見九月以後此雀漸漸稀少，遂有入海化蛤之謠。實則麻雀避寒就燠，逐漸飛向東南，否則一交冬令，江淮之表何以驟增如許麻雀耶？」(〈夏小正條考〉) 夏緯瑛也說：「蚌類之殼有種種花紋，當有蛤殼之花紋狀若雀者，古人考察不確，或以為是雀之所化，故言『雀入于海為蛤。』」(《夏小正經文校釋》)

12 黑鳥

十月：「黑烏浴。」

黑烏，即烏鴉，亦單稱烏。鳥綱燕雀目。體長約一尺七、八寸。嘴強直而大，色黑。體上面黑色，翼之基部暗色，有綠光。腳較細，色亦黑，趾有鉤爪。多群棲近村樹林中，食穀物、果實、昆蟲等。初夏以枝葉營巢樹上而產卵，巢極陋劣。李時珍云：「古有《鴉經》，以占吉凶。然北人喜鴉惡鵲，南人喜鵲惡鴉。」(《本草綱目》) 沈維鍾云：「予考烏之與鴉自古有別：烏則周身純黑，眼目隱于黑色之中，使人驟不可辨，故烏字象鳥無目。其嘴短小，其性母子相哺，故稱慈烏，亦稱孝烏。鴉則有大小兩種，毛羽皆不純黑，大者白在項，小者白在腹下，其嘴皆長大，其性皆不反哺，因其與烏全別，故古人別製一字以名之，即今之鴉字是也。」(〈夏小正條考〉) 黑烏浴是說烏鴉迎風而飛，忽上忽下，宛如在洗浴羽毛一般。

13　弋

十二月:「鳴弋。」

金履祥云:「按當作鳶,今雪霽霜風之晨則鳶鳴。」(《夏小正注》)洪震煊《夏小正疏義》以弋為子規,程鴻詔以為鳳屬(程鴻詔《夏小正集說》引),都是缺乏實據的,金氏引或說「鳴弋猶鳴弦」更屬穿鑿。鳶,即鴟,唯與鴟鵂、怪鴟並非一物,俗稱鷂鷹。鳥綱鷙鷹目。頭頂及喉部白色;嘴帶藍色,體之上面褐色,微帶紫,兩翼黑褐色,腹部淡赤。尾尖分叉。四趾皆具鉤爪。天氣晴朗時常盤旋空中,視力強,如見地下有物可食,則瞥然直下攫之去。食蛇、鼠、蜥蜴、魚等。

(二)獸

1　田鼠

正月:「田鼠出。」
三月:「田鼠化鴽。」
八月:「鴽為鼠。」

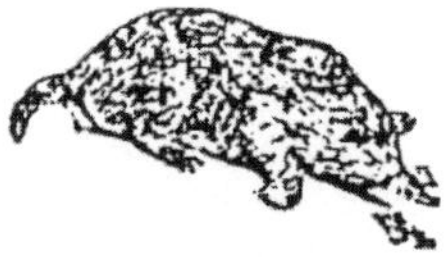

傳文以嗛鼠釋田鼠,嗛鼠即《爾雅・釋獸》之鼸鼠,郭璞注:「以頰裹藏食。」也就是香鼠、金花鼠之類。范家相《夏小正輯注》、姚燮《夏小正求是》、馬徵麐《夏小正箋疏》都懷疑不是經文之義。李時珍《本草綱目》以為田鼠就是鼴鼠,也就是《爾雅》的鼢鼠、《方言》的鼨鼠,又名隱鼠。他的說法大概是根據《淮南子・時則篇》高誘注:「田鼠,鼢鼸鼠。」而來的。鼴鼠,脊椎動物哺乳綱食蟲目。體長五、六寸,圓錐形,密生光澤之軟毛。色暗灰帶褐。吻尖。眼小，隱於毛皮中，因不接觸光線，幾近於退化。耳殼極小，而聽覺甚敏。嗅覺亦銳，鼻尖富於彈性。尾短小。四肢短而多力，肢各五趾，趾有鉤爪，前肢特大而闊，適於掘土。日中深潛土穴，夜間或早晨捕食昆蟲、蚯蚓等，又嚙作物之根，頗為有害，但捕食害蟲，亦有益農事。古時八蜡之祭，迎貓，就是為了它能捕食田鼠。齧齒類也有田鼠，與此同名異實。

2 獺

正月：「獺獸祭魚。」

水獺

獺，即水獺，又名水狗，小的叫獱。哺乳綱食肉目。形似鼬。長約三尺餘。頭扁而短。眼大。尾略扁而長，有力。四肢短，各五趾，趾間有蹼。游泳時以尾為舵，蹼為櫂。全體被細長柔毛，夏日黑色，冬稍赤褐。穴居於河濱，晝伏夜出。行動敏捷，善捕魚，捕則四面陳之，好像人類在祭祀祖先一般，故謂之獺獸祭魚。蘇頌云：「西戎以其皮飾毳服領袖，云垢不著染。」（《本草圖經》）李時珍也說：「今川沔漁舟往往馴畜，使之捕魚。」（《本草綱目》）

3 羔、羊

二月：「初俊羔助厥母粥。」
三月：「羜羊。」

山羊

綿羊

《說文》：「羔，羊子也。」羊，哺乳綱偶蹄目（或稱反芻目）主要有山羊、綿羊兩種。山羊，即《爾雅》的羱羊、《說文》的莧，或名吳羊、野羊。形似綿羊而體較狹。頭長頸短，額有角一對，向後彎曲。牡者顎有長鬚，毛短，色或白或黑或灰，或黑白混雜。體長約二尺至四尺。此羊本野生，嗣因豢養於人，變種頗多。性善鬥，至死不恤。綿羊，或名夏羊，由野生之羱羊豢養而變化者。牝牡均有角，捩折如螺旋，角中空，外有橫紋。口吻狹長。四肢短，肢各四趾，有蹄，其向後二蹄不著地，稱為懸蹄。尾短而下垂。毛綿密而長，多蜷曲，色白，可製織物。性溫順，喜群居，生育繁盛。羊自古即為有名的家畜，肉、乳可食，毛、皮可用。在距今六、七千年的陝西西安半坡和臨潼姜寨、浙江餘姚河姆渡原始遺址中，發現有豬、狗、羊、雞和水牛的骨骼。古人視羊為吉祥動物，吉禮每用之，為大牢所必具。《禮記．曲禮》也說：「凡贄，卿羔。」《正義》：「羔，小羊，取其群而不失類也。」「初俊羔助厥母粥。」文義不甚明晰，異說極多。可能是說剛長大的小羊，乳哺方斷，有助於其母懷胎另育幼羔。「羵羊」傳文也不夠清楚，大概是說三月天氣初暖，羊來往相逐，有時互相登陟，好像積薪一般。羵羊與委楊連文，徐世溥《夏小正解》、莊述祖《夏小正經傳考釋》、沈維鍾〈夏小正條考〉等以為必有傳寫誤衍。

4　駒、馬

四月：「執陟攻駒。」

五月：「頒馬。」

駒是二歲的小馬。馬，哺乳綱奇蹄目。身高，頭小而長，耳殼直立，頸有鬣。尾叢生長毛，為總狀。四肢長，肢各三趾，惟中趾著地，趾端有蹄。為草食性，故臼齒頗大，犬齒惟雄者有之，然亦甚小。性溫順，又善走，乘用、軍用、農用等皆宜。上古之馬大小與狐類相等而已，後經人類飼養、使用及改良，形狀亦隨之變化，各有不同。《詩經・魯頌・駉篇》根據毛色而區別，即有十六種之多。執陟攻駒是說拘執春情發作而騰躍的小馬，免得它接近而踢傷懷孕的母鳥，並且教它開始學習駕車。頒馬是說國君分駒馬給卿大夫使用，因為古時大夫不得自造車馬。

5　狸

七月：「狸子肇肆。」

狸，《爾雅》、《說文》作貍，《廣韻》以為即野貓。哺乳綱食肉目。形似狐而小，且肥，體被黑褐色疏毛。鼻邊黑，眼邊白，眼銳有光。耳殼短闊，吻尖，四肢短而細，肢有四趾，具不能伸縮之鉤爪。尾毛長而蓬鬆，體長三、四尺。穴居近村之山野，常夜出掠食家畜，亦食魚及鼠，性狡猾，常倒行以亂其足跡。肉味不甚美，尾毛可製筆，皮可供裘領。《本草綱目》謂貍類甚多，有貓貍、虎貍、九節貍、香貍、牛尾貍、玐、海貍等。《爾雅・釋獸》：「貍子隸。」貍子肇肆，是說貍之幼子開始肆意搏殺小動物。姚燮《夏小正求是》訓為貍孕子肇生隸，程鴻詔《夏小正集說》解為貍子始交配，都是望文生義，徐文溥《夏小正解》、范家相《夏小正輯注》以木實開花解之，更不可從。

6　鹿

八月：「鹿人從。」

鹿，哺乳綱偶蹄目。長四尺餘，四肢細長，前二趾踏地有蹄。尾短。毛色冬季茶褐，至夏變栗色，有白

斑。牡者二歲生無枝之角，雌者無之。每年夏至時脫角，新角初生時甚輭，漸次堅硬，且隨年歲而增叉枝。棲北方山林中。性溫順，食則相呼，行則同旅，居則環角外向以防害。聽覺、嗅覺等均極敏銳，行動十分迅速，故不易獵獲。肉味甚美，茸供藥用。鹿人從，自古說者多歧，難得定論，王筠云：「詳此經傳，皆有訛誤，闕之可也。」（《夏小正正義》）

7 熊

九月：「熊、羆、貊、貉、鼬鼪則穴。」

熊，哺乳綱食肉目。體肥滿，長四、五尺。頭大，額廣，耳殼短圓，鼻端略鈍，眼露兇光，嘴突出，上脣中央有分裂。四肢短，以全蹠踏地，各五趾，具鉤爪。尾短小。毛密而硬，色黑，惟喉下有白色新月紋。棲深山，穴居樹洞、土窖中，晝隱夜出，善攀木。能草食，亦能肉食。天寒時須冬眠，春暖始出，〈夏小正〉此節即寫其避寒深居。熊皮可為墊，肉可食，掌肉稱珍品，膽為健胃藥。

8 羆

九月：「熊、羆、貊貉、鼬鼪則穴。」

羆，與羆同，俗呼人熊，哺乳綱食肉目。似熊而體大，長約六、七尺，重約八百磅。毛色褐，或近黑色，喉下偶有月形斑。壽命可達50年。多產北方。李時珍云：「熊、羆、魋，三種一類也。如豕色黑者，熊也；大而色黃白者，羆也；小而色黃赤者，魋也。」（《本草綱目》）

9 貊

九月：「熊、羆、貊、貉、鼬鼪則穴。」

貊，通貘。哺乳綱奇蹄目，種類甚多。體形似豚，大小不一。四肢長短適中，前肢有四趾，後肢有三趾，皆有蹄。皮厚毛短，頸粗耳短。眼小，尾亦小。鼻長，向下方為吻狀突出，能隨意伸屈。喜在夜晚獨行，多見於深林或水邊，好食植物。《南中八郡志》云：「貊大如驢，狀頗似熊，多力，食鐵，所觸無不拉。」(《後漢書．西南夷傳》李賢注引）其他古書也往往有類似的記載，所言未免近乎神話。《爾雅．釋獸》：「貘，白豹。」與此同名異實。此節貊，傅崧卿《夏小正戴氏傳》作豹。豹，哺乳綱食肉目。體長四尺餘。形似虎，耳短，瞳孔能隨光線而收放。犬牙大，呈圓錐形，臼齒尖。毛色蒼褐或赤褐，有黑色斑點，間有全身呈黑色者。性猛力強，動作活潑，能遠跳，善攀木，常捕食羊、鹿、猿猴等。毛皮甚珍貴。

10 貉

九月：「熊、羆、貊、貉、鼬鼪則穴。」

貉，《說文》作貈。生山野間，形似貍（在日本，貍別名為貉），銳頭尖鼻，毛黃褐色，深厚溫滑，可為裘。相傳與貛同穴而異處，日伏夜出，捕食蟲物，其性好睡。

11　鼬鼪

九月：「熊、羆、貊、貉、鼬鼪則穴。」

《爾雅・釋獸》：「鼶鼠。」郭璞注：「〈夏小正〉曰：『鼶鼬則穴。』」又：「鼬鼠。」郭注：「今鼬似鼦，赤黃色，大尾，啖鼠，江東呼為鼪。」可見鼬鼪異名同實。戴震校《聚珍版叢書》本《大戴禮記》，即依郭注所引改作「鼶鼬」，從之者甚眾，或謂鼶即田鼠，或謂鼶鼬同物。鼬，哺乳綱食肉目。一名鼪，亦名鼠狼或黃鼠狼。體長尺許，頭略圓，四肢短，毛黃褐。骨骼有彈性，伸屈自如，能出入小穴。多棲村市廢屋中，晝隱夜出，捕鼠及雞等小動物。嗅覺敏銳，行動亦極敏捷。遇敵，則自肛門皮脂腺放惡臭而遁。毛可製筆，即狼毫是也。

12　豺

十月：「豺祭獸。」

豺，又作犲。哺乳綱食肉目。形似狼犬而體瘦，長四尺許。毛色茶褐或灰黃。口吻尖長，口裂頗深，耳殼直立，牙銳利。四肢前長後短，每肢五趾各具鉤爪，有小蹼，能游泳。吠聲如犬，群棲山林，性殘猛，常捕食羊、豖等。毛可製筆。豺祭獸猶如獺獸祭魚，大概是其性貪而飲食習慣如此。黃叔琳云：「獺祭圓，象天，陽也；豺祭方，象地，陰也。」(《夏小正注》) 未免失之穿鑿。

13 麋

十一月：「隕麋角。」

十二月：「隕麋角。」

麋，鹿屬，哺乳綱偶蹄目。形似鹿而體龐大，重約一千四百磅，高七尺許，四肢較長，全體暗赤褐色。眼小耳闊，頸有短鬣，胸部及喉下密生長毛，向下垂。牡體生有枝之角，其枝逐年增加，枝粗短，向內部彎曲，極堅強。性怯弱，喜孤立，善走，亦能游泳，食樹皮、樹葉及嫩芽等，肉可食，味美，毛革可製器具。麋鹿常並稱，沈維鍾云：「鹿產山林，馬身羊尾，大如小馬，黃質白斑。牡者有角，夏至則解。牝者無角，身小而無斑，毛雜黃白色，具名為麀。麋則產澤中，似鹿而色青黑，大如小牛，肉蹏。目下有兩竅，俗以為能夜視，故《淮南子》云：『孕女見麋而子四目也。』此麋與鹿之別也。」(〈夏小正條考〉) 麋與鹿一樣，也會解角。〈夏小正〉十一月記隕麋角，十二月又記之，傅崧卿以為衍文，孔穎達《禮記・月令正義》則以為是節氣有早晚的緣故。

（三）蟲

1 轂

三月：「轂則鳴。」

傳文以天螻釋轂，與《爾雅・釋蟲》相同，郭璞注：「螻蛄也。」《禮記・月令》孟夏之月：「螻蟈鳴。」蔡邕《章句》謂螻即螻蛄，蟈為蛙。螻蛄，節足動物昆蟲綱直翅目。體圓長。色雜黑黃，長寸許。頭圓，似狗，故俗名土狗。有短觸角，如絲狀。足三對，第一對強大，適於掘土。前翅短，後翅大，疊則成尾狀之二突起，超尾端而突出。尾端有尾毛。常棲土中，至夜則出，喜撲火。雄者能鳴，其聲嗚嗚然，聞者誤以為出自蚯蚓，實則蚯蚓並不能發聲。食蚯蚓、昆蟲，又嚙食作物，為農田害蟲。

2　蠶

三月：「妾子始蠶。」

蠶，俗作蚕，昆蟲綱鱗翅目之幼蟲，其成蟲為蠶蛾。蠶初出時形小，色黑，有毛，謂之蟻蠶或蚢。經過蛻皮四次，眠四次（蛻皮前不動不食，俗謂之眠。）即停止進食，吐絲作繭。每一繭之絲長達1000公尺，若以四萬個繭之絲相接，可圍繞地球一周。蠶在繭內，漸漸變為褐色短肥之形狀，謂之蛹。經二週左右，又變為成蟲，即蠶蛾，破繭而出，雌雄交尾而產卵，不久自斃。其幼蟲漸由黑色轉呈灰白色，頭部堅硬，有眼、額、顎及脣，又有三個觸鬚。全體有13環節，兩側各有橢圓形黑斑九點，為呼吸出入之氣門。胸腹部足八對。體長約半寸。成蟲惟胸部有足三對，又有翅兩對，翅上有數多粉屑，檢以顯微鏡，則見粉屑上有無數鱗片狀之物，謂之鱗翅。翅小而體肥，故不能飛翔。中國早在新石器時代晚期已有蠶絲，蠶絲為中國重要輸出品，而除桑蠶外，尚有柞蠶、天蠶等，俗謂之野蠶，野蠶絲亦可織網。妾子始蠶，是說婢妾及正妻開始養蠶。

3　札、良蜩、匽、唐蜩、寒蟬

四月：「鳴札。」

五月：「良蜩鳴。」

札　寒蟬

五月：「匽之興，五日翕，望乃伏。」

五月：「唐蜩鳴。」

七月：「寒蟬鳴。」

〈夏小正〉有關蟬的記事特別多，所謂札、良蜩、匽、唐蜩、寒蟬，其實都是蟬的一種。蟬，俗稱蜘蟟，種類極多。昆蟲綱有吻目。體長頭短，觸角雖短，計有七節。吻為針狀。有二複眼，突出，又有單眼三。胸背有斑紋甚多，腹部分七節。雄體腹面有發音器一對，雌者無之，不能鳴，謂之啞蟬。翅膜質，或透明，或有色彩，前翅比後翅大。前肢腿部粗大，下面有齒，夏秋間出現，在林中吸食樹汁。生命不過二、三星期，幼蟲居土中，自幼蟲化蛹至為成蟲，其期頗長，有亙十七年者。

（1）札：傳文以寧縣釋之。《爾雅・釋蟲》：「蚻，蜻蜻。」郭璞注：「如蟬而小，《方言》云：『有文者謂之蠽。』〈夏小正〉曰：『鳴蚻，虎懸。』」宋書升《夏小正釋義》以為即蛥蚗，沈維鍾〈夏小正條考〉以為即蟪蛄，其實同為一物。蟪蛄，體長七、八分。色黃綠，有黑條紋，吻甚長，翅有黑斑，脈亦黃綠。雄體腹部有鳴器，頗闊，色暗黃。洪震煊《夏小正疏義》以為札是蚱蟬，那是蟬中之大者，體長約一寸五分，即《爾雅》的「蝒，馬蜩」，其說可能非是。

（2）良蜩：《爾雅・釋蟲》：「蜩，蜋蜩。」蜋蜩，體長七、八分，翅長一寸六、七分。色黑，雜黃綠斑紋，腹部之腹面有白粉，所以傳文云：「五采具」。翅無色透明。棲息山間松林中，以體色似樹幹，不易搜覓。

（3）匽：〈夏小正〉此節經文既長且難解，或疑為古人釋經之詞誤入經文者。《詩・大雅・蕩篇》：「如蜩如螗。」《毛傳》：「蜩，蟬也。螗，蝘也。」《爾雅・釋蟲》：「蜋蜩，螗蜩。」舍人注：「皆蟬也，方語不同。三輔以西為蜩，梁、宋以東謂蜩為蝘，楚語謂之蟪蛄。」可見匽也是蟬。〈夏小正〉此節大概是在講蟬之蛻變，夏緯瑛云：「所謂翕者，當是羽翅之未展，即其不飛不鳴之時。而伏者，當是蟬之死而不見之時。」（《夏小正經文校釋》）黃模也說：「〈小正〉良蜩以前記四月鳴札，唐蜩以後記七月寒蟬。而匽居其間，獨詳言其興伏，於〈小正〉為變文，於是族為總論也。」（《夏小正分箋》）王廷相《夏小正集解》以為匽是蜣蜋，蔡德晉以為是伏翼（《五禮通考》卷一百九十九引），朱駿聲《夏小正補傳》以為是蝘蜓，都不可從。

（4）唐蜩：《爾雅・釋蟲》：「螗蜩。」郭璞注：「〈夏小正傳〉曰：『螗蜩者蝘』，俗呼為胡蟬，江南謂之螗蛦。」郝懿行《義疏》：「今螗蜩小於馬蜩，背青綠色，頭有花冠。喜鳴，其聲清圓，若言烏友烏友。」《方言》：「蟬，宋、衛之間謂之螗蜩。」注：「今胡蟬也，似蟬而小，鳴聲清亮。」黃叔琳〈夏小正註〉以為螗蜩即馬蜩，然《爾雅》另有：「蝒，馬蜩。」不當與螗蜩完全相同。

（5）寒蟬：傳文云：「蝭蠑也。」就是《玉篇》、《廣韻》的蝭蟧，《爾雅・釋蟲》的「蜓蚞，螇螰。」《爾雅》又云：「蜺，寒蜩。」郭璞注：「寒螿也。似蟬而小，青赤，〈月令〉曰：『寒蟬鳴。』」寒蟬，色黑，有黃綠斑，翅透明，脈赤褐。雄者腹面有黑色三角形之鳴器。雄體長約九分半，雌體長八分半（產卵管除外），沈維鍾〈夏小正條考〉以為寒蟬當為螿，亦即蟋蟀，其說實乏確證。

4　蜮

四月：「鳴蜮。」

蜮即蟈，在《說文》為一字之異體。《禮記・月令》孟夏之月：「螻蟈鳴。」蔡邕《章句》謂螻即

螻蛄（上文之瞉），蟈為蛙。蜮，〈夏小正〉傳文以「或曰屈造之屬也」解之，屈造正是蛙類，即《詩・邶風・新臺》之戚施、《淮南子・說林》之鼓造，《說文》之鼀鼁、鞠鼀、鼁諸，今稱蝦蟆或蟾蜍，異名極多，詳見陳壽祺《左海經辨・釋詹諸》一文。蟾蜍，脊椎動物兩棲類無尾綱。體大，形醜惡，皮黑而多疣，內有毒腺。性遲緩，不善跳躍，鳴囊亦不發達。捕食昆蟲、蚯蚓等，能耐飢渴，不易死。經冬必須冬眠。常居陸上，產卵期則入水中。幼時之變化與蛙無異，亦為蝌蚪。有一種藥叫蟾酥，即取自其皮面之毒腺。《說文》：「蜮，短弧也。似鼈，三足，以气䠶害人。」短弧含沙射影，是一種傳說中的怪物，顧問《夏小正集解》據以解釋此節，非是。

5 浮游

五月：「浮游有殷。」

浮游，又作蜉蝣、蜉游、蜉蝤。傳文以渠略解之，與《爾雅》相同。昆蟲綱擬脈翅目。體細長纖弱，約五、六分，有惡臭，色綠褐。頭部短，口器退化，觸角如針狀。前翅大，為三角形，後翅小。第一對腳甚長，尾端有長尾毛三條。幼蟲體長圓，約八、九分，色淡褐。觸角短，胸部有腳三對，腹部分節，有扇狀之鰓七對，尾端有毛狀物三條。棲息水中，捕食小蟲，約三年蛻皮為成蟲。成蟲交尾產卵於葉下，即死，生存期只數小時。陸璣云：「似甲蟲，有角大如指，長三、四寸。甲下有翅，能飛。夏月陰雨時地中出，今人燒炙噉，美如蟬也。」（《毛詩草木鳥獸蟲魚疏》）郭璞云：「似蛣蜣，身狹而長，有角，黃黑色。聚生糞土中，朝生暮死，豬好啖之。」（《爾雅注》）他們所形容的另為一種，大概就是臼齒蜉蝣，《本草綱目》兩存之。夏緯瑛以為蜉蝣是金龜子，與蜣蜋（蛣蜣）同屬鞘翅目，其說與陸、郭為近。但金龜子從無蜉蝣之名，可能只是一種臆測。

6　丹鳥

八月：「丹鳥羞白鳥。」

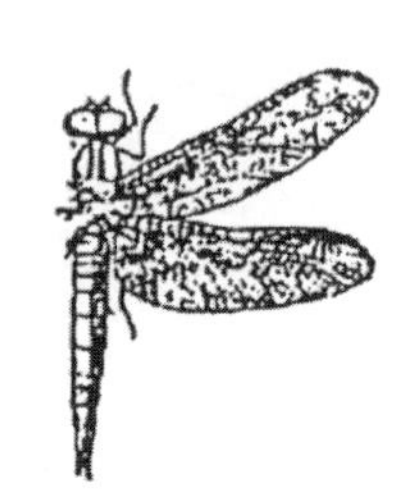

丹鳥，傳文以丹良釋之，其意不明。《禮記・月令》仲秋之月也有「群鳥養羞」，鄭玄注：「二者文異，群鳥、丹良，未聞孰是。」所以後人的解釋至為紛歧，如楊慎《夏小正解》以為是鷩雉，徐世溥《夏小正解》以為是蝙蝠，李調元《夏小正箋》以為是黃甲蟲，黃模《夏小正異義》以為是鴻雁，他們的說法都有罅漏，不能自圓其說。唯宋書升《夏小正釋義》主張丹鳥即赤卒（紅蜻蜓），其說於經傳咸能相合，胡玉縉推為「雖刱論而實塙論。」（《許廎學林》）赤卒，是蜻蛉的一種。蜻蛉，昆蟲綱擬脈翅目（或列入另立之蜻蛉類），種類多達百數十種。體分頭胸腹三部。頭部有複眼二，單眼三。口有上下兩脣及上下兩顎，大顎頗發達，適於捕食蚊蠅蛾等害蟲。胸部有膜質翅二對。腹部分數節，有腳三對。性活潑，常群飛。又恆以尾點水，而產卵於水中。其幼蟲曰水蠆，頭為球狀，胸部下面有六足，腹部廣闊，棲水中，捕食魚、蝌蚪及孑孓等。漸長，則生小翅為蛹，至後蛻皮而出，即為成蟲。幼蟲之生存期頗長，既化為成蟲，僅越二十餘日，交尾產卵後即死。蜻蛉與蜻蜓形狀相似，惟蜻蛉飛行之區域不廣，蜻蜓能遠飛而已。赤卒，又名絳騶、赤衣使者、赤弁丈人。雄體紅色，長約一寸六分，雌體黃色，長約一寸半，展翅闊約二寸餘。複眼相接近，體無斑紋。雄體之翅透明，雌體之翅帶玳瑁色。腹部呈棱柱狀，基部稍大，腳暗黃。白鳥是蚊蚋，見下文。羞，傳文的解釋是「進也，不盡食也。」丹鳥羞白鳥，是說八月時，紅蜻蜓翼力漸薄，遇蚊蚋，若得珍異之物，不忍食盡。

7 白鳥

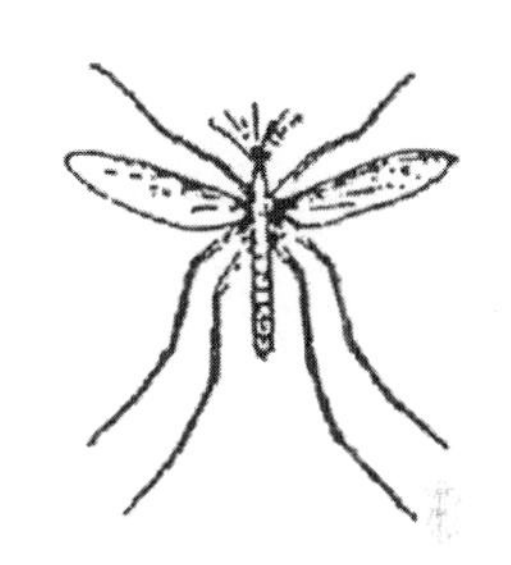

八月：「丹鳥羞白鳥。」

白鳥，傳文的解釋是：「謂蚊蚋也。」蚊，本作蟁，與螡同。昆蟲綱雙翅目。體細長，黑褐色。口吻長，觸角亦長，分15節。腹部細長而略扁。翅透明，有細毛。足長，尖端生爪，有白斑。雌蚊夜間群出，吸螫人畜，雄者惟吸食植物液汁。卵產水中，幼蟲曰孑孓，體長圓，暗黑色。體之各節生叢毛，善屈伸游泳，約十日羽化為蚊。蚋，本作蜹，《字林》云：「蜹，小蚊也。」體卵形，長約七釐，色黑。頭小，觸角短，無單眼，複眼多呈赤色。胸背隆起為球形，翅闊。螫吸人畜之血液，幼蟲棲水中。

8 玄駒

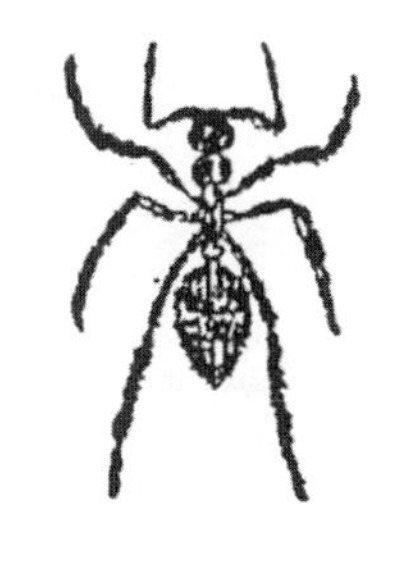

二月：「昆小蟲抵蚳。」
十二月：「玄駒賁。」

玄駒，傳文的解釋是「螘也。」《爾雅．釋蟲》：「蚍蜉，大螘，小者螘。」《方言》：「蚍蜉，齊魯之間謂之蚼蟓，西南梁益之間謂之元蚼，燕謂之蛾蛘。」螘，就是蟻，昆蟲綱膜翅目。形性多似蜂，體長形，色黑或褐。頭大，有複眼二，觸角頗長。口有鉤屈之大顎一對。胸部呈卵形，有腳三對，腳端具二爪。腹部球形或卵形，常有細腰，或尾端有毒刺。巢常營於地中或朽木內，概分多數之隧道。集社會而群棲，亦有役使奴隸、畜牧甲蟲蚜蟲、種植穀物之知識。有雌蟻、雄蟻、工蟻、兵蟻之別。雌雄蟻於二複眼外，又有單眼，工蟻、兵蟻無之。雌雄蟻至春暖時，生翅而飛行空中，交尾後，雄蟻即死，雌蟻之翅脫落。工蟻於此時增築巢穴，搜集食物。兵蟻任戒備及戰鬥之事。種類甚多。玄駒賁，是說十二月天寒地凍，螞蟻潛伏奔走於地中。任兆麟《夏小正補注》、沈維鍾〈夏小正條考〉以為是說蟻在地中攻土而成蟻垤，墳然隆起，其說與傳文釋賁為奔略有不同。夏緯瑛《夏小正經文校釋》則以為是說玄色之馬已長成而肥碩，他的解釋可說完全否定傳文了。

蚳，傳文的解釋是「蚳卵也。」蟻之卵透明，色乳白，古人取之作為祭醢。劉師培云：「因其物可以推抵，故名曰蚳。今驗此物色白，淮南人呼為馬蟻子，鮮有取以為食者，與古殊矣！」（〈爾雅蟲名今釋〉）昆小蟲抵蚳，或以為一節，或以為兩節，經傳都詰曲難解。可能是說春暖時，冬蟄的眾小蟲都紛紛出來活動，人們推擇蟻卵做為祭醢。由於蟻卵在後世很少充作食物，金履祥《夏小正注》、王廷相《夏小正集解》、徐世溥《夏小正解》、任兆麟《夏小正補注》、黃模《夏小正分箋》都有不同的說法，其中黃模以為蚳指水中介蟲，抵，是以叉籍于泥中而取之，說較可取，可備一義。

（四）魚

1　鮪

二月：「祭鮪。」

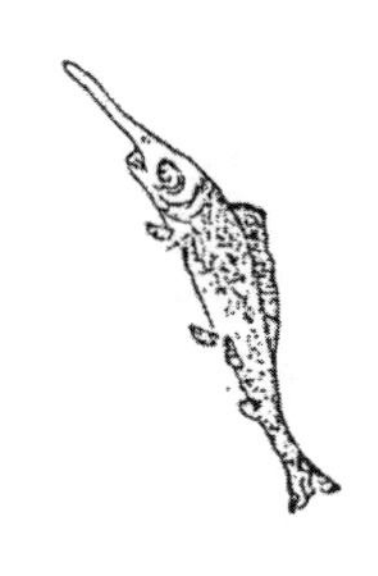

《爾雅・釋魚》：「鮥，鮛鮪。」郭璞注：「鮪，鱣屬也。大者名王鮪，小者名鮛鮪。」鮪即鱏，俗作鱘。

脊椎動物魚綱硬鱗目。為鱣之近似種。體形為長紡錘狀，但背無硬鱗，鰭間有刺棘，能左右動，而不能屈曲。肉色白，吻長，口在頭下，頰下有青斑，紋如梅花。尾分叉，背面青碧，腹白，有黃色斑點。長一、二丈。春初出現於江、淮、黃河、遼海深水處。祭鮪是以鮪供祭祀之用，《周禮・<u>𩰫</u>人》也說：「春獻王鮪。」〈月令〉「薦鮪於寢廟」，在三月。

2 鱓

二月：「剝鱓。」

鱓，為鼉之假借。鼉，一名鼉龍，又名豬婆龍，即揚子鱷。脊椎動物爬蟲類。體長一、二丈，四足，背尾俱有鱗甲，似短吻鱷。性貪睡，恆閉目，力猛，善攻，穴居江岸。生卵甚多，至以百數，有時自食之。南人珍貴其肉，以為嫁娶之敬。其皮可張鼓，剝鱓目的即在此。

3 蛤、蜃

九月：「雀入于海為蛤。」
十月：「雉入于淮為蜃。」

《說文解字》：「盒，蜃屬，有三，皆生於海。」盒即蛤。輭體動物瓣鰓類。外被介殼二片，為外套膜分泌而成，具有保護作用。殼頂相互凹凸，有韌帶相連，無頭，無觸角，口開於外套腔之內，鰓亦位於外套腔內。足呈側扁，平時常伸出殼外，潛行泥沙中，但速度緩慢。棲於近海之砂底。肉可供食用，珍珠尤為貴重。種類甚多，其大小、形狀、顏色及斑紋變化無窮。最常見的有文蛤、魁蛤（蚶）、蛤蜊等。

《說文》又云：「蜃，大蛤。」蜃即蜄，傳文以「蒲蘆」解之，是說其形狀圓而長。古時磨其殼為農具。另外，傳說能吁氣成樓臺城郭之狀的海市蜃樓，是蛟蜃，與此同名異實。

通觀〈夏小正〉之生物後，似乎有幾點特別值得一提：

（一）〈夏小正〉旨在驗時，不以多識為貴，所載動植之屬，不過六、七十種，比當時實際的生物當然要少得多。此種情況正如同《詩經》側重比興，不是生物專書一般。我們不能以求全責備的眼光來衡量這些古籍。

（二）〈夏小正〉透過這些生物來表現時節的轉移、氣候的變遷。換句話說，「物」與「候」密切結合，成為「物候」。這種物候知識可以幫助人們處理生活的細節、掌握生產的時效，對農業社會而言是十分重要的。〈夏小正〉是現存最古的物候專書，在先民生活史及農業發展史上自然都有其特殊的地位。

（三）這六、七十種生物，為數雖少，而已徧及草木鳥獸蟲魚，其中固不乏耳熟能詳者，但也有許多冷僻難識的。吳澄云：「夫七十二候……其禽獸草木，多出北方，蓋以漢前之儒皆江北者也，故江南老師宿儒亦難盡識。」（《月令七十二候集解》）對於〈夏小正〉的生物，我們也有同樣的感觸。欲將這些生物完全辨識清楚，不僅須博考古籍，還須徵之目驗，詢之農牧，甚至借助於現代生物學的專門知識，並不是十分容易的事。

（四）《爾雅》為博物之淵藪，將六百多種生物分別隸於〈釋草〉、〈釋木〉、〈釋蟲〉、〈釋魚〉、〈釋鳥〉、〈釋獸〉、〈釋畜〉。每篇之中，或別其異名，或詳其形狀，或以類相從，或前後互見，已具有相當進步的分類學知識。〈夏小正〉性質不同，自然不能對它作同等的要求。不過，如正月「梅杏杝桃則華」、九月「熊羆貊貉鼶鼬則穴」，將同屬薔薇科的植物、同屬哺乳綱的動物排比並言；四月「鳴札」、五月「良蜩鳴」、「匽之興，五日翕，望乃伏」、「唐蜩鳴」、七月「寒蟬鳴」將蟬區分為四、五種，都可顯示當時對生物的分類已十分注意。

（五）站在今日科學的觀點，最讓人詬病的是正月「鷹則為鳩」、三月「田鼠化為鴽」、五月「鳩為鷹」、八月「鴽為鼠」、九月「雀入于海為蛤」、十月「雉入于淮為蜃」這些觀物未諦的紀錄。不過，我們如果了解紀錄者所處的時代，科學並不發達，而且其他的古籍如《莊子》、《呂氏春秋》、《淮南子》、《逸周書》、《易緯》、《禮記》、《列子》等往往也有相類似的錯誤，那就不會加以苛責了。陳文濤云：「古時甚尚化生之說，《禮・月令》有鷹化為鳩、雀化為蛤、腐草化為螢諸說。《莊子》亦云：白鶂相視而化，細腰者化；蓋皆緣於觀察之誤。惟化生之說，亦未能絕對否認；近有科學家，曾將某種液熱至法倫表一百四十度，顯示其內所有黴菌皆已全數死亡；後又取一種液煮熱二百十二度，經二日後，此二種液內居然有了生物，因知自然化生，實非絕不可能之事實也。」（《先秦自然學概論》第九章）從這個角度來看，這些古籍的荒謬紀錄也並非毫無意義的。

——原載於《夏小正析論》，臺北：文史哲出版社，1985年。

《呂氏春秋》農業史料析論

一　前言

中國一向以農立國，近年在河南裴李岡、浙江河姆渡、西安半坡等古文化遺址所出土的農具、粟粒、蔬菜種子、稻穀，都足以證明至少在六、七千年前就已經有了原始的耕作技術[1]。甲骨文中有關農業管理、技術、產品、禮俗的記載，《詩經》中〈七月〉、〈大田〉、〈生民〉、〈豐年〉等十幾篇有關農業生產的詩篇，更足以證明在殷、周時代，農業技術已有了長足的進步[2]。春秋戰國時代，農業更加發達，甚至有了農書的出現，可惜的是《漢書．藝文志》所著錄的《神農》二十篇、《野老》十七篇，後世均已散佚無存，目前可見的最早而有體系的農業文獻當數《呂氏春秋．士容論》中的〈上農〉、〈任地〉、〈辯土〉、〈審時〉。雖然這四篇文章究竟是呂氏門客自撰，還是取自古農書，抑或是在先秦古農書的基礎上寫成的，還有不少爭議[3]。但

1　詳見木鐸出版社《中國科學文明史》，頁11-15。

2　詳見胡厚宣《甲骨學商史論叢續集》〈卜辭中所見之殷代農業〉，頁7-290，李國豪等主編：《中國科技史探索》夏緯瑛、范楚玉：〈詩經中反映的周代農業生產和技術〉，頁613-631。

3　如洪家義以為〈上農〉等四篇係呂氏門客自撰，見《呂不韋評傳》，頁359-360；夏緯瑛以為採自《后稷農書》，見陳奇猷《呂氏春秋校釋》附錄〈呂氏春秋上農等四篇校釋〉，頁2；佐藤武敏則以為係在先秦古農書的基礎上寫成的，見《日本學者研究中國史論著選譯》第十卷〈呂氏春秋上農等四篇和水利灌溉〉，頁178-180。由於此四篇文字較為古奧，而且有兩處提及「后稷曰」，但是又沒有證據可以證明它們

它們所討論的農業思想與農業技術，足以反映戰國時期中原地區的農業水準，對後世的農業發展也有很深遠的影響，則是眾所公認的。現在即以此四篇為主，再酌採呂書〈十二月紀〉紀首及其他篇章的資料，來一窺《呂氏春秋》農學的究竟。

二　農業思想

（一）重農主義

在古代，農業為民生之依據，立國之基礎，重視農業成為源遠流長的傳統的必然趨勢。提倡「播百穀，勤耕桑，以足衣食」（《漢書・藝文志》）的農家固不待言，就連儒家、法家也無不主張以農為本。《呂氏春秋》是秦在滅六國之前，秦相呂不韋為秦始皇所預先規劃的治理天下的藍圖。一方面，秦自商鞅變法以來，一直奉行農戰政策，成為秦比其他諸侯富強的關鍵；另一方面，戰國末年，由於工商日趨發達，加上征戰連年，人民也常有流徙不定的現象，所以連陽翟大賈出身的呂不韋也不能不特別重視農業的重要性。〈上農篇〉云：

> 古先聖王之所以導其民者，先務於農。民農非徒為地利也，貴其志也。民農則樸，樸則易用，易用則邊境安，主位尊。民農則重，重則少私義，少私義則公法立，力專一。民農則其產復，其產復則重徙，重徙則死處，而無二慮。民舍本而事末則不令，不令則不可以守，不可以戰。民舍本而事末則其產約，其產約則輕遷徙，輕遷徙，則國家有患，皆有遠志有居心。民

是抄襲的，再衡量《呂氏春秋》的雜家性質，當以「在先秦古農書的基礎上寫成」之說較為合理。至於《玉函山房輯佚書》據馬驌《繹史》之說將此四篇輯為《野老書》，傳世的《亢倉子》採此四篇偽造為〈農道篇〉，都是不足為憑的。

> 舍本而事末則好智，好智則多詐，多詐則巧法令，以是為非，以非為是。

「上農」就是以農為上，以農為本。本篇開門見山即高揭重農主義的農業政策，並且從正反兩面反覆闡述其三點理由：1. 就軍事言：人民務農則樸實易用，可賴以守戰，使國家安定；反之，則難以調遣，無法發揮戰力。2. 就法治言：人民務農則穩重寡言，奉公守法，專心致力於工作；反之，則巧智多詐，喜歡玩弄法令，顛倒是非。3. 就民心言：人民務農則安土重遷，會死守家園，而無二心；反之，則輕易遷徙，國家有難就遠走高飛。綜合這些理由，可見重農並不只是為了土地生產之利，更是基於政治、軍事的考量，也就是為了富國強兵。正如〈貴當篇〉所言：「霸王有不先耕而成霸王者，古今無有。」這實在是繼承法家及秦國一貫的重農政策。《管子》云：「民事農則田墾，田墾則粟多，粟多則國富，國富則兵強，兵強者戰勝，戰勝者地廣。是以先王知眾民強兵、廣地富國之必生於粟也。」(〈治國〉)《商君書》云：「聖人知治國之要，故令民歸心於農。歸心於農，則民樸而可正也，紛紛則易使也，信可以守戰也。」(〈農戰〉)〈上農篇〉的精神與他們完全是一致的。

呂書兼儒墨，合名法，綜道德，言陰陽，齊兵農，雜縱橫，備天地萬物古今之事，號稱雜家。但它對諸子百家並非信手雜鈔，而是有所取，有所不取，自有其標準與立場，所以能自成一家之言。即以重農思想而言，它對法家就不完全是亦步亦趨。法家重本輕末，所謂本，指農人，所謂末，包括商賈、技藝之民、游學之人。《商君書》云：「夫聖人之立法化俗，而使民朝夕從事於農也。……治國能摶民力而壹民務者彊，能事本而禁末者富。」(〈壹言〉) 其事本，以富國強兵為終極目標；其禁末，不惜採取嚴刑峻法，拂逆人性。呂氏門客則不然，其書云：

> 國家難治，三疑乃極，是謂背本反則，失毀其國。凡民自七尺以上屬諸三官，農攻粟，工攻器，賈攻貨，時事不共，是謂大因。(〈上農〉)
>
> 凡為天下，治國家，必務本而後末。所謂本者，非耕耘種殖之謂，務其人也。務其人，非貧而富之，寡而眾之，務其本也。務本莫貴於孝，人主孝，則名章榮，下服聽，天下譽；人臣孝，則事君忠，處官廉，臨難死；士民孝，則耕芸疾，守戰固，不罷北。夫孝，三皇五帝之本務，而萬事之紀也。(《孝行》)

農人生產糧食，工匠製作器物，商賈經營貨物，這三種行業分工合作，各有所司，他們的存在都有其合理性，也有其必要性，不得相僭，而且要把握事功與時效，否則必使國家難治，甚至帶來滅亡的禍害。可見呂氏門客是站在社會分工的基礎上進行重農，本末只是相對，而非絕對，所以他們重本而不抑末，與法家有所不同。尤有進者，呂書對法家的急功好利、刻薄寡恩深表反對，對儒家的人性論、價值觀則頗為嚮往。〈上德篇〉云：「嚴罰厚賞，此衰事之政也。」〈孟春紀〉云：「命相布德和令，行慶施惠，下及兆民。」道德仁義比富國強兵更為重要，所以如果拿耕耘種殖和孝道相比，孝道是本，而耕耘種殖則不是那麼重要了。亦即重農的終極目標是在成就道德，教化萬民。這種說法與孔子的「足食，足兵，民信之矣！……自古皆有死，民無信不立」(《論語・顏淵》) 精神相通，都是充滿人本主義的光輝，與法家更是大異其趣。

(二) 農業政令

呂書的重農既然雜糅儒、法，在農業政令上自然不會像法家那樣嚴苛，而是勸勉與強制兼施並舉，〈上農篇〉云：

> 天子親率諸侯耕帝籍田，大夫士皆有功業。是故當時之務，農不見於國，以教民尊地產也。后妃率九嬪蠶於郊，桑於公田。是以春秋冬夏，皆有麻枲絲繭之功，以力婦教也。
> 故敬時愛日，非老不休，非疾不息，非死不舍。
> 農不上聞，不敢私籍於庸，為害於時也。
> 苟非同姓，農不出御，女不外嫁，以安農也。
> 上田，夫食九人。下田，夫食五人。可以益不可以損。一人治之，十人食之，六畜皆在其中矣！此大任地之道也。
> 故當時之務，不興土功，不作師徒，庶人不冠弁，娶妻、嫁女、享祀，不酒醴聚眾。
> 奪之以土功，是謂稽，不絕憂唯，必喪其粃。奪之以水事，是謂籥，喪以繼樂，四鄰來虛。奪之以兵事，是謂厲，禍因胥歲，不舉銍艾。數奪民時，大饑乃來。野有寢耒，或談或歌，旦則有昏，喪粟甚多。皆知其末，莫知其本真。
> 若民不力田，墨乃家畜。
> 野禁有五：地未辟易，不操麻，不出糞。齒年未長，不敢為園囿。量力不足，不敢渠地而耕。農不敢行賈，不敢為異事，為害於時也。
> 然後制四時之禁：山不敢伐材下木，澤不敢灰僇，繯網罝罦不敢出於門，罛罟不敢入於淵，澤非舟虞不敢緣名，為害其時也。

歸納這些政令，重點為：1. 提倡農桑：為了表示政府對農業生產的重視，每年孟春之月都由天子親率諸侯、三公、九卿躬耕帝籍田，季春之月都由后妃親率九嬪桑於公田，其目的就是在為民表率，鼓勵農夫致力生產勞動。這種措施也許是受到許行君臣並耕學說的影響，在〈十二月紀〉紀首中也有詳細介紹。2. 安定農村：為了讓農夫專心務農，不萌異心，因此規定農夫要以耕作為終身職業，不得改變身分，農村人口也不許外流。3. 制定產量：政府依照田畝的等則制定生產目標，希望一人生產的糧食最好足以供應十人的需求，鼓勵農夫努力耕作。4. 勿奪農時：農忙時節，政府要避免徭役、兵役的徵召，農村也要避免婚嫁、祭祀、聚眾宴飲，以免妨害生產，否則必有災殃。5. 不可怠惰：既然政府如此體諒農夫，農夫更該專心工作，不可游手好閒，蹉跎歲月，否則就要沒收他們的積蓄。6. 田野之禁：田野工作有其時間性，所以在田地未解凍前禁止操持稭稈，出除糞穢；有其危險性，所以禁止青少年從事園囿勞作；有其局限性，所以禁止力不足而勉強鑿溝而種；有其專業性，所以禁止農夫分心經商或做其他事。7. 四時之禁：山林川澤的保育工作是動植物繁育的契機，也是農林漁牧生產的關鍵，所以伐木、芟草、田獵、捕魚必以其時，不可違逆時禁。為了讓這些政令落實，在〈十二月紀〉紀首中更詳細規定了一年十二月的農業施政措施，如：

> 王布農事，命田舍東郊，皆修封疆，審端徑術，善相丘陵阪險原隰，土地所宜，五穀所殖，以教道民，必躬親之。(《孟春紀》)

> 是月也，耕者少舍，乃修闔扇，寢廟必備，無作大事，以妨農功。(〈仲春紀〉)

> 是月也，命司空曰：「時雨將降，下水上騰；循行國邑，周視

原野；修利限防，導達溝瀆，開通道路，無有障塞；田獵畢弋，罝罘羅網，餧獸之藥，無出九門。」(《季春紀》)

配合節氣、物候的變化，順應自然規律的更迭，每個月的重點工作各有不同，天子親自處理農政，諸侯百官各司其職，農夫更是孜孜於農事。如此具體的規劃，顯示呂氏門客對仁民愛物的農業社會是寄予高度的關注與期望的。當時如果真能以這樣的理想取代法家的農戰政策，中國的歷史勢必改寫。

(三) 三才合一

所謂三才，就是《周易・繫辭傳》所講的：「有天道焉，有地道焉，有人道焉，兼三材而兩之。」天地人的關係，一向是先秦諸子所共同關懷的主題，它成為中國哲學的一個基本的宇宙模式，三者之間的協調是人生最高的境界，也是人生的基本準則。《管子》首先將這種思維方式與農業生產取得連繫，〈五輔篇〉云：「上度之天祥，下度之地宜，中度之人順，此所謂三度。故曰天時不祥，則有水旱；地道不宜，則有饑饉；人道不順，則有禍亂。」但是首先就農學的觀點闡釋三者關係的則是《呂氏春秋》，其說云：

夫稼，為之者人也，生之者地也，養之者天也。(〈審時〉)

譬之若良農，辯土地之宜，謹耕耨之事，未必收也；然而收者，必此人也。始在於遇時雨，遇時雨，天地也，非良農所能為也。(〈長攻〉)

若五種之於地也，必應其類，而蕃息於百倍，此五帝三王之所以無敵也。(〈適威〉)

> 春氣至則草木產，秋氣至則草木落，產與落或使之，非自然也，故使之者至，物無不為；使之者不至，物無可為。古之人審其所以使，故物莫不為用。(〈義賞〉)

「稼」就是農作物，也就是農業生產的對象。其要素有三：一為天時，即季節、氣候的表現，這是進行農業生產的基本依據；二為地利，即土壤、水分、生物等自然因素的綜合體，這是農業生產的唯一對象與場所；三為人力，即人的聰明才智與勤奮的程度，這是利用自然、改造自然的憑藉。天時、地利屬於客觀的自然條件，人力屬於主觀的能動條件，它們在農業生產中的地位與作用儘管各有不同，卻都是不可或缺的。諺云:「靠天吃飯。」如果沒有雨水的滋潤，或者不能配合氣候的變化，農作物就無法成長。土壤是農作物生長的根據，如果缺乏養料和水分的供應，或者不能配合地理條件的限制——地宜，農作物就無法繁殖。人是萬物之靈，如果不是盡心盡力去辨土地之宜，謹耕耨之事，掌握自然條件，就不可能豐收。這三者互相協調，互相依賴，互相作用，互相制約，構成有機的整體，它們的關係是和諧而密切的，沒有主從的區別。這樣樸素而精要的農學思想，不僅有天人合一的哲學思想作為基礎，而且也是長期觀察與實踐的結果。它扼要地概括了自然環境和人類勞動之間的關係，觸及農業生產的根本性質。同時也開創了中國傳統農學的體系，構築了中國生態農學的基礎[4]，其重要性不言可喻。

4 所謂生態農學是強調生態平衡，注意用地養地、精耕細作、節約經營，注意保持地力的常新常壯，與西方粗放經營、污染環境的石油農業剛好相反。詳見曾近義《中西科學技術思想比較》，頁215-221。

(四) 精耕細作

春秋戰國時代，中國政治、文化的中心在中原地區，黃河流域的土地並不肥沃，雨水也不夠豐沛，農業生產的自然條件顯然比古埃及、古希臘、兩河流域、恆河流域都要遜色許多。加上人口不斷膨脹，糧食需要量與日俱增，當時的農業經營又以一家一戶為基礎的個體小農經濟為主，擴大生產規模既然不可能，那只有在遵守客觀規律的基礎上，充分發揮人的主觀能動性，以刺激生產，提高單位面積的產量，改善農作物的品質。精耕細作的農業思想就是在這樣的背景中應運而生的。《管子》云：「輕地利而求田野之辟，倉廩之實，不可得也。」(〈權修〉)《荀子》云：「今是土之生五穀也，人善治之，則畝益數盆，一歲而再穫之。」(〈富國〉) 都有盡地利以提高生產指數的概念，但是具體地提出如何來從事精耕細作，則始於《呂氏春秋》。〈上農篇〉所云：「一人治之，十人食之，六畜皆在其中矣！」顯示精耕細作在當時已有相當成效，否則〈任地篇〉所提出的十項高難度的問題如何能夠解決呢[5]？精耕細作可以說是在三才合一的理論指導之下所產生的綜合技術體系，舉凡農時之掌握、土地之耕耘、作物之栽培、田間之管理、農產之收穫等各種集約利用土地的方式皆屬之，這些是下文所要論述的，所以在此就暫不多言。

---

5 〈任地篇〉云：「后稷曰：子能以窐為突乎？子能藏其惡而揖之以般乎？子能使吾土靖而甽浴土乎？子能使保濕安地而處乎？子能使雚夷毋淫乎？子能使子之野盡為泠風乎？子能使藁數節而莖堅乎？子能使穗大而堅、均乎？子能使粟圜而薄糠乎？子能使米多沃而食之彊乎？」其中前三個問題屬於土地之利用與土壤之改良，中間四個問題屬於土地之耕耘及作物之栽培，最後三個問題屬於農產品之品質。

三　農業技術

（一）農時之掌握

三才的第一個要素就是天時，先秦諸子無不重視天時，如《管子》云：「不務天時，則財不生。」（〈牧民〉）《孟子》云：「不違農時，穀不可勝食也。」（〈梁惠王上〉）《呂氏春秋》對天時更是言之不厭其詳，如〈上農篇〉云：「當時之務，不興土功。……數奪民時，大饑乃來。」〈任地篇〉云：「無失民時……皆時至而作，渴時而止。」〈辯土篇〉云：「其蚤者先時，晚者不及時，寒暑不節，稼乃多菑實。」而〈審時篇〉更是通篇討論天時與農作物的關係，其說云：

> 凡農之道，厚之為寶。斬木不時，不折必穗；稼就而不穫，必遇天菑。夫稼，為之者人也，生之者地也，養之者天也。
> 是以得時之禾，長稠長穗，大本而莖殺，疏穖而穗大；其粟圓而薄糠；其米多沃而食之彊；如此者不風。先時者，莖葉帶芒以短衡，穗鉅而芳奪，秮米而不香。後時者，莖葉帶芒而末衡，穗閱而青零，多秕而不滿。
> ……
> 是故得時之稼興，失時之稼約。莖相若稱之，得時者重粟之多。量粟相若而舂之，得時者多米。量米相若而食之，得時者忍饑。是故得時之稼，其臭香，其味甘，其氣章，百日食之，耳目聰明，心意叡智，四衛變彊，殈氣不入，身無苛殃。黃帝曰：「四時之不正也，正五穀而已矣！」

開門見山就強調農事之道以重時為寶，所有的農作物都要順應天時才能培育。天時的關鍵在播種期，所以接著舉禾、黍、稻、麻、菽、麥六種主要農作物為例，逐一討論其耕作、播種「得時」、「先時」、「後時」的各種不同生長情況與生產效果。除了耕種必須及時外，收穫也不可失時，否則必有天災。總而言之，得時、失時之作物不僅產量、品質迥然不同，對人體健康的影響也大不相同。因此，審時對農耕而言，確實有其絕對的必要性。這樣精細的論證過程，乃是長期觀察、實驗、分析、比較、研究的結果，可以切實解決〈任地篇〉所提出的「子能使穗大而堅、均乎？子能使粟圜而薄糠乎？子能使米多沃而食之彊乎？」之類的問題，絕非泛論或玄談之流可望其項背。這是由於農作與天時的關係的確十分密切。所謂天時，就是指日月星辰的位置變化、氣溫的冷暖交替、風雨的蒞止多寡等所構成的季節性變化。這種季節變化有其規律性，人類乃至動植物的生長活動都深受其影響。農作物的生長、發育、成熟自然也不例外，所以耕作必須順應春生、夏長、秋收、冬藏的自然規律，才能豐收，而且有良好的品質。由於各種作物性質不同，所需要的天時並不完全相同，所以必須逐一仔細加以了解、辨識，才能算是真正的「審時」。例如：

> 草諯大月。冬至後五旬七日，菖始生，菖者百草之先生者也，於是始耕。孟夏之昔，殺三葉而穫大麥。日至，苦菜死而資生，而樹麻與菽，此告民地寶盡死。凡草生藏日中出，狶首生而麥無葉，而從事於蓄藏，此告民究也。五時見生而樹生，見死而穫死。天下時，地生財，不與民謀。(〈任地〉)

冬至後五十七日，菖蒲生，是開始耕地的時候；夏至，苦菜死而資菜（即薺菜，一說即慈姑）生，是種麻與菽的時候。農時的掌握，牽涉到天文學、曆法學、氣象學、物候學的水準問題，《呂氏春秋》對這幾方面都有詳細的紀錄[6]，因此，〈審時篇〉才能寫得如此深刻。《呂氏春秋》以天人合一為其哲學基礎，〈音律篇〉以五音配四時，以十二律配十二月，各月之行政皆有當月之令或當行之農事。〈十二月紀〉紀首更以天時為核心，將天象氣候的變化、動植物的生長活動乃至人類農事、政務的推展都組合進去，構成一個生生不息的大生態系統，充滿活力的宇宙模式。天時既然如此重要，自然可以將農事生產、農業管理、農業技術都貫串起來，成為農事成敗的關鍵。我們唯有站在這樣宏觀的立場才能真正了解審時的重要性。

（二）土地之耕耘

1　農田之規劃

在開墾土地、從事農耕之前，必須對農田進行勘查與規劃，根據方向、寒暖向背、河流水泉、土地肥美濕潤等條件，實地勘察，找到了適合耕種的地區，先劃分四周的經界，經界之內再畫成一塊塊的方塊田，並且規劃田間的小溝與步道。甲文的「田」字作田、田、田等，正象其形。《呂氏春秋・孟春紀》的「命田舍東郊，皆修封疆，審端徑術，善相丘陵阪險原隰，土地所宜，五穀所殖，以教道民。」也正是進行這種勘察及規劃的工作。根據土地生態狀況的不同，《尚書・禹貢》將土壤分成三大級九小級，《管子・地員篇》分成上、中、下三等，共十八個小級，《呂氏春秋》則未作如此詳細的劃分，只在〈上農〉、〈任地〉、〈辯土〉等篇有上田、下田之分而已，至於當時農

6　詳見拙作〈呂氏春秋之天文〉，《淡江學報》第26期（1988年），頁9-33；〈呂氏春秋之曆法〉，《國立中正大學學報》第2卷第1期（1991年），頁1-21；〈呂氏春秋之氣候〉，《國立中正大學學報》第1卷第1期（1990年），頁1-25。

耕的規模如何，以及是否有井田的制度等，也都沒有明文交代[7]。其書談得最多的則為甽畝：

> 是以六尺之耜，所以成畝也；其博八寸，所以成甽也。耨柄尺，此其度也；其耨六寸，所以間稼也。(〈任地〉)

> 其為畝也，高而危則澤奪，陂則埒，見風則㯲，高培則拔，寒則雕，熱則脩，一時而五六死，故不能為來。……故晦欲廣以平，甽欲小以深，下得陰，上得陽，然後咸生。(〈辯土〉)

所謂畝（又作晦），就是田壟，又稱高畦，指田間一條條高出地面的部分；所謂甽（又作甽），就是田溝，又稱低畦，指畝與畝之間的一條條小溝。農田主要就是由畝和甽組成的。一般說來，畝用以種植，甽用以排水洗土，兩者互相依存，不可分離，因此，古時耕地又稱為甽畝。〈任地篇〉所提出的前四個問題：「子能以窐為突乎？子能藏其惡而揖之以陰乎？子能使吾土靖而甽浴土乎？子能使保濕安地而處乎？」與甽畝都有直接關係，就連後面的六個問題也與甽畝脫離不了關係，可以說全部農業生產技術都是建立在甽畝的基礎之上。對於甽畝的規格，呂書認為畝的寬度應該是六尺，和耜的長度一樣，甽的寬度與高度依《周禮．考工記》「廣尺深尺謂之甽」，比用來挖甽的八寸寬的耜刃稍寬些[8]。畝要寬廣平坦，甽要狹小深凹，如此才能得到充

7 佐藤武敏認為〈上農〉等四篇不以地主階層為對象，而是以小農為對象，一夫的田土面積應為百畝，見〈呂氏春秋上農等四篇和水利灌溉〉，頁160-162。夏緯瑛認為從〈任地篇〉的畝甽標準，可知戰國時的農業還是在井田的基礎上進行著，見〈呂氏春秋上農等四篇校釋〉，頁131-133。他們的說法都是根據其他資料或呂書的蛛絲馬跡進行推論，並非呂書原文的紀錄。

8 陳奇猷云：「蓋以八寸之博開甽，博外兩旁之土必有一部分隨博而陷落，再經修

分的濕度與溫度，有助於農作物的生長。否則治畝不當，無論是高危或傾斜，都不能有好收成，〈辯土篇〉將「大甽小畝」名之為地竊，列為三盜之一，足見應當儘量避免。

2　耕地之墾闢

在畫定經界、規劃甽畝之後，還要經過一番辛勤的開墾播植，然後阡陌縱橫、禾黍油油的美景才有可能實現。開墾的工具主要是耒耜，此在〈十二月紀〉及〈任地篇〉都一再言及。開墾的重點則在審辨土壤的性質及了解耕作的要訣，《呂氏春秋》云：

> 凡耕之大方：力者欲柔，柔者欲力；息者欲勞，勞者欲息；棘者欲肥，肥者欲棘；急者欲緩，緩者欲急；濕者欲燥，燥者欲濕。(〈任地》)

> 凡耕之道：必始於壚，為其寡澤而後枯；必厚其靹，為其唯厚而及。飭者莛之，堅者耕之，澤其靹而後之；上田則被其處，下田則盡其汙。(〈辯土〉)

> 五耕五耨，必審以盡。其深殖之度，陰土必得，大草不生，又無螟蜮。今茲美禾，來茲美麥。(〈任地〉)

土壤的性質，有剛柔、息勞、肥瘠、鬆緊、乾濕等的不同，未必能適合作物的需求，但只要能對這些矛盾的雙方都有深刻的了解，並且加

平，則甽必寬一尺矣。若用一尺之博鏟土開甽，則此甽必不止寬一尺。故以八寸之博開一尺之甽，乃古人從實踐中所得之尺寸，最合實用也。」(《呂氏春秋校釋》，頁1741)

以適度的調節轉化，就可以使土壤的使用臻至最佳狀態，充分發揮地力，達到豐收的目的。在耕作時，要先耕疏鬆的黑土，因為它容易洩水，不致成澤，而且保墒力強，比其他土壤後枯，所以要先加以梳理，使多餘的水分流去。然後才耕堅實的白土，因為它往往膠結成塊，既不保墒，又難透水，必須移土加厚，才宜於種植，所以要等雨水較多時才加以翻耕，使其保持適當的水分[9]。高旱的上田水分不足，耕後要反覆碎土摩田，才能保墒；低濕的下田水分太多，耕作時要注意散盡污水，才不致淤積。此外，耕耨要不厭其煩，儘量多耕作，多除草，同時要深耕到地下的濕土，如此才能雜草不生，又無蟲害，而有年年豐收的希望。呂書這樣具體的耕作技術，不但符合「辨土宜」、「深耕易耨」的原則，而且可以有效解決〈任地篇〉「子能使保濕安地而處乎？子能使藿夷毋淫乎？」之類的問題，確實有其實用價值。

（三）作物之栽培

1　作物之選擇

古代中原地區的農業偏重於種植業，其中糧食作物尤其受人重視，故有五穀、六穀、百穀之稱。糧食作物見於卜辭者有禾、稷、黍、來、麥、稻、稌、秜，見於《詩經》者有21個不同名稱[10]，把同一作物的不同稱呼或不同品種歸併起來，只有黍、稷（禾、粟）、稻、麻、菽、麥六種。《呂氏春秋．審時篇》所提及的六種主要農作

9　「必始於壚」等七句用陳奇猷說，見《呂氏春秋校釋》，頁1759-1760。夏緯瑛則以為：「開始必定要先耕剛強的壚土，因為它已是水分少而表層乾枯得厚了；必定要厚耕輭弱的靹土，因為雖然後耕它，還是來得及的。」「已將乾堅之土要先耕……還飽有水分之土要後耕。」（〈呂氏春秋上農等四篇校釋〉，頁65-67）

10　詳見李根蟠《中國農業史》，頁58。

物與《詩經》所載剛好完全一致。其餘各篇與〈審時篇〉重複者不計外，見於〈上農篇〉者還有粟，見於〈任地篇〉的還有大麥、稑禾、重禾。這些作物無疑都是當時最為重要而常見的。特別值得注意的是，〈審時篇〉的菽有大菽、小菽之分，〈任地篇〉的麥有麥（小麥）、大麥之分，禾有稑禾（早稻）、重禾（晚稻）之分，足見同一類作物已懂得培育不同的品種了。《呂氏春秋・適威篇》云：「若五種之於地也，必應其類而蕃息於百倍。」〈用民篇〉云：「種麥而得麥，種稷而得稷。」栽培作物必須根據各種土地條件進行栽培，才能獲得豐收，換一句說，選擇適當的作物甚至適當的品種來配合土壤的特質，是十分重要的。可惜《呂氏春秋》在選種方面並沒有詳細的論述。

除了糧食作物之外，《呂氏春秋》也提到一些蔬菜作物，如〈孟夏紀〉的王菩、苦菜，〈仲冬紀〉的瓜瓠，〈任地篇〉的資，〈本味篇〉更云：

> 菜之美者，崑崙之蘋，壽木之華。指姑之東，中容之國，有赤木、玄木之葉焉。餘瞀之南，南極之崖，有菜，其名曰嘉樹，其色若碧。陽華之芸，雲夢之芹，具區之菁，浸淵之草，名曰土英。

不過，這些菜蔬，或隨文提及，或為遠方珍異之物，不足以顯示當時普通蔬菜的概況，更遑論介紹它們的栽培技術了。可見主食與副食的輕重是涇渭分明的。

2　播植之講求

土地既已翻耕，栽培的對象亦已確定之後，就可正式開始播植，《呂氏春秋》云：

> 稼欲生於塵，而殖於堅者。慎其種，勿使數，亦無使疏。於其施土，無使不足，亦無使有餘。……厚土則孽不通，薄土則蕃轓而不發。(〈辯土〉)
>
> 熟有耰也，必務其培。其耰也植，植者其生也必先。其施土也均，均者其生也必堅。(〈辯土〉)

> 是以晦廣以平，則不喪本莖；生於地者，五分之以地。莖生有行，故遬長；弱不相害，故遬大。衡行必得，縱行必術。正其行，通其風，夬心中央，帥為泠風。苗，其弱也欲孤，其長也欲相與居，其熟也欲相扶。是故三以為族，乃多粟。(〈辯土〉)

> 上田棄畝，下田棄甽。(〈任地〉)

> 息者欲勞，勞者欲息。(〈任地〉)

> 今茲美禾，來茲美麥。(〈任地〉)

農作物播種的土壤要上鬆下緊，虛實相間。上鬆，才便於幼苗出土，又可防止水分蒸發；下緊，根才能紮得堅實，不至於被雨水沖垮或被風吹倒，也才便於保存水分。播下的種子，不可太密，也不可太疏，這不僅是為了培土和除草的方便，也是利於通風和採光。播種後的覆土，不宜太厚，也不宜太薄。太厚則壓力過大，幼芽難以出土；太薄則水分不足，種子也難以發芽。播種之後，要經常耰摩，並且做好培土工作。耰摩要細緻，苗才容易長出來；培土要均勻，農作物才會長得堅實。農作物通常播種在田壟上，田壟要寬廣平坦，農作物的根莖才不會枯萎。在五尺寬的田壟上，每行農作物大約占壟面的五分之一，則苗莖的出生各有行列，可以迅速成長，苗莖弱小時不相妨害，可以迅速茁壯，如此才符合不密不疏的原則。農作物的橫行要得其宜，縱行要直而不偏斜，所有行列要端正通風，不能鬱閉，這就是後世等距全苗的觀念。農作物，尤其是細弱的禾本科植物，其特性是喜歡集聚而族生。因此，在苗期要孤立分離，單株相間，才有充分的生長空間；長大後，植株要互相靠近，形成封行，不僅可以彼此依助，也可使雜草因得不到陽光而枯萎；成熟時，枝葉繁盛，株間要簇聚，相互扶持，才能防止因穗實太重而倒伏。這樣合理的密植，是精耕細作的表現，是有效利用地力與陽光，獲得豐收碩果的保證。

除了一般的播種法之外，《呂氏春秋》還談到較特殊的「上田棄畝，下田棄甽」的甽畝法。甽畝法又稱「畦種法」，包含「低畦栽培法」及「高畦栽培法」。也就是在高亢乾燥的上田裡，把種子播在田溝中，而不要種在田壟上，以便於保墒與抗風；在低窪潮濕的下田裡，把種子播在田壟上，而不要種在田溝中，以便於防澇，而且有利於通風透光。這種播種法以「晦（畝）欲廣以平，甽欲小以深。」「下得陰，上得陽。」（〈辯土〉）為基礎，斟酌農田的高低、旱澇、陰陽等因素，做了最巧妙的安排，充分體現「因地制宜」及「三才合一」的精神，是一種相當科學的土地利用方式。

由於地力有限，即使用施肥、灌溉各種方法來改造土壤，有時還是不能不用休耕、輪作等來使土地得到最合理的利用，如此播植才不致徒勞無功。《周禮・地官・大司徒》根據地力的不同，把農田分為「不易之地」、「一易之地」、「再易之地」三種[11]，《呂氏春秋・任地

---

11 《周禮・地官・大司徒》：「凡造都鄙，制其地域而封溝之，以其室數制之，不易之地，家百晦；一易之地，家二百晦；再易之地，家三百晦。」不易之地，是不須休閒的田；一易之地，是種一年休一年的田；再易之地，是種一年休兩年的田。《呂氏春秋・樂成篇》云：「史起對曰：『魏氏之行田也以百畝，鄴獨二百畝，是田惡也。』」百畝就是指不易之地，二百畝就是指一易之地。

篇》所謂的「息者欲勞，勞者欲息」，讓休耕的田和勞動的田都有輪流勞作與休息的機會，正是休耕制下土地利用原則的總結。至於「今茲美禾，來茲美麥」，就是禾麥輪流種植，既可以讓農作物吸取土壤中不同的養分，也可改變生態環境，遏止病蟲及雜草的猖獗。這種輪作制對於農業生態系統中各種生物的互抑互利關係已經有了深刻的認識。

（四）田間之管理

1　灌溉

農作物的發芽和生長都有賴於土壤中所含的適當濕度（也就是墒），所以水分對於農作物而言是十分重要的。在北方，乾燥多風，雨水經常不足，土壤水分卻極易蒸發。除了注意審辨天時、加強抗旱保墒、多種耐旱植物（如粟、黍）外，農業灌溉也是十分需要的。《呂氏春秋》說：

> 是月也，命司空曰：「時雨將降，下水上騰。循行國邑，周視原野，修利隄防，導達溝瀆。」（〈季春紀〉）

> 奪之以水事，是謂籥，喪以繼樂，四鄰來虛。（〈上農〉）

> 水已行，民大得其利，相與歌之曰：「鄴有聖令，時為史公，決漳水，灌鄴旁，終古斥鹵，生之稻粱。」（〈樂成》）

> 上田則被其處，下田則盡其污。（〈辯土〉）

水利工程如濬河、修渠、築堤等，不僅可以排水防洪，交通運輸，而且可以供水灌溉，改造土壤，對於農業生產，乃至人民生活都是十分重要的。所以在雨季來臨之前，司空要督導人民修利隄防，導達溝瀆，但這些都必須在農閒時段從事，不可妨礙農時，否則農業歉收，就會招致外患。《呂氏春秋》固然沒有很清楚地指明這些水利工程是用來引水灌溉，也不曾提到掘井、築塘、人力抱甕、桔槔抽水等其他灌溉方法[12]，但是〈審時篇〉所臚列的六種主要作物中，如麥、菽，尤其是稻，都需要充足的水分，單靠自然降雨及雨水貯存是不夠的，足見引水灌溉必不可少。黃河流域有許多斥鹵之地，土質貧瘠，鹽鹼成分極高，不適合耕作。魏襄王時，史起教民引漳河之水，灌洗鄴地，使魏國南部的斥鹵之地變成肥沃的良田，因此百姓作歌頌之[13]，這又是水利工程的另一種妙用。在《呂氏春秋》中經常提到的甽畝制度，同樣具有排水、洗土、灌溉等作用，可說也是一種具體而微的水利工程。至於高旱的上田，耕後要耰摩以保墒，低濕的下田，要開溝作渠，排散積水，那也是與農田水利有關。

2 施肥

重視積肥和施肥是中國古老農業的重要特點之一，在《詩經》中已有鋤草漚肥，使農作物繁茂生長的記載[14]；《老子》、《孟子》、《荀子》、《韓非子》等都曾提及糞田、糞灌之類的農事[15]，可見在春秋戰國時代，施肥已是常見的農業技術，《呂氏春秋》云：

---

12 掘井築塘、人力抱甕、桔槔抽水等灌溉方法詳見許倬雲：《求古編》，頁177-182。

13 《呂氏春秋・樂成篇》、《漢書・溝洫志》都認為史起引漳灌鄴，《史記・河渠書》則認為是魏文侯時西門豹所為。

14 《詩經・甫田》云：「今適南畝，或耘或耔，黍稷薿薿，攸介攸止。」〈良耜〉云：「荼蓼朽止，黍稷茂止。」

15 《老子》四十六章云：「天下有道，卻走馬以糞。」《孟子・滕文公上》云：「凶年糞其田而不足。」《荀子・富國篇》云：「掩地表畝，刺屮殖穀，多糞肥田，是農夫眾庶之事也。」《韓非子・解老》云：「以積力為田疇，必且糞灌。」

> 地可使肥，又可使棘。人肥必以澤，使苗堅而地隙；人耨必以旱，使地肥而土緩。(〈任地〉)

> 是月也，土潤溽暑，大雨時行，燒薙行水，利以殺草，如以熱湯。可以糞田疇，可以美土疆。(〈季夏紀〉)

顯示當時已充分認識到施肥可以改良土壤性質，拓展耕地使用面積及增加單位面積產量，對於提升農業生產的質與量而言，其重要性並不下於水利灌溉。在《周禮・地官・艸人》中介紹了牛、羊、麋、鹿、貆、狐、豕、蕡、犬各種動物糞肥的使用[16]。《呂氏春秋》所陳述的則以植物肥料為主。這些肥料的製造，有的是除草後燒成草灰，為了避免草灰被風吹走，必須趁著土壤潤濕時與泥土混合，如此可使土壤疏鬆，禾苗易於生根。尤其到了雨季，雨水沖其灰於田中，更是如熱湯般，既可殺草，又可使田疇肥美，這就是《史記・平準書》所謂的「火耕水耨」。有的則是將田中雜草拔出，任其乾枯腐爛，成為天然的綠肥。這種工作如果在雨季進行，一則會因泥土鬆軟，拔草時牽動禾苗，再則擔心拔出的雜草會繼續生長，所以必須在乾旱時節進行，才能使土壤肥沃而又穩定。由此可見，呂書對於施肥的技術雖然講得不夠全面，也不夠詳盡，但仍有其細緻的一面。

3 間苗

農作物在播植時須注意到合理密植，等距全苗，但若在禾苗成長之際，才發現密度、株距、行距等有不適當之處，那就要靠間苗來加

16 《周禮・地官・草人》云：「草人，掌土化之灋以物地，相其宜而為之種。凡糞種，騂剛用牛，赤緹用羊，墳壤用麋，渴澤用鹿，鹹潟用貆，勃壤用狐，埴壚用豕，彊檕用蕡，輕爂用犬。」

以補救了。〈辯土篇〉云：

> 凡禾之患，不俱生而俱死。是以先生者美米，後生者為粃。是故其耨也，長其兄而去其弟。樹肥而無使扶疏，樹墝不欲專生而族居。肥而扶疏則多粃，墝而專居則多死。不知稼者，其耨也去其兄而養其弟，不收其粟而收其粃，上下不安則禾多死。

由於地力有限，要使所有的禾苗都長得很好並非易事，處理不當，會使禾苗死光，那就真是禾之大患了。大抵先得生道的壯苗可得美米，後得生道的弱苗只能成為無米的粃子。所以在中耕除草時就要把壯苗留下，把弱苗除去。同時要注意到：禾苗如果種在過分肥沃的土地上，就不要任其漫無限制地生長，而要修剪它的枝葉，才不會徒然長出很多粃子；如果種在貧瘠的土地上，就不要任其密聚，以免相互奪肥，造成禾苗多半萎死，那也要靠間苗來加以糾正。總之，「長兄去弟」，去蕪存菁是間苗最重要的原則，懂得這個原則的就會豐收，不懂得這個原則的就會歉收，甚至會因苗的疏密與土的肥墝無法配合，而導致禾苗的死亡。〈辯土篇〉又云：「既種而無行，耕而不長，則苗相竊也。」這也是三盜之一，要避免這種毛病，就必須在播植與間苗時多費點心思了，也唯有如此，才能解決〈任地篇〉「子能使子之野盡為泠風乎？子能使藁數節而莖堅乎？」兩個問題。

4　中耕除草

除草與間苗、鬆土、培土、積肥等密切結合，是中耕技術重要的一環。中耕除草又稱為耘或耨[17]，早在新石器時代的遺址中，就有中耕除草的工具出土，《詩經》、《左傳》、《管子》、《孟子》、《國語》、《荀子》、《韓非子》等也都曾談及除草的問題[18]，足見中耕除草在兩周已是一般常識了。《呂氏春秋》云：

> 耨柄尺，此其度也，其耨六寸。所以間稼也。……人耨必以旱，使地肥而土緩。(〈任地〉)

> 是以人稼之容足，耨之容耨，據之容手，此之謂耕道。(〈審時》)

> 五耕五耨，必審以盡。其深殖之度，陰土必得，大草不生。(〈任地》)

> 不除則蕪，除之則虛，此事之傷也。……是故其耨也，長其兄而去弟。(《辯土》)

除草所使用的耨器，柄長約一尺，刃寬約六寸，禾苗的間隔距離要適當才能放得進去。除草必須利用乾旱的時節，才不會讓拔除的雜草有復甦的機會。除草應該與鬆土、培土密切配合，次數要多，功夫要仔

---

17 《詩經・小雅・甫田》:「或耘或耔。」《毛傳》:「耘，除草也。」耨，《玉篇》云：「耘也。」

18 《詩經・小雅・甫田》云：「今適南畝，或耘或耔，黍稷薿薿。」《左傳・隱公六年》云：「為國家者，見惡如農夫之務去草焉。芟夷蘊崇之，絕其本根，勿使能殖，則善者伸矣！」《管子・小匡》云：「深耕坐種疾耰，先雨芸耨。」《孟子・梁惠王上》云：「深耕易耨。」《國語・齊語》云：「深耕而疾耰之。」《荀子・天論篇》云：「楛耕傷稼，楛耘失薉。」《韓非子・外儲說左上》:「耕者且深，耨者熟耘也。」

細，才不會傷及農作物，也才不會讓雜草有叢生的機會。除草可以與間苗、施肥配合，順便把幼弱的冗苗拔除，把鏟除的雜草、冗苗做成肥料。中耕除草的工作如果沒有做好，那就會犯了「弗除則蕪，除之則虛，則草竊之也。」(〈辯土〉) 的毛病，也是三盜之一，應該儘量避免。呂書將除草的原則與方法都講得很清楚，而且重視耕耨結合，顯示了中國耕作體系的另一個特色。

5　防治農害

農業生產在積極方面要改進各種生產技術，在消極方面要防制各種農業災害。據《管子・度地篇》記載，農業災害至少有水、旱、風霧雹霜、厲、蟲五種類型[19]，《呂氏春秋》對這幾方面也都談到了，除此以外，還特別強調要去三盜，其說云：

> 孟春行夏令，則風雨不時，草木早槁，國乃有恐。行秋令，則民大疫，疾風暴雨數至，黎莠蓬蒿並興。行冬令，則水潦為敗，霜雪大摯，首種不入。(《孟春紀》)

> 仲夏行冬令，則雹霰傷穀，道路不通，暴兵來至。行春令，則五穀晚熟，百螣時起，其國乃饑。行秋令，則草木零落，果實早成，民殃於疫。(〈仲夏紀〉)

> 仲冬行夏令，則其國乃旱，氣霧冥冥，雷乃發聲。行秋令，則天時雨汁，瓜瓠不成，國有大兵。行春令，則蟲螟為敗，水泉減竭，民多疾癘。(〈仲冬紀〉)

---

19 《管子・度地篇》云：「水一害也，旱一害也，風霧雹霜一害也，厲一害也，蟲一害也，此謂五害。五害之屬，水最為大，五害已除，人乃可治。」

完隄防，謹壅塞，以備水潦。(〈孟秋紀〉)

蝗螟，農夫得而殺之，奚故？為其害稼也。(〈不屈〉)

其深殖之度，陰土必得，大草不生，又無螟蜮。(〈任地〉)

是月也，驅獸無害五穀，無大田獵。(〈孟夏紀〉)

無與三盜任地：夫四序參發，大甽小畝，為青魚胠，苗若直獵，地竊之也；既種而無行，耕而不長，則苗相竊也；弗除則蕪，除之則虛，則草竊之也。故去此三盜者，而後粟可多也。(〈辯土〉)

現代災害科學將災害分為氣象災害、大地災害、生物災害三大類。〈十二月紀〉所言，如水災、旱災、風災、霜雪霧雹霰災屬氣象災害；水旱災所引起的水土流失屬大地災害；蟲螟、禽獸之災屬生物災害。除了大地災害中的地震災害之外，重要的災害幾乎都已囊括無遺。而且也把疾癘流行與自然災害並列，顯示古人已經注意到人禍往往是天災的併發症或後遺症，自然問題、生產問題、經濟問題、社會問題彼此之間的關係是十分密切的。呂書對於各種災害的表現形式有具體的描寫，對於各種災害的成因則歸之於違反了時政綱領，也就是行政措施不能順應天時，以致引起天帝的懲罰。這種「天人感應」的思想固然難免淪於迷信荒誕，但人類的不當行為，的確會引起大自然的反撲，在重視環境保護的今日看來，呂書的觀點還是有幾分道理的。至於如何預防、減輕、補救這些災害，呂書除了特別強調順令而行的大原則外，對於技術方面實在所言不多。不過，如治水災要「完隄防，謹壅塞」，治生物災害要深耕，要撲殺蝗螟，要驅逐野獸，都是十分重要的。

呂書將地竊、苗竊、草竊這三種農業技術處理不當所引起的災害——三盜，特別拈出，是其特識，顯示呂書對於改進農業技術的重視。至於改進之道，就是要從農田的規劃、耕地的墾闢、播植的講求、田間的管理等方面著手，此在上文言之已瞭，不再贅述。

（五）農產之收藏

收割蓋藏是農業生產的最後一個步驟，也是其他農業生產技術的直接目的。在這個生產階段中，還是有許多技術上的問題值得介紹，不過《呂氏春秋》只是一本審時的精神，特別強調及時收穫蓋藏的重要：

> 孟夏之昔，殺三葉而穫大麥。……凡草生藏日中出，豨首生而麥無葉，而從事於蓄藏，此告民究也。五時見生而樹生，見死而穫死。（〈任地〉）

> 稼就而不穫，必遇天菑。（〈審時〉）

> 禍因胥歲，不舉銍艾。數奪民時，大饑乃來。（〈上農〉）

> 穿竇窌，修囷倉。乃命有司，趣民收斂，務蓄菜，多積聚。（〈仲秋紀〉）

> 令百官，謹蓋藏。命司徒，循行積聚，無有不斂。（〈孟冬紀〉）

是月也，農有不收藏積聚者，牛馬畜獸有放佚者，取之不詰。（〈仲冬紀〉）

農業生產大抵是依照春播、夏耘、秋收、冬藏的次序在進行，但各種作物性質不同，播種、收穫的時間也不甚一致。呂書基於陰陽家的觀點，以五行配四時，而且以五行生剋的道理來說明農業生產，認為五行之時以生加於某物則種植某物，以死加於某物則收穫某物[20]。大麥在仲秋播種，孟夏下旬收割，是糧食中最早播種、最早收穫的，在〈孟春紀〉中稱之為「首種」[21]。其他作物的收割依據〈十二月紀〉紀首的記載，穀是在孟秋，麻是在仲秋，稻是在季秋，而且收割之後都要祭拜一番，以示崇本報功之意[22]。農作物的收割也要把握時機，不可怠慢，否則必有饑荒。收割的工具主要是銍、艾。銍，《說文》云：「穫禾短鐮也。」艾，通刈，《國語・齊語》：「挾其槍刈耨鎛。」韋昭注：「刈，鐮也。」農作物的收藏，主要是要先收拾倉屯，挖掘地窖，切實做好準備工作。當莊稼收割之後，才可及時入倉。所以

20 《淮南子・墬形篇》云：「木勝土，土勝水，水勝火，金勝木。故禾春生秋死，菽夏生冬死，麥秋生夏死，薺冬生中夏死。」高誘注：「禾者，木也，春木王而生，秋金王而死。豆，火也，夏火王而生，冬水王而死。麥，金也，金王而生，火王而死。薺，水也，水王而生，土王而死也。」正可用以解釋《呂氏春秋・任地篇》的「五時見生而樹生，見死而穫死」。

21 〈仲秋紀〉云：「乃勸種麥，無或失時，行罪無疑。」〈孟夏紀〉云：「農乃升麥。天子乃以彘嘗麥，先薦寢廟。」〈孟春紀〉云：「行冬令，則水潦為敗，霜雪大摯，首種不入。」

22 〈孟秋紀〉云：「是月也，農乃升穀。天子嘗新，先薦寢廟。」〈仲秋紀〉云：「以犬嘗麻，先祭寢廟。」〈季秋紀〉云：「是月也，天子乃以犬嘗稻，先薦寢廟。」皆是當月收割的莊稼，並舉行祭祀。唯〈仲夏紀〉云：「農乃登黍。」所進之黍，乃是舊黍，而非新成，因為《大戴禮記・夏小正》云：「五月，初昏大火中，種黍，菽糜。」黍五月始種，不可能當月成熟，沈祖緜曰：「蓋農種黍，以籽種之，餘者進之，以為應物之食而已。」（陳奇猷《呂氏春秋校釋》，頁247引）

〈十二月紀〉紀首中，從孟秋開始收斂之後，就不斷在提醒農民要謹於蓋藏，如果到了仲冬還未收藏積聚的，那即使農作物被人取走，官府也不會去處分那擅自取走的人，可見收割蓋藏是何等重要。

四　影響

(一) 農學書籍之濫觴

根據王毓瑚《中國農學書錄》的統計，中國傳統農書至少在五四一種以上，包含1. 綜合性的農書，2. 關於天時耕作的專著，3. 各種專譜，4. 蠶桑專書，5. 獸醫書籍，6. 野菜專著，7. 治蝗書，8. 農家月令書、通書性質的農書八個系統[23]。不僅卷帙浩繁，體裁多樣，而且內容豐富深刻，流傳廣泛久遠，遠非同時代的任何國家可以相比。〈上農〉等四篇是現存最早的一組農學論文，它們出現於名著《呂氏春秋》之中，其對後世農書之影響自然不言可喻。我們只要看看幾本較有名的農學名著，其間因革損益的痕跡還是依稀可以考見。例如漢代《氾勝之書》提出的耕作栽培總原則是：「凡耕之本，在於趣時、和土、務糞、澤、早鋤、穫。」就是在呂書重視審時和結合三才的基礎上，進一步去發展其推廣牛耕的新體系，並且特別重視施肥和灌溉[24]。北魏賈思勰的《齊民要術》，涵蓋農、林、牧、副、漁各方面，不啻為古代的農業百科全書，它總結了耕、耙、耱、抗旱保墒、綠肥輪作、用地養地、良種的選擇和繁育、家畜家禽的外形鑒定和肥育、林木的育苗和嫁接等經驗，顯示中國古代農學體系已臻成熟[25]。而全書以因

23 詳見王毓瑚：《中國農學書錄》，頁346-348。

24 詳見李根蟠：《中國農業史》，頁131。

25 詳見閔宗殿：《中國古代農耕史略》，頁188。

時制宜、因地制宜的思想加以貫串，又將天時、地宜各分為上、中、下，顯然對呂書是既有所繼承，又有所光大。南宋陳旉《農書》集南方水稻耕作經驗之大成，對於土地利用、土壤改良、肥料施用等農業技術都有比呂書更精細的見解[26]。元代王禎《農書》分〈農桑要訣〉、〈百穀譜〉、〈農器圖譜〉三部分，不僅南北兼論，無所偏廢，而且特詳於農具，生面別開，圖文並茂[27]，可以補呂書之不足。明代徐光啟《農政全書》洋洋五十餘萬言，分成農本、田制、農事、水利、農器、種藝、蠶桑、蠶桑廣、種植、牧養、製造、荒政等十二目，系統井然地輯述了前人文獻，引進了西方近代的科技成果，但也不時提出自己調查或試驗所得的真知灼見[28]。他除了講求農業技術之外，還特別重視農業政策與農業制度，這和呂書的精神是相通的，和《氾勝之書》以降偏重農業技術者則大有不同，此其所以能集傳統農書之大成。清代乾隆年間奉敕編撰的《授時通考》輯錄匯編歷代文獻中之農學資料，依據影響農業生產的各項要素，分為天時、土宜、穀種、功作、勸課、蓄積、農餘、蠶桑等八門，共九十八萬字。其理論基礎為三才學說[29]，可見也是深受呂書的影響。這些農書不僅對中國農業發展大有貢獻，甚至也受到外國的重視，如日本學者把對《齊民要術》的研究稱之為「賈學」，就是一例[30]。

（二）農業傳統之建立

中國是世界上最大的農業國家，長期以來以農立國，具有獨特而自成體系的農業傳統，這個傳統最主要的內容是重農主義、三才合一

26 詳見郭金彬：《中國傳統科學思想史論》，頁283。
27 詳見陳曉中：《中國古代的科技》，頁357-358。
28 詳見石漢聲：《農政全書校注・出版說明》，頁2。
29 詳見李根蟠：《中國農業史》，頁323-324。
30 詳見閔宗殿：《中國古代農耕史略》，頁189。

和精耕細作。它們在春秋戰國時代已略具雛形，並且具體表現在《呂氏春秋》之中。賈思勰的《齊民要術》使其完全成熟，陳旉《農書》、王禎《農書》使其更加充實，到了徐光啟《農政全書》則集此一傳統之大成。所以《呂氏春秋》在這個傳統的發展過程裡，實具有承先啟後的重要地位。分開來說，重農主義，從秦漢以後一直為歷代帝王所強調，如漢文帝下詔云：「夫農，天下之本也，其開籍田，朕親率耕以給宗廟粢盛。」（《漢書·文帝本紀》）南北朝時，宋文帝也提倡「國以民為本，民以食為天。」（《宋書·文帝紀》）政府之特別重視對農民的獎勵與保護，致力於農田水利的建設，乃至訂定相關的土地制度和賦稅制度更是不在話下。如漢代輕徭薄賦、獎勵農桑，曹魏時的屯田制，南北朝時的均田制，唐代的租庸調法、兩稅法，宋代的青苗法、方田均稅法，明代的一條鞭法等，不僅左右了農業生產，對政治、經濟、社會、軍事各方面也都產生深遠的影響。單從歷代稅源以田租、丁稅及勞役為大宗，就可見農業對於國家有多重要了。三才合一是傳統農學理論的核心，歷代的農學家沒有一個不重視這個傳統的，並且往往有新的表述和發展，使它更具有整體觀、聯繫觀、動態觀，逐漸形成因時制宜、因地制宜、因物制宜的三宜原則，深深滲透到農業生產技術的各層面。如《齊民要術》強調「順天時，量地利，則用力少而成功多。」（〈種穀篇〉）按照不同的作物把天時、地宜各分為上、中、下三級，審辨頗為細密[31]。陳旉《農書》提出「耕稼盜天地之時利」，更在尊重天時地利的基礎上，運用人的聰明才智去追求突破。他們的努力不僅使三才合一的思想更加深刻，也更加具有實用價值。精耕細作經呂書提倡之後，歷代主要都朝著1. 土壤改良與土地耕作技術的不斷提高，2. 水、肥、種的合理處理和使用，3. 精細的

31 詳見陳曉中：《中國古代的科技》，頁354。

田間管理等幾方面不斷在努力[32]。集約經營、精益求精的結果，農業產品的種類越來越豐富，單位面積的產量越來越多，土地利用的比率越來越高。少種可以多收，一歲可以數熟，有些地方甚至到了種無閒地、種無虛日的地步，中國所以能成為世界上人口最多的國家，幾度開創了富強的朝代，實在不能不歸功於精耕細作。

（三）農業技術之改進

《呂氏春秋》反映了春秋戰國時期農業技術水準，秦漢以後，在重農主義、精耕細作、三才合一等思想的推動之下，農業生產技術無論是農時之掌握、土地之耕耘、作物之栽培、田間之管理、農產之收穫各方面自然是與時俱進，日新又新。今聊舉數例以明之，例如漢代趙過的代田法，每年調換溝壟位置，使土地輪番使用，《氾勝之書》的區種法，在特定的小區深耕密植，集中利用水與肥料[33]，無疑都是受到呂書甽畝法的啟發而有所改進。這兩種特殊的栽培法既可抗旱，又能提高產量，因此一直為後代所沿用。又如呂書對施肥言之不甚詳細，以致日本的天野元之助、佐藤武敏都認為當時不太重視施肥。[34]其實呂書已注意到施肥的重要性，也談到施肥的方法。後代對肥料的使用日趨講究，陳旉《農書》云：「用糞猶用藥。」（〈糞田之宜〉）把用糞比作醫生看病對症下藥，所以不僅肥料種類繁多，而且技術也是多種多樣[35]，地力因而得以經常新壯，農產品質量因而得以不斷提升。再如呂書提及的農具只有耕地整地用的耒、耜、耰，除草用的

32 詳見郭金彬：《中國傳統科學思想史論》，頁292-302。

33 詳見木鐸出版社《中國科學文明史》，頁165-170。

34 詳見佐藤武敏：〈呂氏春秋上農等四篇和水利灌溉〉，頁170。

35 如宋、元時期肥料約有四十五種，明代肥料約有一百三十餘種，清代《知本提綱》將肥料積製方法總結為「釀造十法」，將施肥方法歸納為「時宜、土宜、物宜」三個原則，詳見閔宗殿《中國古代農耕史略》，頁71-81。

耨，收割用的銍、艾，脫粒用的舂等寥寥數種而已，漢代的農具則已完全鐵器化，牛耕十分普遍，耬車、風車、水碓等新型農具也出現了，各種農具至少有三十餘種[36]。厥後在整地、播種、中耕、灌溉、收穫、加工各方面的農具都迭有增加，到了王禎《農書》的〈農器圖譜〉共二十二卷，介紹了二百六十種農具，每種農具都有圖譜與文字說明，其中有不少是處於世界先進水準，顯現傳統農具到宋、元時期已發展到高峰，有這麼多精良的農具，精耕細作的理想自然是不難達到。

五 評價

（一）優點

1 重視實踐

農業生產是腳踏實地、一分耕耘一分收穫的工作，〈審時篇〉云：「夫稼，為之者人也，生之者地也，養之者天也。」天時、地利固然重要，但如缺乏人力的配合，則所有的優越條件都會化為烏有，也正是重視實踐之意。〈上農〉等四篇幾乎都是自古以來農業生產經驗的總結，如〈任地篇〉提到耕作的大原則，甽畝法的要點，〈辯土篇〉陳述三盜之害稼，播種、間苗之要訣，〈審時篇〉討論六種重要作物得時失時的利弊，如果缺乏實際的稼穡經驗，根本是無從著墨的。固然〈任地篇〉、〈辯土篇〉略有陰陽五行氣息，〈十二月紀〉紀首更沾上咎徵、休徵的迷信色彩，但基本上，其農業思想還是相當樸素的，像《氾勝之書》以巫術對付蟲害，《齊民要術》在製麴過程中

36 詳見木鐸出版社《中國科學文明史》，頁165-168。

作法一番[37]，那類行徑在呂書的農業材料中根本不曾出現，可見它是非常務實的。

2 擅於論證

春秋戰國時代，百家爭鳴，諸子為了暢抒己見，折服對手，無不特別重視論證之術，呂書自然也不例外。〈上農〉四篇雖非專書，卻能自成體系。大抵〈上農篇〉講農業政策，〈任地〉等三篇講農業技術，兩者實互為表裡。〈任地篇〉首先提出農業生產的十大問題，但並未完全加以解答，而是留待〈辯土〉、〈審時〉兩篇中進一步加以補充或申論，才算解答清楚。所涉及的，諸如土壤耕作、合理密植、株行布局、中耕除草、掌握農時等，都是農業生產中非常重要的環節。所以這四篇是渾然一體，不可分割的。而〈十二月紀〉紀首分述一年十二月的天象、物候變化，提出與之相應的農事活動以及重農的政策和措施，又可說是這四篇的具體實現，具有相輔相成的關係。此外，〈審時〉等篇中天地人三種不同的主體得到高度的協調，〈任地篇〉中力與柔、息與勞、棘與肥、急與緩、濕與燥等矛盾的因素得到統一與轉化，也都是充滿辨證精神的佳例。

3 保存史料

農業發展到了戰國時代，以糧食作物生產為主，桑麻畜牧為副，自給自足的小農經濟結構已成定型，精耕細作的優良傳統也開始形成。此時提倡君臣並耕的農家學派的出現，講求生產技能的農學書籍

---

37 《氾勝之書》云：「牽馬令就穀堆食數口，以馬踐過為種，無好蚄，壓好蚄蟲也。」《齊民要術》云：「畫地為阡陌，周成四巷，作麴人各置巷中，假置麴王……濕麴王手中為椀，椀中盛酒脯、湯餅，主人三遍讀文，各再拜其房……。」（卷七〈造神麴并酒〉第六十四）

的問世，在在顯示農業發展已到了一個重要的關鍵時期。可惜《神農》、《野老》之類的農書都已散佚無存，現存最古老、最有體系的農學論文，只有《呂氏春秋》的〈上農〉四篇，它闡述了先秦重農的思想，記錄了從治畝、耕地、播種、中耕、收穫以迄審時等一整套具體的農業生產技術和原則，忠實反映了戰國時代的農業水準，具有極高的農業史料價值，我們要考察先秦農業乃至經濟的概況，一定要根據這四篇論文以及呂書的其他篇章，再結合《詩經》、《周禮》、《國語》、《戰國策》、《管子》、《孟子》等載籍以及地下出土的先秦文物，去進行深入的研究，才可望有所收穫。

4 啟迪後世

呂書秉承先秦重農的傳統，首先提出三才合一的思想，作為農業生產的方針，並且在農時的掌握、土地的耕耘、作物的栽培、田間的管理、農產的收藏等方面介紹了不少具體的技術，作為精耕細作的根據。這些理論對後世都很有啟發性，使秦漢以後的農業，在順應天時、地利之餘，也能殫精竭慮去利用自然，改造自然，提升農業的技術水準，促進農業的蓬勃發展。其影響之深遠，在上文已有所論述，茲不贅。

（二）缺點

1 古奧難解

呂書出自眾手，思想固然具有體系，文字則純駁不一。〈上農〉四篇向稱古奧難解，其中雖有不少是傳鈔過程中無法避免的訛誤衍奪所造成，但更主要的則是原作行文常常過分雕琢，有時簡直到了詰屈聱牙，難以索解的地步。如〈上農篇〉：「量力不足，不敢渠地而耕。」渠，高誘以為是溝，夏緯瑛以為是巨的叚借，陳奇猷疑即所謂區田，說法頗為紛歧[38]。又如作畝法、播種法是〈任地〉、〈辯土〉兩篇所述農法之重點，但有關畝、甽的大小和數量、播種的地方和播種的方法，也是異說紛紜，莫衷一是[39]。諸如此類的閱讀障礙，往往使人對呂書的農業理論產生極大的認知差距。雖然從漢代高誘以降，已有不少學者努力在從事訓詁考訂的工作；但這個缺陷還是很難彌補過來，有時還會因各逞異說，而更令人覺得紛拏難決呢！

2 詳略不一

由於時空的隔閡，文獻的不足，我們對先秦的農業政策、農業技術、生產工具、生產實踐乃至當時的社會、經濟情況都所知有限，呂書固然提供我們許多詳實可貴的資料，但也有很多地方，它或根本未曾介紹，或一筆帶過，語焉不詳，這都會造成研究上的困難。例如，〈上農〉四篇所反映的只是戰國時代北方旱作的概況，並非專為秦國而發，對南方的耕作技術更是完全略而不談[40]。而它所論述的完全以糧食作物的耕作為主，對園藝、蠶桑、森林、漁牧等副業也是相當忽略，透過它，我們只能對先秦農業窺豹一斑，如果想得其全貌是不可能的。又如它提到的作物種類只有黍、稷、稻、麻、菽、麥等寥寥數種，提到的農具只有耒、耜、耰、耨、銍、艾、舂之類，對於施肥、灌溉、選種也都言之過簡，對於當時應該已經存在的牛耕更是隻字不提。若斯之比，都只有靠後人根據先秦其他載籍及出土之地下文物去進行較詳細的考察了[41]。

---

38 詳見陳奇猷：《呂氏春秋校釋》，頁1723-1724。

39 詳見佐藤武敏：〈呂氏春秋上農等四篇和水利灌溉〉，頁164-166。

40 詳見佐藤武敏：〈呂氏春秋上農等四篇和水利灌溉〉，頁180。

41 詳見許倬雲：《求古編・兩周農作技術》，頁151-186。

六　結論

（一）《呂氏春秋》的農業資料以〈上農〉、〈任地〉、〈辯土〉、〈審時〉四篇為主。這是目前可見的最古老的一組先秦農業文獻，和同時代的羅馬農學家伽圖（Marcus Porcius Cato，西元前234-前149年）所寫的農書相比，它所總結的農業科學原理要深刻許多[42]；和《詩經》、《周禮》、《管子》等先秦載籍中零星散見的資料相較，它也顯得較為完整而有體系。不僅是研究先秦農業最重要的資料，也開中國農書的先河，對後世影響十分深遠。

（二）呂書號稱雜家，雖然雜糅各派學說，卻具有自己的特色；雖然成於眾手，卻能自成體系。〈上農〉等四篇可能是呂氏門客在先秦古農書的基礎上寫成的，以農家的耕作理論為主幹，再斟酌取捨儒、法的思想，既重視實踐經驗，又擅於論證之道。置於全書之中，不啻是有機組織的一部分，與〈十二月紀〉紀首等可以收到相輔相成的效果。我們唯有通觀全書，才能了解其重農主義、三才合一等思想實在是淵源有自，而其農業政令以及精耕細作的種種技術也才得以落實。

（三）在農學思想方面，呂書所提倡的重農主義、精耕細作、三才合一都成為中國農業史中最重要的傳統。而在農業技術方面，無論農時之掌握、土地之耕耘、作物之栽培、田間之管理、農產之收藏，也都是秦、漢以後農業發展與改進的基礎。因此，在理論與實際兩方面，它的貢獻都是不可磨滅的。

（四）美中不足的是，〈上農〉四篇文字古奧，常令人難以索解；所記載的資料不夠全面，常有詳略不一之病。我們必須結合先秦

42 見陳曉中：《中國古代的科技》，頁352。

古籍及地下文物進一步去加以考察，才可望對先秦農業有較清晰而完整的認識，這是有志研究者努力的方向。

——原載於《國立編譯館館刊》第28卷第2期（1999年12月），頁1-26。

參考文獻

許維遹 《呂氏春秋集釋》 臺北 鼎文書局 1977年
陳奇猷 《呂氏春秋校釋》 臺北 華正書局 1985年
田鳳臺 《呂氏春秋探微》 臺北 臺灣學生書局 1986年
傅武光 《呂氏春秋與諸子之關係》 臺北 東吳大學中國學術著作獎助委員會 1993年
洪家義 《呂不韋評傳》 南京 南京大學出版社 1995年
王毓瑚 《中國農學書錄》臺北 明文書局 1981年
天野元之助著 彭世獎、李廣信譯 《中國古農書考》北京 農業出版社 1993年
不 詳 《中國農業史話》 臺北 明文書局 1981年
郭文韜等 《中國農業科技發展史略》 北京 中國科學技術出版社 1988年
閔宗殿 《中國古代農耕史略》 石家莊 河北科學技術出版社 1992年
李根蟠 《中國農業史》臺北 文津出版社 1997年
吳聰賢 《農業史》 臺北 黎明文化出版公司 1992年
張雲飛 《中國農家》 北京 宗教文化出版社 1996年
氾勝之 《氾勝之書》 臺北 文海出版社影印馬國翰《玉函山房輯佚書》本 1974年
賈思勰 《齊民要術》 臺北 廣文書局 1965年
陳 旉 《農書》 臺北 臺灣商務印書館影印《四庫全書》本 1986年
王 禎 《農書》 臺北 臺灣商務印書館影印《四庫全書》本 1986年

石漢聲　《農政全書校注》　臺北　明文書局，1981年
乾隆飭撰　《授時通考》　臺北　臺灣商務印書館影印《四庫全書》本　臺北　1986年
Joseph Needham主編，陳立夫主譯　《中國之科學與文明》第十六、十七冊《中國農業史》　臺北　臺灣商務印書館　1994年
不　詳　《中國科學文明史》　臺北　木鐸出版社　1988年
陳曉中　《中國古代的科技》　臺北　明文書局　1981年
李國豪、張孟聞、曹天欽主編　《中國科技史探索》　上海　上海古籍出版社　1986年
郭金彬　《中國傳統科學思想史論》　北京　知識出版社，1993年
曾近義　《中西科學技術思想比較》　廣州　廣東高等教育出版社　1993
杜石然、魏小明等譯　《日本學者研究中國史論著選譯》第十卷〈科學技術〉　北京　中華書局　1992年
李　申　《中國古代哲學和自然科學》　北京　中國社會科學出版社　1989年
胡厚宣　《甲骨學商史論叢》　臺北　大通書局　1973年
許倬雲　《求古編》　臺北　聯經出版事業公司　1982年
劉長林　《中國系統思維》　北京　中國社會科學出版社　1990年

《詩經》與《呂氏春秋》農業生產技術史料之比較研究

一 前言

《詩經》是中國第一部詩歌總集，三百零五篇都是發乎至誠，純出天籟的作品。不僅成為後代文學著作的最高典範，而且它所蘊含的豐富內容，也提供了後世研究先秦政治、社會、經濟、科技、思想……各方面的珍貴史料，不啻是「六經皆史」的最佳例證。單以農業科技而言，《詩經》就是今日我們了解周代農業生產技術必不可少的線索。《呂氏春秋》則是戰國末年雜家的代表作，也是中國第一部眾人依照計劃寫作的思想鉅著。其書兼儒墨、合名法、綜道德、言陰陽、齊兵農、雜縱橫，備天地萬物古今之事，在農業方面，〈士容論〉中的〈上農〉、〈任地〉、〈辯土〉、〈審時〉四篇文章，乃是中國現存最早而有體系的農業文獻，加上〈十二月紀〉紀首及其他篇章的資料，更是充分反映了戰國時期中原地區的農業水準。而且對後世的農業發展也產生了深遠的影響。因此，這兩本書雖然性質迴殊，但在農業史上，其價值是相等的。我們唯有將這兩本書的相關資料排比並觀，相互較論，才能較清楚地了解先秦農業生產技術的概況，也才能略窺二書多元價值之一斑，這就是本篇論文的寫作目的。

二　農時之掌握

農耕與天時的關係十分密切，所謂天時，就是指日月星辰的位置變化、氣溫的冷暖交替、風雨的澁止多寡等所構成的季節性變化，耕作必須順應春生、夏長、秋收、冬藏的自然規律，才能豐收，而且有良好的品質。《詩經》時代，人們經過長期的實踐，已能深深體會適時而耕、適時而種、適時而穫的重要性。〈豳風・七月〉云：

> 三之日於耜，四之日舉趾。同我婦子，饁彼南畝，田畯至喜。……八月其穫，十月隕蘀。……六月食鬱及薁。七月亨葵及菽，八月剝棗，十月穫稻。為此春酒，以介眉壽。七月食瓜，八月斷壺，九月叔苴。采荼薪樗，食我農夫。九月築場圃，十月納禾稼。黍稷重穋，禾麻菽麥。嗟我農夫，我稼既同，上入執宮功。晝爾于茅，宵爾索綯。亟其乘屋，其始播百穀。……二之日鑿冰沖沖，三之日納于淩陰，四之日其蚤，獻羔祭韭。

夏曆正月整修耒耜，二月開始下田耕種，並且以羔羊、韭菜獻祭，以開冰室。六月采食唐棣、野葡萄、七月采食葵菜、大豆及甜瓜，八月收割禾穀，敲打棗子，摘取葫蘆，九月拾取麻子，收取苦菜，修築場圃，十月收割稻子，收藏禾穀及各種農產品，開始準備來春播種百穀。每個月的農事活動乃至日常的生活起居都有一定的規律，這個規律就是現代所謂的「生態季節規律」。《詩經》時代的人們所以能夠掌握這個規律，就是因為當時對天文、曆法乃至氣象、物候都有基本的知識。《詩經》中涉及天象氣候的作品就多達三、四十篇，舉凡火、箕、斗、定、昴、畢、參、牛、女等星辰的運行，風、雨、霜、雪、露、雷、蝃蝀等的變化，倉庚、蜩、鵙等的鳴叫，蘩、萎、葦等的生長都有翔實的記載，怪不得顧炎武要說：「三代以上，人人皆知天文。」（《日知錄》卷三十）而《豳風．七月》在今日看來，不啻是足以與〈夏小正〉相媲美的物候曆。

《呂氏春秋》的〈十二月紀〉紀首進而以天時為核心，將天氣、氣候的變化，動植物的生長活動乃至人類農事、政務的推展都組合進去，構成一個生生不息的大生態系統，充滿活力的宇宙模式。而在農業史上，更重大的突破是〈審時篇〉所云：「凡農之道，厚（候）之為寶。……夫稼，為之者人也，生之者地也，養之者天也。」它將天時與地利、人力結合起來，開創了三才合一的中國傳統農學思想體系，構築了中國生態農學的基礎，影響後世至深且鉅。此外，它在〈審時篇〉開門見山就強調農事之道以重時為寶，並且詳舉禾、黍、稻、麻、菽、麥六種主要農作物為例，逐一討論其耕作、播種、得時、先時、後時的各種不同生長情況與生產效果。在〈任地篇〉，它指出各種作物的性質、所需要的天時並不完全相同，必須逐一仔細加以了解、辨識，才能算是真正的審時。諸如此類，都表現《呂氏春秋》已超越《詩經》的實踐經驗，而將農時的思想提升至系統化與理論化的境界，這是值得吾人特別注意之處。

三　土地之耕耘

（一）農田之規劃

地有高下，土有肥瘠，不同的作物所適合生長的環境也各有不同，所以在開墾土地，從事農耕之前，必須對農田進行勘察與規劃，《詩經》云：

> 誕后稷之穡，有相之道。（〈大雅・生民〉）

> 篤公劉，既溥既長，既景迺岡，相其陰陽，觀其流泉。其軍三單，度其隰原，徹田為糧。度其夕陽，豳居允荒。（〈大雅・公劉〉）

> 周原膴膴，菫荼如飴。爰始爰謀，爰契我龜。曰止曰時，築室于茲。迺慰迺止，迺左迺右；迺疆迺理，迺宣迺畝。自西徂東，周爰執事。（〈大雅・綿〉）

周朝以農業起家，從其始祖后稷開始，就重視相土之事。勘察的原則，主要就是選擇土地開闊、陽光充足、水源活絡的地區，再看看野生植物是否甜美。確定了土地肥沃，適合耕種之後，就開始劃分四周的經界，經界之內再劃成一塊塊的田畝，並且規劃田間的小溝與步道。這種阡陌縱橫，畎畝交錯的土地利用方式稱之為畎畝制，它是所有農業生產技術的基礎。而周朝列祖列宗所流傳下來的這套因地制宜的相土辦法，就是後世「土宜之法」的濫觴。

《呂氏春秋》對於耕地的勘察與規劃也十分重視，其說云：

> 命田舍東郊，皆修封疆，審端徑術，善相丘陵阪險原隰，土地所宜，五穀所殖，以教導民。（〈孟春紀〉）

> 是以六尺之耜，所以成畝也；其博八寸，所以成甽也。耨柄尺，此其度也；其耨六寸，所以間稼也。（〈任地〉）

> 其為畝也，高而危則澤奪，陂則埒，見風則㵴，高培則拔，寒

則雕，熱則修，一時而五六死，故不能為來。……故晦欲廣以平，甽欲小以深；下得陰，上得陽，然後咸生。(〈辯土〉)

它對甽畝制有相當詳細的介紹。他認為晦（畝）的寬度應該是六尺，和耜的長度一樣，甽（甽）的寬度與高度依《周禮・考工記》是「廣尺深尺謂之甽」，比用來挖甽的八寸寬的耜刃稍寬些。畝要寬廣平坦，甽要狹小深凹，如此才能得到充分的濕度與溫度，有助於農作物的生長。否則，治畝不當，無論是高危或傾斜，都不能有好收成。呂書這些有關甽畝規格與標準的理論，當然不是文學性質的《詩經》所能觸及，就連其他先秦典籍也多忽略了，可以說是中國農業史的重要史料。

（二）耕地之墾闢

在劃定經界，規劃甽畝之後，還要經過一番辛勤的開墾播殖，然後阡陌縱橫、禾黍油油的美景才有可能實現。《詩經》云：

瑟彼柞棫，民所燎矣！豈弟君子，神所勞矣！(〈大雅・旱麓〉)

載芟載柞，其耕澤澤。千耦其耘，徂隰徂畛。……有略其耜，俶載南畝，播厥百穀，實函斯活。(〈周頌・載芟〉)

噫嘻成王，既昭假爾。率時農夫，播厥百穀。駿發爾私，終三十里。亦服爾耕，十千維耦。(〈周頌・噫嘻〉)

三之日于耜，四之日舉趾。同我婦子，饁彼南田，田畯至喜。(〈豳風・七月〉)

開墾生荒地的第一步，就是先拔除柞樹、棫木之類的小樹，割掉叢生的雜草，用火一起燒光，讓灰燼成為天然肥料。然後用耒耜開始翻耕土地，造成農田，這就是原始農業「撩荒」（又稱「刀耕火種」）之遺。翻耕土地的時機以仲春二月為宜，工具主要是耒耜。《說文》：「耒，耕曲木也。」「枱（耜），耒耑也。」認為耒耜是一種有柄有刃的農具；近人徐中舒則主張「耒下歧頭，耜下一刃；耒為仿效樹枝式的農具，耜為仿效木棒式的農具。」（〈耒耜考〉，頁32）使用這兩種翻土農具時，須以手持柄，以腳踩踏柄下的橫木，將鋒刃刺入土中向前推，再向外挑撥，把土發掘起來。掘一塊，退一步，而且必須手足併用，較為費力，因而常常採取二人協作的「耦耕」方式。商周之際，由於地廣人稀，且為了把握時令和天候，動輒成千上萬人一齊發動，一對對地耕耘，不消多久，就把三十餘平方里的土地耕耘完畢。這種大規模耕作的壯觀場面到了後世似乎不再重見，個體小農經營的方式成為中國農業的傳統。而《詩經》卻保留了古代農耕的生動史料，其價值不容小覷。

《呂氏春秋》對於戰國時代的農耕規模及土地制度都沒有明文交代，但對於開闢耕地時如何審辨土壤的性質，如何把握耕作的要訣則言之不厭其詳：

> 凡耕之大方：力者欲柔，柔者欲力；息者欲勞，勞者欲息；棘者欲肥，肥者欲棘；急者欲緩，緩者欲急；濕者欲燥，燥者欲濕。（〈任地〉）

> 凡耕之道：必始於壚，為其寡澤而後枯；必厚其靹，為其唯厚而及；飭者莛之，堅者耕之，澤其靹而後之；上田則被其處，下田則盡其汙。（〈辯土〉）

> 五耕五耘，必審以盡。其深殖之度，陰土必得，大草不生，又無螟蜮。今茲美禾，來茲美麥。(〈任地〉)

土壤的性質，有剛柔、息勞、肥瘠、鬆緊、乾濕等的不同，未必能適合作物的需求，但只要能對這些矛盾的雙方都有深刻的了解，並且加以適度的調節轉化，就可以使土壤的使用臻至最佳狀態，充分發揮地力，達到豐收的目的。在耕作時，要先耕疏鬆的黑土，因為它容易泄水，不致成澤，而且保墒力強，比其他土壤後枯，所以要先加以梳理，使多餘的水分流去。然後才耕堅實的白土，因為它往往膠結成塊，既不保墒，又難透水，必須移土加厚，才宜於種植，所以要等雨水較多時才加以翻耕，使其保持適當的水分。高旱的上田水分不足，耕後要反覆碎土摩田，才能保墒；低濕的下田水分太多，耕作時要注意散盡污水，才不致淤積。此外，耕耨要不厭其煩，儘量多耕作，多除草，同時要深耕到地下的濕土，如此才能雜草不生，又無蟲害，而有年年豐收的希望。呂書這樣具體的耕作技術，完全符合「辨土宜」、「深耕易耨」的原則，確實有其實用價值。

四　作物之栽培

(一) 作物之選擇

古代中原地區的農業偏重於種植業，其中作為主食的糧食作物尤其受人重視。糧食作物種類原本極其繁多，故有百穀之稱。後來屢經汰蕪存菁，人們常提的便只有九穀、六穀、五穀了。在《詩經》中，對於周代的糧食作物記載綦詳，據齊思和〈毛詩穀名考〉的統計，共入黍、稷、麥、禾、麻、菽、稻、秬、粱、芑、荏菽、秠、來、牟、稌十五種（《中國史探研》，頁1-26）。如果把同一作物的不同稱呼或不同品種歸併起來，只有黍、稷、稻、麻、菽、麥六種，這些就是周代最重要的糧食作物，以後歷代糧食種類及其構成，也無非是以此為基礎去加以發展變化的。為了提高農作物的品質與產量，人們經過長期經驗的累積，懂得在播植之前，需要對作物的品種有所選擇，《詩經》云：

> 大田多稼，既種既戒，既備乃事，以我覃耜，俶載南畝，播厥百穀。（〈小雅・大田〉）

> 誕后稷之穡，有相之道。茀厥豐草，種之黃茂，實方實苞，實種實褎，實發實秀，實堅實好，實穎實栗，即有邰家室。誕降嘉種，維秬維秠，維糜維芑。恆之秬秠，是穫是畝；恆之糜芑，是任是負，以歸肇祀。（〈大雅・生民〉）

> 降之百福，黍稷重穋，稙穉菽麥。奄有下國，俾民稼穡。有稷有黍，有稻有秬。奄有下土，纘禹之緒。（〈魯頌・閟宮〉）

「既種既戒」，指選擇整理種子，「種之黃茂，實方實苞」謂選擇光潤美好、飽滿充實的種子，這是在下田耕種之前就須準備妥當的。「誕降嘉種」是說上天降下優良的品種，而秬和秠即黍的嘉種，糜和芑即是稷的嘉種。至於重是早熟品種，穋是晚熟品種，稙是生長期長的品種，穉是生長期短的品種，足見當時先選出的品種已經不少，有必要概括地加以分類，這些都是農業進步的表徵。

《呂氏春秋・審時篇》所提及的六種主要糧食作物為禾、黍、稻、麻、菽、麥，與《詩經》所載完全一致。其餘各篇與〈審時篇〉

重複者不計外，還有粟、大麥、稑禾、重禾。這些作物無疑都是當時最為重要而常見的。特別值得注意的是，〈審時篇〉的菽有大菽、小菽之分，〈任地篇〉的麥有麥（小麥）、大麥之分，禾有稑禾（早種晚熟）、重禾（晚種早熟）之分，足見也重視在同一類作物中培育不同的品種了。可惜《呂氏春秋》和《詩經》一樣，在選擇及作物品種的培育方面並沒有詳細的論述。

《詩經》提及的植物多達一百四、五十種，除了糧食作物之外，其他經濟植物為數亦不少。據耿煊《詩經中的經濟植物》所考，纖維作物類有葛、麻、紵等，蔬菜類有葑、韭、諼草、芹、匏、壺、瓠、瓜、荷、荇菜、蘋、蕢、蒲、茆等，果樹類有桃、李、梅、棗、榛、栗等，森林樹木類有桑、穀、柘、梓、椅、桐、漆、松、柏、櫟、栩、杻、柞、楊、柳、檉、杞、樗、樞、檀、榆、椒、苕、竹等。到底哪些是野生植物，哪些是栽培作物，實難以區分。然論其價值，則不僅可以讓讀者多識草木之名，也保留了不少農業及生物方面的史料。相形之下，《呂氏春秋》所提及的經濟植物就瞠乎其後，無法相提並論了。

（二）播植之講求

土地既已翻耕，栽培的對象亦已確定之後，就可正式開始播植，《詩經》云：

> 播厥百穀，實函斯活。驛驛其達，有厭其傑。厭厭其苗，綿綿其麃。（〈周頌・載芟〉）

> 蓺之荏菽、荏菽旆旆，禾役穟穟，麻麥幪幪，瓜瓞唪唪。（〈大雅・生民〉）

嗟嗟保介，維莫之春。亦又何求？如何新畬？（〈周頌・臣工〉）

薄言采芑，于彼新田，于此菑畝。(〈小雅・采芑〉)

各種穀物的種子播下之後，萌芽長出地面，看過去是那麼齊整而美好。這都是在播種時就已注意到行列的整齊通達，以期通風並得到充足的陽光。不過，不同的作物疏密的要求各有不同，如麻麥宜於稠密，大豆宜於疏遠，蔓生的瓜類，其播種又有不同，足見當時已懂得條播法、點播法，而不是順其自然的撒播了。剛墾耕出來的第一年的田叫菑田，第二年叫新田，第三年叫畬田。田地種了三年後，地力既衰，無法繼續播植，只好退耕，任其荒蕪，等適當時機再闢草萊，重新撩荒。這種方式到了後世就漸變為休耕制和輪作制。

《呂氏春秋》對於播植的技術十分講求，遠比《詩經》所言詳細而進步，其說云：

稼欲生於塵，而殖于堅者。慎其種，勿使數，亦無使疏。於其施土，無使不足，亦無使有餘。……厚土則孽不通，薄土則蕃幡而不發。(〈辯土〉)

熟有耰也，必務其培。其耰也植，植者其生也必先。其施土也均，均者其生也必堅。(〈辯土〉)

是以畮廣以平，則不喪本莖；生於地者，五分之以地。莖生有行，故遬長；弱不相害，故遬大。衡行必得，縱行必術。正其行，通其風，夬心中央，帥為泠風。苗，其弱也欲孤，其長也欲相與居，其熟也欲相扶。是故三以為族，乃多粟。(〈辯土〉)

上田棄畝，下田棄甽。（〈任地〉）

農作物播種的土壤要上鬆下緊，虛實相間。播下的種子不可太密，也不可太疏。播種後的覆土不宜太厚，也不宜太薄。播種以後，要經常耰摩，並且做好培土工作。農作物通常播種在土壟上，田壟要寬廣平坦，農作物的根莖才不會枯萎。在五尺寬的田壟上，每行農作物大約占壟面的五分之一，則苗莖的出生各有行列，可以迅速成長，苗莖弱小時不相妨害，可以迅速茁壯，如此才符合不密不疏的原則。農作物的橫行要得其宜，縱行要直而不偏斜，所有行列要端正通風，不能鬱閉，這就是後世等距全苗的觀念。農作物，尤其是細弱的禾本科植物，其特性是喜歡集聚而族生。因此，在苗期要孤立分離，單株相間；長大後，植株要互相靠近，形成封行；成熟時，枝葉繁盛，株間要簇聚，相互扶持，這樣合理的密植，是精耕細作的表現，是有效利用地力與陽光，獲得豐收的保證。

除了一般的播植法之外，《呂氏春秋》還談到較特殊的「上田棄畝，下田棄甽」的畎畝法。也就是在高亢乾燥的上田裡，把種子播在田溝中，而不要種在田壟上，以便於保墒與抗風；在低窪潮濕的下田裡，把種子播在田壟上，而不要種在田溝中，以便於防澇，而且有利於通風透光。這種播植法斟酌農田的高低、旱澇、陰陽等因素，做了最巧妙的安排，充分體現「因地制宜」及「三才合一」的精神，是一種相當科學的土地利用方式。

五　田間之管理

（一）灌溉

農作物的發芽和生長都有賴於土壤中所含的適當濕度（也就是

墒），所以水分對於農作物而言是十分重要的。在北方，乾燥多風，雨水經常不足，土壤水分卻極易蒸發，除了注意審辨天時、加強抗旱保墒、多種耐旱植物（如黍、稷）外，農業灌溉也是十分需要的。《詩經》云：

> 芃芃黍苗，陰雨膏之，悠悠南行，召伯勞之。（〈小雅・黍苗〉）

> 篤公劉，逝彼百泉，瞻彼溥既長，既景迺岡，相其陰陽，觀其流泉。（〈大雅・公劉〉）

> 泂酌彼行潦，挹彼注茲，可以濯罍。豈弟君子，民之攸歸。（〈大雅・泂酌〉）

> 滮池北流，浸彼稻田。嘯歌傷懷，念彼碩人。（〈小雅・白華〉）

在古代，農作物所需的水分主要是仰賴天雨的潤澤。公劉到豳地相土，已注意到泉水的重要性，除了日常生活所需之外，或許也可用以灌溉吧？〈泂酌篇〉描寫用罍至遠處取水，以注於此，或許與人力抱甕的灌溉法有關吧？不過，這些詩篇都語焉不詳，難以為憑。只有〈白華篇〉用滮池之水灌浸稻田，才是明顯寫到灌溉的證據。當然當時至多只有簡單的水利灌溉，至於大規模的水利工作，如鄭國渠、都江堰之類，那就要等到春秋中葉以後才開始出現。

戰國末年，水利灌溉已十分發達，《呂氏春秋》也有所觸及，可惜並不十分詳明，如：

> 是月也，命司空曰：「時雨將降，下水上騰。循行國邑，周視原野，修利堤防，導達溝瀆。」（〈季春紀〉）

> 奪之以水事，是謂籥，喪以繼樂，四鄰來虛。（〈上農〉）

> 水已行，民大得其利，相與歌之曰：「鄴有聖令，時為史公，決漳水，灌鄴旁，終古斥鹵，生之稻粱。」（〈樂成〉）

> 上田則被其處，下田則盡其污。（〈辯土〉）

在雨季來臨之前，司空督導人民修利堤防，導達溝瀆，但這些都必須在農閑時段從事，不可妨礙農時，否則農業歉收，就會招致外患。黃河流域有許多斥鹵之地，土質貧瘠，鹽鹼成分極高，不適合耕作。魏襄王時，史起教民引漳河之水，灌洗鄴地，使魏國南部的斥鹵之地變為肥沃的良田，因此，百姓作歌頌之，這又是水利工程的又一種妙用。至於高旱的上田，耕後要耰摩以保墒，低濕的下田，要開溝作渠，排散積水，那也是與農田水利有關。

（二）施肥

重視積肥和施肥是中國傳統農業的重要特點之一。古代的施肥主要有草燒法、水化法及土化法，《詩經》云：

> 瑟彼柞棫，民所燎矣！豈弟君子，神所勞矣！（〈大雅．旱麓〉）

> 其鎛斯趙，以薅荼蓼。荼蓼朽止，黍稷茂止。（〈周頌．良耜〉）

撩荒時所鏟除的雜草叢木燒成灰後，可作天然肥料，這就是草燒法。夏日中耕草時，將荼蓼之類漚爛了，也可使黍稷長得茂盛，這就是水化之法。這種綠肥的使用，比起「刀耕火種」的辦法無疑是一大進步。至於《周禮・草人》所講的使用各種獸糞施肥的土化之法，在《詩經》中並無記載。

《呂氏春秋》也充分認識到施肥可以改良土壤性質，拓展耕地使用面積及增加單位面積產量，是使休閑田逐漸轉變為常耕田的最好辦法，其說云：

> 地可使肥，又可使棘。人肥必以澤，使苗堅而地隙；人耨必以旱，使地肥而土緩。(〈任地〉)

> 是月也，土潤溽暑，大雨時行，燒薙行水，利以殺草，如以熱湯，可以糞田疇，可以美土疆。(〈季夏紀〉)

它所陳述的主要也是植物肥料。這些肥料的製造，有的是除草後燒成草灰，為了避免草灰被風吹走，必須趁土壤潤濕時與泥土混合，如此可使土壤疏鬆，禾苗易於生根。尤其到了雨季，雨水沖其灰於田中，更是如熱湯般，即可殺草，又可使田疇肥美。有的則是將田中雜草拔出，任其乾枯腐爛，成為天然的綠肥。這種工作如果在雨季進行，一則會因泥土鬆軟，拔草時牽動禾苗，再則擔心拔出的雜草會繼續生長，所以必乾旱時節進行，才能使土壤肥沃而又穩定。由此可見，呂書對於施肥的技術雖然講得不夠全面，也不夠詳盡，但有其細緻的一面。

(三) 間苗

所謂間苗即是除去冗生的苗，以保持個別作物之間適當的距離。

農作物在播種時本須注意到合理密植、等距全苗，但若在禾苗成長之際，才發現密度、株距、行距等有不適當之處，那就要靠間苗來加以補救了。這工作往往與中耕除草一併進行。《詩經》雖然屢次提到耘耨之類，但對間苗則未曾明言。至於《呂氏春秋》則言之甚瞭：

> 凡禾之患，不俱生而俱死。是以先生者美米，後生者為粃。是故其耨也，長其兄而去其弟。樹肥而無使扶疏，樹墝不欲專生而族居。肥而扶疏則多粃，墝而專居則多死。不知稼者，其耨也去其兄而養其弟，不收其粟而收其粃，上下不安則禾多死。(〈辯土〉)

由於地力有限，要使所有的禾苗都很好并非易事，處理不當，會使禾苗死光，那就真是禾之大患了。大抵先得生道的壯苗可得美米，後得生道的弱苗只能成為無米的粃子。所以在中耕除草時就要把壯苗留下，把弱苗除去，同時要注意到：禾苗如果種在過分肥沃的土地上，就不要任其漫無限制地生長，而要修剪它的枝葉，才不會徒然長出很多粃子；如果種在貧瘠的土地上，就不要任其密聚，以免相互奪肥，造成禾苗多半萎死，那也要靠間苗來加以糾正。總之，「長兄去弟」、去蕪存菁是間苗最重要的原則，懂得這個原則的就會豐收，不懂得這個原則的就會歉收，甚至會因苗的疏密與土地的肥澆無法配合，而導致禾苗的死亡。呂書對於間苗的原理與技術都講得十分透闢，對於田間管理具有指導作用。

（四）中耕除草

雜草會奪取土壤中的水分與養分，影響禾苗的發育，必須勤於鋤去。除草與間苗、鬆土、培土、積肥等密切結合，是中耕技術重要的一環。中耕除草又稱為耘或耨，人們往往將耕耘或耕耨相提並論，以代表全部農事，其重要性由此可見。《詩經》云：

> 今適南畝，或耘或耔，黍稷薿薿。（〈小雅・甫田〉）

> 其鎛斯趙，以薅荼蓼。荼蓼朽止，黍稷茂止。（〈周頌・良耜〉）

> 命我眾人，庤乃錢鎛，奄觀銍艾。（〈周頌・臣工〉）

耘、薅是除草，耔是壅根。中耕除草時，除了鏟除雜草外，還可鬆動土壤，以保持水分，並且進行培土附根，以強化種苗，這是黍稷茂盛的前提。除草的工具，主要為錢與鎛，相當於今日的鏟、鋤之類，這兩種農具和收割用的銍都從金構字，顯示《詩經》時代的農具已多以金屬打造了。

《呂氏春秋》對於中耕除草有更進一步的論述，其說云：

> 耨柄尺，此其度也，其耨六尺，所以間稼也。……人耨必以早，使地肥而土緩。（〈任地〉）

> 是以人稼之容足，耨之容耨，據以容手，此之謂耕道。（〈審時〉）

> 五耕五耨，必審以盡，其深殖之度，除土必得，大草不生。（〈任地〉）

> 不除則蕪，除之則虛，此事之傷也。……是故其耨也，長其兄而去其弟。（〈辯土〉）

除草所使用之耨器，柄長約一尺，刃寬約六寸，禾苗的間隔距離要適當才能放得進去。除草必須利用乾旱的時節，才不會讓拔除的雜草有復甦的機會。除草應該與鬆土、培土密切配合，次數要多，功夫要仔細，才不會傷及農作物，也才不會讓雜草有叢生的機會。除草可以與間苗，施肥配合，順便把幼弱的冗苗拔除，把鏟除的雜草、冗苗做成肥料。呂書將除草的原則與方法都講得很清楚，而且重視耕耨結合，顯示了中國耕作體系的另一個特色。

（五）防治農害

農業生產在積極方面要改進各種生產技術，在消極方面要防治各種農業災害。除了草害之外，《詩經》中提及的農害還有旱災、蟲災、鳥災、獸災：

> 旱既大甚，蘊隆蟲蟲。不殄禋祀，自郊徂宮。上下奠瘞，靡神不宗。后稷不克，上帝不臨，耗斁下土，寧丁我躬。（〈大雅．雲漢〉）

> 如彼歲旱，草不潰茂，如彼棲苴。（〈大雅．召旻〉）

> 去其螟螣，及其蟊賊，無害我田穉。田祖有神，秉畀炎火。（〈小雅．大田〉）

> 黃鳥黃鳥，無集於穀，無啄我粟。……黃鳥黃鳥，無啄我粱。……黃鳥黃鳥，無集於栩，無啄我黍。（〈小雅．黃鳥〉）

交交桑扈，率場啄粟。哀我塡寡，宜岸宜獄。握粟出卜，自何能穀？（〈小雅・小宛〉）

碩鼠碩鼠，無食我黍！……碩鼠碩鼠，無食我麥！……碩鼠碩鼠，無食我苗！（〈魏風・碩鼠〉）

旱魃為虐，暑氣鬱蒸，草木枯萎，人心惶惶，在科學不夠昌明的時代，惟有遍求神明，以期早日脫離苦海。蝗螟之災，在古代也是司空見慣，螟食心，螣食葉，蟊食根，賊食節，這些害蟲會使禾稼盡病，五穀不登，所以人們對它們認識特別清楚。《詩經》的紀錄，已開以昆蟲分類學為蟲害分別類型的先聲。至於除害的方法，則是利用昆蟲的向光性，用火誘殺之。這種方法，唐代開元年間宰相姚崇曾經仿效，直至今日也還在使用，可說相當科學。黃鳥、桑扈、碩鼠這類鳥獸會啄食吞噬農作物，影響收成，那只有將它們驅離或捕殺了。

《呂氏春秋》所言農業災害的種類比《詩經》完整，而且不僅重視「治」，也重視「防」，這是它比《詩經》進步的地方，其說云：

孟春行夏令，則風雨不時，草木早槁，國乃有恐。行秋令，則民大疫，疾風暴雨數至，藜莠蓬蒿并興。行冬令，則水潦為敗，霜雪大摯，首種不入。（〈孟春紀〉）

完堤防，謹壅塞，以備水潦。（〈孟秋紀〉）

蝗螟，農夫得而殺之，奚故？為其害稼也。（〈不屈〉）

其深殖之度，陰土必得，大草不生，又無螟蜮。（〈任地〉）

> 是月也，驅獸無害五穀，無大田獵。(〈孟夏紀〉)

> 無與三盜任地：夫四序參發，大甽小畝，為青魚胠，苗若直獵，地竊之也；既種而無行，耕而不長，則苗相竊也；弗除則蕪，除之則虛，則草竊之也。故去此三盜者，而後粟可多也。(〈辯土〉)

現代災害科學將災害分為氣象災害、大地災害、生物災害三大類。〈十二月紀〉所言，除了大地災害中的地震災害之外，重要的災害幾乎都已囊括無遺。而且把疾癘流行也與自然災害並列，顯示古人已注意到人禍往往是天災的併發症或後遺症，自然問題、生產問題、經濟問題、社會問題彼此之間的關係是十分密切的。呂書對於各種災害的表現形式有具體的描寫，對於各種災害的成因則歸之於違反了時政綱領，也就是行政措施不能順應天時，以致引起天帝的懲罰。這種「天人感應」的思想固然難免淪於迷信荒誕，但人類的不當行為，的確會引起大自然的反撲，在重視環境保護的今日看來，呂書的觀點還是有幾分道理的。至於如何預防、減輕、補救這些災害，呂書除了特別強調順令而行的大原則外，對於技術方面實在所言不多。不過，如治水災要「完堤防，謹壅塞」，治生物災害要深耕，要撲殺蝗螟，要驅逐野獸，都是十分重要的。

呂書將地竊、苗竊、草竊這三種農業技術理不當所引起的災害——三盜特別拈出，是其特識，顯示呂書對於改進農業技術的重視。至於改進之道，就是要從農田的規劃、耕地的墾闢、播植的講求、田間的管理等方面著手，此在上文言之已瞭，不再贅述。

六　農產之收藏

收割蓋藏是農業生產的最後一個步驟，也是其他農業生產技術的直接目的。豐收的喜悅是人們最大的期望，所以《詩經》也經常提及：

> 八月其穫……六月食鬱及薁，七月亨葵及菽，八月剝棗，十月穫稻……七月食瓜，八月斷壺，九月叔苴，采荼薪樗，食我農夫。九月築場圃，十月納禾稼。黍稷重穋，禾麻叔麥。(〈豳風・七月〉)

> 命我眾人，庤乃錢鎛，奄觀銍艾。(〈周頌・臣工〉)

> 恆之秬秠，是穫是畝；恆之穈芑，是任是負，……或舂或揄，或簸或蹂。(〈大雅・生民〉)

> 我蓺黍稷，我黍與與，我稷翼翼。我倉既盈，我庾維億。以為酒食，以享以祀。(〈小雅・楚茨〉)

> 豐年多黍多稌，亦有高廩，萬億及秭。(〈周頌・豐年〉)

秋天是收成的主要季節，但各種農作物收成的時間並不一致，如菽在七月，苴麻在九月，稻則遲至十月，其他瓜果菜蔬亦各有不同。收割的工具主要是銍艾，也就是短鐮。豐收時，秬秠穈芑黍稷等堆滿田中，或背負，或車載運回，在場圃曝曬後，十月就納入廩庾之中。倉庫之多，不可勝數；穀物之高，盈滿屋樑。除了舂穈揄簸蹂，供應民生需求之外，還可釀造酒食，來祭祀神明呢！這些豐收的場面真是寫得生動之至。

《呂氏春秋》和《詩經》一樣，對於收割蓋藏的技術並未仔細介紹。所不同的是，它不像《詩經》那樣一味歌頌豐收的喜悅，而是一本審時的精神，特別強調及時收割蓋藏的重要：

> 孟夏之昔，殺三葉而穫大麥。……凡草生藏日中出，狶首生而麥無葉，而從事於蓄藏，此告民究也。五時見生而樹生，見死而穫死。(〈任地〉)

> 稼就而不穫，必遇天災。(〈審時〉)

> 禍因胥歲，不舉銍艾。數奪民時，大饑乃來。(〈上農〉)

> 穿竇窌，修囷倉，乃命有司，趣民收斂，務蓄菜，多積聚。(〈仲秋紀〉)

> 命百官，謹蓋藏。命司徒，循行積聚，無有不斂。(〈孟冬紀〉)

> 是月也，農有不收藏積聚者，牛馬畜獸有放佚者，取之不詰。(〈仲冬紀〉)

農業生產大抵是依照春播、夏耘、秋收、冬藏的次序在進行，但各種作物性質不同，播種、收穫的時間也不甚一致。呂書基於陰陽家的觀點，以五行配四時，而且以五行生尅的道理來說明農業生產，認為五行之時以生加於某物則種植某物，以死加於某物則收穫某物。其他作物的收割，依據〈十二月紀〉紀首的記載，穀是在孟秋，麻是在仲秋，稻是在季秋，而且收割之後都要祭拜一番，以示崇本報功之意。農作物的收割也要把握時機，不可怠慢，否則必有饑荒。收割的工具仍然是銍艾。農作物的收藏，主要是要先收拾倉屯，挖掘地窖，切實做好準備工作，當莊稼收割之後，才可及時入倉。所以〈十二月紀〉紀首中，從孟秋開始收斂之後，就不斷在提醒農民要謹於蓋藏，如果到了仲冬還未收藏積聚的，那即使農產品被人取走，官府也不會去處分那擅自取走的人，可見收割蓋藏是何等重要。

七　結論

經由以上的論述，我們可以發現：

（一）《詩經》與《呂氏春秋》性質雖殊，時代亦相去數百年，但二者在農業生產技術方面，無論農時之掌握、土地之耕耘、作物之栽培、田間之管理、農產之收藏皆多所觸及。不僅對後世的農業發展產生深遠的影響，也是居今之世考察中國古代農業科技史的重要資料，允宜給予適當的重視。

（二）二書由於性質、作者、時代的不同，切入的角度及觀點難免有所出入。大抵《詩經》為文學作品，側重於主觀情感的抒發及客觀現實的描述，對農業生產技術完全無意從事理論上的發揮，但卻樸質而真實地反映了周代的農業生產技術，真是無心插柳柳成蔭。《呂氏春秋》則為思想性的論文集，對於農業生產技術有意從實際的經驗出發，進一步作系統化、理論化的論述。除了有強烈的論證色彩之外，也難免受到當時思想的影響，如用陰陽五行去解釋播種收穫，用天人感應去闡述農業災害，都不是《詩經》所曾一見的。

（三）《呂氏春秋》時代較晚，又是有計劃的寫作，所言農業生產技術自然較為具體而深入，如畎畝制度的介紹，土地墾闢及作物播植技術的闡述，乃至畎畝法、間苗、農害、三竊等的說明，或為《詩經》所未曾言，或較《詩經》詳盡。然《詩經》亦偶有較呂書詳細之處，如相土條件的交代、撩荒及大規模耕作的反映，糧食作物及其他經濟作物的大量出現，都可以補呂書之不足。我們唯有將二者交互印證、彼此補充，才足以略窺先秦農業技術水準，同時也才能發現中國農業發展的軌跡。

（四）《詩經》與《呂氏春秋》時代綿邈，文字簡奧，在先秦農業生產技術方面，固然提供了我們許多翔實可貴的資料，但也有很多地方或根本未曾介紹，或一筆帶過，語焉不詳，這都會造成研究上的困難，我們唯有根據先秦其他典籍及近代出土的地下文物去進行較詳細的考察，才可能對先秦的農業技術有更深刻、更正確的了解。

——原載於《第四屆詩經國際學術研討會論文集》
（北京：學苑出版社，2000年7月），頁218-236。

《說文解字》中的農業史料析論

一　前言

漢代與唐代並稱，是中國歷史上難得一見的盛世，文治武功，光耀史冊。科技發展自然也是突飛猛進，無論天文、數學、地學、農學、紡織、建築、交通、醫藥、造紙，都進入形成體系，決定走向的關鍵時期。[1]農業為衣食之本，民生攸賴，大漢帝國建立之後，為了因應日增的人口與龐大帝國的需求，必須增加農田面積，推廣鐵器牛耕，興建水利工程，建立精耕細作體系，才能無匱乏之虞，故農業生產蓬勃發展，國富民足。許慎的《說文解字》旨在透過六書分析字形，以明本義，但因為文字是文化的載體，從字書中也可以了解當時各方面的文化訊息，而與當時的時代背景互相印證與補充，所以在發表〈從科學的觀點探討說文解字〉、〈說文解字中的天文史料析論〉、〈說文解字中的神祕文化史料析論〉、〈說文解字名物訓詁研究芻議〉等論文之後，[2]撰寫本論文，以期對漢代及《說文解字》中的農業文

1　杜石然、范楚玉、陳美東、金秋鵬、周世德、曹婉如：《中國科學技術史稿》（北京：北京大學出版社，2012年），頁92-140。

2　莊雅州：〈從科學觀點探討說文解字〉，《慶祝周一田先生七秩誕辰論文集》（臺北：萬卷樓圖書公司，2001年），頁7-25。〈說文解字中的天文史料析論〉，中國文字學會主辦，靜宜大學協辦：《第23屆中國文字學國際學術研討會論文》（2012年6月），頁1-19。〈說文解字中的神祕文化史料析論〉，中國文字學會主辦，中正大學協辦：《第24屆中國文字學國際學術研討會論文》（2013年5月），頁1-23。〈說文解字名物

化有較清晰的認識。

二　漢代農業文化鳥瞰

嬴秦以農戰政策起家，統一六國，但因不施仁義，攻守易勢，十餘年即土崩瓦解。劉漢踵繼崛起，以史為鑒，去其短，取其長，勵精圖治，終而成為空前的大帝國。漢朝所以能成就如此的豐功偉業，實與當時農業發展鼎盛有密切關係，同時，了解當時農業梗概，可說就是解讀《說文解字》農業文化的基礎。

（一）漢代的農業政策

從人類進入農業時代以後，農業就成為民生之依據，立國之基礎。重農思想也逐漸成為歷代的共識。《尚書・堯典》云：「食哉惟時」，《尚書・洪範》以食為八政之始。[3]到了春秋戰國時期，農本思想正式成型，無論《論語・顏淵》、《孟子・梁惠王》、《商君書・壹言》、《管子》〈牧民〉、〈五輔〉、〈治國〉、《呂氏春秋・上農》，尤其是農家的《神農》、《野老》等佚書都在倡導以農本論為特點的重農思想。[4]秦本邊鄙小國，憑藉農戰政策，竟能逐鹿中原，翦滅群雄，更是農本論的絕佳例證。

漢代歷朝帝王對農業的重要性都有深刻的體認，加上賈誼、晁

訓詁研究芻議〉，中國文字學會主辦，中國文化大學協辦：《第25屆中國文字學國際學術研討會論文》（2014年5月），頁695-712。

3　（漢）孔安國傳，（唐）孔穎達疏：《尚書正義》（臺北：藝文印書館，1985年），卷三頁19（總）頁43、卷十二頁9（總）頁171。

4　曾雄生：《中國農學史》（福州：福建人民出版社，2008年），頁105-107，118-126。郭文韜等編：《中國農業科技發展史略》（北京：中國科學技術出版社，1988年），頁83。

錯、董仲舒、趙過等群臣的推波助瀾，所以文帝、景帝等都曾頒布勸農詔，直接推動了漢初社會經濟的繁榮，也為漢武帝施展其雄才大略奠定了堅實的物質基礎。自此以後，以農桑為本業的重農主義，就成為兩漢乃至於民國以前最重要的政策。中國古代的農本論和歐洲17世紀流行的「重農主義」有所不同，西歐的重農主義是一種純經濟思想；中國的農本論則兼具多種思想內容。亦即在經濟上認定農業是經濟繁榮、國富民足的根本；在政治上認定農業是政治安定、長治久安的根本；在軍事上認定農業是國富兵強，戰勝守固的根本。[5]

漢代採取重農政策，並非只是空洞的農桑為本的觀念而已，而是消極方面打擊豪強，限制工商活動，[6]積極方面，採取勸課農桑、獎勵墾荒、興修水利、輕徭薄賦等政策，在生產、分配、交換、消費等領域都有完善的配套措施，所以能成為穩定的農業管理體系。[7]當然，重農輕商的政策難免偏頗，東漢王符《潛夫論・務本》主張農工商三者各有本末，要崇本黜末，三者並重，[8]這種理論十分圓通，可惜在古代始終無法成為主流思想。

（二）漢代的農業思想

漢代雖然不像先秦那樣百家爭鳴，但當時重農政策的制訂，乃至農業技術的發展，與幾位思想家仍有密不可分的關係，這些在專寫貨物、經濟的《漢書・食貨志》中都可窺豹一斑：

5 郭文韜等編：《中國農業科技發展史略》，同上注，頁84-85。

6 許倬雲著，程農、張鳴譯：《漢代農業——早期中國農業經濟的形成》（南京：南京人民出版社，2012年），頁37-45。

7 張波、樊志民主編：《中國農業通史・戰國秦漢卷》（北京：中國農業出版社，2007年），頁431-432。

8 郭文韜等編：《中國農業科技發展史略》，同注4，頁132。

1 賈誼

《漢書・食貨志》云：

> 夫積貯者，天下之大命也。苟粟多而財有餘何為而不成？以攻則取，以守則固，以戰則勝，懷敵附遠，何招而不至？今敺民而歸之農，皆著於本，使天下各食其力，末技游食之民，轉而緣南畝，則畜積足而人樂其所矣。可以為富安天下，而直為此廩廩也。[9]

漢朝初年，兵燹之餘，民生凋弊，朝廷採取清靜無為的老莊治術，一切放任苟簡，大批農民背本趨末，鑄幣經商，農業生產受到破壞。洛陽少年賈誼有鑒於此，所以上疏文帝，主張提倡農業，使末技游食之民都從事農業生產，積貯足夠的糧食，則國富民安。其說正是典型的農本論，可惜並未得到不問蒼生問鬼神的文帝高度重視，直到身後，他許多銳意改革的意見才被武帝採納，成為影響深遠的政策。

2 晁錯

《漢書・食貨志》云：

> 夫腹飢不得食，膚寒不得衣，雖慈母不能保其子，君安能以有其民哉？明主知其然也，故務民於農桑，薄賦歛，廣畜積，以實倉廩，備水旱，故民可得而有也。[10]

---

9 （漢）班固撰，（唐）顏師古注，（清）王先謙補注：《漢書・食貨志》（臺北：藝文印書館，1965年），卷廿四上，頁11，（總）頁516。

10 同上注，卷24上，頁12，（總）頁516。

晁錯是繼賈誼而起的政治改革論者，為人陗直深刻，異於賈誼的才情橫溢，他看到當時社會積弊仍未袪除，所以主張「務民於農桑，薄賦歛，廣畜積」，這比起賈誼之論積粟，有進一步的配套措施，雖深得景帝信任，卻因獻策削藩，引起七國之亂，而成為代罪羔羊。

3 董仲舒

《漢書．食貨志》云：

> 聖人於五穀，最重麥與禾也。今關中俗不好種麥，是歲失《春秋》之所重，而損生民之具也。願陛下幸詔大司農使關中民益種宿麥，令毋後時。
>
> 古者稅民不過什一，求其易共；使民不過三日，其力易足。……薄賦歛，省繇役，以寬民力，然後可善治也。[11]

小麥為五穀之一，因種植不易，在先秦只有貴族才能食用。漢朝初年，主產區在東方，關中並未優先種植，董仲舒建議武帝下詔關中人民把握農時，益種宿麥（冬小麥），這對漢代的農業生產，乃至後世的北麥南稻影響十分深遠。至其「薄賦歛，省繇役」的主張與晁錯之說如出一轍，也成為漢代農業政策的一部分。

4 趙過

《漢書．食貨志》云：

> 過能為代田，一晦三甽，歲代處，故曰代田。……播種於甽

11 同上注，卷廿四上，頁16-17，（總）頁518-519。

> 中，苗生葉以上，稍耨隴草，因隤其土，以附根苗……苗稍壯，每耨輒附根，比盛暑，隴盡（平）而根深，能風與旱。用耦犂二牛三人，一歲之收常過縵田，晦一斛以上，善者倍之。[12]

武帝時，趙過擔任主管農業生產的搜粟都尉，他發明了代田法。農田裡，高起的壟土為晦（畝），用以播種；低凹的溝為甽（甽），用以排水洗土。溝和壟的位置每年互換，能保證幼苗得到較多的水分而健壯成長，使農作物紮根深，不畏風旱。這種以土地部分利用和休閒輪番交替，解決了北方雨水與肥料不足的問題，確實是重要的技術突破。他又推廣牛耕和發明高效率的播種機--耬車。彼此搭配使用，使農作物的產量大幅提升，比起賈誼、晁錯和董仲舒之僅能坐而言，他更是一位能起而行的農學專家，影響自然更加深遠。

（三）漢代的農業著作

1　漢代農書

《漢書・藝文志》著錄農家凡九家114篇，其中《神農》20篇、《野老》17篇為先秦之書，《董安國》16篇、《蔡癸》1篇、《氾勝之》18篇確定為西漢之書。其餘《宰氏》17篇、《尹都尉》14篇、《趙氏》5篇、《王氏》6篇，時代不詳，可能也是西漢之書。但這些著作均已亡佚，還有較多遺文可考者只有《氾勝之書》。[13]

---

12 同上注，卷24上，頁17-18，（總）頁519。

13 《漢書・藝文志》，同注9，卷三十，頁48-49，（總）頁897-898。

2 《氾勝之書》

氾勝之，西漢末年山東人，成帝時曾任議郎，升御史，在關中三輔教田種麥。撰有《氾勝之書》18篇，兩宋之際亡佚。清儒馬國翰自《齊民要術》及唐宋類書輯得二卷三千五百字左右，近人石聲漢有《氾勝之書今釋》、萬國鼎有《氾勝之書輯釋》。[14]其書將整個農作物栽培過程當作一個有機體系研究，內容主要分成三個部分：

（1）耕作栽培的總原則

首先提出「凡耕之本，在於趣時、和土、務糞、澤、早鋤、穫。」[15]亦即包括掌握農時、耕耘土地、施用肥料、灌溉保墒、及早中耕、除草和收穫。然後分別論述了土壤耕作的原則和種子處理的方法，主要是穗選法和溲種法。[16]

（2）作物栽培分論

分別介紹了禾、黍、麥、稻、稗、大豆、小豆、枲、麻、瓜、瓠、芋、桑等13種作物的栽培方法，針對不同作物，因地宜、順物性，採取不同的耕種栽培和管理技術，對小麥耕作技術記載尤詳。[17]

（3）特殊作物高產栽培法——區田法

區田法是一種精耕細作的栽培法。其技術要點是局部深耕，作成

14 （清）馬國翰：《玉函山房輯佚書》（臺北：文海出版社，1967年），頁2571-2579。石聲漢：《氾勝之書今釋》（北京：科學出版社，1956年），萬國鼎：《氾勝之書輯釋》（北京：農業出版社，1980年）。

15 〈氾勝之書．耕田篇〉，《玉函山房輯佚書》，同上注，頁2571。

16 曾雄生：《中國農學史》，同注4，頁183-191。

17 同上注，頁187-188。

小區，集中施肥和及時灌溉，等距播種，使作物處於良好的通風透光狀態。重視中耕除草等精細的田間管理，以充分挖掘區內土地的增產潛力。[18]

總之，《氾勝之書》為漢代農業科學技術作了畫時代的總結，提升了農學的理論高度，其寫作體例成為傳統綜合性農書的重要範本，影響極其深遠。

3 《四民月令》

東漢200年有多少農書，由於《後漢書》無〈藝文志〉，不得其詳，今可考者，只有崔寔的《四民月令》。

崔寔，東漢末年人，祖駰、父瑗，皆有名於時。寔曾任議郎、五原太守，具有生產管理和經營的實際經驗。所撰《四民月令》久佚，僅存2300餘字，清代嚴可均有輯本，近人石聲漢有《四民月令校注》。[19]

石聲漢解釋書名說：「四民的意義是以農業、小手工業收入為主，商業收入為輔，來維持一個士大夫家庭生活的四民合一。而月令則借自古來某些書中的月令部分，即把生產和生活中的事情按季節月令來作安排。」[20]全書的內容真正與狹義農業操作有關的約占20%，再加上養蠶、紡績、織染以及農產品加工等合計近40%，其他如教育、處理社會關係、糴糶買賣、製藥、冠子、納婦和衛生等約占60%。[21]雖

18 范楚玉：〈氾勝之書提要〉，《中國科學技術典籍通彙--農學卷》（開封：河南教育出版社，1995年），頁1-1。

19 （清）嚴可均：《全上古三代秦漢三國六朝文》（京都：中文出版社，1981年6月三版）卷四七，頁1-8。（總）頁729-732。石聲漢：《四民月令校注》（北京：中華書局，1965年）。

20 同上注，頁99。

21 范楚玉：〈四民月令提要〉，同注18，頁1-11、12。

不專講農事，但整個計畫中起決定作用的是農業措施和操作，一切以耕桑農事為中心來籌畫組織。可說是中國古代農書中「農家月令書」這一類型的創始者，不僅開拓了農書的新寫法，也為研究古代農業生產發展史提供了寶貴的資料。[22]

（四）漢代的農業技術

1 土地利用

土壤是農作物生長的根據，如果缺乏田畝，就無法生產；如果缺乏養料和水分的供應，或者不能配合地理條件的限制——地宜，農作物就無法繁殖。《呂氏春秋．審時》云：「夫稼，為之者人也，生之者地也，養之者天也。」這種三才合一，以人力的主觀條件配合天時、地利的客觀條件的思想，就成為中國農業的重要理論。[23]土地的利用，首先要找到適合耕種的地區，畫定經界，規劃甽畝，進而審辨土壤的性質，了解耕作的要訣，經過一番辛勤的開墾播植，然後阡陌縱橫、禾黍油油的美景才有可能實現。楚漢戰爭之後，漢王朝崛起，休養生息，人口日增，如何改良低產田，發揮原有耕地的生產力，以及開發邊疆，解決內地土地的不足，就成為農業發展的必然趨勢了。趙過的代田法對大面積土地的輪換利用並使之增產；氾勝之的區田法在小面積土地上提高產量，都是改變地力，用力少而得穀多的新方法。[24]漢朝一方面安輯流民，實行貴粟政策，墾闢荒野，開發可以種植的農田；一方面開疆拓土，在西北地區大規模屯田，開闢的土地達1,200萬畝。《漢書．地理志》記載，漢平帝元始二年（西元2年），全國墾田已達

22 張波、樊志民主編：《中國農業通史．戰國秦漢卷》，同注7，頁428。

23 陳奇猷：《呂氏春秋校釋》（臺北：華正書局，1985年），頁1781。莊雅州：〈呂氏春秋農業史料析論〉，《國立編譯館館刊》第28卷第2期，頁2-4。

24 郭文韜等編：《中國農業科技發展史略》，同注4，頁153。

827, 053,600畝。當時全國人口為12,233,064戶，59,594,978口，每戶平均占有耕地67.61畝，每人平均占有耕地13.88畝。這是戰國秦漢時期最高墾田紀錄，這個紀錄維持了五百多年，直到隋朝時才被打破。[25]

2　水利灌溉

水分（墒）是農作物的命脈，中原地帶乾燥多風，雨水經常不足，水利灌溉就非常重要了。西漢農田水利工程在武帝時盛極一時，大型的就有關中地區的龍首渠、六輔渠、白渠、靈軹渠、成國渠和漳渠。河套和河西走廊的引黄灌溉工程、河南和安徽的引淮灌溉工程、山西的引汶灌溉工程等，各地興建的小型渠道和山區興建的蓄水陂塘更是不可勝數。[26]東漢的水利工程也十分活躍，並逐漸向南推進，如修復鴻隙陂、芍陂、陂塘、薄陽舊陂、汴渠，新建會稽的鑒湖，都為後世農田水利事業和農業生產的發展打下良好的基礎。[27]

戰國秦漢時期的引水排灌渠系大體上可以劃分為有壩引水和無壩引水兩種類型。渠道的修築，先用「表」、「準」、「度」等勘測畫定渠線，然後開鑿幹渠、支渠和小支渠，修建斗門、節制閘、泄洪閘、退水閘、渡槽、涵洞等水利設施。灌溉技術分為畦灌、溝灌和淹灌等多種方式。所有這些，在當時的世界上都處於領先地位。[28]

3　積肥施肥

肥料古稱糞，施肥古稱糞田，是提高地力、增加農業生產的重要手段之一。古代肥料的種類特別多，戰國時已使用人糞尿、畜糞、雜

25 張波、樊志民主編：《中國農業通史・戰國秦漢卷》，同注7，頁433-434。

26 陳美東、杜石然、金秋鵬、范楚玉：《簡明中國科學技術史話》（臺北：明文書局，1992年），頁211。

27 郭文韜等編：《中國農業科技發展史略》，同注4，頁147-149。

28 張波、樊志民：《中國農業通史・戰國秦漢卷》，同注7，頁435。

草灰等作肥料。到秦漢時期，甂肥、蠶肥、繰蛹汁、骨汁、豆萁、河泥等亦被利用作肥料。[29]

施肥的技術，西漢利用整地時耕翻雜草，壓青作肥；東漢時採用漚製野生綠肥的方法。《氾勝之書》對基肥、種肥、追肥的技術都有所介紹。其溲種法，在種子外面包上一層蠶屎、羊屎為主要材料的糞殼，類似現代的「種子肥料衣」的方法，既有種肥的作用，又有耐旱、抗寒、防蟲等效果，都為後世所沿用。[30]

4 農具使用

農具是農業生產過程所需的各種工具，隨著社會的進步而進步，隨著農業生產的發展而發展。除了人、牛、馬外，其材料主要可分為石器、銅器、鐵器三個階段。原始社會使用石器，殷商、西周使用銅器，春秋戰國以後使用鐵器。漢代農具自然也以鐵器為主，因為鐵製農具堅固鋒利。可使大規模的擴大耕地面積、開發山林、興建水利工程成為可能，從而促進了耕作技術的提高和農業生產的發展。[31]

漢代出現了不少新農具，耕地有犁、耙、耱，播種有耬車，灌溉有翻車、渴烏，中耕除草有鏟、鋤，收穫加工有銍、鐮、礱、碓，不下30餘種。不僅種類繁多，規格統一，而且已趨於標準化、系列化、商品化，配合牛耕的推廣，收效至宏。[32]

近代從西北的新疆、甘肅到東南的浙江、福建，從東北的遼寧、吉林到西南的雲南、貴州都有兩漢時期的各種鐵農具出土，單是關中

29 閔宗殿：《中國古代農耕史略》（石家莊：河北科學技術出版社，1992年），頁71。

30 郭文韜等編：《中國農業科技發展史略》，同注4，頁156-158。

31 閔宗殿：《中國古代農耕史略》同注29，頁82-86。

32 同上注，頁89-115。張波、樊志民主編：《中國農業通史・戰國秦漢卷》，同注7，頁443-444。

平原就有六、七十件的鐵鏵、犂鏡出現，足見其使用之普遍。[33]而漢代畫像磚石圖象也有許多具體反映農業生產的題材如牛耕、鋤地、除草、推肥，對於了解漢代農具乃至農業生產都有助益。[34]

5 耕種栽培

《氾勝之書》開宗明義就說：「凡耕之本，在於趣時、和土、務糞、澤、早鋤、穫。」這六個環節，就是作物栽培整體觀念的具體表現，反映了農作物從耕種到收穫的生產規律以及和它相適應的技術措施。這一農作物栽培整體觀念的形成，標志著漢代的栽培技術已經跨前一步。[35]

所謂趣時，就是掌握農時，不同的農作物的播種、耕作，都有其適當的時間，得時則豐收，失時則歉收。武帝太初改曆，使用夏時，二十四節氣、七十二候在西漢也已粲然大備，對農時的掌握可以更為精準。所謂「和土」、「早耕」，就是及時耕耘土地，改變土壤的剛柔、鬆緊、乾溼，俾利於種植。漢代各種農具十分發達而普遍，耕耘改土，頗為方便。所謂「務糞」、「務澤」，就是要施肥、灌溉，以提供作物所需的養料和水分，漢代水利工程不斷興修，肥料應有盡有，土地自無貧瘠、乾枯之虞。所謂「早穫」，就是適時收割歸倉，以達到豐收的目標。《氾勝之書》對各種作物的成熟特性都有扼要介紹，可供早穫的參考。

除這六個原則之外，其餘耕種栽培的技術，如作物的講求、品種的選育、農具的改進、田間的管理、害蟲的防治……，也都是十分重要，而為漢人所力行實踐的，所以漢代農業能盛極一時，造就了一個空前的大帝國。

---

33 張波、樊志民主編：《中國農業通史・戰國秦漢卷》同注7，頁433-445。

34 夏亨廉、林正同主編：《漢代農業畫像磚石》（北京：中國農業出版社，1996年）。

35 郭文韜等編：《中國農業科技發展史略》，同注9，頁158。

（五）漢代的農業成就

1 農耕技術的進步

漢朝建立之後，氣候穩定，社會和諧，科技發達，加上重農政策的推行、農學家的研究，為農業的發展提供了優良的環境。在農耕技術方面，無論土地利用、水利灌溉、積肥施肥、農具使用、耕種栽培，都有長足的進步，使農業的發展達到新的高峰。

2 精耕體系的成型

春秋以前，由於地廣人稀，採用火耕水耨、廣種薄收的粗放生產方式，戰國以後，人口日增，唯有集約土地的利用方式，提高單位面積農用地的產量，才足以應付民生需求的壓力。漢代的推廣牛耕，發明耬車，採取輪作複種制、代田法、區田法，綜合運用耕作、施肥、灌溉等種種技術，都大大地改善地力，年年豐收。精耕細作的體系至此已正式成型，深深影響後代農業的發展方向。[36]

3 農田面積的擴大

除了精耕細作之外，政府制定優惠措施，鼓勵農民大量墾荒，也是增加農業生產的重要途徑。漢朝國力鼎盛，版圖大增，為了「內有無費之利，外有守禦之備」（《漢書・卷六九・〈趙充國傳〉》），在河西走廊、西域等地都採取屯田政策，參與人數最多時達到六十多萬人，管理的官員有屯田校尉、農都尉、護田校尉、守農令……等。田卒每人耕地二十畝左右，開闢的土地達一千二百萬畝以上，可以補中原農地的不足。[37]

---

36 李根蟠：《中國農業史》（臺北：文津出版社，1997年），頁78-168。

37 張波、樊志民主編：《中國農業通史・戰國秦漢卷》同注7，頁433-434。

4　農業產品的豐富

經過不斷地開發與改良，漢代農產品的種類明顯增加，糧食作物主要有粟（小米）、稻、小麥、大麥、黍、高粱和各種各樣的豆。黃河流域以粟、麥為主，長江流域以稻為主，其他經濟作物有芋、葵、芥菜、薏苡、甜瓜、葫蘆、生薑、藕、筍、桃、李、杏、梨、棗、梅、栗子、楊梅、橄欖、大麻等，畜牧產品有馬、牛、羊、豬、狗、雞等，水產品有魚、蝦、鼈、蟹、海錯之屬。豐年時，家家戶戶豐衣足食，積糧極多，至於陳陳相因，不可勝食，盛況可以想見。[38]

5　社會經濟的活絡

在古代，農工商三種經濟型態，以農業為首要，良以食、衣、住、行四大需求，其材料來源與農林漁牧都有直接、間接關係，然工人製器利用，商人搬有運無，亦與農業相輔相成，不可或缺。漢朝雖重農抑商，但從文帝開始，即實行「惠商」政策，東漢也進一步放寬了對商人的限制，這一方面固然為商業發展創造了條件，但另一方面也把生產、分配和消費連接起來，使大量的農產品推向市場，使社會大眾充分享受豐富的農業成果。[39]至於工匠鑄農具、建宮室、築馳道、修水利，其有益於農業生產，更不待言。社會經濟就在農工商的通力合作下，日趨活絡。

6　富強基礎的奠立

重農主義的國策具有多層次的功用，下可以增產糧食，繁榮經

38 同上注，頁437-439。

39 同上注，頁432-433。

濟；中可以和諧社會，長治久安；上可以富國強兵，戰勝守國。[40]在歷史上最能將這些成效發揮得淋漓盡致的，在秦為商君，在漢為武帝。漢武帝少年登基，在文景之治之後，天下承平七十餘年，銳意改革，糧足兵強，遂揮兵北伐匈奴，南平東甌、兩越、西南夷，東北征服朝鮮，使倭奴、烏桓、鮮卑來朝；西通西域、西羌，開拓了版圖空前龐大的大漢帝國。東漢承其餘烈，在四裔經營上仍有可觀的成績。[41]追根究柢，實宜歸功於農本論的成功。

三　說文解字中農業史料的內容

文字是文化的載體，《說文解字》分析字形以求本義，其釋義可以知文化詞彙的本義，其析形可以見文化詞彙之所以然。雖然限於字書之體例，其文化訊息都是零星散見，並非有系統、完整的論述，但重新篩選排比，還是可以得到不少寶貴的資料，可以與當時史實相互印證，甚至補其不足。《說文解字》中的農業史料也可以作如是觀。唯限於篇幅，此處論述，屬於田畝耕種的狹義農業，至於廣義農業中的森林、蠶桑、畜牧、漁業則不與焉。

（一）耕種方式

1　靜態形式

所謂農耕，就是選擇土地，加以墾闢播植，以期收穫作物的一種過程。其工作場所為大地，目所能見的形式主要為田疇、阡陌、畎畝，《說文解字》云：

---

40 酈士元歷引《商君書》，將秦漢重農歸納為經濟、政治、軍事三種原因，見酈士元：《中國經世史稿》（臺北：里仁書局，1979年），頁65-67。

41 傅樂成：《中國通史》（臺北：大中國圖書公司，1985年），頁160-189。

田：陳也，樹穀曰田。象形，口十，千百之制也。

疇：耕治之田也。从田、𠃬，象耕田溝詰詘也。𠃬，疇或省。

〈：水小流也。《周禮》匠人為溝洫，枱廣五寸，二枱為耦，一耦之伐廣尺深尺，謂之〈。倍〈謂之遂，倍遂曰溝，倍溝曰洫，倍洫曰巜。甽，古文〈，从田、川。田之川也。畎，篆文〈，从田，犬聲，六畎為一畮。

畮：六尺為步，步百為畮，秦田二百四十步為畮。从田，每聲。畝，或从十、久。[42]

樹穀曰田，種菜曰圃，樹果曰園，田字甲文屢見，足見農業起源甚早，異體極多，如田、田、田、田，[43]要之象阡陌縱橫之形。田間小路，東西為阡，南北為陌。古無阡陌字，以千百為之，《說文》以陳釋田，乃疊韻為訓，用以推究田之得名，乃因放眼望去，阡陌縱橫，陳列整齊之故。再細察之，則阡陌之中，有畎有畝。畎古作〈，為低凹的田溝，用以排水洗土；畝，古作畮，為高起的壟土，用以播種作物。《說文》畮本為秦漢田制單位，壟本為丘壠（頁699），縮小引申為壟畝之稱。韓偉、王立軍據徐中舒說，皆謂甲文田本象圍場田獵之形，其形制與農田相近，故用作農田之田。[44]由於甲文田有農田、田獵二義，[45]而遊獵、畜牧時代又早於農業時代，其說不無可能。《說

42 （漢）許慎撰，（清）段玉裁注：《說文解字注》（臺北：洪葉出版公司，2005年9月增修一版三刷），頁701、573、702。以下引用《說文》及段注皆以此本為據，僅注明頁碼。

43 徐中舒：《漢語古文字字形表》（臺北：文史哲出版社，1988年），頁521。

44 韓偉：《漢字字形文化論稿》（北京：世界圖書公司，2012年），頁74。王立軍：《漢字的文化解讀》（北京：商務印書館，2012年），頁120、121。

45 馬如森：《殷墟甲骨學》（上海：上海大學出版社，2007年），頁498。

文》田部之字凡29文，重文3，多與農事有關，如畯為農夫（頁704），甿為田民（頁704），皆為治田之人。疇（𤰮）為耕治之田，畼為穌田（頁702），畸為殘（殘）田（頁702），畦為五十畝田（頁702），畹為三十畝田（頁703），畔為田界（頁703），界為田竟（境），對古代的農耕文化都有所反映。

2 動態方式

近代地下考古，發現了大量的原始農業工具和農作物種子，足以證明至少在七、八千年前長江、黃河流域已有一定水準的原始農業，估計開始發生的時期應當更早。[46]後來隨著時間的演變，農業的生產方式也日漸進步，在《說文解字》中可考者有：

（1）火耕

《說文解字》云：

> 焚：燒田也。从火、林。（頁488）
> 疁：燒穜也。从田，翏聲。《漢律》曰：「疁田茠草」。（頁702）

焚燒山林而下種，宛如放火田獵。也就是選擇山林為耕地，把樹木砍倒曬乾然後燒掉，不經翻土而直接播種，不施肥、不灌溉，任其自然生長然後收割。這種耕地只種一、兩年就因地力不足而拋荒，須另覓新地依法砍燒，是一種「生荒耕作制」，和後來懂得先把土壤翻鬆的「熟荒耕作制」不同。[47]火耕又叫「刀耕火種」、「撩荒」。在古典文獻中屢見，如《詩經．大雅．旱麓》、《左傳．昭公十七年》、《管子．

46 杜石然等：《中國科學技術史稿》，同注1，頁7。
47 李根蟠：《中國農業史》，同注36，頁19。

揆度》，《孟子・滕文公上》、《淮南子・主述》、《鹽鐵論》卷一，皆是。[48]傳說中教民農耕的神農氏，又名「炎帝」，生於歷山，也稱「烈山氏」，正是一種「時人擬人法」。

（2）耜耕

《說文解字》云：

> 耒：耕曲木也。从木推丰。古者垂作耒，以振民也。（頁185-186）
>
> 梠：臿也。從木，㠯聲。一曰：從土輂，齊人語也。梩，或从里。（頁261）

梠，即耜。耒耜起源甚早，在牛耕盛行以前，一直是最普遍的耕地農具。昔人往往將耒耜混為一物，謂耒為耜上之勾木，耜為耒下所附之刃。徐中舒〈耒耜考〉則認為二者判然有別，耒下歧頭，耜下一刃；耒為仿效樹枝式的農具，耜為仿效木棒式的農具。耒為殷人習用，殷亡之後，即為東方諸國所承用，耜為西土習用，東遷以後，仍行於汧渭之間。耒後變為鍬臿，耜後變為耕犂，二者各有其演進的道路。[49]放火燒荒後，有了耒耜就可以平整土地，翻鬆土壤，延長其使用年限，實現較長期的定居生活，而農業也就進入熟荒耕作階段。

---

48 王平：《說文解字與中國古代科技》（南寧：廣西教育出版社，2001年），頁76。李景生：《漢字與上古文化》（北京：中國社會科學出版社，2009年），頁138。

49 徐中舒：〈耒耜考〉，《中央研究院歷史語言研究所集刊第二本》，1930年5月，頁11-59。

（3）耦耕

《說文解字》云：

> 耦：耕廣五寸為伐，三伐為耦。从耒禺聲（頁186）

《周禮・冬官・考工記》云：「匠人為溝洫，耜廣五寸，二耜為耦。一耦之伐，廣尺深尺，謂之甽。」鄭玄注：「古者耜一金，兩人併發之。其壟中曰甽，甽上曰伐，伐之言發也。」[50]所言更為具體。耦耕是一種二人協作，使用耒耜，併力而耕的耕作方式。既可收合作之效，又無擠碰之虞。商代已有耦耕，甚至多人合作的「協田」，但到了西周，才高度規範化，不僅行之於春耕播種，而且持續到其後的耘田除草、整理疆畝、建立排水系統等禾株成長的過程。[51]《詩經・周頌・噫嘻》：「噫嘻成王，既昭假爾。率時農夫，播厥百穀。駿發爾私，終三十里。亦服爾耕，十千維耦。」[52]由周天子親自指揮春耕典禮，場面浩大，氣氛隆重，令人嘆為觀止。

（4）牛耕

《說文解字》云：

> 耕：犂也。从耒、井。古者井田，故从井。（頁186）

---

50 （漢）鄭玄注，（唐）賈公彥疏：《周禮注疏》（臺北：藝文印書館，1985年），卷四十二頁1，（總）頁651。

51 何丹：《漢語文化學》（杭州：浙江大學出版社，2003年），頁205-209。

52 （漢）毛亨傳，鄭玄箋，（唐）孔穎達疏：《毛詩正義》（臺北：藝文印書館，1985年），卷十九之二頁18、19，（總）頁724-725。

> 𤛓：耕也。从牛，黎聲。（頁52）
>
> 段玉裁注：「蓋其始人耕者謂之耕，牛耕者謂之犂，其後互名之。……俗省作犂。」
>
> 犕：兩壁耕也。从牛，非聲。一曰：覆耕穜也。讀若匪。（頁53）
>
> 段玉裁注：「兩壁耕謂一田中兩牛耕，一從東往，一從西來也。」

牛耕始於何時，異說紛紜。春秋時代晉有大力士叫牛子耕，孔子弟子冉伯牛，名耕，司馬耕，字子牛，證明至遲在春秋戰國時代就已開始牛耕。兩漢時，趙過在關中推廣代田法，用的是二牛三人的犂，對牛耕的改良貢獻極大，但並非說牛耕始於趙過。[53]牛耕的推廣，是農耕動力上的一項重大改革，它不僅為提高勞動生產率奠定了物質基礎，也為犂耕提供了動力來源。可以說，鐵犂的廣泛應用和牛耕的大力推廣，是漢代在發展農業生產上採取的兩項相輔相成的重大措施，對提高精耕細作的水準起了重要作用。[54]

（二）農業制度

農業制度是針對農地的所有與分配，農業的耕作與稅率等制訂規範性的法則，在《說文解字》中可考的僅有：

1　井田制

《說文解字》云：

---

53 郭文韜：《中國農業科技發展史略》，同注4，頁76-77、頁143-144。

54 同上注，頁144。

> 井：八家為一井。象構韓形，、罋象也。古者伯益初作井。」（頁218）
>
> 段玉裁注：「此古井田之制，因象井韓而命之也。」
>
> 耕：犂也。从耒、井。古者井田，故从井。（頁186）

許氏以為古有井田之制，故耕字从井，而井田之制乃以其將土地劃分為井上木欄之形而得名。《孟子．滕文公上》：「方里而井，井九百畝，其中為公田。八家皆私百畝，同養公田。公事畢，然後敢治私事，所以別野人也。」[55]其說將政府編制人民、管理土地及課徵賦稅三者合而為一，作為國家建設之基本方策，王者推行王政的開始，而為後世所嚮往。但也由於過分整齊化、制度化、理想化，遂引起宋儒的質疑，近人如胡適之甚至疑其憑空杜撰，託古改制。[56]而有些學者則從上古史料之逐漸整理，及從井田制之產生、發展與衰落的整理過程分析，認為井田之制，亦非全無可能之事。[57]文獻不足，目前可能還是信者恆信，不信者恆不信。

2　耕作制

《說文解字》云：

> 菑：不耕田也。从艸、田、巛聲。《易》曰：「不菑畬」。甾、菑或省艸。（頁42）

55 （漢）趙岐注，（宋）孫奭疏：《孟子注疏》（臺北：藝文印書館，1985年），卷五頁9，（總）頁92。

56 胡適：《胡適文存．井田辨》（臺北：遠東圖書公司，1971年5月），第一集卷二，頁413-439。

57 酈士元：《中國經世文稿》，同注40，頁1-6。

段玉裁注：「海寧陳氏鱣曰：『不當為才』，才耕田，謂始耕田也。……按不當作反，字之誤也。《爾雅》田一歲曰菑，……菑，反艸也，與田一歲義相成。」

新：取木也。从斤、亲聲。（頁724）

段玉裁注：「引申之，凡始基之偁。〈采芑〉傳曰：『田一歲曰菑，二歲曰新田』，其一端也。」

畬：二歲治田也。从田，余聲。《易》曰：「不菑畬田。」（頁702）

段玉裁注：「二，各本作三，今正。《周易音義》云：『畬，馬曰：田三歲，《說文》云：二歲治田。』此許作二之證。……反耕者，初耕反艸一歲為然，二歲則用力漸舒矣，畬之言舒也。三歲則為新田。」

《爾雅・釋地》：「田一歲曰菑，二歲曰新田，三歲曰畬。」[58]許、段所言，雖有出入，其為耕作制度則無以異。由於《爾雅》解釋簡略，不易判斷其準確的含義。歷來解說有兩大派別：經學家多主「墾田三階段說」，即認為菑是墾後第一年的田；新是墾後第二年的田；畬是墾後第三年的田。文字學家則持「撂荒復壯說」，即認為菑是不耕田，即撂荒地；新是已撂荒二年，正在復壯的地；畬是經過撂荒復壯，準備重新墾耕的地。郭文韜認為近人研究結果，多認為文字學家的解釋較為圓通。而以菑、新、畬為代表的耕作制是已耕地和撂荒之間輪換利用和休閒的輪荒耕作制。[59]這種制度與在已耕地上從事耕作和收穫有別，是為了保持地力，而在撂荒地上從事墾田治地，為殷

58 （晉）郭璞注，宋邢昺疏：《爾雅注疏》（臺北：藝文印書館，1985年），卷七頁7，（總）頁113。

59 郭文韜：《中國農業科技發展史略》，同注4，頁55。

商、西周時期所常用。到了春秋戰國時代，改採土地連作制，秦漢變為輪作復種制，[60]限於字書體例，這些在《說文》中都未曾呈現。

3 租稅制度

政府官吏的俸祿、行政的推展、建設的興辦，所需經費十分龐大，在古代，稅收主要來自農村。《說文解字》提及的為：

賦：斂也。从貝，武聲。（頁284）
租：田賦也。从禾，且聲。（頁329）
稅：租也。从禾，兌聲。（頁329）

只是籠統交代田賦的通稱，並未交代其專名。《孟子・滕文公上》云：「夏后氏五十而貢，殷人七十而助，周人百畝而徹，其實皆什一也。」[61]夏、商、周三代租稅皆有專名，稅率都為十分之一。《說文解字》的解釋是：

貢：獻功也。从貝、工聲。（頁282）
助：左（佐）也。从力，且聲。（頁705）
徹：通也。从彳、从攴、从育。一曰相臣。徹，古文徹。（頁123）

也只是解釋各專名之本義，而非當專名使用。漢代賦稅有田租、口賦、算賦；土地制度有限田、王田。[62]限於字書體例，《說文解字》自然都無所詮解。

---

60 同上注，頁103-104，149-151。
61 （漢）趙岐注，（宋）孫奭疏：《孟子注疏》，同注55，卷五頁7，（總）頁91。
62 郭文韜：《中國農業科技發展史略》，同注4，頁137-139。

（三）作物分類

農業生產以農作物為標的，其品類之繁多，營養之豐富，倍蓰於漁獵、畜牧所得的肉類，宜乎后稷之後的周民族壹戎衣而有天下。《說文解字》中所紀錄的農作物不下數百種，艸部445文、木部421文、禾部87文，固然多與農作物有關，其他黍、𠧪、米、來、尗、朩、瓜等部也都有農作物存乎其間，舉其要者，可分三類：

1 糧食作物

在農業社會時代，以糧食作物為主食．先是雜採穀物加以嘗試，是為百穀，後來逐漸汰選為九穀、五穀。所謂五穀是產於北方的稷黍麥菽麻，加上南方的稻則為六穀。《說文解字》的解釋是：

> 穀：百穀之總名也。从禾，㱿聲。（頁329）
> 稷：齋也，五穀之長。从禾，畟聲。䄽，古文稷。（頁324）
> 黍：禾屬而粘者也，以大暑而種，故謂之黍。从禾，雨省聲。孔子曰：「黍可為酒，故从禾入水也。」（頁332）
> 麥：芒穀，秋種厚薶，故謂之麥。麥，金也，金王而生，火王而死。从來，有穗者也，从夂。（頁234）
> 尗：豆也。尗象豆生之形也。（頁339）
> 麻：枲也。从𣏟从广，𣏟，人所治也，在屋下。（頁339）
> 稻：稌也。从禾，舀聲。（頁325）

穀是百穀的總稱，禾為「嘉穀」(頁323)，粟為「嘉穀實」(頁320)，也都是糧食的通稱。在專名方面，稷為小米，黍為大黃米，在古代北方是最重要的糧食。麥有大麥、小麥之分。大麥古代稱麰，又名來麰，所以《說文》云：「來：周所受瑞麥來麰也。」(頁233) 因為種植不易，先秦只供貴族食用，漢以後才推廣成為北方主食。尗(菽)是大豆，為周人所發明，18世紀傳到歐洲，因此大豆在英、法、德、俄文中的名字，其發音都接近於菽。[63]麻為大麻，纖維可紡織，籽可榨油或充食饌。稻原產於南方，後來才傳到北方。《說文》對各種穀物，除了解釋其異名外，對種屬、性狀、結構、種植、生長等也有所介紹。許倬雲云：「在《說文解字》中，麥有八個品種，禾有七種，稻有六種，豆有四種，麻也有四種，黍有三種，芋有兩種。」[64]如稌亦為「稻」(頁325)，稬為「沛國謂稻」(頁325)，穛為「稻不黏者」(頁326)，秔(稉)為「稻屬」(頁326)，秏亦為「稻屬」(頁326)，穬為「芒粟」(頁326)，秜為「稻今年落來年自生」(頁326)，除異稱外，也注意到不同的品種，足見古代對作物栽培已有豐富的經驗。

2　蔬菜

蔬菜是主要副食，據章原樸《中國蔬菜》一書統計，中國現代的食用蔬菜有56科，229個種。起源於本國的有135種，傳播於世界各地的有88個品種。[65]古代物質生活簡陋，蔬菜種類不多。《詩經》中提到132種植物，可作為蔬菜的約二十餘種，但荇、荼、苕、莪、萊、芑之類，到近代大多已退出蔬菜領域，成為野生植物。戰國、秦漢時期蔬菜見於《說文》的有40餘種，其中最主要的有5種，即《素問》中

63 佚名：《中國文明史話》(臺北：木鐸出版社，1983年9月)，頁61-62。

64 許倬雲：《漢代農業——早期中國農業經濟的形成》，同注6，頁82-83。

65 章原樸：《中國蔬菜》(北京：人民出版社，1988年)，頁2。

所說的五菜：葵、藿、薤、蔥、韭，[66]《說文》的解釋是：

葵：菜也。从艸，癸聲。（頁24）

蘿：尗之少也。从艸，靃聲。（頁23）

䪥：䪥菜也，似韭。从韭，㪉聲。（頁340）

段玉裁注：「俗作薤。」

蔥：菜也，从艸，悤聲。（頁45）

韭：韭菜也，一穜而久生者也，故謂之韭。象形，在一之上，一，地也，此與耑同意。（頁340）

葵，今名冬葵、野葵，屬錦葵科。古為百菜之主，唐代以後種植者日稀，明以後不復食用。蘿，隸變作藿，是大豆苗的嫩葉，今日也已退出蔬菜領域。䪥，俗作薤，與蔥、韭都是百合科的葷辛類蔬菜。薤，根如小蒜，葉似韭。蔥、韭漢代已能在溫室栽培，今日仍為常見的蔬菜。

此外，同屬十字花科的葑、菲、菘，也是漢以前重要的蔬菜，《說文》云：

葑：須從也。从艸，封聲。（頁32）

菲：芴也，从艸，非聲。（頁46）

葑即蔓青，菲即蘿蔔，都是今日常見的根莖類蔬菜。菘未見於《說文》，即白菜，今日常見的葉菜，漢時品質欠佳，到南北朝以後才大有改善。[67]

66 佚名：《中國文明史話》，同注63，頁63。

67 王平：《說文與中國古代科技》，同注48，頁127-129。

3 果實

中國是世界上三大果樹原生地之一。據蘇聯學者瓦維洛夫考察，起源於中國的果樹有52種。[68]見於《詩經》者十餘種，見於《說文》者二十餘種。《說文》云：「果：木實也。」（頁251）「蓏：在木曰果，在艸曰蓏。」（頁23）《說文》中的水果艸部只有萇楚（頁27，獼猴果），㮚部只有栗（頁320），朿部只有棗（頁321），瓜部只有瓞、瓝、瓣、瓠（頁340-341），其餘主要見於木部：

> 棃：棃果也。从木，𥝩聲。（頁241）
> 柹：赤實果。从木，𠂔聲。（頁241）
> 梅：枏也，可食。從木，每聲。（頁241）
> 杏：杏果也。从木，向省聲。（頁242）
> 李：李果也。从木，子聲。杍，古文。（頁242）
> 桃：桃果也。从木，兆聲。（頁242）
> 橘：橘果，出江南。从木，矞聲。（頁241）
> 橙：橘屬，从木，登聲。（頁241）
> 柚：條也，似橙而酢，从木，由聲。〈夏書〉曰：「厥苞橘柚。」（頁241）

柿屬柿樹科，梨、梅、杏、李、桃屬薔薇科，都是中原原產，也是今日常見的水果。後來多西傳印度、波斯等地。橘、橙、柚屬芸香科，都是由南方傳到北方的水果。西漢張騫通西域，相傳引進安石榴、胡桃、葡萄等水果，胡麻、蠶豆等穀物，葫、胡荽、苜蓿、胡瓜等蔬

---

68 同上注，頁123。

菜，紅蘭花等花卉。[69]但《說文》都沒有著錄。

除了糧食作物、蔬菜、果實外，經濟作物還有纖維作物（如麻、葛）、油料作物（如油菜、荏子）、糖料作物（如柘）、興奮作物（如茶）、綠肥作物（如苕子、胡麻）、飼料作物（如苜蓿、青大豆），但不屬於狹義的農業範圍，不贅。

（四）生產工具

古所謂田器、農器或農具，就是農業生產工具，是農業生產力高下的標志。《說文》云：「農，耕人也。从晨，囟聲……䢉，亦古文農。」（頁106）甲骨文農作 ，从林从辰，與《說文》古文農相同。郭沫若〈釋干支〉以為辰實古之耕器，以蜃殼為之。[70]此一推論，確實與地下考古出現諸多木、骨、蚌、陶質料的原始農器的現象相合，可見農業的起源與農具息息相關。到了殷商、西周，進入青銅器時代，春秋戰國則開始使用鐵器，漢代也是以鐵器為主。不僅耕具更加多元化，且因地制宜，一具數用，一機多能，在《說文》中出現的農器不下數十種，可以略窺當時農業發達的盛況。

1　整地農具

《說文解字》云：

> 耒：耕曲木也。从木推丰。古者垂作耒，以振民也。（頁185-186）
>
> 枱：耒耑也。從木，台聲。鈶，或从金，台聲。辝，籀文從辝。（頁261）

69 石聲漢：《石聲漢農史論文集》（北京：中華書局，2008年），頁132-134。

70 于省吾主編：《甲骨文字詁林》（北京：中華書局，1996年），頁1125-1126。

段玉裁注：「枱，今經典之耜。」

犂：耕也。从牛，黎聲。（頁52）

段玉裁注：「俗省作犁。」

櫌：摩田器也。從木，憂聲。《論語》曰：「櫌而不輟。」（頁262）

段玉裁注：「《五經文字》曰：『經典及《釋文》皆作耰。』」

整地包含兩方面：一是破土、發土，其工具為耒、耜、犁，二是碎土、和土，其工具為櫌。上文耕作方式介紹耜耕時曾提及徐中舒認為耒耜原本判然二物，而《說文》以耜為耒之上端，可能是耒耜後來合為一體吧？耕犁的前身是耒耜，由耒耜到耕犁的發展是經歷了一定的過程的。戰國至秦漢的耕犁其架構比較簡單，大抵由犁底、犁鏵、犁箭、犁梢等部分所組成。及至唐代，耕犁的架構比較複雜，並且趨向定型。唐．陸龜蒙《耒耜經》所載即有11個部件。[71]耒耜由人力協作，僅能由上而下發土，而且是間斷式的，犁產生以後，配合牛耕，不僅可以破土、鬆土，還可以翻土作壟，其耕地的方式變成了由後向前，而且是連續式的，如此就大大提高了耕地的速度，自此，犁就成為中國最主要的耕具。[72]耰，古代亦稱為椎、櫌或欙。元．王禎《東魯王氏農書》云：「首如木椎，柄長四尺，可以平田疇，擊塊壤，又謂木斫。」[73]耰是手工操作的農具，以之碎土，不僅耗力大，而且工效低，因而加以改良，至漢代後出現耱或勞，可用以碎土、和土，但

71 趙敏：《中國古代農業思想考論》（北京：中國農業科學技術出版社，2013年），頁223。

72 閔宗殿：《中國古代農耕史略》，同注29，頁90-92。

73 （元）王禎著、繆啟愉、繆桂龍譯注：《東魯王氏農書譯注》（上海：上海古籍出版社，2008年），頁390。

在當時尚無專名，[74]所以《說文》未加以介紹。

2 播種農具

《說文解字》云：

> 楎：六叉犂。一曰：犂上曲木犂轅。從木，軍聲。讀若緯，或如渾天之渾。（頁261）
> 段玉裁注：「〈食貨志〉所云：『趙過法用耦犂二牛三人也。』其上為樓，貯穀下種，故亦名三腳樓。」

楎，一機多用，既可犂田，又可播種，即後世所稱的耬車。其功能有三：（1）能保證行距一致，播種深淺一致。（2）播種均勻，防止疏密不均。（3）開溝、播種、覆土三道工序能連續進行。因此，使用耬車播種，不僅能提高播種的質量，而且能提高播種的工效，這可以說是中國農業上使用條播機的濫觴，稱得上是古代農具發展史上的一項重大創造。[75]甚至影響到近代歐洲的農業革命，而其時代早於歐洲1,200年。[76]

3 中耕農具

《說文解字》云：

> 錢：銚也，古者田器。从金，戔聲。《詩》曰：「庤乃錢鎛」。一曰貨也。（頁713）

74 閔宗殿：《中國古代農耕史略》，同注29，頁95。
75 同上注，頁98。
76 王平：《說文與中國古代科技》，同注48，頁99。

銚：盄器也。从金，兆聲。一曰田器。（頁711）

鎛：鎛鱗也。鐘上橫木上金華也。从金，尃聲，一曰田器。《詩》曰：「庤乃錢鎛」。（頁716）

鉏：立薅斫也。从金，且聲。（頁713）

段玉裁注：「俗作鋤」。

钁：大鉏也。从金，矍聲。（頁713）

槈：薅器也，从木，辱聲。鎒，或作從金。（頁261）

莜：蓻田器。从艸，攸聲。《論語》曰：「以杖荷莜。」（頁44）

鏺：兩刃有木柄，可以乂艸。从金，發聲。讀若撥。（頁714）

中耕除草是田間管理重要的一環，使用的農具為數不少，最基本的是《詩經．周頌．臣工》中的錢與鎛。兩者的區別在於用力的方向不同，錢是由後向前用力，鎛是由前向後用力。由後向前用力的農具除了錢之外，還有後來的鏟和銚等；由前向後用力的農具，除了鎛之外，還有後來的鋤和耨等。[77]至於莜、鏺之屬，也都是除草而非收割的農具。

4　灌溉農具

《說文解字》云：

罋：汲缾也。从缶，雝聲。（頁227）

段玉裁注：「罋，俗作甕」。

瓮：罌也。从瓦，公聲。（頁645）

77 閔宗殿：《中國古代農耕史略》，同注29，頁104。

罋、瓮皆今之甕字，用以汲水。《莊子・天地篇》記載子貢過漢陰，見一丈人「鑿隧而入井，抱甕而出灌」，用力多而見功寡，子貢向他推薦一種農具：「鑿木為機，後重前輕，挈水若抽，數如泆湯，其名為槔。」[78]在〈天運篇〉則說：「子獨不見夫桔槔者乎？引之則俯，舍之則仰。」[79]槔就是桔槔，是一種從淺井提水灌溉的機械，可惜不見於《說文》。元・王禎《東魯王氏農書・農器圖譜・灌溉門》介紹了23種元以前的灌溉農器，在秦漢時代已在使用者除桔槔外，還有從深井提水的轆轤。[80]但《說文》也未曾收錄。而翻車、渴烏始於漢獻帝時，[81]皆非許慎所及見。至於王禎書提到的水柵、水閘、陂塘、水塘、浚渠、陰溝、井，都是灌溉系統，不是狹義的農具，不贅。

5　收穫農具

《說文解字》云：

> 銍：穫禾短鐮也。从金，至聲。（頁714）
> 鐮：鍥也。从金，兼聲。（頁714）
> 　段玉裁注：「俗作鐮」。
> 鍥：鐮也。从金，契聲。（頁714）
> 鉊：大鐮也。从金，召聲。鐮或謂之鉊，張徹說。（頁714）
> 耝：卌叉可目劃麥，河內用之。从耒，圭聲。（頁186）
> 杷：收麥器。從木，巴聲。（頁262）

78 （清）王先謙集解：《莊子集解》（臺北：三民書局，1963年），頁69。

79 同上注，頁83。

80 （元）王禎著、繆啟愉、繆桂龍譯注：《東魯王氏農書譯注》，同注73，頁564-599。

81 閔宗殿：《中國古代農耕史略》，同注29，頁101。

春播，夏耘，秋收，冬藏。秋季收割最重要的農具就是銍和鐮。銍無柄，鐮有柄。銍用以割穗，鐮用以截莖幹，至於中耕農具的钁（大鋤）則用以連根拔起。[82]銍的歷史十分悠久，鐮則在龍山文化時期才有石鐮、蚌鐮出現，幾千年來，銍和鐮的形制基本上沒有多大變化，只是改為銅製或鐵製而已。[83]鍥、鉊都是鐮類的農具。耝有四十個叉，可以劃麥，杷是一種帶齒的收穫農具，兩者功用相近，近代仍在使用。

6 加工農具

《說文解字》云：

> 柫：擊禾連枷也。從木，弗聲。（頁262）
>
> 枷：柫也。從木，加聲。《淮南》謂之柍（頁262）
>
> 箕：所目簸者也。从竹，𠀠象形，丌其下也。𠀠，古文箕。𠔱，亦古文箕。𠁁，亦古文箕。其，籀文箕。𠥱，籀文箕。（頁201）
>
> 簸：揚米去康也。从箕，皮聲。（頁201）
>
> 杵：舂杵也。從木，午聲。（頁262）
>
> 臼：舂臼也。古者掘地為臼，其後穿木石。象形，中象米也。（頁337）
>
> 碓：所目舂也。从石，隹聲。（頁457）
>
> 䃺：石磑也。从石，靡聲。（頁457）
>
> 段玉裁注：「䃺，今字省作磨。」

---

82 許倬雲：《求古編．兩周農作技術》（臺北：聯經出版事業公司，1982年），頁175。

83 閔宗殿：《中國古代農耕史略》，同注29，頁105。

碨：䃺也。从石，豈聲。古者公輸班作碨。（頁457）

礱：䃺也。从石，龍聲。天子之桷，椓而礱之。（頁457）

農作物收割入倉或食用之前，常須經過簸、舂、擊、磨等加工手續。柫、枷用以脫去穀粒；簸箕用以揚米去糠；杵、臼用手以舂米去殼。碓是杵的改良，用腳舂米。䃺（磨）即石磨，碨、礱即石轉磨，可用以碾破穀物外殼，以獲顆粒；或是將穀粒研碎，製成麵粉。這些農具後世多襲用，但也頗有改良。如東漢碓有水碓、畜力碓，磨有連磨。漢代還有「颺扇」，利用風力清潔穀物，即風車，[84]可惜《說文》未曾收錄。

7　貯藏農具

《說文解字》云：

窖：地臧也。从穴，告聲。（頁349）

倉：穀藏也。蒼黃取而臧之，故謂之倉。从食省，口象倉形。仺，奇字倉。（頁226）

㐭：穀所振入也，宗廟粢盛，蒼黃㐭而取之，故謂之㐭。从入，从回，象屋形，中有戶牖。廩，㐭或从广、禀。（頁232-233）

囷：廩之圜者。从禾在囗中，圜謂之囷，方謂之京。（頁280）

庾：水槽倉也。从水，臾聲。一曰倉無屋者。（頁448）

由於農耕技術的進步，農作物的產量日漸提高，人們遂將多餘的糧食

84 李根蟠：《中國農業史》，同注36，頁89-90。閔宗殿：《中國古代農耕史略》，同注29，頁105-113。

加以貯儲，以備不時之需。最初是收藏在地下窖穴，河南安陽殷墟、河北邢臺的商代遺址都發現過地下糧食，地表經過捶實火烤，穴壁光潔、堅硬、乾燥。[85]後來築屋儲藏，方者為倉，為京，圓者為㐭，為囷。甲骨文倉作 ，㐭作 ，[86]正象其形。庾是儲存水運糧食的倉庫，一說是野外露天糧倉，較為簡陋，可能是臨時性的。

（五）農耕技術

上文談及漢代的農業技術及《說文解字》的生產工具，都已為《說文解字》的農耕技術鉤勒了一個清晰的輪廓，因此，在此只要略加補苴，就可以有更具體的印象了。

1 掌握農時

所謂農時即農業的季節節律，是指日月星辰的位置變化、氣溫的冷暖交替、風雨的蒞止多寡等所構成的季節性變化，這種季節變化有其規律，對於農業生產的豐歉具有決定性的作用。農業生產最重要的是要順應春生、夏長、秋收、冬藏的自然規律，根據二十四節氣、七十二候的順序來進行。《說文解字》對於日月星辰、風霜雨露的變化都有精簡的介紹，[87]對於天時與農耕的關係偶而亦有所觸及，如：

> 秌：禾穀孰也。从禾，𪚲省聲。𪛁，籀文不省。（頁330）
> 麥：芒穀，秋穜厚薶，故謂之麥。麥，金也，金王而生，火王而死。从來，有穗者也，从夊。（頁234）

85 王平：《說文與中國古代科技》，同注48，頁104。

86 徐中舒：《漢語古文字字形表》，同注43，頁199、206。

87 王平：《說文與中國古代科技》，同注48，頁13-69，莊雅州：〈說文解字中的天文史料析論〉，同注2，頁516-522。

> 黍：禾屬而粘者也，以大暑而種，故謂之黍。从禾，雨省聲。
> 孔子曰：「黍可為酒，故从禾入水也。」（頁332）
> 段玉裁注：「大，衍字也。」
> 辰：震也，三月昜气動，靁電張，民農時也，物皆生。从乙、匕，匕象芒達，厂聲。辰，房星，天時也。从二，二，古文上字。𨑃，古文辰。（頁752）
> 段玉裁注：「韋注〈周語〉曰：『農祥，房星也』，房星晨正，為農事所瞻，故曰：天時。」
> 辱：恥也。从寸在辰下。失耕時，於封畺上戮之也。辰者，農之時也，故房星為辰，田候也。（頁752）

春播、夏耘、秋收、冬藏是一般農耕的基本規律，但不同的作物有不同的農時，如麥是秋種厚理，黍是夏季種植，正如《呂氏春秋・審時篇》所說：「得時之稼興，失時之稼約。」[88]《國語・周語上》：「農祥晨正」，韋昭注：「農祥，房星也。晨正，謂立春之日中於午也。農事之候，故曰農祥也。」[89]春季，象徵農事的房星（天蠍座）晨見正南方，提醒人們是春耕的時候了。如果錯失耕時，是一種恥辱，甚至會遭到誅戮，農時之重要，由此可見。

2 耕耘土地

（1）規劃農田

在開墾土地，從事農耕之前，必須對農田進行勘察與規劃。《說文解字》云：

88 陳奇猷：《呂氏春秋校釋》，同注23，頁1782。
89 吳・韋昭注：《國語》（臺北：臺灣商務印書館，1956年），頁6。

略：經略土地也。从田，各聲。（頁703）

畫：介也。從聿，象田四界。聿，所以畫之。𤱪，古文畫。劃，亦古文畫。（頁118）

㽬：耕治之田也。从田，𠃬，象耕田溝詰詘也。𠃬，㽬或省。（頁701）

經略土地之道，主要在選擇土地開闊、陽光充足、水源活絡的地區。此即《詩經．大雅．公劉》所說：「篤公劉，既溥既長，既景迺岡。相其陰陽，觀其流泉。其軍三單，度其隰原，徹田為糧。度其夕陽，豳居允荒。」[90]等到確定之後，就要劃分四周的經界，經界之內，再畫成一塊塊的田，並且規劃田間的小溝與步道，這就是即將耕治的田疇了。

（2）墾闢耕地

農田規劃之後，就得進一步進行平整土地，翻鬆土壤。《說文解字》云：

𨹟：耕目臿浚出下壚土也。一曰耕修田也。从𠂤，从土，召聲。（頁742-743）

耕：犂也。从耒、井。古者井田，故从井。（頁186）

櫌：摩田器也。從木，憂聲。《論語》曰：「櫌而不輟。」（頁262）

段玉裁注：「《五經文字》曰：『經典及《釋文》皆作耰。』」

90 （漢）毛亨傳，鄭玄箋，（唐）孔穎達疏：《毛詩正義》，同注五十二，卷十七之三，頁11，（總）頁620。

土壤的性質，有剛柔、息勞、肥瘠、鬆緊、乾溼等的不同，為了適應不同農作物的栽培，首先必須加以分辨並改良。例如壚是剛土（頁690），不適合耕種，就得優先汰換。其餘如壤是柔土（頁689），埲是赤剛土（頁690），埴是黏土（頁690），垍、埵是黏土（頁696），也都須作適當處理。土壤改良之後，就得加以翻鬆，使其既能洩水，又可保墒。整地的農具，三代以下，主要是耒耜，加上鏨、臿、鏟、鉏，後來改進為犂，配合牛耕，效能大增。耕後用耰反覆碎土摩田，挖成畎畝或畦畛，就可用以種植栽培了。

3　栽培作物

農作物種類綦繁，栽培之先，宜選取適當品種，繼則進行播植，甚至採取接枝，然後才有豐收的可能。

（1）選種

《說文解字》云：

> 䆈：黑黍也。一稃二米目釀。从鬯，矩聲。秬，䆈或从禾。（頁220）
>
> 秠：一稃二米。从禾，丕聲。《詩》曰：「誕降嘉穀，惟秬惟秠。」天賜后稷之嘉穀也。（頁327）
>
> 虋：赤苗嘉穀也。从艸，釁聲。（頁23）
> 段玉裁注：「今《詩》作穈，非。」
>
> 芑：白苗嘉穀也。从艸，己聲。《詩》曰：「維虋維芑」。（頁47）

為了提高農作物的品種與產量，人們經過長期經驗的累積，懂得在播種之前，需要對作物的品種有所選擇。《詩經・大雅・生民》云：「誕降嘉種，惟秬惟秠，維穈維芑。」[91]秬和秠是黍的嘉種，穈（虋）和芑是稷的嘉種，都是上天降下的優良品種，要好好加以利用。《詩經・魯頌・閟宮》亦云：「降之百福，黍稷重穋，稙稺菽麥。」[92]重是早熟品種，穋是晚熟品種（頁324），稙是生長期長的品種（頁324），稺是生長期短的品種（頁324），也都可以適當選擇。此外，《說文》云：「禾：嘉禾也。」（頁323）「稞：穀之善者。」（頁328）也都顯現古人對選種的重視。

（2）播植

《說文解字》云：

播：種也。从手，番聲。一曰布也。𢿍，古文播。（頁614）

楎：六叉犁也。一曰：犁上曲木犁轅。从木，軍聲。讀若緯。或如渾天之渾。（頁261）

段玉裁注：「其上為樓，貯穀下種，故亦名三腳樓。」

種：埶也。从禾，童聲。（頁324）

埶：種也。从丮、坴，丮持種之。《詩》曰：「我埶黍稷」。（頁114）

段玉裁注：「〈齊風〉毛傳：『藝猶樹也。』樹、種義同。」

播種於田，其道多方，最初是順手撒播，後來改為點播、條播。漢代已知用耬車條播。崔寔《政論》記載：「武帝以趙過為搜粟都尉，教民耕殖。其法三犁共一牛，一人將之，下種挽耬，皆取備焉，日種一

91 同上注，卷十七，頁14，（總）頁593。

92 同上注，卷十一之一，頁1，（總）頁776。

頃，至今三輔猶賴其利。」[93]耬即《說文》的𨍭，亦即北魏．賈思勰《齊民要術》所說的「二犁共一牛，若今三腳耬矣。」[94]是開溝、播種、覆土三道工序一次完成的條播車，可惜《說文》只有𨍭字，尚未見耬字。除了播種之外，有些農作物也可用栽植的方式，此即《說文》所言的穜、埶。

（3）接枝

《說文解字》云：

> 椄：續木也。从木，妾聲。（頁267）

椄是專門表示樹木嫁接，也就是在扦插技術的基礎上出現的人工無性雜交法。《氾勝之書》中介紹了葫蘆靠接結大瓜的方法；《齊民要術》對梨樹嫁接的方法和原理也作了詳細的說明。[95]今接行而椄廢。

4　田間管理

田間管理上承整地、播植，下啟加工、收藏，是農耕費時最多，影響作物成長最重要的過程。其工作項目包含中耕除草、間苗、灌溉、施肥、防治農害等。

（1）中耕除草

《說文解字》云：

93 （漢）崔寔：《政論》，（清）嚴可均：《全上古三代秦漢三國六朝文》，同注19，卷四十六，頁11，（總）頁727。

94 北魏．賈思勰：《齊民要術》（臺北：廣文書局，1965年），卷一，頁4，（總）頁29。

95 李根蟠：《中國農業史》，同注36，頁124-125。

薅：披田艸也。从蓐，好省聲。𧂇，籀文薅省。茠，薅或从休。《詩》曰：「既茠荼蓼。」（頁48）

耘：除苗閒穢也。从耒，員聲。䒰，䢵或从芸。（頁186）

段玉裁注：「今字省作耘。」

穮：槈鉏田也。从禾，麃聲。《春秋傳》曰：「是穮是衮。」（頁328）

秄：壅禾本。从禾，子聲。（頁328）

薅、䢵、穮講的是中耕除草，秄講的是壅土培根。將田間雜草鋤掉，以免與作物爭養料，俟其腐爛後還可充作肥料，加上鬆土、培土、積肥等，可以強化種苗，促進土壤熟化和提高作物產量及品質，是田間管理不可缺少的環節。[96]由於其十分重要，所以《說文》中表示中耕除草的字特別多，如芟為刈草（頁43）、薙為除草（頁42）、茉為耕多草（頁42）都是。

（2）間苗

《說文解字》云：

秝：稀疏適秝也。从二禾。讀若歷。（頁332）

移：禾相倚移也。从禾，多聲。一曰禾名。（頁326）

農作物在播種時，本須注意到合理密植、等距全苗，如「秝」字所言疏密適宜。但若在農作物成長之際，才發現密度、株距、行距等有不適當之處，則要除去冗生的苗，以保持作物之間適當的距離，使農作

96 郭金彬：《中國傳統科學思想史論》（北京：知識出版社，1993年），頁300-301。

物如「移」字所言亙相旖旎，此種補救的措施就是間苗。這種技術用之於稻田，叫作「別稻」。

（3）灌溉

《說文解字》云：

> 渼：溉灌也。从水，芺聲。（頁560）
> 　段玉裁注：「隸作沃。」
> 沼：池水。从水，召聲。（頁558）
> 池：陂也。从水，也聲。（頁558）
> 澘：所目攡水也。从水，昔聲。《漢律》曰：「及其門首洒澘。」（頁560）
> 溝：水瀆也。廣四尺，深四尺。从水，冓聲。（頁559）
> 洫：十里為成，成間廣八尺，深八尺謂之洫。从水，血聲。《論語》曰：「盡力于溝洫。」（頁559）

王平將《說文》水利灌溉分為三類，如沼、池為蓄水灌溉，澘為攔水灌溉，溝、洫為引水灌溉。[97]其中規模最大，影響最深遠的是引水灌溉。溝洫系統由畎、遂而溝、洫、澮、川，由窄而寬，由淺而深，最初用以防洪排澇，到了戰國以後，轉為農田灌溉。[98]北方乾燥多風，保墒不易，有了發達的水利灌溉系統之後，其具體成果就是沃土千里，連年豐收。沃字本義為溉灌，引申為肥沃，為光澤，其關係顯而易見。

97 王平：《說文與中國古代科技》，同注48，頁86-88。
98 李根蟠：《中國農業史》同注36，頁95-97。

（4）施肥

《說文解字》云：

糞：棄除也。从廾推𠦒糞采也。官溥說：佀米而非米者矢字。（頁160）

段玉裁注：「古謂除穢曰糞，今人直謂穢曰糞，此古義、今義之別也。凡糞田多用所除之穢為之，故曰糞。」

菌：糞也。从艸、胃省。（頁45）

今義糞為糞便，即《說文》之菌、漢人之矢是也。此但為古代糞田之一端而已。《說文》糞為棄除，舉凡清理所得可以拋棄之垃圾皆為糞。古人發現其中的有機物質，如人畜之屎尿、腐爛的植物、草灰、骨汁等都可用以施肥，增強地力，故稱肥料為糞，稱施肥為糞田。限於字書體例，許慎雖未能對於肥料的種類、施肥的技術有所介紹，但讓我們了解糞之古義、糞田之由來，已是彌足珍貴了。

（5）防治蟲害

《說文解字》云：

蝗：螽也。从虫，皇聲。（頁674）

螟：蟲食穀心者，吏冥冥犯法即生。从虫、冥，冥亦聲。（頁671）

蟘：蟲食苗葉者，吏乞貣則生蟘。从虫、貣，貣亦聲。《詩》曰：「去其螟蟘。」（頁671）

羅：目絲罟鳥也。从网、从維。古者芒氏初作羅。（頁359）

罬：捕鳥覆車也。从网、叕聲。輟，罬或从車作。（頁359）

古代蝗蟲為害甚烈，災區甚廣，螟、蟘、蟊、賊也嚴重損傷農作物的栽培收穫，故《說文》引《詩經・大雅・大田》言其必除之而後快。但並未言及防治蟲害的方法，如用手捕殺、以火燒殺、挖溝捕蝗、嘉草除蟲、莽草熏蠹、焚石除水蟲、深耕易耨，甚至以溲種法、倉庫防治法來加以防害。[99]許書只是推測螟蟘的起因是官吏貪腐，而不知其與害蟲繁殖、風向、溫溼度都有關係，這當然是不合科學的。至於鳥害，《說文》只交代用羅罟、覆車之類捕殺，當然也是十分簡略。

（六）收藏加工

收藏加工是農業生產的目標，也是農耕的最後一個步驟，這是農民辛勤終年所得的代價，特別值得珍惜。

1　收穫

《說文解字》云：

> 穡：穀可收曰穡。从禾，嗇聲。（頁324）
> 穧：穫刈也，一曰撮也。从禾，齊聲。（頁328）
> 穫：刈穀也。从禾，蒦聲。（頁328）
> 稛：絭束也。从禾，囷聲。（頁328）
> 積：積禾也。从禾，資聲。《詩》曰：「積之秩秩」。（頁328）
> 秩：積皃。从禾，失聲。《詩》曰：「積之秩秩」。（頁328）

秋季農作物成熟後，要及時收割，穡是穀可收割，稼是禾之秀實（頁323），稼穡構成代表農耕的複詞。穧、穫也表示秋收，足見收穫的重

99 郭文韜：《中國農業科技發展史略》，同注4，頁163-165。閔宗殿：《中國古代農耕史略》同注29，頁167-171。

要。農作物收割後要圈束成梱，秩序井然地積聚在一起，以待進一步加工或入倉。

2　加工

《說文解字》云：

> 柫：擊禾連枷也。從木，弗聲。（頁262）
> 簸：揚米去康也。从箕，皮聲。（頁201）
> 舂：擣粟也。从𦥑持杵㠯臨臼，杵省。古者雝父初作舂。（頁337）
> 碆：舂已復擣之曰碆。从石，沓聲。（頁457）
> 研：礳也。从石，幵聲。（頁457）

柫是以杖檛穗出穀，簸是以簸箕揚米去糠，舂是用杵臼搗粟，已舂再細搗則為碆，研是用石礦磨成細粉，經過此類加工程序之後，農作物就可食用或入倉了。

3　儲藏

《說文解字》云：

> 儲：偫也。从人，諸聲。（頁375）
> 　段玉裁注：「謂蓄積之以待無也」。
> 臧：善也。从臣，戕聲。䉙，籒文。（頁119）
> 　段玉裁注：「凡物善者必隱於內也。以從艸之藏為臧匿字，始於漢末，改易經典，不可從也。」
> 窖：地臧也。从穴，告聲。（頁349）

段玉裁注：「《通俗文》曰：『藏穀麥曰窖。』」

倉：穀藏也。蒼黃取而臧之，故謂之倉。从食省，口象倉形。仺，奇字倉。（頁226）

蓄物以待乏為儲，隱善物於內為藏。將收割加工的餘糧貯藏起來，由來已久，早在七、八千年前河北武安磁山文化遺址，在四百多個窖穴中就有88個窖穴中儲存糧食，足見《說文》以地臧釋窖是前有所本的。五千年前的龍山文化除了袋形的儲糧窖穴顯著增多外，還出土了倉廩的模型。[100]後世儲糧的建築，方者為倉為京，圓者為廩為囷，在《說文》中都有所介紹。

四　說文解字農業史料評騭

《說文解字》是第一本字典，也是文字學經典。旨在分析字形以求本義，與四部要籍性質不同，所以在農業史料方面，可以與其他典籍互相印證、補充，但也有其局限不足之處，此則主、客觀條件使然。

（一）優點

1　考鏡源流

許書收錄9,353個字頭及1,163個重文，字體以小篆為主，古文、籀文為輔，這些都是戰國、秦漢文字。在時間上，離開商、周已有一段距離，但因文字的演變有因有革，許慎又有師說傳承，所以《說文》中的某些文字能與甲、金文等暗合。如農字古文作辳（頁106），[illegible] 字重文作 [illegible]（頁701），皆見於甲骨文。畫古文作書、劃（頁

100 李根蟠：《中國農業史》同注36，頁5-7。

118)，秬，小篆作䆈（頁220），畝，小篆作畮（頁702），皆見於金文，[101]皆是。單就重文而言，如槈或作鎒（頁261），枱或作鈶（頁261），顯現同一農具材質及時代有所不同，而箕之由𠀠而其而箕、匿（頁201），亦可見字體演變的脈絡。至於字義方面，如錢之為田器（頁713），符合《詩經・臣工》所言。沃，本義為溉灌（頁560），引申為肥沃，為光澤；臧本義為善（頁119），引申為隱善物於內，藏為其後起俗字。若斯之比，皆有助於古書之閱讀。

2 內容充實

若以古代農業研究專書的架構來檢視《說文》，幾乎大部分項目或多或少都有材料可以填入。如耕種方式有靜態形式，有動態方式；農業制度有井田制、耕作制、租稅制度；作物種類有糧食作物、蔬菜、果實；生產工具有整地、播種、中耕、灌溉、加工、貯藏農具；農耕技術有掌握農時、耕作土地、栽培作物、田間管理、收藏加工。其內容之豐富由此可見，而其高度吻合的情況，正如《詩經》與《呂氏春秋》兩書的農業史料可以相輔相成，良以典籍以文字為載體，為書寫工具，典籍中文字大多散見於字書，字書自然能表現典籍之重要文化內涵。

3 補苴史料

先秦兩漢的農業史研究資料，以《呂氏春秋》的〈上農〉等四篇、《氾勝之書》、《四民月令》為大宗，以《左傳》、《國語》、《史記》、《漢書》等史籍為輔翼，其他散見於詩歌的吟咏、諸子的議論，凡與農業生產、農家生活有關者，亦皆有足以資取。小學書以分析字

101 徐中舒：《漢語古文字字形表》同注43，頁28、521、116、195、521。

形、解釋字義為要務，雖然不是系統的農學著作，但也反映了當時人們的農學知識和對農業的某些探索，是以曾雄生的《中國農學史》在「秦漢時期的農業」章中專列「字書中的農業詞匯」一節，介紹《爾雅》、《說文解字》、《方言》、《釋名》、《急就篇》等書。在《說文解字》部分，具體指出各部中有不少涉及作物的分類、農地的耕作和農具的使用，不僅有助於農業史料的解讀，而且可以補苴農業史料的不足。後世大型農書如賈思勰《齊民要術》、王禎《農書》往往引用《說文》及其他字書以為佐證。[102]《說文》在農學上的價值由此可見。

（二）局限

1　零星散見

《說文解字》是形書，五百四十部始一終亥，雜而不越，固然是文字學上的重要發明，但如果就義類而言，則同一類別的事物往往分散在許多不同的部首之下，難以觀其會通。例如土壤田地的詞匯分見於土、田等部；農耕器具及其耕作方式的詞匯分見於辰、耒、刀、牛、木、金、倉、㐭等部；農作物的詞匯分見於艸、木、禾、黍、麥、鹵、尗、朮等部。[103]必須依據農學體系重新加以整理，然後能綱舉目張，此乃其書之體例與性質使然，雖無法歸咎許氏，終不能不算是一種缺憾。

2　過分簡略

《說文》全書說解文字約十四萬餘言，先釋義，次說形，次注音，最後引證補充，平均每個字頭只用12個字加以解說，可說精簡之

102　曾雄生：《中國農學史》同注4，頁150-160。

103　萬獻初：《說文字系與上古社會》（北京：新世界出版社，2012年），頁147-180。

極，當然也就難免有語焉不詳之處。例如「耒：耕曲木也。」（頁185）「鏺：兩刃有木柄，可以乂艸。」（頁714）皆言其功能、形狀、質料；「磑：䃺也。」（頁457）「鏈：鍥也。」（頁714）皆言其異名；「麥：芒穀，秋穜厚薶，故謂之麥。」（頁234）「倉：穀藏也。蒼黃取而臧之，故謂之倉。」（頁226）皆言其得名之故；「芑：白苗嘉穀也。」（頁47）「𪏰：黑黍也。一稃二米𠂢釀。」（頁220）皆言其顏色與品種；「洫：十里為成，成間廣八尺、深八尺謂之洫。」（頁559）「く：一耦之伐廣尺深尺謂之く。」（頁573）皆言其形制大小。合而觀之，固然對農業的各種特點都照顧到了，但若分別察之，則多偏於一隅，不似後代農書之詳明。

3　間有疏失

許慎生在千餘年前，所據者戰國秦漢文字，時代綿邈，字體訛變，加上材料之篩選，全憑人工，故取材、詮釋皆難免有所疏失。如菘、糜、荇見於《詩經》，耨見於《孟子》，磨見於〈中庸〉，槹、耬、糖、轆轤、颺扇，漢代已有，而《說文》皆未收錄。其中容或有異體、有合義複詞，有稍晚於許氏者，有先用叚借後造本字者。但漢武帝時，張遷通西域，引進葡萄、苜蓿等水果，皆聯綿詞，亦未見於許書，此則難免疏漏。又如倉，甲文作[illegible]，象糧倉有門戶之形，而《說文》以為从食省，口象倉形（頁226）；𪛁（秋），甲文作[illegible]，上象蟋蟀，下象火，本義為秋天，而《說文》以為从禾，从龜省聲（頁330）；辰，甲文作[illegible]，象蜃形，可作耕田之器，而《說文》以為从乙、匕、二，厂聲，本義為干支名（頁752）。[104]是皆據訛變之文分析，宜乎不能得其確解。至如農業政策、農業思想、農學專書乃至

104 馬如森：《殷墟甲骨學》同注45，頁324、424、520。

代田法、區田法等農業專有名詞，身為字書皆難以納入，此種局限亦不能歸咎許氏。

五　結論

綜合上述析論，我們可以發現：

（一）漢代採取重農政策，有學者進行鼓吹，有農書進行誘導，故農業技術十分發達，農業成果非常豐碩，用能富國強兵，建立版圖空前龐大的帝國。對於漢代農業背景進行了解，有助於解讀《說文》中的農業史料。

（二）《說文解字》雖非農學專書，但詮釋之農業詞匯極其豐富，舉凡耕種方式、農業制度、作物種類、生產工具、農耕技術皆多所涉及。不僅可與漢代農學相互印證，而且可與傳統典籍相輔相成，彼此補苴訂正。

（三）檢討《說文解字》中農業史料，固然有考鏡源流、內容充實、補苴史料等優點，但格於主、客觀因素，也難免有零星散見、過分簡略、間有疏失等局限。知人而能論世，自知大醇小疵，值得表彰。

——原載於中國文字學會主辦、臺中教育大學承辦，「第二十七屆中國文字學國際學術研討會，專題演講」（2016年5月），頁21-51。

附錄

以典籍中的天文研究發揚傳統科技文化

——莊雅州教授的治學特色及其研究成果

鄭月梅
嘉義大學中國文學系專任講師

一　前言

如果不是研究中國科技史的英國學者李約瑟（J. Needham），在1954年出版了《中國之科學與文明》（《Science & Civilisationin China》），介紹中國古代科技對世界現代文明的貢獻，中國古代科技的成就，就不可能廣為中外學界所知。如果不是李氏曾在書中推崇中國古代的天象記錄對現代天文學的貢獻，我們也不曉得中國古代的天文學竟是人類天文學史上的第一盞明燈，更不曉得古代先民是盤古開天闢地以來天文學界的先知先覺。但是，話說回來，這是先民的文化遺產，這套書理當由我們來寫，為什麼是英國人完成的呢？這是因為我們不認識、不瞭解、不重視、不珍惜這些文化遺產的價值，才由英國人代庖。現在我們已經認識這些文化遺產的價值，而我們先知先覺的先民們已經融入過去成為歷史，如果我們不願也不忍這些遺產隨著滾滾歷史洪流成為文化的標本、歷史的古董，我們是應當有所作為。然而，怎麼做才能活化這些文化遺產，讓它們得到新生機，並且既能延續先民的智慧，也能表現我們的精神，再現光輝明亮的文化風采與生命呢？

對此，曾任國立中正大學文學院院長的莊雅州教授有獨到的見解，他說：

> 我們對於傳統科學的研究，並不是為了抱殘守缺，沾沾自喜，而是為了感念祖先對我國乃至整個世界文明所作的偉大貢獻，更是為了普及科學知識，提升科學水準，俾便昂首闊步去迎接挑戰，去開創一個偉大的新時代。(〈中國傳統科技文化研究的省思〉,《文訊》1996年9月）

這不僅指出努力的方向，也勾勒出努力的理想，同時充滿強烈的文化使命感、積極的承擔態度。為此，莊教授自1981年完成《夏小正研究》以來，在研究經學及語言文字學之餘，也不斷的關注中國傳統科技文化，尤其著力於中國古代天文學的研究，至今已取得豐碩的研究成果。

像莊教授這樣跨領域的治學模式——由經學延伸跨入科技文化研究的模式，在臺灣中文學界，如果不是絕無僅有，只此一家，大概也是鳳毛麟角，為數極少。而莊教授所以擁有如此獨特的治學路徑，到底是出自個人有意識的選擇呢？還是出於偶然的機緣巧合呢？如果是前者，這選擇的準則又是什麼呢？如果是後者，這偶然的機緣又是如何造成的呢？所有這些問題都與他的治學經歷有密切關係，想釐清這些問題就必須瞭解他的治學經歷。

二　治學經歷

（一）治學過程

莊雅州教授是臺灣省南投縣人，出生於1942年3月3日，也就是二次世界大戰珍珠港事件的隔年。當時臺灣是日本的殖民地，四年後，臺灣光復，由國民政府統治。父親是牙醫師，母親是溫恭慈良的家庭主婦，家庭祥和，親情深摯。

七歲入學。在小學教育中，對他影響最深遠的是文史教育。不僅啟發他純樸的民族情感、故國情懷，也激發他讀書求學的志趣，因而奮發向學，學業突飛猛進，經常名列前茅。小學畢業，順利考取省立南投中學初中部，三年後，升上高中部。六年中學教育，雖然就讀的是全縣唯一的省立中學，可是，數理課程一直沒有激發他深入探索的興趣，而文史課程卻更加強他學習、閱讀的意願，也堅定他投考大學中文系的志向。

1963年，考入省立臺灣師範大學國文系夜間部，次年重考進入日間部。大學五年，他如魚得水般優遊詩書的世界，在宿儒良師春風般的引導下，有如身入寶山，才知道中國文化的博大精深，典籍圖書的浩廣如海。自此一改往昔一曝十寒的讀書態度，收斂心志，專心致意於讀書、寫作，並為將來投考研究所作準備。因此，始終保持優異的成績，屢次榮獲獎學金。大學畢業，經歷實習、服役後，於1969年考入母系國文研究所。肄業期間，仍舊保持一貫認真求學的態度，維持一向優異的成績。1972年，在成惕軒教授指導下，以《曾國藩文學理論述評》取得碩士學位。隔年再考入母系國文研究所博士班深造。1981年，在高明教授與周何教授指導下，以《夏小正研究》取得國家文學博士學位。博士畢業後，莊教授曾先後執教於省立新竹師專、淡江大學中文系、國立中正大學中文系，並曾兼任系主任及文學院院長。2002年提前退休，轉任玄奘大學中文系教授（並曾兼任系主任及文理學院院長），2008年轉任元智大學中語系資深客座教授，2012年正式退休。在三十餘年的教學（包含十年行政工作）餘暇，除了指導二十篇博士論文、六十七篇碩士論文外，仍不忘從事學術研究。

（二）治學方向的轉折

凡事，熟能生巧。做學問也是一樣。在自己熟悉的領域研究，比較容易深入，也比較容易取得成果。可是，莊教授的博士論文卻脫離他碩士論文所研究的文學理論的領域，轉而選擇經學領域的《夏小正研究》為研究主題。這究竟是什麼原因呢？

莊教授說，他自中學以來就很喜愛文學，卻多以閱讀為主，到大學才正式開始寫作，很喜歡文學理論，曾在《新天地》發表〈曾文正公文學思想評介〉。攻讀碩士選擇論文時，在自己有意研究的清代學者中，幾經評估，認為曾文正公因為功業彪炳掩蓋其他的表現，以致許多學術成就多被忽略了。其實他的學術內容豐富，所涉及的層面也很廣泛，學術視野又宏觀，並有獨到的見解，深具研究價值，就決定以〈曾文正公文學思想評介〉為基礎，擴大架構，充實內容，寫成碩士論文《曾國藩文學理論述評》。

至於博士論文的選題，則因為自己的興趣廣泛，除了文學理論，對經學也深感興趣，想多方面接觸、瞭解中國學術，而且經學又是中國學術的根本，就不想再以文學理論自限。提到經學，一般多以「十三經」為主，但是有些學者以為《大戴禮記》保留許多其他經典所沒有的珍貴資料，只是沒有《小戴禮記》幸運，得到像鄭玄那樣的名家大學者為它作注，以致於遭到冷落，其實論學術價值，它與《小戴禮記》同等重要。因此，不少學者主張把它加入「十三經」中成為「十四經」。由此可見，《大戴禮記》是經學的新生地，具有很高的研究價值，可惜很少人研究它，就以「《大戴禮記》研究」作為博士論文的主題。

選定題目後，努力蒐集了三大箱材料，最後「卻苦於內容龐雜，疑難層出」，無法在有限的時間內寫出合乎理想的論文，只好縮小範圍，以它現存最早的農事曆書〈夏小正〉作為研究重點。〈夏小正〉的經文雖然只有455字，傳文也不過2472字，比《老子》五千言還少，卻可分為一百二十一節，所涉及的內容也十分豐富，有天文、曆法、生物、氣候、人文等，而且歷代研究的人很多，說法又很複雜。以此，寫了二十萬字的校釋、十二萬字的書錄後，時間只夠寫完一萬字的緒論，探討幾個重要的問題。所以，《夏小正研究》只側重於文獻探討，主要討論〈夏小正〉的版本、目錄、校勘、注釋等問題。雖然已完成博士論文，但是〈夏小正〉書中所涉及的許多問題，都來不及深入探究，為達成當初研究的心願，莊教授在《夏小正研究》的成果上，又吸收相關的文獻，參考現代科技理論與知識，分門別類，逐一闡明〈夏小正〉的內容與問題，分別寫了〈夏小正之經傳〉、〈夏小正之天文〉、〈夏小正之曆法〉、〈夏小正之生物〉、〈夏小正之氣候〉、〈夏小正之人文〉、〈夏小正月令異同論〉，最後纂成《夏小正析論》一書。此後，即繼續鑽研其他典籍中的科技文化，如〈呂氏春秋之天文〉、〈呂氏春秋之氣候〉、〈呂氏春秋之曆法〉、〈呂氏春秋農業史料析論〉、〈古書中之北斗七星〉、〈左傳天文史料析論〉、〈論詩經天文意象的多元價值〉、〈科學與迷信之際——史記天官書今探〉、〈左傳占星術析論〉、〈說文解字中的天文史料析論〉、〈爾雅釋天天文史料析論〉、〈中國古代科技文化史導論〉等十餘篇，其中尤以天文學為大宗。事實上，古代科技都是非常專業的學術，不僅中文學界涉獵的學者非常少，就是想結合其他學門的專家們一同研究也是困難重重。因此，莊教授只得獨力研究，希望借此喚起各界的注意。這是莊教授由研究文學理論轉而研究經學，由經學而關注中國傳統科技文化，由關注中國傳統科技文化而跨入天文學研究的歷程。

三　治學理念與學術研究

在莊教授的治學過程中，不論是研究文學理論的碩士論文，還是研究經學的博士論文，都是在自由意志下，依照自己的意願所作的選擇。而他選擇的準則，根據他自己的說法，他認為作研究不必追時尚、趕熱門；只問有沒有研究的價值？如果是值得研究，又有興趣研究的典籍與問題，即使沒有人注意過的，都可以研究。這樣才能發揮闡發幽微的功效；再者，闡發幽微，不正是從事學術研究者的責任嗎？

至於他所以由研究經學進而跨入研究中國傳統科技文化、研究天文學，在他而言，實在是始料未及的。當初研究經學、選擇《大戴禮記》，原是希望藉此開發經學研究的新生地，不意竟因研究〈夏小正〉而跨入中國傳統科技文化的領域，投入天文學的研究。這雖然是機運的巧合，仍有他獨特的見解與意志：

> 科技文化是中國傳統文化中極為重要的一環，而在各種學科中，中國科技史的研究卻是起步最晚的。雖然數以萬計的文化典籍裡早就蘊藏著極其豐富的科學史料，但直至二十世紀初，才開始有部分學者用近代科學觀點和方法去加以搜集、整理和研究。如高平子、陳遵媯、朱文鑫之於天文，李儼、錢寶琮之於數學，章鴻釗之於地質，竺可楨之於氣象，李濤之於醫藥，梁思成之於建築，張子高、李喬苹之於化學……都有可觀的成果，可惜並未受到世人應有的重視。到1954年，英國學者李約

> 瑟陸續推出皇皇巨帙《中國之科學與文明》，才使世人普遍認識中國古代除了四大發明之外，還有那麼輝煌的科技成就。特別是西元三世紀到十三世紀之間始終保持一個西方所望塵莫及的科學知識水準，更是無可爭議的事實。也許有人要說這些成就與今天突飛猛進的西方科技相較，都已陳舊落伍，不足珍視。殊不知任何文明都不能憑空而起，都有其因革損益的傳統，對於傳統的認識與發揚，實為後世子孫無可旁貸的義務。
> (〈中國傳統科技文化研究的省思〉,《文訊》1996年9月)

這段話，依然有他一向對研究價值的重視，對闡發幽微的學術堅持，更可貴的是除了他自身對傳統科技文化的深切使命感外，也從前人的努力中找到活化傳統科技文化的新生機。

他認為研究傳統科技文化必須兼顧認識與發揚。不論認識，還是發揚，都須由點切入、以及線、而至面的完成。因為他瞭解「天文為科學之祖，文化之母」(朱文鑫：《天文學小史》，臺北市：臺灣商務印書館，1965年)，所以選擇天文學作為認識與發揚傳統科技文化的起點。而為了認識、瞭解傳統天文學的內容，他從原典及注釋中篩選天文史料；為了活化傳統天文學的智慧，他以現代天文新知闡發、賦古典以新貌；為了汰劣存優，他分析傳統天文學的優劣得失；為了開展傳統天文學的新生機、新生命，他以文化學立場，整合其他相關領域，如〈論詩經天文意象的多元價值〉，就是整合科技史、年代學、社會學、神話學、思想史、文學的研究。

發揚傳統科技文化不是一個人、或一代人的事，而是全民族代代的責任與義務。因此，莊教授希望透過上述努力，協助文史界朋友研讀古籍中的天文史料，以為研究、教學之助；並藉以引發青年學子研究古代科技的興趣，重視科際整合，以拓寬研究領域；同時期望藉此喚起現代科技學者的注意，進而與文史界的學者分工合作，共同努力，從事傳統科技文化的研究；並盼望結合大家的學識與努力，使傳統科技文化歷久彌新、生生不息。

四　結語

莊教授因為研究〈夏小正〉，而發現傳統科技文化，因而跨入天文學研究的領域，不僅開創出自己由經學伸跨天文學的獨特治學路徑，也為知識的科際整合提供可能的示範。

近年來，又致力於古籍中包含天文、地理、動物、植物、宮室、冠服、衣飾、禮器、農器、兵器等名物研究，撰有〈論爾雅草木蟲魚鳥獸考釋方法〉、〈爾雅釋魚與說文魚部之比較研究〉、〈多識於鳥獸草木之名——從詩經、楚辭到爾雅、本草、類書〉、〈論二重證據法在爾雅研究上之運用〉、〈從文化學角度探討朱子詩集傳的名物訓詁〉、〈說文解字名物訓詁研究芻議〉、〈毛詩名物圖說與毛詩品物圖考異同論〉、〈羅願爾雅翼平議〉等，以古代科技為對象，整合語言文字學、考古學及文化學知識的研究成果。一〇一年出版的《爾雅今註今譯》是繼《經學入門》之後，推廣普及經學與古代科技文化的另一部力作。此外，在語言文字學上也有不少成果，如〈聲韻學與散文鑑賞〉、〈論高郵王氏父子經學著述中的因聲求義〉、〈論說文解字之疏失〉、〈從爾雅釋言曷盍也探討歷代訓詁之演變〉、〈論形聲字之功能及其局限〉、〈論漢字教學的原則〉、〈論漢字之特質及其與文學體裁之關係〉、〈論漢字與中國文學美感之關係〉、〈從文字學與文學角度探討詩經重章疊詠藝術〉、〈語言文字學與文獻學關係析論〉等。

從莊教授已發表的七十篇單篇論文、五本專書中，我們不但看到莊教授溝通古今的努力——融合新舊知識，賦予傳統文化以新貌；推廣普及經典的用心——用白話文說解經典、介紹經典以助初學入門，方便自學；也看到莊教授承擔文化使命的智慧——藉研究古書中的天文學，以發揚傳統科技文化的理想。

——原載於《當代臺灣經學人物第一輯》，
臺北：萬卷樓圖書公司，2015年。

著作集叢書・會通養新樓學術研究論集　1603003

會通養新樓學術研究論集　卷三・古代科技編

作　　者　莊雅州
主　　編　鄭月梅
責任編輯　呂玉姍
特約校對　林秋芬

發 行 人　林慶彰
總 經 理　梁錦興
總 編 輯　張晏瑞
編 輯 所　萬卷樓圖書股份有限公司
　臺北市羅斯福路二段 41 號 6 樓之 3
　電話　(02)23216565
　傳真　(02)23218698

發　　行　萬卷樓圖書股份有限公司
　臺北市羅斯福路二段 41 號 6 樓之 3
　電話　(02)23216565
　傳真　(02)23218698
　電郵　SERVICE@WANJUAN.COM.TW
香港經銷　香港聯合書刊物流有限公司
　電話　(852)21502100
　傳真　(852)23560735

ISBN 978-986-478-679-4
2024 年 2 月初版
定價：新臺幣 980 元

如何購買本書：
1. 劃撥購書，請透過以下郵政劃撥帳號：
　帳號：15624015
　戶名：萬卷樓圖書股份有限公司
2. 轉帳購書，請透過以下帳戶
　合作金庫銀行　古亭分行
　戶名：萬卷樓圖書股份有限公司
　帳號：0877717092596
3. 網路購書，請透過萬卷樓網站
　網址　WWW.WANJUAN.COM.TW
大量購書，請直接聯繫我們，將有專人為您服務。客服：(02)23216565　分機 610

國家圖書館出版品預行編目資料

會通養新樓學術研究論集. 卷三, 古代科技編/莊雅州著 ; 鄭月梅編. -- 初版. -- 臺北市 : 萬卷樓圖書股份有限公司, 2024.02
　面 ;　公分. -- (著作集叢書. 會通養新樓學術研究論集 ; 1603003)
ISBN 978-986-478-679-4(平裝)
1.CST: 經學　2.CST: 研究考訂

090　　111006120